KT-371-818

Spadkobiercy z Ravenscar

BARBARA TAYLOR BRADFORD

Spadkobiercy z Ravenscar

Z angielskiego przełożyła
Anna Dobrzańska-Gadowska

Tytuł oryginału
HEIRS OF RAVENSCAR

Wydawca
Grażyna Smosna

Redaktor prowadzący
Ewa Niepokólczycka

Redakcja
Barbara Skalska

Korekta
Elżbieta Jaroszuk

Wszystkie postaci w tej książce są fikcyjne.
Jakiekolwiek podobieństwo do osób rzeczywistych –
żywych czy zmarłych – jest całkowicie przypadkowe.

Świat Książki
Warszawa 2014

Świat Książki Sp. z o.o.
02-103 Warszawa, ul. Hankiewicza 2

Księgarnia internetowa: Fabryka.pl

Łamanie
Piotr Trzebiecki

Druk i oprawa
EDICA S.A.

Dystrybucja
Firma Księgarska Olesiejuk sp. z o.o., sp. k.a.
05-850 Ożarów Mazowiecki, ul. Poznańska 91
e-mail: hurt@olesiejuk.pl tel. 22 721 30 00
www.olesiejuk.pl

ISBN 978-83-7943-557-9
Nr 90092891

Dla Boba,
za jego miłość, wsparcie i wyrozumiałość,
i za to, że zawsze czeka na mnie w narożniku.

CZĘŚĆ PIERWSZA

DERAVENELOWIE

Niebezpieczny trójkąt

Edward posiadał łagodne usposobienie i pogodną twarz, która czasami przybierała jednak groźny wyraz, budzący lęk w obecnych. Jego przyjaciele i inni ludzie, nawet najmniej znaczący, mieli do niego łatwy dostęp.

Dominic Mancini

Kiedy Plantageneci zaczęli wybijać się nawzajem, szybko doszło do upadku tej dynastii.

Mieszkaniec Londynu – XV wiek

Biada mi! Widzę już mój Dom w ruinie!
Łagodną łanię rozdarł wściekły tygrys;
Zuchwała przemoc tyranii zawisła
Nad tronem, wolnym od winy, lecz w nikim
Nie wzbudzającym trwogi czy pokory.
Witajcie, rzezie i orgie zniszczenia!
Jakbym przed sobą miała mapę – widzę
Koniec wszystkiego.

William Szekspir, *Król Ryszard III*, akt II, scena IV
przełożył Stanisław Barańczak

R O Z D Z I A Ł PIERWSZY

Yorkshire, 1918

Kierowany wewnętrzną potrzebą, zawsze przychodził na ten fragment plaży, kiedy wracał do Ravenscar.

Był to prawie przymus, prawie konieczność przywołania ich twarzy, twarzy nie zimnych i sparaliżowanych śmiercią, ale nadal ciepłych i żywych. Twarzy Neville'a, jego mistrza, opiekuna i partnera w tylu planach i przygodach, i twarzy Johnny'ego, ukochanego towarzysza młodości. Kochał ich szczerze i mocno, tych braci Watkinsów, swoich kuzynów, którzy kiedyś byli jego sojusznikami.

Było tak do czasu, kiedy mieszanina zranionych uczuć, nadmiernej ambicji, rozpalonych emocji i niebezpiecznych zdarzeń skutecznie ich rozdzieliła. Wtedy stali się zaprzysięgłymi wrogami, ku rozpaczy Edwarda. Ten ból nigdy nie przestał go nękać, nawet teraz, gdy Johnny i Neville już nie żyli.

Podniósł głowę i popatrzył na pogodne, bezchmurne niebo, błękitne niebo, które przypominało mu łagodne letnie dni w ten lodowaty grudniowy sobotni poranek. Nagle łzy napłynęły mu do oczu; zamrugał gwałtownie i potrząsnął głową, wciąż nie wierząc w tragiczny koniec swoich bliskich, którzy zginęli właśnie tutaj, na kamienistej plaży nad surowym Morzem Północnym.

Jakże niespodziewana i gwałtowna była ta tragedia… Samochód wystrzelił z krańca niebezpiecznej, krętej, biegnącej grzbietem klifu drogi i runął z wysokości dwustu metrów prosto na spiętrzone niżej skały.

Siła uderzenia wyrzuciła Neville'a i Johnny'ego z wozu – obaj zginęli na miejscu w rezultacie niepotrzebnego, okropnego wypadku, którego przyczyną w dużym stopniu był gniew Neville'a, jego frustracja i poczucie urażonej godności. Neville był wściekły na Edwarda i zaślepiony furią jechał zdecydowanie za szybko.

Gdyby jechał choć trochę wolniej, pewnie on i Johnny nadal by żyli i może zdołaliby się pogodzić z Edwardem, zakończyć kłótnię, dojść do porozumienia.

Pamięć nagle podsunęła Edwardowi wyraźny, żywy obraz Johnny'ego... Poważnego, szczerego i mądrego Johnny'ego, obdarzonego przez los błyskotliwą inteligencją Watkinsów, lecz także beztroskiego, wesołego i pogodnego, o roześmianej przystojnej twarzy, pełnej czystej radości życia. Edward szybko zamknął oczy. Wspomnienia, które tak często go prześladowały, teraz także ogarnęły go wezbraną falą, porażające w swej realności.

Po paru minutach podniósł powieki i położył dłoń na piersi. Nie wyczuwał medalionu przez kilka warstw zimowej odzieży, wiedział jednak, że był tam. Medalion Johnny'ego...

Przed czternastu laty, w 1904 roku, Edward ofiarował zaprojektowane przez siebie medaliony tym, którzy pomogli mu w walce o odzyskanie i przejęcie rodzinnego imperium biznesowego. Medalion był honorową odznaką, wyryto na nim herb rodu Deravenel – emaliowaną białą różę z jednej strony, słońce z drugiej, na krawędzi motto: „Wierność aż po wieczność".

Johnny najwyraźniej nosił swój medalion mimo nieporozumień, jakie ich rozdzieliły. To przekonało Edwarda, że Johnny Watkins pozostał jego lojalnym przyjacielem aż do końca, choć niewątpliwie był także człowiekiem rozdartym potrzebą wierności wobec swego niezwykle wpływowego brata Neville'a oraz Edwarda, ukochanego ciotecznego brata.

To młodszy brat Edwarda Richard znalazł medalion na szyi Johnny'ego po fatalnym w skutkach wypadku, kiedy rozpiął kołnierzyk leżącego na plaży kuzyna, z którego życie wyciekało szybko i nieodwołalnie.

Pragnąc określić stan Johnny'ego, Richard rozluźnił jego krawat, rozpiął koszulę i dostrzegł połyskliwy złoty krążek. Tego samego dnia wieczorem oddał medalion Johnny'ego Edwardowi, który później zdjął swój własny i założył na szyję odziedziczony po kuzynie. Od tamtego czasu nosił go bez przerwy i przyrzekł sobie, że nie zdejmie aż do śmierci.

Następnego ranka Edward podarował swój medalion Richardowi w dowód miłości i szacunku dla młodszego brata. Richard przyjął dar z radością, w pełni rozumiejąc jego znaczenie.

Wielka Sobota 1914 roku... Właśnie tamtego dnia zginęli. Później tyle jeszcze się wydarzyło... W sierpniu tego samego roku wybuchła wojna światowa... Przyjaciele i koledzy Edwarda polegli na przesiąkniętych krwią polach Francji i Flandrii... Edwardowi i Elizabeth urodziły się następne dzieci... Firma się rozrosła i umocniła... Tyle śmierci, narodzin i małżeństw... Richard wziął cichy ślub z Anne... Wieczny cykl życia wciąż się powtarzał.

Przed czterema laty na tej plaży umarło dwóch ludzi, których Edward szanował i kochał, a wciąż miał wrażenie, że było to zaledwie parę godzin wcześniej... Nie mógł zapomnieć tamtego strasznego dnia, nie potrafił wyrzucić go z pamięci.

Odgłos uderzeń końskich kopyt o kamienie wyrwał Edwarda z jego smutnych rozmyślań. Odwrócił głowę i ujrzał najmłodszego brata, pędzącego plażą w jego stronę. Pomachał mu dłonią w rękawiczce, podszedł do Herkulesa, białego ogiera, na którym najchętniej jeździł, i jednym płynnym ruchem znalazł się w siodle. Od razu poderwał wierzchowca do galopu i ruszył na spotkanie brata.

Kiedy zbliżyli się do siebie i ściągnęli wodze, Edward natychmiast się zorientował, że stało się coś złego.

– O co chodzi? – zapytał, wbijając jasnobłękitne oczy w twarz brata.

– Młody Edward źle się czuje – wyrzucił z siebie Richard pełnym napięcia i niepokoju głosem. – Nagle poczuł się gorzej i...

– Źle się czuje? – przerwał mu Edward. – Jest chory?

Richard skinął głową.

– Elizabeth podejrzewa, że to influenca, i posłała mnie po ciebie... Mama dzwoniła już do doktora Leightona i zostawiła wiadomość jego gospodyni, bo doktor i jego żona przebywają z wizytą u Dunbarów. Tak czy inaczej, doktor już jedzie...

Richard popatrzył uważnie na brata, którego twarz nagle niepokojąco pobladła.

– Mój Boże, hiszpańska grypa... – wymamrotał Edward. – Hiszpanka jest śmiertelnie niebezpieczna, przecież wiesz... Kilku moich pracowników zapadło na tę chorobę... Całe szczęście, że Leighton jest w pobliżu... – Z lękiem pokręcił głową. – Jedźmy!

Zawrócił konia i pogalopował w kierunku Ravenscar. Richard pognał za bratem – jak zwykle starał się być w pobliżu, kiedy jego uwielbiany Ned go potrzebował.

ROZDZIAŁ DRUGI

Ravenscar stał wysoko na nadmorskich skałach. W jasnym świetle poranka fale w dole lśniły jak wypolerowana stal.

Dom z kamienia w złocistym odcieniu wzniesiono w szesnastym wieku, w epoce Tudorów; utrzymany w czysto elżbietańskim stylu, o idealnych proporcjach, od wieków był rezydencją rodziny Deravenel.

Przodkowie Edwarda ukończyli jego budowę w 1578 roku, zastępując nim zrujnowaną twierdzę, która nadal tkwiła na położonym niżej cyplu. Richard kochał swój dom całym sercem. Cenił jego piękno i znaczenie, jakie posiadał dla minionych pokoleń rodu, wiedział też, że rodowa siedziba pozostanie ważna i dla następnych Deravenelów, którzy przyjdą po nim.

Teraz, wjeżdżając na kolisty dziedziniec przed domem i kłusując do stajni, nie miał jednak czasu podziwiać elegancji starej rezydencji ani przyglądać się, jak zimowe słońce odbija się w lśniących oknach, rozpalając oślepiającym blaskiem miodową fasadę domu. Myślał wyłącznie o swoim synu. Swoim dziedzicu. O Edwardzie, któremu nadał swoje imię i którego kochał całym sercem.

Sama myśl, że chłopiec mógł zapaść na hiszpańską grypę, napełniała go przerażeniem. Była to zakaźna, groźna, w wielu wypadkach śmiertelna choroba. Epidemia wybuchła latem i błyskawicznie przerodziła się w pandemię, ogarniając Europę, Wielką Brytanię, Amerykę oraz wiele innych krajów. Ludzie umierali na hiszpankę tysiącami.

Zeskoczył z konia i rozejrzał się, szukając wzrokiem któregoś ze stajennych, nie dostrzegł jednak żadnego z nich.

– Ernie! – krzyknął. – Jim! Już wróciłem!

Richard wjechał na dziedziniec tuż za bratem.

– Zajmę się końmi, Ned – powiedział. – Idź już do domu, wiem, jak bardzo się niepokoisz!

Edward kiwnął głową i bez słowa pośpieszył do drzwi.

Richard patrzył, jak brat szybkim krokiem zmierza do tylnego wejścia. Ludzie uważali, że Edward Deravenel dzierży w rękach ogromną, prawie nieograniczoną władzę, i pod pewnym względem mieli rację. Z całą pewnością Ned miał wszystko, czego trzydziestotrzyletni mężczyzna mógłby pragnąć, lecz Richard doskonale wiedział, że w tej chwili jego brat szaleje z niepokoju o syna. Jego wielkie sukcesy, bogactwo i władza nie mogły zapewnić zdrowia małemu Edwardowi. Tylko Bóg, no i dobry lekarz byli w stanie uleczyć chłopca. Richard modlił się, aby jego bratankowi nic się nie stało. Kochał Edwarda juniora jak własne dziecko, podobnie jak wszystkie dzieci Neda, a szczególnie bratanicę Bess.

Ujął konie za wodze i ruszył z nimi do stajni w chwili, kiedy Ernie, jeden ze stajennych, pojawił się przed budynkiem, nagle zaniepokojony.

– Wezmę je, panie Richardzie – powiedział. – Przepraszam, że nie było mnie, kiedy panowie wrócili – dodał. – Musiałem zajrzeć do Minnie, tej młodej klaczki, wie pan... Jest strasznie narowista...

Richard ze zrozumieniem skinął głową i oddał wodze chłopcu.

– Uspokoiłeś ją? – spytał.

– Tak, ale może mógłby pan na nią spojrzeć, co? Może coś jest z nią nie tak, sam już nie wiem... Wydaje mi się, że dokucza jej prawa przednia noga, chyba obluzowała podkowę. Nie wiadomo, dlaczego tak się wścieka...

– Dobrze, zaraz obejrzę jej nogę! Pośpieszmy się!

– To zajmie tylko minutkę, panie Richardzie, słowo daję!

Kiedy Edward wszedł do domu, uderzyła go całkowita cisza. Rzucił kurtkę na ławę w pokoju myśliwskim i szybkim krokiem ruszył korytarzem, marszcząc brwi. Zwykle ta część domu rozbrzmiewała znajomymi odgłosami – brzękiem naczyń i rondli z kuchni oraz wesołym śmiechem i dominującym tonem głosu Kuchci, wydającej polecenia kuchennym. Teraz było cicho jak makiem zasiał i ten nienormalny stan bardzo zaniepokoił Edwarda.

W długim holu przystanął na moment, zdziwiony nieobecnością Jessupa. Kamerdyner zawsze kręcił się gdzieś tutaj, gotowy pośpieszyć państwu z pomocą, ale w tej chwili go nie było.

Edward lekko wzruszył ramionami i poszedł w kierunku schodów, gdy nagle Jessup wyłonił się z pokoju dla służby.

– Czy potrzebuje pan czegoś, panie Deravenel? – zapytał.

– Nie, dziękuję. Idę na górę, zajrzeć do panicza Edwarda. Widziałeś go rano?

– Tak, sir. Nie czuje się najlepiej, biedaczek, ale na szczęście to silny chłopiec, prawda?

– Masz rację. Proszę zaprowadzić doktora do jego pokoju, kiedy tylko przyjedzie, dobrze?

– Naturalnie, sir...

Edward skinął głową i pobiegł na górę, przeskakując po dwa stopnie. Nie dotarł jeszcze do drzwi pokoju dziecinnego, gdy usłyszał, jak jego pięcioletni synek zanosi się kaszlem, i serce ścisnęło mu się ze strachu. Chwilę stał nieruchomo, przepełniony ogromnym niepokojem; musiał wziąć głęboki oddech, nim wszedł do środka.

Elizabeth pochylała się nad synem i przez ramię spojrzała na śpieszącego ku niej męża.

– Gorączkuje... – powiedziała cicho, odgarniając złocistorude włosy chłopca z jego wilgotnego od potu czoła. – I jest kompletnie wyczerpany tym okropnym kaszlem...

Edward podszedł bliżej i delikatnie ścisnął jej ramię, pragnąc dodać odwagi. Wygląd chłopca poruszył go do głębi. Mały wyglądał tak, jakby męczyła go wysoka gorączka, a jego błękitne oczy lśniły niezdrowym blaskiem. Edward z lękiem uświadomił sobie, że syn go nie poznaje.

– Nie mamy w domu jakiegoś lekarstwa na kaszel? – spytał.

– Dostał już syrop, ale obawiam się podać za dużo, bo to dość mocny lek... Poza tym twoja matka przypomniała sobie, że kiedyś robiła dla ciebie i twoich braci malinową nalewkę na occie, i przed chwilą poszła do kuchni, żeby wyjaśnić Kuchci, w jaki sposób ją przygotowywała. Podobno zawsze dawała ci ją, kiedy chorowałeś...

– Tak, pamiętam... Malinowy ocet gotowała z dodatkiem masła i cukru. Był to jeden z tych tradycyjnych środków, które zawsze działają.

– Mam nadzieję, że podziała i tym razem... – szepnęła Elizabeth.

Edward uważnie popatrzył na synka.

– Chyba czułby się trochę lepiej, gdyby leżał wsparty wysoko na poduszkach, nie całkiem płasko – zauważył. – Może w takiej pozycji łatwiej byłoby mu odkasływać wydzielinę…

Nie czekając na reakcję żony, delikatnie wziął chłopca na ręce.

– Przesuń poduszki, Elizabeth – polecił. – Oprzyj je o wezgłowie…

Usłuchała bez słowa, a Edward ostrożnie ułożył chłopca, pocałował go w czoło i poprawił pościel.

Drzwi otworzyły się nagle i do pokoju weszła z tacą Cecily Deravenel, matka Edwarda.

– Jak to dobrze, że już jesteś, Ned! – Postawiła tacę na komodzie. – Spróbuję podać mu trochę syropu malinowego. Na dole znalazłam jeszcze jedno lekarstwo, które może mu pomóc… To mieszanka do inhalacji, którą niedawno kupiłam w Londynie…

– Myślisz, że to lepsze od ziołowego balsamu, mamo?

– Nie jestem pewna, ale zaraz zapytamy doktora. – Cecily usiadła na brzegu łóżka i zaczęła wlewać łyżeczką malinowy syrop do ust wnuka.

– Wyjdźmy na chwilę, kochanie… – szepnął Edward do Elizabeth, lekko dotykając jej ramienia.

Kiedy znaleźli się w korytarzu, wziął ją w ramiona i mocno przytulił, z czułością gładząc jasne włosy.

– Postaraj się nie zamartwiać, skarbie – powiedział. – Wyciągniemy go z tego, zobaczysz!

– Dajesz mi słowo, Ned?

– Tak, kochanie. Obiecuję ci, że za parę dni będzie zdrów jak ryba.

Elizabeth pozwoliła sobie na luksus rozluźnienia boleśnie napiętych mięśni, ukojona obecnością męża, jego ciepłem i miłością. W sytuacjach, gdy chodziło o dobro dzieci, ufała mu bez reszty. Poczucie bezpieczeństwa budziła w niej także pewność siebie Edwarda i jego głębokie przekonanie, że wszystko ma pod kontrolą. Niektórzy uważali, że te cechy świadczą o arogancji Edwarda Deravenela, lecz Elizabeth miała na ten temat odmienne zdanie. A przecież nikt nie znał go tak dobrze jak ona…

ROZDZIAŁ TRZECI

– Pan Deravenel prosił, żebym niezwłocznie zaprowadził pana na górę – powiedział Jessup do lekarza, wieszając jego kapelusz i płaszcz w ogromnej szafie. – Bardzo proszę tędy...

– Dziękuję, Jessup – odparł Peter Leighton.

Ruszył za kamerdynerem długim holem w stronę schodów.

Zanim dotarli na górę, Edward, który usłyszał ich głosy, wyszedł doktorowi naprzeciw i teraz czekał na niego niecierpliwie u szczytu klatki schodowej.

– Dzień dobry, doktorze Leighton! – zawołał. – Dziękuję, Jessup... – Krótkim skinieniem głowy odprawił służącego, który oddalił się do swoich obowiązków.

Lekarz przywitał Edwarda mocnym uściskiem dłoni.

– Dzień dobry, panie Deravenel... Podobno mały Edward źle się czuje, czy tak?

– Tak. Moja żona uważa, że to grypa hiszpańska. Mały ma gorączkę i szarpiący, dokuczliwy kaszel. Wcześniej żona zauważyła drobinki krwi na chusteczce, którą ocierał usta. Oczywiście bardzo nas to niepokoi... Cieszę się, że akurat ten weekend spędzał pan u Dunbarów, tak blisko Ravenscar...

– To faktycznie szczęśliwy zbieg okoliczności – zauważył doktor Leighton. – A jak czują się inne dzieci? Czy któreś też cierpi na tę infekcję?

– Nie, ale wolałbym, żeby też je pan obejrzał, kiedy zbada pan już Edwarda.

– Naturalnie, to zrozumiałe... – Lekarz rzucił Edwardowi pocieszający uśmiech. – Hiszpanka jest wyjątkowo zaraźliwa, o czym na pewno pan wie, bo gazety i radio wielokrotnie o tym informowały, ale raczej nie atakuje dzieci i osób starszych, chociaż zwykle tak właśnie bywa. To nowy wirus, którego ofiarą padają głównie ludzie młodzi, zwłaszcza młodzi mężczyźni między dwudziestym a trzydziestym rokiem życia. Kiedy parkowałem samochód pod stajnią, widziałem pańskiego brata, który jest właśnie w tym wieku, i pomyślałem, że przed wyjazdem powinienem zbadać także i jego. Niestety, nikt nie wymyślił skutecznego sposobu leczenia tej odmiany grypy...

Po twarzy Edwarda przemknął cień lęku.

– Przekazuję panu informacje, które należy po prostu przyjąć do wiadomości, nie ma co owijać w bawełnę – rzekł cicho Leighton, ujmując gospodarza za ramię. – Miejmy jednak nadzieję, że pański synek nie jest chory na hiszpankę, lecz cierpi na poważne przeziębienie albo bronchit... Tych dolegliwości także nie wolno lekceważyć, ale umiemy je przynajmniej leczyć.

– Niechże pan się nie tłumaczy, że mówi mi pan prawdę, rozumiem, o co panu chodzi – odparł Edward. – Prawda często bywa mało przyjemna i wygodna, ale wolę wiedzieć najgorsze... Nienawidzę niespodzianek. Chodźmy do pokoju małego Edwarda, dobrze? Zbada go pan, a potem obejrzy pozostałe dzieci.

Kiedy chwilę później weszli do sypialni, Elizabeth i Cecily uprzejmie przywitały się z doktorem i odsunęły od łóżka chłopca.

– Sprawdzę, co robią dzieci – powiedziała Cecily.

Peter Leighton skinął głową i uśmiechnął się, Elizabeth zaś przysunęła się do męża, który stał w pobliżu drzwi, chwyciła go za ramię i oparła się o nie.

– Kaszel osłabł, doktorze, odkąd mojej teściowej udało się napoić Edwarda kilkoma łyżeczkami syropu malinowego – odezwała się.

– Bardzo często najskuteczniejsze okazują się właśnie tradycyjne leki – przytaknął lekarz, wyjmując z torby stetoskop i pochylając się nad chłopcem.

Od razu zauważył, że mały ma wysoką gorączkę i wydaje się prawie nieprzytomny. Osłuchał klatkę piersiową, a potem wsunął mu termometr do ust i przytrzymał.

– Gorączkuje, ale to nic dziwnego – oświadczył, po paru chwilach sprawdzając odczyt temperatury. – Muszę go teraz odwrócić, pani Deravenel, chcę sprawdzić, czy nic nie dzieje się w płucach...

– Pomóc panu? – spytała Elizabeth, nie odrywając zatroskanego spojrzenia od lekarza.

– Nie, nie, nie trzeba...

Doktor Leighton ułożył chłopca na boku, podwinął mu piżamę i zabrał się do osłuchiwania boku. Po chwili ostrożnie przewrócił chorego na plecy, okrył kołdrą i delikatnie zajrzał mu do gardła, przyciskając język drewnianą szpatułką.

W końcu wyprostował się i odwrócił do rodziców małego.

– To bronchit – powiedział z ulgą. – Na pewno nie hiszpańska grypa...

Elizabeth zasłoniła usta drżącą dłonią i stłumiła szloch radości. Gdy podniosła wzrok na męża, na jej jasnych rzęsach lśniły wielkie łzy.

– Jest pan tego pewny? – zapytał Edward.

– Tak. Chłopiec zdradza wszystkie symptomy tej choroby, zaraz wyjaśnię państwu, na czym właściwie ona polega... Bronchit powoduje utrudnienia w przepływie powietrza do płuc i z powrotem i zakłóca wymianę tlenu między płucami i krwią, stąd ten szczekliwy kaszel. Drogi oddechowe są dotknięte stanem zapalnym i wypełnione śluzową wydzieliną, a czasami, po ataku kaszlu, w odkrztuszanym śluzie pojawiają się drobinki krwi – jest to efekt dużego wysiłku i pękania naczyń krwionośnych. Zaraz zadzwonię do aptekarza w Scarborough i zlecę mu wykonanie znakomitego syropu oraz środka wykrztuśnego i proszków na obniżenie gorączki. Syn aptekarza przywiezie państwu leki, a na razie proszę dalej podawać małemu syrop malinowy, dobrze?

– Dziękujemy, doktorze – powiedziała Elizabeth. – Co jeszcze możemy dla niego zrobić?

– Powinien przebywać w cieple, ale nie należy go przegrzewać. Proszę starać się utrzymywać stałą temperaturę w pokoju, no i niech jak najwięcej odpoczywa. Należy podawać mu dużo płynów, w tym sporo wołowego bulionu i rosołu z kury, bo ciepłe płyny działają najlepiej...

– A co z jedzeniem? – spytał Edward. – Co mamy mu dawać do jedzenia?

– Nie wydaje mi się, aby był bardzo głodny, lecz gdyby chciał coś zjeść, proszę zastosować lekką dietę – owocowe galaretki, pudding ryżowy, pudding z sago, galaretkę z cielęcych nóżek, jajka na miękko lub jajecznicę, krótko mówiąc potrawy lekkostrawne i takie, które łatwo jest przełykać, bo mały ma trochę zaczerwienione gardło.

Doktor jeszcze raz uważnie popatrzył na małego pacjenta, następnie wziął swoją torbę i wyszedł z pokoju.

– Ktoś powinien czuwać przy chłopcu, aby odpowiednio zadbać o jego potrzeby – poinformował rodziców już na korytarzu. – Rozumiem, że najchętniej zajęłaby się tym pani sama, ale jest pani bardzo blada i sprawia wrażenie przemęczonej. Musi pani odpocząć, bo inaczej sama się pani rozchoruje. Może małym zaopiekuje się Ada, ta młoda kobieta, która pomaga Niani? Od początku zrobiła na mnie wrażenie sprawnej i opanowanej…

– Ada rzeczywiście jest bardzo dobrą opiekunką, lecz Niania na pewno sama sobie świetnie poradzi. – Elizabeth uśmiechnęła się pierwszy raz tego dnia. – A Bess, chociaż ma dopiero dziewięć lat, troszczy się o młodsze siostry jak kwoka o kurczęta… Mamy też nianię do najmłodszego dziecka, więc naprawdę powinniśmy jakoś wybrnąć z tej sytuacji, doktorze…

– Doskonale! W takim razie chodźmy teraz do dziecinnego pokoju, żeby zbadać pozostałe dzieci!

ROZDZIAŁ CZWARTY

Cecily Watkins Deravenel siedziała sama w bibliotece. Usadowiła się na jednej z dużych i bardzo wygodnych sof w pobliżu kominka i z przyjemnością popijała herbatę, myśląc o swoim małym wnuku. Wszyscy nazywali go Młodym Edwardem, dla odróżnienia od ojca, lecz ona zawsze myślała o chłopcu jako o Neddiem. Malec był niezwykle podobny do Neda, dziś Edwarda Deravenela, kiedy ten był w tym samym wieku.

Jej mały Neddie był takim ślicznym dzieckiem... Przypominał amorki Botticellego – błękitnooki, ze złocistorudymi loczkami, tryskający energią i roześmiany. Rodzina dość długo czekała na tego spadkobiercę imperium Deravenelów, bo Neddie urodził się jako czwarte dziecko, po trzech siostrach – Bess, Mary i Cecily, która otrzymała imię po babce.

Przyszedł na świat w listopadzie i niedawno obchodził piąte urodziny, ale czasami wysławiał się w bardzo dojrzały sposób, zupełnie jakby był znacznie starszy.

Cecily odetchnęła z ulgą, kiedy usłyszała diagnozę lekarza. Wszyscy śmiertelnie bali się grypy hiszpańskiej; bronchit był też dość ciężką chorobą, lecz Cecily nigdy nie słyszała, aby ktoś na nią umarł, podczas gdy hiszpanka zabijała ludzi na całym świecie. Gazety pisały, że ofiar nowego wirusa grypy jest już więcej niż poległych na polach bitewnych wielkiej wojny.

W tej chwili doktor badał jeszcze na górze pozostałe dzieci, lecz Cecily była pewna, że nic im nie dolega. Spędziła z nimi ostatnie dwadzieścia minut i widziała, jak wesoło się bawiły. Tak, wszystkie z całą pewnością czuły się świetnie, włącznie z dwuletnim Richardem i najmłodszą, kilkumiesięczną Anne.

Cecily pomyślała, że wprawdzie jej syn raczej nie uważa swojej żony za pokrewną duszę (starał się spędzać z nią jak najmniej czasu), ale Elizabeth nadal bardzo pociągała go fizycznie. Sześcioro dzieci było tego najlepszym dowodem, a Cecily nie miała cienia wątpliwości, że za jakiś czas do sporej już gromadki dołączą następne pociechy.

Od początku nie przepadała za synową, dostrzegała jednak jej wielką urodę. Niektórzy twierdzili, że Elizabeth jest najpiękniejszą kobietą w Anglii – miała platynowe włosy do pasa, kryształowo przejrzyste, niebieskie oczy i niezrównaną różowobiałą cerę bez najmniejszej skazy. Elizabeth niedawno skończyła trzydzieści osiem lat, lecz wyglądała dużo młodziej. Jej twarz wolna była od takich znamion wieku jak opadający, zwiotczały podbródek czy zmarszczki wokół oczu, a na dodatek mogła poszczycić się doskonałą figurą. W ciągu jedenastu lat małżeństwa z Edwardem prawie się nie zmieniła i wiele osób, w tym sama Cecily, zastanawiało się, jak jej się to udaje.

Jedynym problemem Elizabeth Wyland Deravenel był jej charakter. Cecily od początku zdawała sobie sprawę, że jej synowa jest bardzo ambitna, jeśli chodzi o pozycję własną i swojej rodziny, a bliższych i dalszych krewnych miała bez liku. Charakteryzował ją też snobizm i arogancja. Cecily czuła, że jej najstarszy syn wie, iż nigdy nie uważała Elizabeth Wyland za godną go partnerkę życiową. „Elizabeth nie jest dość dobra, aby czyścić buty Edwarda", zauważył kiedyś kwaśno Richard, najmłodszy syn Cecily, zbyt inteligentny, aby znaleźć jakikolwiek wspólny temat do rozmowy z bratową. Richard od razu przejrzał Elizabeth i dostrzegł, że jest o niego zazdrosna – piękna kobieta nie mogła znieść myśli, że młodszy brat zajmuje wyjątkowe miejsce w życiu i sercu Edwarda i że jest jego najbardziej zaufanym sojusznikiem.

Cecily doskonale wiedziała, że jej synowa jest wyjątkowo zazdrosna i że stale powtarza Edwardowi wulgarne plotki, jakie krążyły o nim w Londynie, podkreślając, że znane jej są szczegóły jego związków z innymi kobietami.

Westchnęła ciężko. Nigdy nie należała do naiwnych i już dawno temu przyjęła do wiadomości fakt, że jej syn uwielbia kobiety, nie miała jednak cienia wątpliwości, że Edward wcale nie jest tak niewybrednym kobieciarzem, jak twierdziła jego żona. W tej chwili Edward miał tylko jedną przyjaciółkę, Jane Shaw, rozwódkę, która była z nim od dawna. Cecily rozumiała, że Edward należy do tych mężczyzn, którzy potrzebują towarzystwa kobiety, a Jane zaspokajała wszystkie jego potrzeby.

Will Hasling, najbliższy przyjaciel Edwarda i ulubieniec Cecily, dobrze znał Jane i zawsze mówił o niej jak najlepiej. Był przekonany, że Jane nie ma wybujałych ambicji, że nie zależy jej na małżeństwie z Edwardem i że całkowicie wystarcza jej pozycja jego przyjaciółki. Jane i Edwarda łączyło nie tylko namiętne uczucie, ale także prawdziwa przyjaźń oraz miłość do muzyki, teatru i sztuki.

Gdyby Elizabeth była bardziej inteligentna, trzymałaby buzię na kłódkę i nie dręczyła Edwarda jego nieistniejącymi romansami, pomyślała Cecily. Dobrze znając mężczyzn, świetnie wiedziała, że niesprawiedliwe oskarżenia najczęściej rzucają niewinnego w objęcia pierwszej chętnej kobiety. Elizabeth była potwornie głupia...

Cecily się odwróciła, słysząc kroki w korytarzu, i podniosła się z fotela, gdy Peter Leighton wszedł do biblioteki w towarzystwie Edwarda i Richarda.

– Rozumiem, że wszystkie moje pozostałe wnuki są w świetnej formie? – spytała z uśmiechem.

– Tak jest, pani Deravenel. Czują się doskonale i muszę dodać, że są to najbardziej urodziwe dzieci, jakie kiedykolwiek widziałem...

– Dziękuję, doktorze.

Richard wysunął się do przodu i podszedł do matki.

– Doktor Leighton mówi, że absolutnie nic mi nie dolega – oznajmił.

– Bardzo mnie to cieszy – powiedziała ciepło Cecily.

– Elizabeth nie zejdzie na lunch, mamo – oznajmił Edward. – Jest zupełnie wyczerpana, głównie z powodu zaniepokojenia stanem Młodego Edwarda, jak mi się wydaje. Tak czy inaczej, doktor kazał jej się położyć i porządnie odpocząć.

– To całkowicie zrozumiałe, mój drogi... – Cecily zerknęła na stojący na kominku zegar i odwróciła się do lekarza. – Pewnie nie zdołam namówić pana na lunch, prawda? Wiem, że przebywa pan w gościnie u Dunbarów, ale może przynajmniej napije się pan czegoś, kawy albo herbaty? A może sherry?

– Bardzo to miło z pani strony, muszę jednak podziękować. Drogi są bardzo oblodzone i trasę, której pokonanie w normalnych warunkach zajęłoby mi kwadrans, dziś przebyłem w czterdzieści minut. Na pewno zrozumie mnie pani, jeśli powiem, że muszę już jechać, bo inaczej nie zdążę na lunch...

– Naturalnie, panie doktorze. Jesteśmy panu bardzo wdzięczni za tak szybkie przybycie, proszę mi wierzyć.

– Przyjadę jutro, żeby sprawdzić stan Młodego Edwarda. Thomas Sloane, aptekarz ze Scarborough, jeszcze dziś przygotuje leki i przyśle je przez swego syna Alberta, gdyby jednak chłopca nadal męczył dokuczliwy kaszel, proszę podawać mu także syrop malinowy.

– Na pewno to zrobię. Jeszcze raz dziękuję, doktorze…

Cecily i Richard uścisnęli dłoń lekarza, a Edward odprowadził go do długiego holu. Richard usiadł naprzeciwko matki.

– Doktor Leighton zbadał mnie tylko dlatego, że martwił się, bo…

– Wyglądasz bardzo dobrze, mój drogi – przerwała mu Cecily.

– Wiem, i tak też się czuję. Wygląda na to, że na wirus hiszpanki podatni są głównie młodzi mężczyźni między dwudziestym i trzydziestym rokiem życia, więc Leighton wolał poddać mnie szczegółowym oględzinom…

Cecily zmierzyła syna bacznym spojrzeniem.

– Nie masz chyba żadnych objawów grypy, co?

– Nie, skądże znowu! – odparł Richard. – Doktor jest po prostu bardzo czujny, to wszystko.

– Rozumiem. Bardzo lubię Petera Leightona i ucieszyłam się, kiedy przejął praktykę po doktorze Raynie. Jest młody, inteligentny i troskliwy. Działa zgodnie z najnowszymi metodami i doskonale orientuje się w ostatnich odkryciach medycznych. Podoba mi się jego podejście do pracy i pacjentów.

Edward z szerokim uśmiechem na twarzy wszedł do biblioteki.

– Z ulgą usłyszałem brzęk rondli, który dobiega z kuchni – powiedział. – Rano, kiedy wróciłem z przejażdżki, w domu panowała okropna, przejmująca cisza. Jessup wyjaśnił mi przed chwilą, że Kuchcia zdenerwowała się chorobą Młodego Edwarda i dlatego nakazała swoim podwładnym zachowanie absolutnej ciszy.

– Kuchcia bywa czasami prawdziwym tyranem – mruknęła Cecily.

Edward przystanął obok komody, na której stała taca z alkoholami i nalał sobie szklaneczkę jasnego sherry Amontillado, a następnie podszedł do wielkiego francuskiego okna i zapatrzył się na ogród.

– Ned? – odezwała się jego matka.

– Tak, mamo? – Edward odwrócił się szybko.

– Jest już czternasty grudnia, do świąt Bożego Narodzenia zostało tylko dziesięć dni. Myślę, że powinniśmy się zastanowić, czy nie odwołać planowanych przyjęć. Bronchit trwa kilka tygodni, zdarza się, że nawet dłużej...

– Nie ma się nad czym zastanawiać. Postanowiłem odwołać uroczystości, i to natychmiast, jeszcze dzisiaj. W ten sposób goście, których oczekiwaliśmy, będą mogli poczynić inne plany, w każdym razie taką mam nadzieję. Po lunchu zatelefonuję do Willa oraz Vicky i Stephena. Są dla nas jak najbliższa rodzina i na pewno zrozumieją naszą sytuację. Porozmawiam też z George'em...

– Z George'em?! – wykrzyknął Richard, patrząc na brata z całkowitym zaskoczeniem. – Nie mówiłeś mi, że zaprosiłeś George'a, Ned! Jak mogłeś?!

– Wcale go nie zaprosiłem. Sam się zaprosił, wiesz przecież, jaki jest nasz brat! Powiedział też, że przyjedzie razem z Isabel i dziećmi.

– Dlaczego nie wytłumaczyłeś mu, że nie może przyjechać tu na Boże Narodzenie?! – Richard nie potrafił ukryć irytacji, jego blade policzki oblał ciemny rumieniec.

Edward milczał.

– Dobrze wiesz, jak potraktował mnie i Anne! – Richard gniewnie potrząsnął głową. – Ze wszystkich sił starał się uniemożliwić nasze zaręczyny! Nie chcę go widzieć, ani jego, ani Isabel, która zawsze pomaga mu we wszystkim!

– Isabel jest słaba – wymamrotał Ned. – Właśnie dlatego nieośmiela się sprzeciwić George'owi...

– To był mój pomysł – odezwała się nagle Cecily, nie odrywając wzroku od młodszego syna.

– Dlaczego?! – zawołał Richard. – Dlaczego, na miłość boską?! Przecież wiesz, że w ostatnich latach George odnosił się do mnie jak do wroga, mamo!

– Miałam nadzieję, że w czasie świąt pogodzicie się i znowu zostaniecie przyjaciółmi, przypomnicie sobie, że jesteście braćmi, którzy powinni darzyć się miłością...

Richard parsknął drwiącym śmiechem.

– Nie mam do niego za grosz zaufania, mamo! – warknął.

– Ale to twój brat...

– To jemu powinnaś o tym przypomnieć!

Cecily nie odpowiedziała.

– Zawsze brałaś jego stronę, nawet w dzieciństwie – ciągnął Richard ze złością. – George trzymał się twojej spódnicy i u ciebie szukał ratunku, kiedy pozwolił sobie na jakiś paskudny, złośliwy żart, a ty osłaniałaś go, chociaż nigdy nie zrozumiem dlaczego!

Cecily pokręciła głową.

– George ma w sobie coś, co każe mi śpieszyć mu z pomocą... – wyznała łamiącym się głosem. – Od początku bałam się o niego, wydawał mi się taki kruchy i wrażliwy...

– Wrażliwy, też mi coś! – Richard odwrócił się do Edwarda. – George zdradził cię, Ned, nie raz, ale wiele razy! Przeszedł na stronę Neville'a i razem z nim zamierzał przejąć firmę, licząc na wsparcie Louisa Charpentiera! I chętnie przystał na pomysł Neville'a, który chciał powierzyć mu twoje stanowisko! George myślał, że może zająć twoje miejsce, a później ożenił się z Isabel, bo wiedział, że jesteś przeciwko temu związkowi! Jeśli to nie jest otwarta zdrada, to chyba nie wiem, co naprawdę znaczy to słowo!

– Wszystko to moja wina, naprawdę, Richardzie – powiedziała powoli Cecily, pragnąc załagodzić sytuację. – Nie gniewaj się na Neda... To ja prosiłam go, aby wybaczył George'owi, ponieważ chciałam, abyście się pogodzili... Zależało mi, aby nasza rodzina znowu stała się jednością, abyśmy pokazali światu, że żyjemy w zgodzie i zrozumieniu... Ludzie nas znają, mój drogi, jesteśmy Deravenelami! Nie chcę, aby plotkowano o nas na ulicy...

– A moje uczucia nie mają żadnego znaczenia? – zapytał Richard, przenosząc wzrok z matki na brata. – George zachował się wobec ciebie jak zdradliwy wąż, Ned, gdy tymczasem ja zawsze stałem murem po twojej stronie... Jestem ci absolutnie wierny, a jednak pozwoliłeś George'owi blokować mój związek z Anne, co sprawiło nam wiele bólu!

– Oboje byliście wtedy jeszcze bardzo młodzi, więc sądziłem, że mam trochę czasu, aby popracować nad George'em – odparł szybko Edward. – Stwarzał najrozmaitsze problemy, poważniejsze, niż przyszłoby ci to do głowy. Domagał się na przykład całego majątku Neville'a, ponieważ Isabel była najstarszą córką i nie chciał przyznać Anne żadnej jego części. Wiedział, że będziesz walczył o prawa Anne, i właśnie dlatego sprzeciwiał się waszemu małżeństwu...

– George zawsze myśli tylko o pieniądzach albo o władzy, prawda, Ned?

– Całkowita. Tak czy inaczej, skoro zgodziliście się zaczekać, udało mi się nakłonić George'a do zawarcia układu, który byliście w stanie zaakceptować. Nie zapominaj, że wyrwałem dla Anne sporą część majątku Neville'a, Richardzie.

– Jeśli dobrze pamiętam, testament był zupełnie jasny i spójny – odpalił Richard. – Neville Watkins nigdy nie zdawał się na przypadek i nigdy nie popełniał błędów w biznesie! Wiem też, że cały swój majątek pozostawił Nan. Chciał, żeby jego żona odziedziczyła wszystko, a dziewczęta miały dostać swoje części dopiero po jej śmierci.

– Zdaję sobie z tego sprawę. – Ned starał się załagodzić sytuację. – Musiałem zwrócić się do Nan o pomoc i zapewnić George'owi sporą sumę z moich własnych pieniędzy, aby ostatecznie zakończyć tę sprawę.

– Rozumiem… – Richard wyprostował się i skinął głową, choć wyraz gniewu nie zniknął z jego twarzy.

– I koniec końców poślubiłeś przecież Anne – zauważyła cicho Cecily.

– Praktycznie w tajemnicy, tutaj w Ravenscar! – odrzekł ponuro Richard. – Ceremonia była bardzo skromna, nie zaprosiliśmy żadnych gości poza najbliższymi krewnymi! Po prostu nie rozumiem, dlaczego zawsze musicie godzić się na żądania George'a, naprawdę tego nie pojmuję! Uważam, że mój brat jest szaleńcem, i tyle! Pamiętajmy o naszym kuzynie Henrym Grancie, który spędził blisko pół życia w zakładach dla psychicznie chorych!

Ned odrzucił do tyłu głowę i wybuchnął śmiechem.

– Och, Richardzie, to mi dopiero argument! Chcesz powiedzieć, że złe geny Henry'ego Deravenela Granta z Lancaster mogą odezwać się w Deravenelach z Yorkshire, prawych spadkobiercach Guya de Ravenela? W prawdziwych Deravenelach, bo tak przecież sami o sobie mówimy?

Jeśli Edward miał nadzieję, że Richard dostrzeże zabawną stronę swojej uwagi, to mocno się mylił. Jego najmłodszy brat potrząsnął głową i mocno zacisnął wargi.

– Moim zdaniem George to wariat! – warknął. – Przypomnijcie sobie, jak idiotycznie czasami się zachowuje, a od razu zrozumiecie, o co mi chodzi!

– To niezbyt miła ocena postępowania George'a, mój drogi – oświadczyła Cecily. – Twój brat potrafi być uprzejmy i serdeczny, i zwykle ma dobre intencje…

Nieprawda, pomyślał Richard.

– Skoro tak uważasz, mamo… – mruknął jednak pojednawczo. – Zakończmy już lepiej tę rozmowę o George'u, dobrze?

– Zamierzam odwołać świąteczne uroczystości, Dick, ale jeżeli ty i Anne chcielibyście spędzić z nami Boże Narodzenie, bylibyśmy bardzo szczęśliwi, prawda, mamo?

– Oczywiście! Już całe wieki nie widziałam mojego wnuka! Może Nan Watkins także miałaby ochotę przyjechać do nas, zamiast siedzieć samotnie w Ripon…

– Mocno w to wątpię – odparł Richard. – Nan nie lubi już przyjeżdżać do Ravenscar, w każdym razie tak mi się wydaje. To miejsce przypomina jej o tragicznej stracie, jaką poniosła – przecież jej ukochany mąż i ulubiony szwagier, Johnny, zginęli właśnie tutaj…

R O Z D Z I A Ł
PIĄTY

Londyn

– Dlaczego nie powiesz mu o domu, Ned? Powinien poznać prawdę, całą prawdę!

Edward Deravenel odchylił się do tyłu w krześle i popatrzył na Willa Haslinga, swojego najbliższego przyjaciela. On i Will przyjaźnili się od wczesnej młodości, a od czternastu lat, od dnia, kiedy Edward został szefem firmy, pracowali razem w Deravenels. Ned ufał Willowi jak nikomu innemu, może z wyjątkiem swojego brata Richarda.

Loyaulté Me Lie, „Lojalność zobowiązuje" – tak brzmiało motto, które przyjął Richard i któremu był zawsze wierny.

Tego ranka, siedząc w gabinecie Edwarda w firmie Deravenels, rozmawiali właśnie o Richardzie.

– Nie chciałem wchodzić w szczegóły dotyczące domu – wyjaśnił Edward. – Nie wydaje ci się, że wyglądałoby to trochę dziwnie? Zupełnie jakbym chwalił się wszystkim, co zrobiłem dla niego na przestrzeni lat, jakbym dawał mu do zrozumienia, że jest mi coś winien...

– Może by tak i pomyślał, chociaż nie sądzę – Will zdecydowanie potrząsnął głową. – Nie, wcale by to tak nie wyglądało! Nie powinieneś tak myśleć, to śmieszne! Ale Richard powinien wiedzieć! Powiedz mu, bo kiedy wszystko zrozumie, przestanie chować do ciebie urazę i uważać, że stawiasz George'a na pierwszym miejscu, jeśli rzeczywiście tak uważa...

– Cóż, w gruncie rzeczy może i masz rację, Will... Postaram się być z nim szczery...

– Może wolałbyś, żebym to ja wytłumaczył mu, jak się sprawy mają?

Edward roześmiał się mimo woli.

– Przyszło mi to do głowy, owszem, ale szybko odrzuciłem ten pomysł jako zwyczajnie głupi, bo przecież nie zrobiłem nic złego, wręcz przeciwnie!

Podniósł się i podszedł do jednego z wysokich okien wychodzących na Strand, tego dnia wyjątkowo tłoczny. Nie było w tym nic dziwnego – w środę przed Bożym Narodzeniem w Londynie panował ogromny ruch. Wojna skończyła się i w te pierwsze od czterech lat naprawdę radosne święta ludzie pragnęli cieszyć się, bawić i napawać pokojem.

Deravenelowie mieli obchodzić święta w Ravenscar spokojnie i bez przyjęć, ale Edwardowi wcale to nie przeszkadzało. Odwołał wszystkie zaproszenia, jakie wystosował do przyjaciół, a oni doskonale rozumieli jego pragnienie chronienia wątłego zdrowia Młodego Edwarda. Tylko George nie krył niezadowolenia, jak zwykle. Szczerze mówiąc, był po prostu wściekły.

Edward odwrócił się, przeszedł na środek pokoju i przystanął tam na parę sekund z wyrazem głębokiego zamyślenia, malującym się na jego przystojnej twarzy.

– Całe to zamieszanie to w gruncie rzeczy wina mojej matki, Will – odezwał się cicho. – Chęć zjednoczenia rodziny przyćmiewa jej zdrowy rozsądek. Nie może znieść myśli, że Richard nie znosi George'a i że Elizabeth gardzi nim, bo to on i Neville Watkins są odpowiedzialni za doprowadzenie jej ojca i brata do ruiny. Elizabeth wolałaby zobaczyć George'a w piekle niż przyjąć go w Ravenscar... Niestety, moja matka odsuwa wszystkie te względy na bok i bez przerwy mówi o przebaczeniu i puszczeniu win w niepamięć. – Ze smutkiem pokręcił głową. – Ale życie nie jest takie proste, prawda, stary przyjacielu?

– Prawda. George zawsze był wrogiem Elizabeth, jego nienawiść do niej jest równie mocna jak jej do niego...

Will przerwał. Nie widział potrzeby przypominania Edwardowi, że ludzie raczej nie darzą jego żony sympatią. Elizabeth była bardzo piękną kobietą, ale z pewnością nie miłą. Ambicje, jakie żywiła wobec swojej własnej rodziny, nie znały granic. Skłoniła Edwarda, aby zatrudnił kilku jej braci na kierowniczych stanowiskach w Deravenels, a Anthony Wyland, jej ukochany brat, odgrywał w firmie bardzo ważną rolę. Edward lubił jednak Anthony'ego, ponieważ zdążył poznać go jako uczciwego, zdolnego i godnego szacunku człowieka.

Po długiej chwili milczenia Edward zdecydował się zmienić temat rozmowy.

– Skontaktował się ze mną Jarvis Merson – oznajmił energicznym tonem. – Wczoraj wieczorem. Chce, żebyśmy znowu zaczęli poszukiwania ropy w Persji, na południu. Proponuje kupno nowej licencji od szacha. Uważa, że teraz, po zakończeniu wojny, powinniśmy poszerzyć zakres naszych działań, zwłaszcza że tak dobrze powiodło nam się w Luizjanie... Wiem, że twoim zdaniem nie jest to odpowiedni moment, Will, ale postanowiłem stworzyć nową firmę, żebyśmy byli gotowi, kiedy ta straszna epidemia grypy hiszpańskiej wygaśnie i wreszcie dojdziemy do siebie po wojnie...

– Masz rację, moim zdaniem za wcześnie jest myśleć o perskiej ropie – przerwał mu Will, nachylając się nad biurkiem. – Na świecie jest jeszcze zbyt niespokojnie. Jestem przekonany, że powinniśmy zaczekać z tym przynajmniej rok. Na wiercenia przyjdzie czas mniej więcej w połowie 1920 roku i właśnie wtedy powinniśmy zabrać się do roboty. Nie wcześniej! Wiem, że masz duże zaufanie do Jarvisa, zresztą ja także, bo przecież lokalizując roponośne tereny w Luizjanie, dowiódł, na co go stać, więc prawdopodobnie ma słuszność również co do południowej Persji. Z drugiej strony, słyszałem ostatnio, że część szefów Standard Oil, podobnie jak Henri Deterding z Shella, nie pokłada nadziei w południowej Persji, więcej, nie wierzy, że w ogóle jest tam ropa. W tym wypadku bardziej wierzę w ocenę Deterdinga, który jest prawdziwym specem od ropy...

– Znam te opinie, ale Jarvis to także szczwany lis w tej dziedzinie – odrzekł Edward. – On i jego nowy partner Herb Lipson stanowią zespół nie do pobicia. Tak czy inaczej, zamierzam założyć nową firmę, jak już mówiłem. Nazwę ją Deravco, co ty na to?

Will uśmiechnął się szeroko.

– Nikt nie będzie miał wątpliwości, że to firma zajmująca się wydobyciem ropy – powiedział. – Krótka nazwa, chwytliwa i przynosząca szczęście, mam nadzieję...

Przerwało mu pukanie do drzwi.

– Proszę wejść! – zawołał Edward.

Na widok stojącego w drzwiach gościa zerwał się na równe nogi.

– Witaj, Richardzie! – zawołał, mocno obejmując młodszego brata. – Dostałeś moją wiadomość o lunchu?

– Tak, oczywiście! Wpadłem, żeby się dowiedzieć, o której chcesz wyjść...
– Przyjdź po mnie o dwunastej czterdzieści pięć, dobrze? Pójdziemy do Savoyu!

Kiedy Richard i Will wyszli, Edward przez kilka minut przeglądał dokumenty na biurku i robił notatki, a potem utkwił wzrok w oknie.

Z najprawdziwszym podnieceniem myślał o założeniu nowej firmy. Zawsze wierzył, że ropa ma przyszłość. Pragnął zwiększyć wydobycie tego surowca w Luizjanie, a Merson był człowiekiem, który mógł pomóc mu zrealizować te marzenia. Edward wierzył w niego od chwili, kiedy poznał tego niezwykle inteligentnego, choć trochę gadatliwego młodego człowieka, i okazało się, że nie pomylił się w ocenie jego możliwości.

Poprzedniego dnia, kiedy spotkał się z Alfredem Oliverim, aby porozmawiać z nim na temat kopalni marmuru we Włoszech, ten ostatni zasugerował, że chyba powinni poszukać kopalni cennego kamienia na nowych terenach, być może w Turcji.

Edward odwrócił się na krześle i spojrzał na wiszącą za nim mapę. Mapa ta należała dawniej do jego ojca, który własnoręcznie wypisał na niej drobne cyfry. Turcja graniczyła z Persją, więc może udałoby im się upiec dwie pieczenie na jednym ogniu... Pomyślał, że mógłby pojechać z Oliverim na poszukiwanie kopalni marmuru do Turcji, a później wyruszyć dalej, do Persji.

Oczywiście jeszcze nie teraz. Alfredo podkreślał, że Europa nadal pogrążona jest w chaosie i dopóki warunki podróży nie staną się pewniejsze, nie mają co myśleć o kupowaniu kopalni w Turcji. Przed chwilą przyznał zresztą rację Willowi, który twierdził, że z ropą także należy zaczekać.

Tak czy inaczej, rysująca się perspektywa interesujących podróży przynajmniej częściowo rozwiała irytację, jaką nieodmiennie budziły w nim wszelkie związane z George'em komplikacje.

Otworzył notatnik i przebiegł wzrokiem umówione spotkania, jakie czekały go przed świętami. Jak zwykle metodyczny, dużo wcześniej zapisał w notesie dzisiejszy lunch z Richardem. Nagle zmarszczył brwi. Na kolację umówił się z Jane, a musiał jeszcze kupić dla niej gwiazdkowy prezent.

Był osiemnasty grudnia, do Bożego Narodzenia pozostał tylko tydzień. W piątek po południu wyjeżdżał pociągiem do Yorku, skąd samochodem miał dotrzeć do Ravenscar. Jutro czekał go świąteczny lunch z najbliższymi współpracownikami i kolegami z firmy, lunch, który zwykle wydawał w restauracji Rules, wieczór zaś planował spędzić z Vicky i Stephenem Firthami. Miał już podarunki nie tylko dla nich, ale także dla Grace Rose.

Jego śliczna Grace Rose niedługo kończyła osiemnaście lat i z każdym dniem stawała się coraz bardziej do niego podobna...

– Osiemnaście lat... – wymamrotał z uśmiechem, zastanawiając się, jak szybko minęły wszystkie te lata.

Miał tyle planów na pozostałą część tygodnia, że prezent dla Jane musiał kupić dzisiaj... Postanowił, że po lunchu z Richardem wybierze się do jednego z najlepszych jubilerów w mieście. Jane uwielbiała szmaragdy, doszedł więc do wniosku, że kupi jej kolczyki z tymi klejnotami, a może broszkę.

Przerzucając kartki notatnika, uświadomił sobie nagle z pewną niechęcią, że w Yorkshire spędzi prawie dziesięć dni. Całe dziesięć dni... Dość długo, jak na pobyt pod jednym dachem razem z Elizabeth... Cóż, może uda mu się jeszcze coś zmienić, podobnie jak zdołał uniknąć obecności George'a na jutrzejszym lunchu z przyjaciółmi z firmy. Nie miał najmniejszej ochoty na towarzystwo brata. Kiedy Edward odwołał zaproszenie dla George'a i jego rodziny na święta do Ravenscar, młodszy Deravenel jak zwykle zachował się jak rozpieszczone dziecko. Aby go ułagodzić, Edward zaproponował mu wyjazd do Szkocji, gdzie George miał reprezentować go na ważnym spotkaniu biznesowym.

Edward uśmiechnął się do siebie. Oczywiście George bez wahania zgodził się podjąć negocjacji ze szkockim magnatem przemysłowym Ianem MacDonaldem. I dobrze, pomyślał Edward. Dość zadowolony z siebie, podszedł do ogromnej szafy po drugiej stronie pokoju, otworzył drzwi, wszedł do środka i zaczął obracać tarczę sejfu. Zamek otworzył się z cichym kliknięciem. Edward wyjął cienką teczkę i zamknął sejf.

W przyszłym roku chcę mieć jeszcze lepsze wyniki, pomyślał. Żadnych strat, większe zyski. Muszę wprowadzić wiele zmian.

Richard i Edward siedzieli naprzeciwko siebie w pięknie udekorowanej Sali Grillowej restauracji hotelu Savoy. Wypili już po kieliszku szampana i teraz przeglądali menu.

W końcu obaj zdecydowali się na ostrygi z Colchester oraz zapiekankę z mięsem i nerkami, ponieważ mieli podobny gust, także kulinarny. Łączyło ich również upodobanie do eleganckich ubrań, chociaż Richard był pod tym względem znacznie bardziej konserwatywny.

Lubili rozmawiać o książkach, brytyjskiej polityce i opisywanych w prasie wydarzeniach na świecie. Najczęściej zgadzali się całkowicie, jako że po śmierci zamordowanego we Włoszech ojca Edward wychowywał Richarda i wpoił młodszemu chłopcu umiłowanie sprawiedliwości oraz zasad fair play.

Podobnie jak Edward, Richard był zdolnym do empatii człowiekiem, który dobrze rozumiał cierpienie innych i wczuwał się w ich przeżycia. Ned faworyzował Richarda od najwcześniejszych lat, rozpieszczał go, wpajał poczucie bycia kimś wyjątkowym i chronił go pod każdym względem. Nic dziwnego, że brat był jego naturalnym sojusznikiem i stawał w jego obronie, kiedy tylko było to potrzebne.

Teraz obaj z przyjemnością sączyli najlepszy francuski szampan.

– Posłuchaj, Dick, chciałbym ci o czymś powiedzieć… – zaczął Edward po chwili milczenia, pochylając się do przodu.

– Najpierw muszę cię serdecznie przeprosić! – przerwał mu Richard. – Nie miałem racji, spierając się z tobą o George'a, i nic mnie nie usprawiedliwia! Pozwoliłem, aby moje zranione uczucia wzięły górę i naprawdę jest mi bardzo przykro z tego powodu…

– Nie masz mnie za co przepraszać, Mała Rybko – rzekł cicho Edward.

Na dźwięk nadanego mu przez brata w dzieciństwie przydomku Richard najpierw uśmiechnął się lekko, a potem wybuchnął szczerym śmiechem.

– Jestem już trochę za stary na to, aby nazywać mnie „Małą Rybką", nie sądzisz?

Edward parsknął śmiechem.

– Wcale nie! – odparł wesoło. – Masz przecież dopiero dwadzieścia dwa lata, mój chłopcze! Tak czy inaczej, to ja ponoszę winę za tamtą sytuację. Powinienem był zareagować w bardziej zdecydowany sposób, gdy mama poprosiła mnie, żebym zgodził się na przyjazd George'a, który w gruncie rzeczy sam zaprosił się na święta. Uległem jej pragnieniu harmonii i zgody w rodzinie, i tyle…

– Wiem! – Richard rzucił bratu ciepłe spojrzenie. – I obiecuję ci, że zachowam niewzruszony spokój podczas lunchu, więcej, nie pisnę ani słowa!

– George'a nie będzie na lunchu.

– Dlaczego? – zdziwił się Richard.

– Wyjeżdża dziś po południu. Pewnie właśnie teraz wsiada do pociągu, który zawiezie go do Szkocji.

– Jak to?

– Poprosiłem go, żeby reprezentował mnie na piątkowym spotkaniu w Edynburgu z Ianem MacDonaldem w sprawie jego wytwórni alkoholu. Jak wiesz, Ian nie ma bezpośrednich spadkobierców i jakiś czas temu z własnej inicjatywy zaczął rozmawiać ze mną o przejęciu firmy. Ustaliliśmy datę spotkania, ale dwa dni temu skorzystałem z pretekstu, jakim jest choroba Młodego Edwarda i zaproponowałem, że zamiast mnie do Szkocji przyjedzie George. W pierwszej chwili Ian był trochę rozczarowany, ale w końcu wyraził zgodę. Ostatecznie George jest Deravenelem, prawda?

Szkoda, że nie zachowuje się jak przystało na członka naszej rodziny, pomyślał Richard.

– Potem porozmawiałem z George'em... – ciągnął Edward.

– A on zgodził się bez wahania? – wszedł mu w słowo młodszy brat. – Tak po prostu?

– Tak, dzięki argumentowi, któremu nie potrafił się oprzeć.

– Co to za argument? – Richard uniósł brwi.

– Pieniądze. Obiecałem mu, że otrzyma od firmy duży bonus, jeśli dobije targu z Ianem MacDonaldem, zakładając oczywiście, że warunki umowy będą korzystne dla Deravenels.

– Więc rzeczywiście zależy ci na gorzelniach MacDonalda?

Edward lekko wzruszył ramionami.

– Tak, chyba tak... – odparł po chwili.

– George jest w stanie zmarnować szansę zakupu. Nie umie prowadzić negocjacji, za często zmienia zdanie.

– Wiem o tym. Jeżeli rozmowy zakończą się fiaskiem, to trudno. Na pewno nie będę cierpiał z tego powodu. Chodziło mi głównie o to, aby George'a nie było w kraju do końca tego tygodnia i w czasie świąt.

– W czasie świąt? – Na twarzy Richarda pojawił się wyraz zdumienia.

– Ian zaprosił mnie do Szkocji na święta, oczywiście razem z rodziną. Odmówiłem uprzejmie, ponieważ już wcześniej zaprosiłem gości do Ravenscar, ale podczas rozmowy z Ianem w poniedziałek zapytałem, czy nie zechciałby przenieść zaproszenia na George'a. Naturalnie powiedziałem mu, że sam musiałem odwołać rodzinne uroczystości świąteczne z powodu choroby syna...

– I MacDonald się zgodził?

– Tak. Jest wdowcem, ma tylko jedną córkę i trzy wnuczki, więc chyba miał nadzieję, że dzięki naszej obecności uda mu się stworzyć prawdziwie gwiazdkową atmosferę w rezydencji w Lammermuir Hills. Pewnie dlatego przyjął pomysł przyjazdu George'a i jego rodziny. Cóż, umiem przekonywać ludzi do swojego punktu widzenia...

– Wszyscy o tym wiemy... – Richard przerwał, zawahał się, otworzył usta i zaraz znowu je zamknął.

Edward spojrzał na niego czujnie.

– O co chodzi? – spytał.

– Chciałem tylko jeszcze raz ci uświadomić, że narażasz negocjacje na klęskę...

– Nie musisz tego robić! – Twarz Edwarda rozjaśnił uśmiech. – Podpisanie umowy nie jest szczególnie istotne dla Deravenels, Dick. Chętnie kupiłbym gorzelnie Iana, ponieważ sami zajmujemy się produkcją win, ale najbardziej zależało mi na pozbyciu się George'a, możesz mi wierzyć.

Richard kiwnął głową i na moment utkwił wzrok w oknie.

– George nie oponował nie tylko dlatego, że zaproponowałeś mu sporą sumę, lecz także z powodu swojej żądzy władzy – zauważył. – Uczyniłeś go swoim reprezentantem, a to dla niego rzecz nie do pogardzenia...

– Masz rację, ale skończmy już z tym tematem, dobrze? Wspomniałem wcześniej, że mam ci coś do powiedzenia, i chciałbym zrobić to przed lunchem, jeśli nie masz nic przeciwko temu... Otóż, dwa lata temu, zaraz po twoim ślubie z Anne, Nan Watkins dała wam prezent, czy tak?

– Mówisz o akcie własności domu Neville'a w Chelsea?

– Tak, tyle że ten dom zawsze należał do Nan, nie do Neville'a. Oczywiście Neville go kupił, ale zaraz potem ofiarował żonie i przepisał na nią akt własności. Widziałem dokument na własne oczy, Nan mi go pokazała.

Richard westchnął.

– Nan wręczyła akt Anne, która nawet go nie przejrzała – powiedział.

– A ty?

– Także nie, zresztą, jakie to ma znaczenie? Nan podarowała nam ten dom i to wszystko...

– Niezupełnie, mój drogi – rzekł Edward. – To ja podarowałem wam dom.

– Co chcesz przez to powiedzieć?! – wykrzyknął Richard.

– Kilka miesięcy przed waszym ślubem spotkałem się z Nan Watkins i powiedziałem jej, że chcę kupić od niej dom w Chelsea, bo chcę dać go w prezencie ślubnym tobie i Anne. Początkowo odmówiła, ponieważ wpadła na ten sam pomysł. Wtedy uświadomiłem jej, że George, powodowany chciwością i zawiścią, mógłby sprzeciwić się jej decyzji, a może wręcz ją uniemożliwić, przypominając, że Isabel i Anne dziedziczą majątek Neville'a, jednak dopiero po śmierci matki, co sprawia, że zgodnie z prawem dom w Chelsea należy się obu siostrom, Isabel i Anne...

– Słusznie, Ned! George faktycznie mógłby to zrobić! Jest przecież przebiegły i chciwy, tak jak mówisz! Więc jak namówiłeś Nan, żeby sprzedała dom tobie?

– Zdołałem ją przekonać. Podkreśliłem, że znam George'a dużo lepiej niż ktokolwiek inny i że pragnę kupić dom dla ciebie i Anne po to, aby nasz brat nigdy nie mógł rościć sobie do niego żadnych praw. Zaproponowałem jej też, aby sama przekazała wam ten prezent.

– To był miły gest, Ned, naprawdę! Nie dziwię się, że Nan chętnie na to przystała, zastanawiam się tylko, dlaczego od razu nie powiedziała nam prawdy... To byłoby znacznie uczciwsze rozwiązanie, nie sądzisz?

– To także moja wina, obawiam się. Namówiłem ją, aby dała wam do zrozumienia, że prezent pochodzi od niej i przekazała wam akt własności, który wiele lat temu dał jej Neville, naturalnie po to, aby wszystko wydało się wam całkowicie naturalne, wam i George'owi, rzecz jasna. Chcąc uniemożliwić jakiekolwiek działania ze strony George'a, poleciłem prawnikom Nan i moim sporządzić dodatkowe dokumenty – dowód sprzedaży, nowy akt własności na moje nazwisko oraz akt darowizny, zgodnie z którym ofiarowałem dom tobie...

– Ofiarowałeś dom nam, Anne i mnie, czy tylko mnie?

– Tylko tobie, Richardzie. Nie mogłem ryzykować, nie chciałem, by Anne została wymieniona w dokumentach związanych z tą transakcją. Innymi słowy, kupiłem dom od Nan Watkins i następnie, jako nowy właściciel, podarowałem go osobie trzeciej. Wszystko przebiegło zgodnie z prawem, oczywiście.

Tym aktem pozbawiłem prawa do tego domu Anne i Isabel, ponieważ nabyłem go od ich matki, która mogła go sprzedać, bo stanowił jej osobistą własność, nie część majątku Neville'a.

Richard długą chwilę siedział w milczeniu, wyraźnie oszołomiony. Edward z uśmiechem podał mu cienką teczkę, którą wcześniej wyjął z sejfu w swoim gabinecie.

– Oto akt własności domu – rzekł. – Oczywiście mógł nadal spokojnie leżeć tam, gdzie był do tej pory, ale uznałem, że czas przekazać go w twoje ręce. Dom należy przecież do ciebie, Dick...

– Nie dałeś mi tych dokumentów wcześniej, ponieważ chroniłeś Nan, prawda?

– Chyba tak... W pewnym sensie nie chciałem umniejszać jej wielkoduszności w waszych oczach, zresztą ona naprawdę zamierzała podarować wam tę posiadłość...

Richard wziął teczkę z rąk brata. Parę sekund wpatrywał się w nią uważnie, ale nie otworzył. Położył ją na stole obok siebie i przeniósł wzrok na Edwarda, nie bardzo wiedząc, co powiedzieć.

– Dziękuję, Ned – odezwał się w końcu. – Jesteś najlepszym bratem na świecie...

– Ty także, Mała Rybko. Ufam ci i kocham cię z całego serca.

ROZDZIAŁ SZÓSTY

Jane Shaw siedziała przy toaletce w sypialni swojego uroczego domu w Hyde Park Gardens. Pochyliła się do przodu i uniosła dłoń, jednym palcem muskając drobne zmarszczki wokół oczu. Kurze łapki, pomyślała z westchnieniem. Co za paskudna nazwa... Podobne zmarszczki znaczyły także skórę nad jej górną wargą, prawie niedostrzegalne, ale jednak... Już jakiś czas temu zauważyła, że czasami szminka dostaje się do nich i podkreśla je, co bardzo ją martwiło. Skóra dolnej szczęki także nie była już tak jędrna jak dawniej, a mięśnie szyi zwiotczały, tylko odrobinę, rzecz jasna, lecz zauważalnie.

Wyprostowała się, chwilę odczekała, znów popatrzyła na swoje odbicie, z nieco większą dozą obiektywizmu, i doszła do wniosku, że nadal jest piękną kobietą. Piękną kobietą, która powoli się starzeje...

Dziesięć lat.

Nie było to dużo... Nie, skądże znowu. W 1907 roku dziesięcioletnia różnica wieku wydawała się stosunkowo niewielka, nawet w 1910 Jane postrzegała ją jeszcze jako nieznaczną, ale teraz, w 1918, te dziesięć lat nabrało nagle zupełnie innego wymiaru.

Miała teraz czterdzieści trzy lata.

Edward Deravenel miał lat trzydzieści trzy.

Jane była dziesięć lat starsza od niego i podczas gdy wcześniej dzieląca ich różnica sprawiała wrażenie niezbyt istotnej, teraz stała się ważnym faktem. Dlaczego? Ponieważ zaczynała być widoczna.

Jane nie mogła pozbyć się wrażenia, że Edward w ogóle się nie zmienił. Wyglądał dokładnie tak jak dawniej, był równie przystojny. Jego włosy nadal zachwycały rudozłocistym odcieniem, świetliście rdzawym nawet w najbardziej pochmurne zimowe dni. Jego oczy, lśniące niezwykłym, intensywnym błękitem, wciąż były pełne życia, a wysoki wzrost i atletyczna budowa sprawiały, że Edward przyćmiewał innych mężczyzn i wydawał się młodszy, niż był w rzeczywistości. Był szczupły i dbał o to, aby nie przybrać na wadze.

Podniosła się i podeszła do dużego owalnego lustra, stojącego w kącie pokoju. Zdjęła peniuar i ogarnęła swoje nagie ciało badawczym, szacującym spojrzeniem.

Piersi nadal miała jędrne, jak u młodej kobiety, biodra smukłe, a brzuch całkowicie płaski. Z satysfakcją odnotowała, że jej sylwetka wcale się nie zmieniła – była średniego wzrostu, zawsze skrupulatnie przestrzegała diety, dzięki czemu udało jej się zachować młodzieńczy wygląd. Mimo tego różnica wieku między nią i Edwardem nagle wydała się jej niepokojąca.

Potrząsnęła głową i odwróciła się od lustra, usiłując przemienić smętne myśli w żart. Narzuciła na ramiona peniuar z białego szyfonu i powiedziała sobie, że żaden mężczyzna nie mógłby być bardziej kochający, otwarty i czuły niż Edward.

Docierające do niej od czasu do czasu plotki w gruncie rzeczy sprawiały jej przyjemność, bo dotyczyły ich dwojga i ich długotrwałego związku, a nie Edwarda i innych kobiet. Wszystkie te plotki świadczyły o czymś naprawdę cudownym – że Edward pozostaje jej wierny.

Wróciła na krzesło przy toaletce i zaczęła nakładać wieczorowy makijaż. Odrobina jasnego pudru, cień różu na wysokich kościach policzkowych i warstwa czerwonej szminki na zmysłowych wargach... Pociągnęła jasne rzęsy ciemnym tuszem, delikatnie przyciemniła brwi brązowym ołówkiem i przeczesała grzebieniem fale jasnych włosów, krótszych niż dawniej i opadających warstwami na kark i uszy. Krótsze włosy były teraz w modzie, zresztą nowa fryzura odejmowała Jane co najmniej kilka lat.

Włożyła jedwabne pończochy i bieliznę, potem podeszła do dużej szafy i wyjęła z niej znakomicie skrojoną suknię z granatowego jedwabiu, z dekoltem w szpic i luźnymi, powiewnymi rękawami. Ze szkatułki z biżuterią wybrała kilka długich sznurów pereł, perłowe kolczyki, pierścionek z szafirem i pasującą do niego bransoletę. Wsunęła stopy w ciemnoniebieskie zamszowe pantofle na obcasie i zeszła na dół, do salonu.

Jako urodzona perfekcjonistka, przed przybyciem Neda pragnęła upewnić się, że wszystko jest w porządku. Zmartwiła ją wiadomość o chorobie Młodego Edwarda. Ned zawsze niepokoił się stanem zdrowia synka, który był jego spadkobiercą. Czasami troska ta mogła wydawać się przesadna, ale Jane doskonale rozumiała uczucia ukochanego mężczyzny. Wiedziała, że Edward jest naprawdę dobrym ojcem, kochającym wszystkie swoje dzieci, które przychodziły na świat w regularnych odstępach czasu.

Pchnęła mahoniowe drzwi, prowadzące do salonu i lekko uśmiechnęła się do siebie. Niektóre z jej znajomych bardzo interesowały się związkiem jej i Edwarda, i czasami bez skrupułów zadawały szokująco osobiste pytania, dotyczące także żony Edwarda. Twierdziły, że Elizabeth jest złośliwa i samolubna, ale Jane nie przywiązywała do tego najmniejszej wagi. Na wścibskie pytania reagowała śmiechem i nie udzielała żadnych odpowiedzi. Co ją obchodziło, że Edward od czasu do czasu sypia z Elizabeth? Doskonale zdawała sobie sprawę, że większość żonatych mężczyzn, którzy mają kochanki, utrzymuje także trwałe więzi natury seksualnej ze swoimi małżonkami. Zwykle postępowali tak, ponieważ nie mieli innego wyjścia.

Pragmatyczna z natury, nie przejmowała się zbytnio sprawami, na które nie miała wpływu. Nie zamierzała marnować w ten sposób cennego czasu. Z całą pewnością nie kontrolowała poczynań Edwarda Deravenela, zwłaszcza wtedy, gdy z nią nie przebywał. Wiedziała, że ją kocha. Widywali się parę razy w tygodniu, a jeśli był w Londynie – nawet częściej, i nie miała podstaw wątpić w to, że jej towarzystwo sprawia mu ogromną przyjemność. Szczerze podziwiał jej inteligencję, dowcip oraz, oczywiście, znajomość sztuki.

To właśnie jej zawdzięczał swoją niezwykłą kolekcję obrazów impresjonistów i postimpresjonistów. Jane poświęcała mnóstwo czasu na wyszukiwanie najlepszych dzieł malarzy tych kierunków, w tym Renoira, Maneta, Moneta, Gauguina i van Gogha.

Szybkim spojrzeniem ogarnęła błękitny pokój i z zadowoleniem zauważyła, że wszystko jest na swoim miejscu. Ogień trzaskał wesoło w kominku, lampy z pięknymi abażurami dawały subtelne, nieco przyćmione światło, poduszki zostały strzepnięte, a hodowane w szklarni kwiaty, które Ned przysłał jej wcześniej, przesycały powietrze upajającym zapachem lata. Na stole w przeciwległym rogu czekała butelka szampana w srebrnym wiaderku i dwa smukłe kryształowe kieliszki.

Doskonale, pomyślała. Miała podstawy do zadowolenia z Vane, pokojówki, którą niedawno awansowała na stanowisko zastępczyni gospodyni. Młoda kobieta radziła sobie naprawdę bardzo dobrze.

Edward Deravenel zawsze odwiedzał Jane z uczuciem ogromnej ulgi i radości. Wiedział, że z chwilą, gdy przekroczy próg jej domu, napięcia dnia znikną i wreszcie będzie mógł spokojnie odetchnąć. Było tak od samego początku znajomości z Jane.

Stanowili parę zgraną pod każdym względem. Jane dawała mu rozkosz w łóżku i satysfakcję poza nim. Inteligentna, elokwentna i świetnie znająca się na wielu dziedzinach życia, posiadała także wyjątkową cechę – roztaczała wokół siebie aurę cudownego spokoju. Edward czerpał też przyjemność z samego przebywania w tym uporządkowanym, elegancko urządzonym domu. Nie znosił chaosu i wymagał, aby jego rezydencje w Londynie, Kent i Yorkshire były doskonale zarządzane.

Miał klucz, ale zawsze dzwonił, zanim wsunął go w zamek i wszedł do środka. Najczęściej witała go pani Longden, gospodyni, lecz tym razem hol był pusty. Dopiero po paru sekundach drzwi do salonu się otworzyły i na spotkanie ukochanego wybiegła uśmiechnięta Jane.

– Ned, najdroższy! – zawołała, wspinając się na palce i całując go w policzek. – O Boże, ale zmarzłeś!

Edward położył teczkę na ławie, wziął Jane w ramiona i mocno przytulił.

– Zupełnie nagle zerwał się lodowaty wiatr – wyjaśnił, wypuszczając ją z objęć, aby zrzucić palto.

– Więc Broadbent nie przywiózł cię powozem? – spytała ze zdziwieniem.

– Przywiózł mnie, ale dziś na ulicach panuje okropny ruch, więc wysiadłem na rogu. Łatwiej było mi przejść te kilkadziesiąt metrów niż czekać, aż Broadbent przedrze się przez tłum. Kazałem mu wrócić do domu na kolację i przyjechać po mnie za parę godzin, kiedy ruch osłabnie...

Powiesił palto i szal w wysokiej szafie, wsunął teczkę na półkę i razem z Jane przeszedł przez hol do salonu.

– Pani Longden ma dzisiaj wolne – powiedziała Jane. – Jej siostra obchodzi pięćdziesiąte urodziny, o czym, niestety, kompletnie zapomniałam...

– Szkoda, że nie wiedziałem o tym wcześniej! Zabrałbym cię gdzieś na kolację!

– Byłoby mi bardzo miło, ale wiem, jak lubisz jadać ze mną w domu – uśmiechnęła się. – Vane nas obsłuży, zresztą kucharka przygotowała twoje ulubione dania – pieczonego kurczaka i wiejską zapiekankę. Udało jej się też kupić wyśmienitego wędzonego łososia w delikatesach Fortnum & Mason... Co ty na to?

– Ślinka cieknie mi na samą myśl o tych przysmakach! – roześmiał się Edward.

Salon był ulubionym pokojem Edwarda w domu Jane, przytulnym i gustownym, urządzonym w różnych odcieniach błękitu z dodatkiem delikatnej żółci. Przez lata Jane zgromadziła tu wiele wspaniałych przedmiotów, które potrafiła umiejętnie wyeksponować. Miała świetne oko, i obrazy, które kupowała, podobnie jak te ofiarowane jej przez Edwarda, były naprawdę doskonałe. Podkreślały urodę salonu i tworzyły w nim wyjątkową atmosferę.

Jane podeszła do okrągłego stołu w rogu i wyjęła z wiaderka butelkę szampana.

– Napijesz się kieliszek swojego ulubionego kruga? – spytała z uśmiechem.

– Z wielką przyjemnością.

Przystanął przed kominkiem, aby ogrzać zziębnięte dłonie, ale nawet na chwilę nie spuszczał wzroku z nalewającej szampana Jane. Nagle pomyślał o Lily. Jane prawie od pierwszej chwili znajomości przypominała mu Lily Overton, która straciła życie w tak tragicznych okolicznościach. Jego ukochana Lily... Błękitne oczy Edwarda na moment przyćmił smutek.

Jane, która była niezwykle wyczulona na jego nastroje, dostrzegła cień, który przemknął mu przez twarz.

– Czy Młody Edward na pewno czuje się lepiej? – zapytała, podając gościowi wysoki kieliszek z musującym winem.

– Och tak, znacznie lepiej! Przed wyjściem z firmy rozmawiałem z doktorem Leightonem, bo mały nadal ma okropny kaszel, ale przy bronchicie jest to podobno normalne... Młody Edward odzyskuje też już apetyt i moja matka mówi, że nie wygląda tak mizernie jak parę dni temu.

– Cieszę się, kochany! Chłopiec najwyraźniej dochodzi do siebie!

Lekko stuknęła swoim kieliszkiem o brzeg kieliszka Edwarda, pociągnęła łyk szampana i usiadła na sofie obok kominka. Edward zajął miejsce na krześle naprzeciwko.

– Rozmawiałem dziś z Vicky – rzekł. – Bardzo mi miło, że w końcu przyjęłaś jej zaproszenie na jutrzejszy wieczór...

– Z początku się wahałam, bo nie chciałam przeszkadzać...

– Jak możesz tak mówić? – przerwał jej. – Przecież to absurdalne, należysz do grupy moich najdawniejszych przyjaciół! Znamy się od dziesięciu lat... – Posłał Jane szelmowski uśmiech. – A może już zapomniałaś, ile czasu minęło od naszego pierwszego spotkania?

– Skądże znowu! Chodziło mi tylko o to, że... Cóż, ty, Will i Vicky przyjaźnicie się od lat młodzieńczych, więc... – Przerwała i potrząsnęła głową. – Zawsze ci powtarzałam, że nie chcę cię pod żadnym względem krępować, przecież wiesz dlaczego...

– Wiem. – Na twarzy Edwarda pojawił się rozbawiony uśmiech. – Jestem żonaty, a ty jesteś moją kochanką. Powinnaś jednak pamiętać, kochanie, że Will i jego siostra to moi najbliżsi przyjaciele, nie zaś przyjaciele mojej żony. Lubią i cenią ciebie, nie Elizabeth. Tak czy inaczej, nie wdawajmy się w te wszystkie szczegóły, związane z sympatiami i antypatiami... Najważniejsze jest, że bardzo się cieszę, że możemy spędzić razem dzisiejszy wieczór...

Jane kiwnęła głową.

– Ja też bardzo się cieszę, ale...

– Dlaczego przerwałaś? Dokończ, proszę!

– Wiem od Vicky, że będzie tam Grace Rose...

– I co z tego? – Edward wybuchnął śmiechem, widząc pełne niepokoju spojrzenie Jane. – Kochanie, czyżbyś sądziła, że Grace Rose nie wie o naszym związku? Dobry Boże, oczywiście, że wie! Ma osiemnaście lat, jest bardzo bystra i inteligentna, no i jest moją córką, młodą, znającą życie osobą, bynajmniej nie naiwną! Vicky i Stephen są dla niej cudownymi rodzicami, wychowali ją na damę i zapewnili doskonałe wykształcenie. Grace zawsze chłonęła wiedzę jak gąbka i jest dziś wytrawną znawczynią historii. Jestem z niej ogromnie dumny. Nie przejmuj się Grace, kochanie! Moja córka stoi po mojej stronie i nie ma w tym nic dziwnego!

– Chyba trochę przesadziłam, prawda? – Jane wypiła jeszcze trochę szampana i roześmiała się. – Cóż, najwyraźniej to jeden z tych dni, kiedy niepotrzebnie się zamartwiam...

– Co masz na myśli?

– Spojrzałam dziś na swoje odbicie w lustrze i doszłam do wniosku, że wyglądam staro, potem zaczęłam zastanawiać się nad dzielącą nas różnicą wieku... Jestem dziesięć lat starsza od ciebie, Ned, taka jest prawda...

– Ale wcale nie wyglądasz na swój wiek! I dobrze wiesz, że zawsze wolałem kobiety starsze ode mnie, blondynki, zwłaszcza wdowy. – Uśmiechnął się szeroko. – I rozwódki... Dziesięć lat to naprawdę niedużo, kochanie!

Jane uświadomiła sobie, że lepiej będzie zakończyć ten temat.

– Mam dla ciebie niespodziankę – powiedziała, wstając z sofy i stawiając kieliszek na stole.

Podeszła do biurka i po chwili podała Edwardowi białą kopertę.

– Co to takiego?

– Coś, co znalazłam specjalnie dla ciebie, oczywiście jeżeli będziesz miał ochotę to kupić...

– Aha! Obraz, prawda, najdroższa?

Skinęła głową i usiadła, patrząc na niego wyczekująco.

Wyjął z koperty fotografię. Przyglądał się jej długo, zaskoczony niepowtarzalnym pięknem obrazu pędzla Renoira. Był to portret dwóch dziewcząt, jednej może szesnastoletniej, drugiej siedemnasto- lub osiemnastoletniej, ubranych w identyczne pomarańczowe suknie z czarnymi gorsecikami i obszyciami, siedzących na parapecie okna, na tle błękitnego nieba. Obie miały rude włosy, upięte na czubku głowy i wpatrywały się w otwartą książkę, opartą na kolanach starszej.

– Wspaniały! – zawołał Edward, przenosząc wzrok na Jane. – Urzekający! Te dziewczęta przywodzą mi na myśl Grace Rose i Bess, chociaż naturalnie moje córki nie są tak zbliżone wiekiem.

– Obraz nosi tytuł *Les Deux Seurs*, „Dwie siostry" – uśmiechnęła się Jane. – Renoir namalował go w 1889 roku. Przyjrzyj się, jak idealną cerę mają obie panienki, jak piękne są ich twarze. To niezrównane dzieło, zakochałam się w nim od pierwszego wejrzenia!

– W jakiej galerii go znalazłaś?

– Znajduje się w prywatnych rękach i został przywieziony do Londynu na początku wojny, pewnie ze względu na bezpieczeństwo.

– I teraz właściciel chce go sprzedać?

– Na to wygląda. Jeżeli jesteś zainteresowany, mogę umówić nas na wizytę w piątek i wtedy dokładnie obejrzysz obraz...

Edward zmarszczył brwi.

– W piątek rano zamierzałem być już w drodze do Ravenscar... Zrobię jednak inaczej, Janey, pojadę popołudniowym pociągiem! Mam nadzieję, że uda nam się obejrzeć obraz przed południem i jeszcze może zjemy razem lunch, co ty na to?

– Doskonale. Więc masz ochotę na ten obraz?

– Oczywiście, jest fascynujący! Ile kosztuje?

– Nie wiem. Czułam, że nie będziesz w stanie oprzeć się jego urokowi, bo przecież rzeczywiście przywodzi na myśl twoje dwie rudowłose córki...

– Jak zwykle masz rację, kochanie! Bardzo ci dziękuję! A teraz czas na moją niespodziankę!

Podniósł się, wyszedł do holu i po chwili wrócił z teczką. Wyjął z niej niewielkie, pięknie zapakowane w granatowy papier pudełko i z niskim ukłonem wręczył Jane.

– Co to jest? – zapytała, podnosząc na niego wzrok.

– Otwórz i zobacz.

Rozdarła papier i ostrożnie uniosła niebieskie wieczko obitego welwetem puzderka. Potrząsnęła głową i z uśmiechem spojrzała na Edwarda.

– Widzę, że znowu byłeś rozrzutny. – powiedziała. – Och, Ned, okropnie mnie psujesz!

– To nieprawda! Otwórz!

Usłuchała. Jej jasne oczy rozszerzyły się, kiedy ujrzała delikatny, jakby koronkowy naszyjnik, utkany z brylantów i akwamaryn. Długą chwilę wpatrywała się w ozdobę, całkowicie oszołomiona.

– Przepiękny, kochanie... – odezwała się w końcu. – Po prostu prześliczny.

– Podobnie jak ty! Chciałem ci podarować szmaragdową broszę albo kolczyki, ale kiedy zobaczyłem te kamienie, od razu pomyślałem o twoich oczach. Są tego samego koloru co akwamaryny. – Uniósł naszyjnik do światła. – Dokładnie tego samego, widzisz, Jane?

Wsunął naszyjnik do kieszeni kamizelki, chwycił Jane za ręce i pomógł jej wstać.

– Musisz go od razu przymierzyć, natychmiast! – ciągnął. – Do tej sukni nie będzie pasował, więc chodźmy na górę! Chcę cię w nim zobaczyć!

Jane nie protestowała, gdy Edward pociągnął ją za sobą na schody.

– Zdejmij suknię – polecił, gdy znaleźli się w sypialni i wyjął naszyjnik z kieszeni. – Szybko, nie mogę się już doczekać!

Ze śmiechem spełniła jego prośbę i po chwili stała już przed nim w samej bieliźnie. Edward zapiął naszyjnik na jej karku i zaprowadził ją przed toaletkę.

– Usiądź i popatrz na siebie – rzekł. – Spójrz, kamienie mają barwę twoich oczu...

Nachylił się nad jej ramieniem, razem z nią wpatrując się w lustro.

– Idealnie piękne, tak jak ty, kochanie – wyszeptał.

Jane odwróciła się ku niemu, nie kryjąc łez, które wypełniły jej oczy.

– Dziękuję ci za ten cudowny, cudowny prezent, Ned. Jest jedyny w swoim rodzaju, naprawdę, najdroższy.

– Ty też jesteś i zawsze będziesz moją najdroższą, nie zapominaj o tym, zwłaszcza gdy zaczną cię nachodzić dziwaczne myśli, że jesteś dla mnie za stara lub coś w tym rodzaju!

Szybko podszedł do drzwi, przekręcił klucz w zamku, zrzucił surdut i zaczął rozpinać koszulę.

– A teraz dowiodę ci, że nie jesteś za stara i że nadal cię pragnę...

Jane zbliżyła się do niego, patrząc mu prosto w oczy.

– Mógłbyś odpiąć mi naszyjnik, kochanie?

– Nie zrobię tego – szepnął, przytulając ją do siebie tak mocno, że jej policzek spoczął na jego nagiej piersi. – Chcę, żebyś miała go na sobie, przez całą noc. Rozepnę jednak inne rzeczy – dodał, szukając haftek biustonosza. – Rozejrzyjmy się za łóżkiem, skarbie. To bardzo pilna sprawa...

Jane nie miała wątpliwości, że Ned naprawdę jej pragnie, więc szybko zrzuciła resztę ubrania. Edward rozebrał się pośpiesznie i chwilę potem wziął ją w ramiona. Odnalazł jej wargi i zaczął całować głęboko, namiętnie, pieszcząc jej język swoim i delikatnie dotykając jej piersi. Kiedy wreszcie przerwali długi pocałunek, Ned ujął Jane za rękę i poprowadził do łóżka.

Położyli się obok siebie, z trudem chwytając oddech. Po paru chwilach Edward oparł głowę na łokciu i utkwił wzrok w twarzy Jane.

– Moja piękna, najpiękniejsza, głupiutka dziewczynko. – Wyszeptał z uśmiechem. – Nigdy nie będziesz dla mnie za stara.

Pocałował ją znowu, zawisł nad nią na moment, wsunął dłonie pod jej pośladki i przytulił mocno do siebie, wchodząc w nią zdecydowanym ruchem. Jak zawsze ogarnęła ich fala namiętnego pożądania. Szybko odnaleźli wspólny rytm, przywarli do siebie, wznosząc się coraz wyżej i wyżej na skrzydłach rozkoszy i czystej radości, jaką budziła w nich wzajemna bliskość. Kochali się bez zahamowań, gwałtownie i zachłannie.

Nagle Edward przestał się poruszać, uniósł się lekko i zajrzał w oczy Jane. Popatrzyła na niego niespokojnie, niepewna, co się stało. Twarz Edwarda rozjaśnił pełen satysfakcji uśmiech.

– Akwamaryny naprawdę mają barwę twoich oczu, zwłaszcza w takiej chwili jak ta...

Potem znowu opadł niżej i przylgnął policzkiem do jej szyi.

– Kocham cię, Jane. Kocham cię i jestem twój, a ty należysz do mnie.

W tym samym momencie, na parę sekund przed nim, Jane wspięła się na szczyt ekstazy, głośno wykrzykując jego imię. Wreszcie Edward z głębokim westchnieniem osunął się na jej piersi.

– Och, Jane, moja najdroższa – wyszeptał.

Długo leżeli nieruchomo, nadal wtuleni w siebie. Pierwszy poruszył się Edward. Sięgnął po poduszkę i podsunął ją sobie pod policzek.

– Naszyjnik trochę drażni mi skórę – przyznał cicho. – Tak będzie wygodniej, szkoda tylko, że teraz rozdziela nas poduszka.

– Mogę go zdjąć, kochany.

– Nie, chcę, żebyś dziś miała go na sobie! Na pewno znajdziesz suknię z odpowiednim dekoltem, który podkreśli urodę tych kamieni.

– Postaram się.

Zamilkli. Żadne z nich nie śpieszyło się, aby przerwać tę świadczącą o wzajemnym zrozumieniu ciszę.

– Co z psem? – odezwała się w końcu Jane.

– Z psem? – powtórzył ze zdziwieniem.

– Zapomniałeś? Podsunęłam ci pomysł, aby kupić psa dla Młodego Edwarda! Zawsze chciał mieć szczeniaka, w każdym razie tak mi mówiłeś, więc byłby to znakomity prezent gwiazdkowy!

– Ach tak, jak mogło wylecieć mi to z głowy! Zamierzałem kupić mu psiaka w Szkocji, najlepiej szkockiego teriera, bo Edward uwielbia tę rasę! O, do diabła!

– Przecież mimo wszystko możesz zrealizować ten plan, Ned! U Harrodsa sprzedają szczeniaki wielu ras!

– Ale musiałbym jakoś przewieźć go ze sobą do Yorkshire.

– Na pewno dowieźliby go na miejsce specjalnym samochodem!

– Genialna myśl! – ucieszył się Edward. – Co ja bym zrobił bez ciebie? Jutro rano pójdę do Harrodsa, wybiorę psa i każę dostarczyć do Ravenscar. Świetnie, Janey, po prostu doskonale! Znowu mnie uratowałaś! – Pochylił się nad nią i pocałował w czubek nosa. – Ten naszyjnik faktycznie jest trochę niebezpieczny... – wymamrotał, dotykając ozdoby czubkiem palca. – Dziwne, że nie mam podrapanej skóry...

– Proponowałam, że go zdejmę!

– Wiem, ale chciałem, żebyś go dziś nosiła. Może ci o tym nie mówiłem, ale lubię kochać się z kobietami, które mają na sobie jedynie klejnoty.

– Z kobietami! – wykrzyknęła. – Kochasz się z innymi kobietami, które mają na sobie jedynie klejnoty, Edwardzie Deravenel?! Z jakimi to kobietami?! Odpowiedz, nie wymiguj się!

– Tylko z tobą, najdroższa! – odparł bez chwili wahania, całkowicie szczerze. – Tylko z tobą.

Jane miała dość rozsądku, aby nie komentować dalej jego wyznania, wierzyła mu zresztą. Wiedziała, że Edward jest jej wierny. Wiedział o tym cały świat, nawet jego żona. Czasami Jane się zastanawiała, czy fakt jej istnienia niepokoi Elizabeth. Czy inna kobieta w życiu żonatego mężczyzny stanowi zagrożenie dla jego małżeństwa? Może tak, zwłaszcza gdy jest jedna. Pośpiesznie odsunęła od siebie te myśli.

– Dlaczego wysłałeś George'a do Szkocji? – spytała.

– Chciałem się go pozbyć i mieć spokój w czasie świąt. George sam zaprosił się na Boże Narodzenie do Ravenscar, a ja zgodziłem się na jego przyjazd, aby sprawić przyjemność matce. Później, kiedy odwołałem wszystkie przyjęcia z powodu choroby Edwarda, George zaczął narzekać. Ponieważ nie chciałem wyjeżdżać do Szkocji, przyszło mi do głowy, że mógłbym wysłać go do Edynburga na negocjacje z Ianem MacDonaldem i w ten sposób upiec dwie pieczenie na jednym ogniu...

– Nie boisz się? – zagadnęła, siadając na łóżku. – Czy to nie zbyt wielkie ryzyko, pozwolić George'owi działać i zabierać głos w imieniu Deravenels?

Edward popatrzył na nią uważnie.

– George miewa zmienne nastroje, które dają o sobie znać nawet w sprawach biznesowych, wiem, ale obiecałem mu spory bonus, jeśli doprowadzi rozmowy do korzystnego końca – wyjaśnił. – Sądzę, że będzie ostrożny, bo zależy mu na pieniądzach...

– Mam nadzieję, że nie narobi ci kłopotów – mruknęła Jane, wypowiadając na głos myśl, która nie dawała mu spokoju.

– Zabawne, że parę godzin wcześniej dokładnie to samo powiedział mi Richard – uśmiechnął się. – Cóż, jeśli negocjacje nie przyniosą oczekiwanego rezultatu, nie będę specjalnie zmartwiony. George czasami zachowuje się dziwacznie, ale do tej pory nie było to nic poważnego.

– To nieprawda, i dobrze o tym wiesz, kochany! George jest niebezpieczny!

– Dlaczego tak uważasz? – Lekko ściągnął brwi.

Nagle uświadomił sobie, że to samo spostrzeżenie uczynił ostatnio Will Hasling, i to kilka razy.

– Wydaje mi się, że usiłuje z tobą rywalizować – odparła Jane po chwili namysłu. – Zawsze sądziłam, że George... Och, trudno to dokładnie określić, ale on chyba sądzi, że może być taki jak ty. Równie inteligentny, równie mądry i rozważny, a przecież to nieprawda...

– To Neville podsuwał mu takie pomysły – westchnął Edward. – Nie dziwię się, że George mu uwierzył. Teraz, kiedy wojna wreszcie się skończyła, mógłbym go wysłać gdzieś na dłużej, na przykład do Ameryki.

Jane parsknęła śmiechem.

– Najlepiej na stałe! Nie sądzisz, że byłoby to dobre rozwiązanie?

– Tak, ale na razie mam jeszcze lepszy pomysł... – Pochylił się ku Jane, pocałował ją i przysunął się bliżej. – Chcę znowu kochać się z tobą do utraty tchu, teraz, zanim zejdziemy na kolację.

– Ale co z naszyjnikiem?

– Do diabła z tym przeklętym świecidełkiem! – odparł z uśmiechem. – Może mnie podrapać, jeśli od tego zależy, czy będę trzymał cię w ramionach! Ty, najdroższa, jesteś moją jedyną prawdziwą miłością.

– Och, Ned...

Uciszył ją, przywierając ustami do jej warg.

ROZDZIAŁ
SIÓDMY

Amos Finnister siedział w swoim gabinecie w siedzibie Deravenels przy Strandzie i w skupieniu słuchał Willa Haslinga. Na jego twarzy malował się wyraz zaniepokojenia.

– I właśnie dlatego zależy mi, żebyś trochę pogrzebał w jego sprawach, Amosie – oświadczył Will. – Oczywiście ze swoją zwykłą dyskrecją.

Amos powoli pokiwał głową.

– Myśli pan, że pan George wpadł w złe towarzystwo? Czy o to właśnie chodzi?

– Tak, w niebezpieczne towarzystwo! George dużo pije i często odwiedza burdele, bo, niestety, taką już ma naturę, zawsze był libertynem, ale narkotyki i hazard to znacznie poważniejsza sprawa. Regularnie przegrywa spore sumy, naprawdę duże pieniądze, nie ma co ukrywać! Będą z tego kłopoty, bez dwóch zdań.

– Jak pan się o tym dowiedział, jeżeli mogę zapytać? – Amos zmierzył Willa bacznym spojrzeniem.

– Ktoś ostrzegł mnie, że z George'em dzieje się coś złego – mruknął Will. – I dzięki Bogu.

– Rozumiem, że jest to ktoś, do kogo ma pan zaufanie, czy tak?

– Całkowite. Mogę ci zresztą powiedzieć, że o nowych upodobaniach George'a poinformował mnie jeden z moich braci, Howard. Kiedy Howard uczył się w Eton, zaprzyjaźnił się z Kimem Rowe-Leggettem i przyjaźń ta przetrwała do dziś, jak to często bywa z etończykami. Rowe-Leggett jest dziś znanym maklerem giełdowym i naprawdę potrafi zarabiać pieniądze. Od czasu do czasu lubi zagrać na wyścigach, oczywiście na małą skalę, grywa też w jednym z niedawno otwartych londyńskich kasyn. Jest członkiem klubu Juliana Starka, jeszcze jednego dawnego etończyka. Ale do rzeczy – mój brat powiedział mi, że zdaniem Kima Rowe-Leggetta George gra kompletnie bez hamulców. Podobno krążą plotki, że na dobre utkwił w szponach hazardu, co mocno mnie zaniepokoiło, jeszcze bardziej jednak martwi mnie sprawa narkotyków.

– Nie dziwię się! – Amos pokręcił głową. – Pan George stale dostarcza trosk panu Deravenelowi, jak panu doskonale wiadomo. W ostatnich tygodniach pan Edward kilka razy prosił mnie, żebym miał jego młodszego brata na oku. Wie pan, o co chodzi, pan Edward chciał wiedzieć, co pan George porabia w wolnym czasie, i tak dalej... Naturalnie zależało mu, żebym załatwił sprawę w jak najbardziej dyskretny sposób.

Will potarł usta wierzchem dłoni i lekko zmarszczył brwi.

– Ciekawe, czy do Edwarda dotarły pogłoski o nowych nałogach George'a – mruknął. – Wspominał panu o narkotykach czy hazardzie?

– Nie, w każdym razie nie wprost. W ogóle nie wyrażał przesadnego zaniepokojenia, nic z tych rzeczy.

– Cóż, wcześniej czy później dowie się wszystkiego, zwłaszcza że dom gry z pewnością upomni się o jego długi. Jeżeli Julian Stark nie dostanie pieniędzy od George'a, zgłosi się do pana Deravenela. – Will westchnął. – Muszę powiedzieć mu, co się dzieje, Amosie. Naprawdę muszę, nie mam wyjścia. Edward i ja nigdy nie mieliśmy przed sobą sekretów, nawet na samym początku naszej przyjaźni, kiedy jeszcze studiowaliśmy w Oksfordzie.

Amos wyprostował się i utkwił wzrok w oknie. Na jego twarzy pojawił się trudny do odczytania wyraz.

– O co chodzi, Amosie? – zagadnął Will.

– Czy nie mógłby pan zaczekać trochę z tą złą nowiną? Pan Edward i tak ma teraz dość zmartwień z powodu choroby synka, zresztą zaraz będą święta. Jutro mamy doroczny świąteczny lunch, a wieczorem kolację u pańskiej siostry.

– Rozumiem. – Will zamyślił się na moment, dokładnie rozważając sytuację. – Zasadniczo ma pan słuszność, ale dobrze wiemy, że Edward nie znosi niespodzianek. Jeżeli plotki dotrą do niego wcześniej, będzie na mnie wściekły, że nie uprzedziłem go i nie przygotowałem na kłopoty.

– Racja, rzeczywiście lepiej będzie, jeżeli porozmawia pan z nim od razu – przyznał Amos. – Człowiek uprzedzony o czekającym go nieszczęściu ma szansę się bronić, jak mawiał mój ojciec. Wie pan, że w ubiegłym tygodniu pan Richard powiedział mi, że jego zdaniem pan George nie powinien decydować o żadnych sprawach w Deravenels, bo najzwyczajniej w świecie nie ma dobrego rozeznania w kwestiach biznesowych i innych?

Will nie był zaskoczony wyznaniem Amosa. Od dawna zdawał sobie sprawę, że bracia Edwarda szczerze się nie znoszą. Richard był lojalnym, zawsze wiernym sojusznikiem Neda, gotowym oddać za niego życie, lecz George'a nienawidził z całego serca.

Will znał Richarda od dziecka, kochał go i podziwiał. Richard miał dobry charakter, był zdyscyplinowany i absolutnie uczciwy, choć może odrobinę sztywny. Ciężko pracował i miał duże zdolności biznesowe, więc Edward bardzo się cieszył, że jego najmłodszemu bratu odpowiadała praca w Deravenels. Will doskonale rozumiał uczucia Edwarda.

Ostatnio Richard zaczął wypowiadać się o George'u w niezwykle krytyczny sposób. Will wiedział, że Dick bardzo bolał nad tym, iż George próbował uniemożliwić lub przynajmniej opóźnić jego małżeństwo z Anne Watkins. Stłumił westchnienie. Nigdy nie rozumiał, dlaczego Ned nie zainterweniował wtedy wcześniej, dlaczego pozwolił, aby George tak głęboko zranił brata. Z trudem otrząsnął się z zamyślenia, świadomy, że Amos czeka na jego odpowiedź.

– Sądzi pan, że Richard wie o nowych upodobaniach George'a? – spytał. – Mówił panu coś o tym?

– Nie, ale to nie znaczy, że nic nie wie. Parę dni temu, zupełnie niespodziewanie, oświadczył, że George zachowuje się jak rozwścieczona bestia.

– Można powiedzieć, że trafił w dziesiątkę!

– Osobiście uważam, że George Deravenel zawsze będzie sprawiał wszystkim ogromne kłopoty.

Will obrzucił Amosa długim, pełnym zastanowienia spojrzeniem.

– George jest także bardzo niebezpieczny – zauważył.

– Och, nie mam co do tego cienia wątpliwości! Od czasu, gdy wdał się w spisek z Neville'em Watkinsem, po prostu nie potrafię mu zaufać...

– Ja także. – Will Hasling podniósł się z krzesła i podszedł do drzwi. – Muszę już iść, Amosie, żona czeka na mnie w Savoyu. Wybieramy się dziś do teatru.

– Rozumiem. Miłego wieczoru, panie H.!

Will odwrócił się w progu.

– Naprawdę będę musiał porozmawiać z panem Edwardem, i to jak najszybciej – powiedział. – Muszę przygotować go na kłopoty, nie mogę postąpić inaczej. Niech pan każe swoim ludziom powęszyć wokół George'a, dobrze? Kto wie, czego się dowiedzą...

– Może pan na mnie polegać. Jeżeli George Deravenel coś ukrywa, wkrótce będziemy o tym wiedzieli.

Czekały ich kłopoty. Amos Finnister wyczuwał je na odległość. Zawsze polegał na swojej intuicji i wiedzy o ludziach, jaką zdobył w ciągu minionych lat. Rozumiał, jakie motywacje rządzą ludzkim postępowaniem, wiedział, dlaczego ludzie zachowują się tak, a nie inaczej. Ten szczególny dar był mu pomocny w okresie, kiedy pełnił służbę jako posterunkowy, patrolując ulice Whitechapel, Limehouse i inne części londyńskiego East Endu, a także w latach pracy dla Neville'a Watkinsa. Służył mu również po rozpoczęciu pracy w Deravenels, na stanowisku szefa działu ochrony. Uśmiechnął się lekko. Można powiedzieć, że nauczył się nowego fachu od chwili, gdy Edward Deravenel poprosił go, aby czuwał nad jego bezpieczeństwem.

Teraz nie było to już konieczne. Większość wrogów Edwarda przeniosła się na tamten świat, inni uciekli za granicę, pozbawieni możliwości działania przez sukcesy młodego Deravenela. Firma Deravenels zawsze była korporacją o zasięgu globalnym, a Edward sprawił, że jeszcze bardziej rozszerzyła pole działania i zaczęła zarabiać większe pieniądze.

Edward zyskał sławę jako genialny biznesmen, nie tylko w Anglii, ale i na całym świecie. Niektórzy twierdzili, że jest jeszcze potężniejszy niż dawniej jego kuzyn Neville Watkins, prawdziwy gigant świata finansjery.

Amos przypomniał sobie, jak parę lat temu powiedział Edwardowi, że zamierza przejść na emeryturę. Młody człowiek wpadł we wściekłość, inaczej nie da się tego określić.

– Chcę, żebyś stał u mego boku do końca swojego życia, i mojego także! – wykrzyknął. – Nie chcę słuchać gadaniny o emeryturze, nic z tych rzeczy! Nie wspominaj o tym więcej, Amosie! I pamiętaj, że ludzie, którzy przechodzą na emeryturę, zawsze tracą energię życiową i umierają!

Amos był nieco zaskoczony tak zdecydowaną reakcją Edwarda, ale też bardzo zadowolony. Spontanicznie wyrażony protest młodego Deravenela naprawdę mu pochlebiał. W tamtej chwili uświadomił sobie, że zajmuje szczególne miejsce w życiu i sercu swego szefa, który i dla niego był kimś wyjątkowym.

Wierny, dyskretny, kryształowo uczciwy i pełen poświęcenia Amos Finnister mógł poszczycić się niezwykłym opanowaniem. Nigdy nie wpadał w panikę i cieszył się tak wielkim zaufaniem Edwarda Deravenela, że ten nie ukrywał przed dawnym prywatnym detektywem absolutnie żadnych aspektów swojego skomplikowanego życia.

Wszyscy w Deravenels wiedzieli, że Amos Finnister jest bliskim współpracownikiem dyrektora firmy, nikt nie zdawał sobie jednak sprawy, jak bardzo bliskim. Mocniej związany z Nedem był chyba tylko Will Hasling, jego najdawniejszy i najserdeczniejszy przyjaciel.

Deravenel, Hasling i Finnister od lat pracowali zgodnie i bez najmniejszych nieporozumień. Ufali sobie bez reszty, nie ujawniając szczegółów swojej współpracy ani innym kolegom, ani członkom swoich rodzin. Edward zauważył kiedyś żartem, że są jak Trzej Muszkieterowie, i miał rację.

Ich współpraca układała się tak doskonale z kilku powodów. Edward i Will byli arystokratami, ale nie snobami. Przyjaźnie nastawieni do świata, naturalni, otwarci i w żadnym razie nie wyniośli, umieli właściwie oceniać wartość innych ludzi, Amos Finnister natomiast wiedział, że nie powinien przekraczać pewnej granicy, doskonale znał swoje miejsce w szeregu i nigdy nie był nachalny. Nie próbował wedrzeć się do świata swoich przyjaciół, gdyż byłoby to całkowicie nie na miejscu.

Wszyscy trzej od dawna kroczyli ramię w ramię. Myśleli w podobny sposób, co było owocem wielu wspólnie spędzonych lat, i działali podobnie, kiedy napotykali na drodze problemy. Potrafili też porozumiewać się bez słów.

Amos wstał i przespacerował się po gabinecie, rozprostowując długie nogi. Zastanawiał się nad tym, co powiedział mu Will Hasling.

Szybko doszedł do wniosku, że Will był znacznie bardziej zaniepokojony, niż mogłoby to wynikać z jego słów. Wiedział również, że gdy następnego ranka Will zdradzi Edwardowi, co go martwi, Deravenel natychmiast poprosi, aby sprawą George'a zajął się on, Amos.

Zbliżył się do okna i popatrzył na londyńską ulicę. Noc była pogodna, ciemne bezchmurne niebo iskrzyło się gwiazdami.

Zamknął szufladę biurka na klucz, zdjął palto z wieszaka w szafie i zszedł na dół, do imponującego, wyłożonego marmurem holu. Po chwili maszerował przed siebie Strandem.

Ruch na ulicy był większy niż zwykle. Taksówki, auta i omnibusy tłoczyły się na jezdni, a po chodniku śpieszyli zajęci swoimi sprawami piesi. Amos natychmiast zrozumiał, że złapanie taksówki będzie raczej niemożliwe.

Na szczęście lubił chodzić pieszo – przypominało mu to lata spędzone w policji, poza tym zawsze najlepiej mu się myślało w czasie spaceru. Teraz zapiął palto i zdecydowanym krokiem ruszył przed siebie.

Zmierzał do hotelu Ritz na Piccadilly, gdzie zatrzymał się jego stary przyjaciel Charlie Morran. Umówili się na kolację w hotelowej restauracji, jednej z najlepszych w Londynie. Amos jadał tam czasami w towarzystwie Edwarda Deravenela, więc doskonale znał lokal u Ritza.

Marmurowe podłogi, wspaniałe dywany, kryształowe żyrandole, piękne meble z ciemnego drewna i ogromne bukiety kwiatów sprawiały, że hotel do złudzenia przypominał pałac. Był ulubionym miejscem pobytów i spotkań ludzi bogatych i sławnych, londyńskiej i światowej śmietanki towarzyskiej, arystokracji, znanych aktorów, aktorek, pisarzy, członków parlamentu i polityków.

Idąc w kierunku Trafalgar Square, Amos myślał o Charliem, którego nie widział od dwóch lat. Młody człowiek był na froncie we Francji, gdzie walczył za króla i ojczyznę.

Kiedy w sierpniu 1914 roku wybuchła wojna, Charlie natychmiast zarezerwował miejsce na statku płynącym z Nowego Jorku do Southampton i wrócił do Anglii, aby wstąpić do wojska.

– Nic nie odwiedzie mnie od spełnienia obowiązku – powiedział Amosowi zaraz po przybyciu do Londynu. – Chcę zgłosić się na ochotnika, walczyć o dobro i sprawiedliwość. Jeszcze w tym tygodniu wstąpię do armii.

I tak zrobił.

Charlie wrócił do Londynu sam, bo jego siostra Maisie opuściła Amerykę rok wcześniej. W 1913 roku przeniosła się do Irlandii, aby zostać żoną człowieka, którego wybrało jej serce.

Amos był bardzo dumny z Charliego i Maisie oraz z sukcesów, jakie udało im się osiągnąć. Po kilku miesiącach od przybycia do Nowego Jorku, gdzie, jak zawsze utrzymywał Charlie, ulice wybrukowane są złotem, dwa dzieciaki z Whitechapel znalazły pracę w teatrze, a po paru latach zostały gwiazdami Broadwayu, zgodnie ze swoimi najśmielszymi marzeniami. I dlaczego miałoby być inaczej? Charlie i Maisie umieli śpiewać, tańczyć i grać, oboje posiadali też niezwykle żywą, prawdziwie aktorską mimikę, nie wspominając już o przyciągającym uwagę wyglądzie. Talent i uroda – kombinacja najlepsza z możliwych. Amos nie dziwił się, czytając listy, w których jego młodzi przyjaciele donosili o swoich wielkich triumfach.

Wypłynęli z Liverpoolu w 1904 roku, lecz wkrótce miłość, jaką darzyli Londyn, zwabiła ich z powrotem. W następnych latach często odwiedzali kraj i Amos zawsze witał ich z ogromną radością.

Przeżył chwile wielkiej radości, kiedy otrzymał list, w którym Maisie powiadamiała go o zawarciu małżeństwa z młodym Irlandczykiem, najstarszym synem lorda Dunleith, właściciela ziemskiego, pana wspaniałego dworu Dunleith oraz rozległych włości otaczających jego rezydencję.

Wszystkie te myśli kłębiły się Amosowi w głowie, kiedy zmierzał w stronę Trafalgar Square, gdzie teraz roiło się od ludzi. Nie brakowało ich zwłaszcza obok pomnika największego bohatera Wielkiej Brytanii, admirała Horatia Nelsona. Świętujący śpiewali, machali brytyjskimi flagami i tańczyli. Co jakiś czas słychać było okrzyki: „Pobiliśmy Szwabów!". Najwyraźniej wyrażali radość nie tyle z powodu zbliżających się świąt, ile z zakończenia wojny.

Po drugiej stronie placu ktoś odpalił fajerwerki i na tle ciemnego nieba wybuchały kręgi barwnych iskier. Fajerwerków z każdą chwilą było coraz więcej, ludzie klaskali w dłonie i śmiali się głośno.

Nagle ponad gwar wzbił się czysty sopran, śpiewający *Land of Hope and Glory*. Po pierwszym wersie pieśń podjęli inni i wkrótce cały plac rozbrzmiewał śpiewem. Śpiewał także Amos, któremu gardło ściskało się ze wzruszenia. Ogarnęło go uczucie dumy i zdał sobie sprawę, że jest równie sentymentalny i podatny na patriotyczne uniesienia jak inni.

W końcu ruszył dalej przez plac, kierując się w stronę Piccadilly i Ritza. Dzięki Bogu, że wojna już się skończyła, pomyślał. Po raz pierwszy w historii pożoga ogarnęła cały świat, niszcząc dawny porządek rzeczy. Amos wiedział, że nic nie będzie teraz takie jak dawniej, czuł jednak ogromną wdzięczność do Opatrzności, że tej nocy na świecie panuje pokój, pokój po czterech latach piekła i hekatombie milionów istnień młodych ludzi, skoszonych przez śmierć, zanim jeszcze mieli szansę naprawdę rozpocząć życie.

ROZDZIAŁ ÓSMY

Gdy Amos dotarł do Arlington Street, tuż obok Piccadilly, szybkim krokiem przeszedł na drugą stronę, gdzie znajdowało się wejście do hotelu Ritz. Skinął głową portierowi w granatowym uniformie i w czarnym kapeluszu i wszedł do holu. Spojrzawszy na duży ścienny zegar, z ulgą odkrył, że wcale się nie spóźnił. Zostawił palto w męskiej szatni, stanął w progu sali, gdzie codziennie podawano herbatę, rozejrzał się i po sekundzie spostrzegł zmierzającego ku niemu Charliego. Młody człowiek szedł powoli, utykał na jedną nogę i całym ciężarem ciała opierał się na lasce. Był kapitanem armii brytyjskiej, otrzymał wiele odznaczeń i wyglądał bardzo dystyngowanie w oficerskim mundurze.

Amos uniósł dłoń, a Charlie odpowiedział tym samym gestem. Amos zawahał się chwilę, zaraz jednak odzyskał równowagę, wziął głęboki oddech i pośpieszył na powitanie przyjaciela, mając nadzieję, że ten nic nie zauważył. Przywołał na twarz uśmiech i kiedy stanęli naprzeciwko siebie, wyciągnął rękę, którą Charlie uścisnął z całej siły. Serce Amosa skuliło się z bólu. Z trudem przełknął ślinę, uświadamiając sobie, że młody aktor nigdy więcej nie stanie na scenie, nie z tak pokiereszowaną twarzą. Jeden policzek Charliego znaczyły blizny po oparzeniach, skóra była czerwona, nierówna i mocno naciągnięta.

– Obawiam się, że będę musiał poszukać innego zajęcia, Amosie – odezwał się młody człowiek, czytając w myślach starego przyjaciela. – Dobrze chociaż, że udało mi się przeżyć... Lekarze byli pewni, że będą musieli amputować mi nogę, ale ostatecznie uniknąłem kalectwa. – Głos zadrżał mu lekko. – Należę do szczęśliwców, bez dwóch zdań.

Przez chwilę Amos nie był w stanie wykrztusić ani słowa, lecz szybko przywołał się do porządku, poruszony odwagą i spokojem Charliego.

– Wiem, że byłeś w piekle, lecz na szczęście wróciłeś już do domu – rzekł. – I jesteś bezpieczny.

Na twarzy Charliego pojawił się słaby uśmiech.

– Twój widok to prawdziwa radość dla moich oczu, przyjacielu – powiedział. – Chodźmy do restauracji, dobrze? Wypijemy za nasze zdrowie i powspominamy dawne czasy.

– Świetny pomysł! Jak czuje się twoja siostra?

– Maisie jest w świetnej formie, bo Liam ma się coraz lepiej. Zaraz po powrocie z frontu był w strasznym stanie, bardziej przypominał żywego trupa niż człowieka. Trwało to naprawdę długo. Potem ciągle płakał i z krzykiem budził się w nocy. Doskonale go rozumiem – straszne wspomnienia nie chcą opuścić żadnego z nas. – Charlie potrząsnął głową. – Wielu rannych zapewne nigdy nie wróci do zdrowia. Równie dobrze mogliby zginąć, bo nie mają przed sobą normalnego życia... No, ale chyba nie powinienem tego mówić, prawda? Jeśli chodzi o Maisie, to trudno o kogoś odważniejszego i pogodniejszego niż ona. Jest przekonana, że Liam odzyska siły i przesyła ci najserdeczniejsze pozdrowienia.

– Przedwczoraj dostałem od niej świąteczną kartkę – uśmiechnął się Amos. – Ma nadzieję, że odwiedzę ich w Dunleith; proponowała nawet, abyśmy wybrali się tam razem.

– Doskonale! – ucieszył się Charlie i skinął głową szefowi sali.

Ten podszedł, aby ich przywitać i wprowadzić do restauracji:

– Dobry wieczór, kapitanie Morran, cieszę się, że możemy pana dziś gościć. – Dobry wieczór, panie Finnister...

– Dobry wieczór – odparł Amos, pewny, że zapamiętano go, ponieważ wiele razy bywał tu na lunchu z Edwardem Deravenelem i Willem Haslingiem.

Szef sali poprowadził ich do stolika przy oknie z widokiem na Green Park.

– Cieszę się, że udało mi się dostać pokój w Ritzu – powiedział Charlie, kiedy usiedli wygodnie. – Mają mnóstwo gości, niewątpliwie z powodu zakończenia wojny, no i Bożego Narodzenia, rzecz jasna... Na szczęście jestem starym klientem, więc okazali mi dużo życzliwości. Na pewno pamiętasz, że odkąd było nas na to stać, oboje z Maisie zatrzymywaliśmy się tutaj za każdym razem, gdy wracaliśmy do Londynu, głównie po to zresztą, żeby zobaczyć się z tobą... Wierz mi, Amosie, to miejsce jest dużo bardziej przyjemne niż okopy.

– Nie musisz mnie przekonywać. Nie umiem sobie wyobrazić, przez co przeszliście, ty i tylu innych naszych chłopców. Musiało to być najprawdziwsze piekło na ziemi. – Amos przerwał, ponieważ do stolika podszedł właśnie kelner.

– Napijemy się szampana? – zapytał Charlie. – A może wolisz coś mocniejszego?

– Zdaję się na twój wybór, Charlie.

– W takim razie poprosimy szampana – zwrócił się Charlie do kelnera. – Butelkę różowego, najlepszego, jaki macie...

– Różowy krug, sir... Zaraz przyniosę.

Kiedy znowu zostali sami, Charlie pochylił się nad stołem.

– Bezustanny ostrzał, gaz, walka wręcz, wszystko to było po prostu straszne, ale najbardziej umęczyło nas błoto – wyznał cicho. – Czasami zapadaliśmy się w gęstą maź po kolana, nie mogliśmy się poruszać, mówię ci. Jeden z moich żołnierzy wpadł na pomysł, żeby z racji żywnościowych ułożyć twarde podłoże w okopach.

– Z jedzenia? – Amos ze zdziwieniem uniósł brwi.

– Tak jest, z puszek mielonej wołowiny! Mieliśmy pod butami setki puszek, dzięki czemu przynajmniej trochę wyschły nam buty, mogliśmy wyjrzeć ponad poziom gruntu i zobaczyć atakujących nas Niemców. Błoto było przerażające, lepkie jak klej. Na domiar złego ciągle padał deszcz. Wszędzie dookoła wybuchały pociski, ludzie padali jak muchy.

Charlie zamilkł. Mocno zacisnął wargi, starając się zapanować nad emocjami, co z pewnością nie było łatwe. Amos patrzył na niego z niepokojem. Zauważył, że ciemne oczy Charliego zwilgotniały, więc szybko wyciągnął rękę i z czułością dotknął jego ramienia.

– Spokojnie, chłopcze, spokojnie – wymamrotał. – Może nie powinniśmy o tym rozmawiać.

– Wszystko w porządku, naprawdę! – przerwał mu Charlie. – Lepiej się czuję, kiedy mogę o tym opowiadać, zwłaszcza staremu przyjacielowi. Wiem, że rozumiesz, co przeżywam.

Amos nie odpowiedział. Myślał o tym, że Charlie doświadczył czegoś potwornego, ale dotyczyło to przecież całego jego pokolenia. Ta pierwsza światowa wojna przerażała nieopisaną, krwawą brutalnością.

Charlie zakasłał i przełknął ślinę.

– Widziałem, jak moi żołnierze umierali tuż obok mnie – podjął. – Straciłem cały batalion, jestem jedynym, który przeżył...

Głos załamał mu się nagle. Wyjął chusteczkę, wytarł nos i odwrócił głowę, daremnie usiłując odepchnąć wspomnienia o swoich podkomendnych.

Amos, świadomy, że Charlie próbuje opanować wzruszenie, przywołał gestem kelnera.

– Poprosimy szklankę wody, dobrze? – powiedział. – I karty dań, bo chcielibyśmy złożyć już zamówienie.

Po paru chwilach Charlie spojrzał na Amosa i uśmiechnął się z trudem.

– Przepraszam cię, stary, słowo daję... – odezwał się. – Zwykle jakoś sobie radzę, nawet całkiem nieźle, ale czasami rozklejam się nagle. Przepraszam, nie chciałem zrzucać na ciebie tego ciężaru...

– Nie żartuj! – odparł Amos, kątem oka dostrzegając zmierzających ku nim kelnerów. – Popatrz tylko, chyba dostaniemy wszystko na raz!

Wkrótce, znowu sami, trącili się kieliszkami z szampanem.

– Za przyszłość! – wzniósł toast Charlie.

– Za przyszłość! – powtórzył Amos, zanurzając wargi w musującym winie.

Parę minut w milczeniu przeglądali menu.

– Mnóstwo smakowitości – zauważył z uśmiechem Charlie, zerkając na Amosa znad krawędzi karty. – I muszę przyznać, że wszystkie wydają mi się kuszące. No i naturalnie dużo smaczniejsze niż jedzenie, jakim żywili nas w wojskowym szpitalu w Hull! Na samo wspomnienie robi mi się niedobrze.

Amos roześmiał się i odetchnął z ulgą – znowu miał przed sobą dawnego, pogodnego Charliego.

– Ja także uważam, że to menu godne jest królewskiego stołu – przyznał. – No, dobrze... Wezmę chyba ostrygi z Colchester albo może raczej marynowane krewetki z Morecambe Bay, potem baraninę z galaretką z czerwonych porzeczek lub pieczeń wołową i pudding...

– Myślisz, że ci tutaj wiedzą, jak przyrządzić dobry pudding? – Charlie, wrócił do swego rdzennego cockneya, aby rozbawić przyjaciela. – Moja stara matka zawsze powtarzała, że tylko ludzie z Dales umieją zrobić prawdziwy pudding, i miała rację, co? Nie, pudding na pewno nie jest tutejszym specjałem!

Amos parsknął śmiechem.

– Sądziłem, że zapomniałeś już, jak mówi się cockneyem, Charlie, bo przez całe nasze spotkanie dziś mówiłeś jak oficer i prawdziwy dżentelmen!

Charlie zaśmiał się i z wyraźną przyjemnością pociągnął łyk różowego szampana.

– Nie tylko dziś, ale codziennie – rzekł. – Chyba zauważyłeś, że już kiedy przyjeżdżaliśmy tu przed wojną, oboje z Maisie coraz rzadziej posługiwaliśmy się cockneyem!

– Tak, rzeczywiście, ale jednak od czasu do czasu zdarzały się wam drobne wpadki, prawda?

– Na szczęście niezbyt często. Widzisz, nie bez powodu po przybyciu do Nowego Jorku postanowiliśmy mówić prawidłowo, ogólnie zrozumiałym angielskim... Trudno to sobie wyobrazić, ale w Nowym Jorku ludzie nie rozumieją cockneya!

– Jasne, a na dodatek warto pamiętać, że wielu Anglików także go nie rozumie – zauważył Amos.

– Cóż, trzeba urodzić się w Whitechapel, żeby rozumieć cockney i władać nim jak należy – uśmiechnął się Charlie. – Mama powiedziała mi kiedyś, że rymy w cockneyu wymyślone zostały po to, aby nikt obcy nie mógł rozgryźć tego języka. Był to także sposób na zmylenie gliniarzy, policjantów takich jak ty i policyjnych wtyczek!

– Zakodowany język! – zawołał Amos. – A niech mnie!

Charlie popatrzył na niego uważnie i westchnął.

– Sam twój widok podnosi mnie na duchu, naprawdę – powiedział. – Śmieję się dziś pierwszy raz od wielu miesięcy, możesz mi wierzyć.

Zanim Amos zdążył odpowiedzieć, szef sali podszedł do ich stolika, aby przyjąć zamówienie. Kiedy się oddalił, Amos przechylił się przez blat ku przyjacielowi.

– Jestem tu po to, żeby ci pomóc, wszystko jedno, w jaki sposób – oświadczył. – I dołożę wszelkich starań, aby to zrobić, przecież wiesz, Charlie. Na pewno nie potrzebujesz pieniędzy, bo przecież jesteś znanym aktorem, więcej, gwiazdą teatru, ale...

– Nie, nie, pieniądze nie są mi potrzebne! – potwierdził Charlie. – Mam w Nowym Jorku świetnego menedżera, który dobrze zainwestował zarobione przeze mnie pieniądze i pomnożył je wielokrotnie. To samo dotyczy pieniędzy Maisie, zresztą po śmierci jej teścia, który zmarł w zeszłym roku, Liam odziedziczył tytuł i duży majątek. Był jedynym synem, jak wiesz. Jestem szczerze dumny z Maisie, Amosie, bo od ślubu sama zarządza posiadłościami lorda Dunleith, który długo chorował i był kompletnie zniedołężniały. Lady Dunleith nie żyje od wielu lat, a Liam prawie cztery lata spędził na froncie, więc cała odpowiedzialność za majątek spoczywała na barkach Maisie. Naprawdę niezwykła z niej dziewczyna!

– Całkowicie się z tobą zgadzam – mruknął Amos, otrząsając się ze wspomnień, których wolałby się pozbyć. – Co będziesz robił teraz, po zakończeniu wojny? – zmienił temat. – Poszukasz jakiegoś zajęcia, czy zamierzasz prowadzić życie dżentelmena?

– Nie potrafiłbym tak po prostu nic nie robić! – Charlie zdecydowanie potrząsnął głową. – Nie mogę już występować, sam widzisz, jak wyglądam, ale mógłbym reżyserować, zostać producentem albo może nawet pisać dla teatru... Na pewno uda mi się coś wymyślić!

– Nie mam co do tego cienia wątpliwości. – Amos pokiwał głową. – Zawsze byłeś bardzo przedsiębiorczy. Czy jednak rzeczywiście nic nie da się zrobić z tymi bliznami?

– Nie jest to zupełnie wykluczone. Jeden z lekarzy w szpitalu w Hull powiedział mi, że skórę można wygładzać metodą ścierania, ciągle pojawiają się również inne, zupełnie nowe sposoby leczenia. Muszę zaczekać parę miesięcy, aż wszystkie rany na dobre się zabliźnią i wtedy poszukam jakiegoś specjalisty.

W tym momencie dwóch kelnerów zaczęło ustawiać przed nimi półmiski z zamówionymi daniami – ostrygami z Colchester dla Amosa i pasztetem dla Charliego. Po chwili na stole znalazły się także koszyczki z grzankami i świeżym ciemnym chlebem.

– Cieszę się, że umówiliśmy się na kolację – powiedział Charlie. – Nie mogłem się już doczekać spotkania z tobą! Twoje towarzystwo zawsze sprawiało, że czułem się lepiej i jaśniej widziałem przyszłość. Dobrze jest mieć prawdziwego przyjaciela, kogoś, komu można całkowicie zaufać.

– To prawda – rzekł Amos. – Czuję to samo, Charlie! Nie muszę cię chyba o tym przekonywać.

Kiedy zjedli drugie danie i spokojnie popijali czerwone wino, które zamówili do pieczeni wołowej, Charlie wyprostował się nagle.

– Co się stało? – zapytał Amos, podążając wzrokiem za spojrzeniem przyjaciela.

– Wszedł właśnie mój znajomy, ten oficer o kulach, widzisz? Ten z dwiema damami i mężczyzną...

Amos kiwnął głową.

– Stracił nogę i odniósł ciężkie rany w trzeciej bitwie pod Ypres.

– Był z tobą w okopach?

– Nie, wtedy jeszcze go nie znałem. Spotkaliśmy się w szpitalu wojskowym w Hull, potem byliśmy razem w szpitalu Chapel Allerton w Leeds, kiedy miałem problemy z nogą. Jemu amputowali prawą powyżej kolana, ja miałem więcej szczęścia, dzięki Bogu... Nie będziesz miał nic przeciwko, jeśli podejdę przywitać się z nim?

– Skądże znowu, mój drogi! Zaczekam tu na ciebie, delektując się świetnym winem, które zamówiłeś!

– Cedric to dobry kompan, okazał mi wiele serca.

Amos zmarszczył brwi.

– Jak nazywa się twój znajomy? – spytał.

– Cedric...

– A nazwisko?

– Crawford, major Cedric Crawford. Dlaczego pytasz?

– Po prostu byłem ciekawy... – mruknął Amos.

Charlie podniósł się i powoli przeszedł przez salę, pragnąc porozmawiać chwilę z człowiekiem, z którym zaprzyjaźnił się w szpitalu dla rannych na froncie. Amos patrzył za nim, zupełnie zbity z tropu. Czuł się tak, jakby ktoś wymierzył mu mocny cios w brzuch. Czy to możliwe, aby oficer o kulach był tym samym Cedrikiem Crawfordem, który żył z matką Grace Rose, Tabithą James? Tym samym człowiekiem, który pozostawił małą Grace na łasce losu? Który skazał ją na życie na ulicy?

Nie wiedział, co o tym myśleć, zamierzał jednak poznać prawdę.

ROZDZIAŁ DZIEWIĄTY

Czekając na powrót Charliego, Amos rozejrzał się po sali, jak zwykle pełnej, rozbrzmiewającej gwarem rozmów, śmiechem, brzękiem naczyń, butelek i kostek lodu, wszystkimi odgłosami, typowymi dla cieszącej się popularnością restauracji.

Wśród siedzących przy stolikach panował tego wieczoru wyjątkowo świąteczny, radosny nastrój. Amos zauważył wielu oficerów z żonami, rodzicami i całymi rodzinami; niektórzy z nich byli ranni i serce Amosa ściskało się ze współczucia. Dobrze wiedział, że żołnierze, na których patrzył, mieli ogromne szczęście – żyli, wrócili do domu i teraz mogli spokojnie obchodzić Boże Narodzenie. Na świecie znów panował pokój, lecz miliony walczących zabrała śmierć. Kwiat angielskiej młodzieży oddał życie, aby inni mogli spokojnie patrzeć w przyszłość, całe pokolenie przestało istnieć.

Amos kilka razy zerkał ostrożnie na majora Cedrica Crawforda, który z ożywieniem rozmawiał z Charliem. Obaj sprawiali wrażenie szczerze zadowolonych z tego spotkania.

Wiedział, że będzie musiał zająć się sprawą dyskretnie i delikatnie. Doskonale rozumiał, że ludzie, których łączyły wojenne wspomnienia, czuli się związani ze sobą prawie równie mocno jak rodzeni bracia. Charlie i Crawford odnieśli straszne rany na froncie i spędzili sporo czasu razem w szpitalach, a to oznaczało, że z pewnością są sobie bardzo bliscy, było to zresztą wyraźnie widać, gdyż witali się z wielkim entuzjazmem i wzruszeniem.

Odwrócił głowę i utkwił wzrok w widocznych za oknem drzewach Green Park, a kiedy znowu spojrzał na salę, Charlie wracał już do stolika.

– Twój przyjaciel bardzo ucieszył się ze spotkania.

– Tak, podobnie jak ja. Cedric to miły facet i zawsze był dla mnie bardzo dobry, starał się pomóc mi, jak umiał.

– To dobrze. Czy jedna z tych pań jest jego żoną?

– Nie, to jego siostry. Rowena, ta ciemnowłosa, jest bliźniaczą siostrą Cedrica i jeszcze nie wyszła za mąż, a druga, blondynka, jest najstarsza z całej trójki. Ma na imię Daphne i jest tu z mężem, sir Malcolmem Holmesem, przemysłowcem...

– Słyszałem o nim – rzekł Amos. – Więc Cedric pochodzi z zamożnej rodziny, tak?

– Jak najbardziej! – Charlie uśmiechnął się lekko. – Ma dostać odznaczenie Krzyż Wiktorii, wyobrażasz sobie? Przed chwilą dowiedziałem się o tym od Roweny. To nie byle co, Krzyż Wiktorii jest wyrazem najwyższego uznania dla odwagi w obliczu wroga. Słyszałem o zachowaniu Cedrica w czasie bitwy nad Sommą, zaraz po Verdun, więc wiem, że naprawdę zasłużył na ten honor. Uratował wielu żołnierzy, nie wahając się ryzykować własne życie.

– Opowiadał ci o swoich wojennych wyczynach, tak? – Amos uważnie wpatrywał się w twarz przyjaciela.

Zastanawiał się, czy na świecie może istnieć dwóch Cedrików Crawfordów, ale imię człowieka, o którego mu chodziło, było tak rzadko spotykane. Z drugiej strony, nigdy nie wiadomo... Doszedł do wniosku, że jest to jednak wyjątkowo mało prawdopodobne. Cedric Crawford, przed wojną oficer gwardii i hazardzista, to z pewnością ten człowiek.

– Nie, nie, Cedric nigdy nie chwaliłby się swoją odwagą, to nie w jego stylu! – zaoponował Charlie. – Opowiadał mi o nim chirurg ze szpitala w Hull. Cedrica przywieziono tam jako bohatera. Pod ciężkim ostrzałem wroga wyprowadził z okopów siedmiu swoich ludzi, dotarł z nimi poza linię ognia, a potem wrócił i na własnych plecach wyniósł po kolei dwóch ciężko rannych żołnierzy. Było to w 1916 roku, tego lata, kiedy generał Haig wysłał brytyjskie oddziały na pomoc Francuzom. Pierwszego dnia walk brytyjskie szeregi zostały dosłownie skoszone... Dwadzieścia tysięcy poległych, Amosie, dwadzieścia tysięcy! I czterdzieści tysięcy rannych oraz zaginionych. Cedric uratował swoich żołnierzy drugiego dnia bitwy.

Amos w milczeniu pokiwał głową, oszołomiony podanymi przez Charliego liczbami. Trudno było to sobie wyobrazić. Sześćdziesiąt tysięcy poległych lub rannych. Wyprostował się i popatrzył na Charliego, który nadal mówił o Cedriku.

– Później walczył pod Ypres. Zabawne, że obaj byliśmy pod Passchendaele, ale naturalnie wtedy jeszcze się nie znaliśmy... To był rok 1917, krwawy rok. Każdy z nas, ocalałych, zawdzięcza życie chyba wyłącznie swojemu aniołowi stróżowi.

Amos znowu przytaknął bez słowa, zastanawiając się, w jaki sposób poruszyć temat Cedrica Crawforda, jak powiedzieć Charliemu, że być może jest on człowiekiem, który był związany z Tabithą James, chociaż z każdą chwilą wydawało mu się to coraz mniej prawdopodobne. Z drugiej strony, co właściwie wiedział o Cedricu Crawfordzie? Niewiele. Dysponował jedynie paroma informacjami, uzyskanymi od Grace Rose, wtedy czteroletniej dziewczynki, oraz kilkoma uwagami kobiety, która była podobno przyjaciółką Tabithy, ale nie znała jej zbyt dobrze, jak się okazało, i wcale nie dołożyła starań, aby ją uratować.

– Zamyśliłeś się, Amosie – zauważył Charlie. – I wyglądasz na zatroskanego. O co chodzi?

Amos spojrzał na młodego człowieka, którego zawsze darzył najszczerszą sympatią. Nie miał pojęcia, od czego zacząć, ale w końcu podjął decyzję.

– Czy twój przyjaciel jest zawodowym żołnierzem? – zapytał.

– Chyba nie, chociaż dawniej służył w gwardii królewskiej – odparł Charlie. – Później opuścił wojsko, nie mówił mi jednak z jakiego powodu. Przez pewien czas mieszkał w Paryżu, a stamtąd wyjechał do Ameryki. Może mi nie uwierzysz, ale widział mnie w jednym z przedstawień na Broadwayu i dobrze zapamiętał nas oboje, Maisie i mnie...

– Lubi grać?

– Chodzi ci o wyścigi konne czy o domy gry? – Charlie uniósł brwi.

– O domy gry.

– Myślę, że czasami do nich zagląda. Zaraz, chciałbym wiedzieć, w czym rzecz, Amosie? Skąd te wszystkie pytania na temat Cedrica?

Jestem pewny, że można mu zaufać, pomyślał Amos.

– Powinienem powiedzieć ci coś ważnego – odezwał się. – Coś, co musi zostać między nami.

– Mów, przecież wiesz, że nikomu o tym nie powiem. No, dalej, mówże!

– Sądzę, że twój przyjaciel Cedric znał Tabithę James, matkę Grace Rose, a nawet był z nią związany.

– Daj spokój, chyba nie mówisz poważnie!

– Najpoważniej w świecie. – Amos pokiwał głową. – Rozumiem, że może ci się to wydawać dziwne, nawet niemożliwe, nie ulega jednak wątpliwości, że Tabitha miała coś wspólnego z mężczyzną o tym imieniu i nazwisku. Myślisz, że w Londynie mieszka dwóch Cedriców Crawfordów?

– Nie wiem, ale to chyba mało prawdopodobne. – Charlie zmarszczył brwi. – Ostatecznie nie jest to przysłowiowy „John Smith", prawda? Posłuchaj, musisz odświeżyć mi trochę pamięć. Wiem, że znalazłeś Grace Rose w Whitechapel, że żyła w strasznych warunkach.

– Mieszkała w wozie, chyba wyrzuconym przez jakiegoś sklepikarza, w opuszczonym zaułku, przebrana za chłopca...

– No, właśnie! Przypominam sobie, że opowiadałeś mi o tym, kiedy pierwszy raz przyjechaliśmy z Nowego Jorku razem z Maisie. Zaprowadziłeś znalezione dziecko do lady Fenelli, do Haddon House, a kiedy umyliście je, okazało się, że jest to dziewczynka, nie chłopiec. Co się z nią teraz dzieje?

– Masz doskonałą pamięć, Charlie! Grace Rose świetnie sobie radzi, ale wracając do jej dzieciństwa, gdy ją znalazłem, powiedziała mi, że jej matka nie żyje, później zaś dawna przyjaciółka Tabithy James, Sophie Fox-Lanningan, wyjaśniła lady Fenelli, że nieszczęsna kobieta mieszkała z niejakim Cedrikiem Crawfordem, oficerem gwardii królewskiej i hazardzistą. Kiedy pewnego dnia postanowiła odwiedzić Tabithę, okazało się, że ta zniknęła, podobnie jak jej córeczka i Cedric Crawford. Wszystko to razem wydało jej się bardzo tajemnicze...

Charlie zmierzył Amosa uważnym spojrzeniem.

– I chcesz zapytać Cedrica, czy to był on, tak?

– Tak. Widzisz, nie wiemy nawet, gdzie pochowano Tabithę, co zawsze bardzo dręczyło mnie i lady Fenellę. Czteroletnia Grace twierdziła, że jej matka pogrzebana została na Potters Field, ale nikt w to nie wierzył, zresztą sprawdziliśmy i okazało się, że nikt taki tam nie leży. Dobrze byłoby się dowiedzieć prawdy, zwłaszcza ze względu na Grace Rose... Chodzi mi tylko o to, Charlie, wierz mi...

– Sądzisz, że Cedric wie, co stało się z matką Grace?

– To niewykluczone. Możliwe, że zostawił Tabithę, że wyprowadził się przed jej śmiercią.

Charlie wziął głęboki oddech i powoli wypuścił powietrze z płuc.

– Nie chciałbym niepotrzebnie denerwować Cedrica – wyjaśnił. – Biedny chłop ma za sobą naprawdę ciężkie przeżycia.

– Zdaję sobie z tego sprawę i nie zamierzam stwarzać żadnych problemów, chcę z nim tylko porozmawiać, naprawdę. Mógłbyś to zaaranżować?

– Chyba tak... – odparł Charlie niechętnie.

– Więc jak będzie?

– Dobrze, pod warunkiem, że potraktujesz go w bardzo delikatny sposób...

– Daję ci słowo honoru! Nie mów mu, dlaczego chcę się z nim zobaczyć, dobrze? Nie trzeba go niepokoić, niech nie myśli, że obwiniam go o śmierć Tabithy, bo wcale tak nie jest, zapewniam cię.

– Wychodząc, zapytam go, czy zjadłby z nami jutro kolację.

– Nie jutro, innego dnia. Jutro mam być na kolacji u Forthów, ludzi, którzy wychowali Grace Rose, ale poza tym jestem do twojej dyspozycji.

– Więc może w piątek?

– Doskonale.

– Gdzie się z nim umówimy? Tutaj, czy może wolisz jakąś inną restaurację?

– Sam wybierz miejsce, które wyda ci się najbardziej odpowiednie, pamiętaj tylko, że to ja zapraszam was obu...

Charlie uśmiechnął się lekko.

– W takim razie zjedzmy kolację tutaj! Cedric mieszka przy Queen Street razem ze swoją siostrą Roweną.

– Przed wyjściem zarezerwuję stolik – skinął głową Amos. – Tylko nie zdradź się z niczym przed Crawfordem, dobrze? Naprawdę lepiej, żeby nie wiedział, w czym rzecz.

– Będę milczał jak grób, obiecuję.

ROZDZIAŁ
DZIESIĄTY

– Zawsze wiem, kiedy będzie padać – powiedział Will Hasling do Alfreda Oliveriego. – Ramię potwornie dokucza mi przed deszczem.

– Mnie także, czasami wydaje mi się, że ktoś ściska mi bark imadłem! Nieważne, lepiej mieć bolesne rany niż wąchać kwiatki od spodu na cmentarzu w obcym kraju!

Will uśmiechnął się szeroko.

– Masz absolutną rację, stary!

Obaj zostali ranni w walkach nad Sommą w 1917 roku, potem odesłano ich do domu statkiem i leczono w szpitalu wojskowym w Londynie. Zaraz po wyjściu ze szpitala z radością wrócili do pracy w Deravenels. Pracowali razem z Edwardem od chwili, kiedy przejął firmę w 1904 roku i piastowali najwyższe stanowiska w zarządzie.

Alfredo przystanął tuż przed drzwiami do gabinetu Edwarda, położył dłoń na ramieniu Willa i zmierzył przyjaciela uważnym spojrzeniem.

– Nie spodoba mu się to, co zamierzasz mu powiedzieć.

– Nie musisz mi o tym mówić... – westchnął Will. – Zasugeruję mu, żeby zajął się całą sprawą po świętach, kiedy George wróci do Londynu, bo karcenie go przez telefon na pewno nie da oczekiwanego rezultatu. Ned musi pomówić z George'em w cztery oczy, nie sądzisz?

– Jak najbardziej – zgodził się Alfredo. – Edward nie omawiał ze mną ewentualnych negocjacji z MacDonaldem, ale odnoszę wrażenie, że nie do końca zależy mu na dobiciu targu...

– Nie mylisz się, jak zwykle zresztą. Zakup firmy MacDonalda nie jest dla niego sprawą życia i śmierci. Chciałby ją mieć, ale jeśli się nie uda, nie będzie płakał...

– Już wcześniej przyszło mi do głowy, że zastawia pułapkę na swojego nieznośnego braciszka – rzekł Alfredo. – Jeżeli George nie doprowadzi negocjacji do szczęśliwego finału, znajdzie się w kłopotach, a wtedy Edward będzie mógł pozbawić go stanowiska, nie sądzisz?

Will parsknął śmiechem.

– Włoska krew w twoich żyłach przemawia językiem Machiavellego, Oliveri!

Alfredo uśmiechnął się lekko, zapukał do drzwi gabinetu i puścił Willa przodem. Edward właśnie odkładał słuchawkę telefonu na widełki.

– Dzień dobry, moi drodzy! – zawołał pogodnie na ich widok.

Darzył obu mężczyzn ogromną sympatią i w czasie wojny bardzo niepokoił się ich losem. Przyrzekł sobie, że jeśli bezpiecznie wrócą, do końca życia będzie dbał o nich i starał się, aby zawsze przebywali blisko niego.

– Wiem, że umówiłeś się z kimś w sprawie psa, ale najpierw muszę z tobą chwilę porozmawiać – zaczął Will.

Edward się zaśmiał.

– Rzeczywiście umówiłem się w sprawie psa, lecz mam dziś tyle zajęć, że poprosiłem panią Shaw, aby poszła do Harrodsa wybrać szczeniaka dla Młodego Edwarda, a ona chętnie się zgodziła.

– Zabierzesz psa jutro ze sobą do Yorkshire? – zagadnął Alfredo. – Można wysłać go kurierem, to chyba mniej kłopotliwe.

– Pani Shaw mówiła mi, że jest taka możliwość, i tak właśnie zrobię. Psiak pojedzie ciężarówką od Harrodsa i zostanie dostarczony prosto do rąk panicza Edwarda Deravenela. Mały będzie zachwycony, poczuje, że jest ważną personą. – Edward z uśmiechem popatrzył na przyjaciół. – No, powiedzcie mi wreszcie, co was do mnie sprowadza! Macie tak ponure miny, że niewątpliwie przynosicie złe wieści. Siadajcie, na miłość boską! Równie dobrze możecie przyprawić mnie o ból głowy, siedząc w fotelach!

– Intuicja jak zwykle cię nie zawodzi – przyznał Will. – Chodzi o George'a. Twój brat wpakował się w niezłą kabałę.

– Nie do wiary – mruknął ironicznie Edward. – Co tym razem zrobił? Wiem, że jeszcze nie pozbawił mnie możliwości zakupu firmy Iana MacDonalda, bo negocjacje mają odbyć się dopiero jutro.

– Tak, wiem o tym. Muszę cię uprzedzić, że lada chwila będziesz musiał spłacić długi, jakie George zaciągnął w kasynie, Ned. Szczegóły przekaże ci Amos, ale po całym mieście krążą już plotki o poczynaniach George'a, powiedział mi o tym Howard.

– Długi zaciągnięte w kasynie?! – wybuchnął Edward. – Dlaczego ja miałbym je spłacać, na miłość boską? George sam powinien spłacać swoje zobowiązania, do cholery!

– Pozwól, że zacznę od początku – rzekł Will. – Parę dni temu mój brat powiedział mi, że w mieście dużo mówi się o karcianych długach George'a, jego panienkach lekkiego prowadzenia, a także o skłonności do narkotyków...

– Bierze narkotyki?! – krzyknął Edward, którego twarz nagle oblała się purpurowym rumieńcem.

Miał łagodne usposobienie i zwykle doskonale panował nad sobą nawet w trudnych sytuacjach, lecz wszyscy bali się jego rzadkich, gwałtownych wybuchów gniewu.

– Wypruję mu za to flaki! – Zerwał się na równe nogi. – I dlaczego znowu ma długi?! Obedrę drania żywcem ze skóry, słowo daję! Bezustannie zniesławia nasze nazwisko! Dżentelmen zawsze spłaca swoje zobowiązania, to podstawowa zasada ludzi z dobrych rodzin!

– Sam wiesz, jaki jest George – wymamrotał Oliveri. – Mam pewną propozycję – przerwał, nie odrywając wzroku od Edwarda.

– Mów! – warknął Deravenel i natychmiast przepraszająco pokręcił głową. – Przykro mi, Oliveri, nie złoszczę się na ciebie, przecież wiesz. Wybacz mi, stary!

– Nie musisz mnie przepraszać, rozumiem, co czujesz. Wracając do naszej czarnej owcy – moim zdaniem powinniśmy wysłać go kilka razy jak najdalej od Londynu, uwolnić od pokus, i tak dalej... – poważnie powiedział Alfredo.

– Dokąd moglibyśmy go wysłać? – zapytał Will, ściągając z namysłem brwi.

– Przede wszystkim, jeżeli negocjacje z Ianem MacDonaldem zakończą się sukcesem, George powinien doprowadzić sprawę do końca, co by znaczyło, że będzie musiał odbyć kilka podróży do Edynburga. Jeśli nie, można wyprawić go do Hiszpanii, która w czasie wojny zachowała neutralność, więc nie ma tam żadnych problemów ze środkami transportu. George mógłby się zająć sprawą firmy Jimenezów, chcą oni sprzedać gorzelnię, w której produkują sherry, najlepszą na świecie, jeśli dobrze pamiętacie...

– George na pewno byłby zainteresowany tą sprawą... – wtrącił Edward sarkastycznie. – Tak, to dobry pomysł, mam na myśli wysyłanie go w różne miejsca. Ale co z narkotykami? Co on bierze?

– Howard nie wiedział, ale obiecał mi, że popyta tu i ówdzie – rzekł Will. – Podejrzewam, że bierze kokainę albo może odwiedza palarnie opium w Chinatown.

– Przeklęty głupiec! – Edward przeszedł się kilka razy po gabinecie i spojrzał na Willa. – Mówiłeś, że Amos wie o tym więcej.

– Tak, rozmawiałem z nim wczoraj i prosiłem, żeby zorientował się w sytuacji. Wieczorem miał już sprawdzone informacje, więc umówiłem się z nim, że wpadnie tu koło dziesiątej trzydzieści. – Will przerwał, słysząc pukanie do drzwi. – O, to na pewno on!

– Na pewno – przytaknął Edward. – Proszę wejść!

– Dzień dobry – powiedział Amos, witając się ze wszystkimi i podchodząc do biurka.

Zaczekał, aż Edward usiadł i dopiero wtedy przysunął sobie krzesło po drugiej stronie.

– Czego się dowiedziałeś? – zapytał Edward.

– Weksle zostały wystawione przez trzy kluby – Starks, The Rosemont i Gentleman's Club. Największe długi pan George zaciągnął osobiście u Juliana Starka. Jeden z moich informatorów przekazał mi wczoraj wiadomość, że Julian Stark zamierza zgłosić się do pana w sprawie płatności, panie Edwardzie.

– Naprawdę? W takim razie musimy go uprzedzić, bo to znany plotkarz. Czy wiadomo, ile mój brat jest dłużny Starkowi?

Amos kiwnął głową.

– Trzydzieści tysięcy funtów.

Edward zbladł, wyraźnie oszołomiony.

– Co za idiota z tego George'a! – wykrzyknął gniewnie.

– Opanuj się, George nie jest tego wart – mruknął uspokajająco Will. – Ostatecznie to tylko pieniądze...

Edward z ogromnym trudem powstrzymał wybuch wściekłości.

– Chodzi o zasadę. – Odwrócił się do Alfreda. – Wypiszę czek na tę kwotę – rzekł. – Chciałbym, żebyś po lunchu zaniósł go Julianowi Starkowi, ty i Amos. Mam nadzieję, że nie macie nic przeciwko temu, prawda? I koniecznie odzyskajcie weksle!

– To żaden problem, zajmie nam to parę minut. – Oliveri zerknął na Finnistera. – Mam rację, Amosie?

– Tak, oczywiście. – Amos spojrzał na Edwarda. – Pozostałe dwa domy gry mają weksle pana George'a na pięć tysięcy funtów każdy.

– Rozumiem... – Edward jeszcze bardziej pobladł z gniewu. – Wypiszę czeki i na te sumy. Będziecie mogli je dostarczyć?

– Naturalnie – rzekł Amos. – Odbierzemy też weksle.

W gabinecie zapanowała cisza jak makiem zasiał. Will siedział bez ruchu, spodziewając się nowego wybuchu gniewu Neda, lecz ten także milczał.

Czterdzieści tysięcy funtów to majątek, pomyślał Will. W jaki sposób George'owi Deravenelowi udało się stracić tyle pieniędzy? Wydał je na alkohol? Narkotyki? Z totalnej głupoty? Cóż, George był głupi, Will zawsze o tym wiedział. Ładny chłopiec, rozpuszczony jak dziadowski bicz przez matkę i siostrę Meg, zanim ta wyszła za mąż i przeniosła się do Francji. Jedwabiste jasne włosy, turkusowe oczy... Przystojny, ale głupi jak but. Z powodu poważnej wady wzroku zwolniono go z obowiązku służby wojskowej w czasie wojny. George zawsze pragnął być taki jak starszy brat, więcej, wydawało mu się, że jest taki jak Ned. Edward był jednak błyskotliwym biznesmenem, a George nie dorastał mu do pięt i sam był swoim najgorszym wrogiem. Ciągle pakował się w kłopoty, z których potem trzeba go było wyciągać.

– Czego dowiedziałeś się o narkotykach, Amosie? – odezwał się w końcu Edward.

– Wczoraj wieczorem odwiedziłem parę klubów i wydaje mi się, że pogłoski o narkotykach są przesadzone – wyjaśnił Amos. – Całkiem możliwe, że próbował palić marihuanę, pewnie brał też kokainę, ale chyba nie jest to poważny problem, w przeciwieństwie do alkoholu. Pan George dużo pije i znajduje się na prostej drodze do alkoholizmu.

– Tak sądziłem. – Edward skinął głową. – Dziękuję, że powęszyłeś, to ważne. Zdecyduję, co zrobić z George'em, kiedy wróci do Londynu. – Obdarzył trzech mężczyzn ciepłym uśmiechem. – Nie pozwolę jednak, żeby zepsuł nam świąteczną atmosferę. Lunch w restauracji Rules o pierwszej, panowie! I bardzo proszę, nie wspominajcie o George'u przy Richardzie, dobrze?

ROZDZIAŁ JEDENASTY

Grace Rose skończyła pakować ostatni prezent w złoty papier i ozdobiła go dużą kokardą ze złotej, przejrzystej wstążki. Pod wstążkę wsunęła gałązkę pomalowanej złotą farbą jedliny, umocowała maleńkie złote dzwoneczki i położyła paczkę na stole. Na karteczce wypisała dedykację: „Dla najdroższej Bess, z serdecznościami od Grace Rose", przywiązała ją do wstążki i usiadła, przyglądając się swemu dziełu.

Leżało przed nią dziewięć pięknie opakowanych prezentów, które chciała wysłać do Ravenscar – sześć dla jej przyrodniego rodzeństwa, trzy dla dorosłych krewnych – cioci Cecily, cioci Elizabeth i wuja Neda.

Wuj Ned... Ojciec. Kochała go najmocniej, oczywiście nie licząc rodziców Vicky i Stephena Forthów, którzy zaadoptowali ją, kiedy miała cztery lata. Dali jej czternaście lat miłości i przywiązania, nowe, prawdziwie cudowne życie, które bez nich nigdy nie stałoby się jej udziałem.

Vicky i Stephen zawsze kojarzyli się Grace Rose z miłością, ponieważ tak szczodrze obdarzyli ją tym uczuciem. Nigdy nie żądali niczego w zamian, ona jednak z głębi serca odwzajemniła ich dar.

W ciągu pierwszych kilku tygodni jej pobytu w tym domu stali się sobie bliscy jak prawdziwa rodzina. Grace Rose od początku przyjęła ich styl życia i bez trudu nauczyła się właściwych zasad postępowania oraz dobrych manier, przywykła też do wygody, bogactwa i przywilejów.

Czasami, choćby w tej chwili, szczerze podziwiała ich odwagę – bez wahania, otwartym sercem zaprosili ją do domu i uczynili swoją córką. Ją, małą znajdę, która żyła na ulicach Whitechapel i spała w starym wozie, wystraszona jak zwierzątko i wiecznie głodna. Brudne dziecko ubrane w chłopięce rzeczy, za duże, podarte i szare od pyłu i błota, pozbawioną domu dziewczynkę niewiadomego pochodzenia. To Amos Finnister znalazł ją i zabrał do Haddon House, do lady Fenelli i Vicky Forth, one zaś, z pomocą Stephena, uratowały jej życie. Grace Rose zadrżała na myśl, co by się z nią stało, gdyby Amos tamtego wieczoru nie schronił się w zaułku, aby spokojnie zjeść pieróg z mięsem. Gdyby jej wtedy nie znalazł... Cóż, całkiem możliwe, że nie dożyłaby końca roku.

Podniosła się i podeszła do wiszącego nad kominkiem lustra, aby przyjrzeć się swemu odbiciu. To, co zobaczyła, uznała za godne akceptacji, chociaż nigdy nie uważała siebie za piękność. Szczególnie podobały jej się rudozłociste włosy, które oceniała jako swój największy atut. Opadały na ramiona gęstymi lokami i falami, i stale były obiektem czyjegoś zachwytu. Oczy także miała niezwykłe, intensywnie błękitne i wiedziała – wszyscy o tym wiedzieli – że jest bardzo podobna do Edwarda Deravenela. Odziedziczyła po nim również wąski, zgrabny nos, zaokrąglony podbródek i szerokie czoło.

Grace Rose poznała go przed czternastu laty, w tym domu, kiedy wszedł do biblioteki, szukając Amosa i Neville'a Watkinsa. W chwili gdy go ujrzała, serce podskoczyło w jej piersi jak piłka i zalała ją fala cudownej radości. To był on, jej ojciec – wyglądał dokładnie tak, jak opisała go jej matka. Tabitha powiedziała córeczce, że jej tata jest silny i wysoki jak leśne drzewa, że ma oczy koloru nieba i włosy o barwie jesiennych liści, nic więc dziwnego, że mała rozpoznała go bez najmniejszego trudu.

Uśmiechnęła się do niego, on odpowiedział uśmiechem i w głębi serca natychmiast zrozumiała, że należy do niego, tak jak on należy do niej, i że zawsze będzie ich łączyło coś absolutnie wyjątkowego. I miała rację.

Myślami wróciła do Tabithy, swojej pierwszej matki. Westchnęła cicho, jak zawsze czując niepokój i niepewność co do jej losów. Któregoś dnia Tabitha wyszła z domu i nigdy już nie wróciła, a Grace Rose znalazła się wtedy na ulicy, uciekła tak szybko, jak tylko zdołały ją ponieść jej małe nóżki. Pragnienie ucieczki z tamtej nory dodało jej sił.

Teraz wiedziała o Tabicie James tyle samo co Vicky i inne kobiety. Jej matka przyszła na świat jako lady Tabitha Brockhaven, córka hrabiego Brockhaven. Zakochała się w swoim nauczycielu muzyki Tobym Jamesie i uciekła, aby go poślubić. Nie mieli dzieci. Grace Rose urodziła się później, ze związku z wujem Nedem, który wtedy był nastoletnim chłopcem, później jednak Tabitha przeprowadziła się i straciła wszelki kontakt z Edwardem Deravenelem.

Vicky, druga matka Grace, powiedziała adoptowanej córce o jej pochodzeniu, przekazała jej wszystkie znane fakty, gdy dziewczynka miała czternaście lat, ponieważ uznała, że w tym wieku powinna już poznać prawdę. Jednak nawet Vicky ze smutkiem przyznawała, że faktów tych było niewiele.

– Nic nie szkodzi, mamo – uspokoiła ją wtedy Grace Rose. – Cieszę się, że wiem, kim naprawdę była Tabitha, ale to ty i Stephen jesteście moimi rodzicami, i to mi całkowicie wystarcza, a wuj Ned od razu wyjawił mi, że jest moim biologicznym ojcem.

Grace Rose odwróciła się teraz do kominka i kilka minut grzała się przy ogniu, myśląc o Edwardzie Deravenelu. Zawsze był wobec niej uczciwy i prawdomówny. Przez te wszystkie lata nauczył ją wielu rzeczy, rozbudził w niej poczucie honoru i fair play, mówił o sprawiedliwości i przypominał, aby starała się postępować w sposób bezkompromisowy.

– I jeszcze coś – powiedział jej niedawno. – Podążaj za swoimi marzeniami, nie rezygnuj z nich dla nikogo ani w żadnych okolicznościach, bo czasami ludzie i wydarzenia mogą... Mogą cię zdradzić. Bądź zawsze sobą, Grace Rose, krocz własną drogą i bądź sobie wierna.

Tamtego dnia obiecała mu, że nigdy nie zapomni o jego radach.

Dziś wieczorem Edward Deravenel miał być u jej rodziców na kolacji i Grace Rose była tym bardzo podekscytowana. Wiedziała, że wuj Ned przyjdzie z panią Shaw, którą szczerze lubiła. Jane Shaw była piękną, łagodną i pełną uroku osobą, i Grace doskonale rozumiała, dlaczego właśnie ona jest kochanką jej ojca. Wuj Ned potrzebował delikatnej, subtelnej kobiety, a podczas letnich wakacji, których część Grace Rose spędzała w Ravenscar, zauważyła, że ciotka Elizabeth potrafiła być bardzo niemiła. Krzyczała na niego, co budziło lęk w młodszych dzieciach. Grace zauważyła także, że żona wuja Neda o wiele więcej uwagi poświęcała swoim dwóm synom niż córkom. Bess, serdeczna przyjaciółka Grace Rose, zwierzyła jej się, że matka interesuje się prawie wyłącznie chłopcami, ponieważ jeden z nich jest spadkobiercą, a drugi „spadkobiercą zapasowym". Czasami Grace wydawało się, że Bess nie jest szczególnie przywiązana do matki i bardzo ją to smuciło. Jej zdaniem posiadanie kochającej matki było najwspanialszą rzeczą pod słońcem.

Nagle przyszło jej do głowy, że Elizabeth Deravenel nie cieszy się zbytnią sympatią swojej rodziny. Nie ulegało wątpliwości, że ciocia Cecily wcale jej nie lubiła, ponieważ nigdy nie ukrywała tego przed Grace Rose. Grace kochała Cecily Deravenel, swoją babkę, chociaż nie zwracała się do niej w ten sposób.

– Ach, tu jesteś! – zawołała Vicky, otwierając drzwi do salonu. – Widzę, że zapakowałaś już prezenty, kochanie. – Z aprobatą kiwnęła głową. – Doskonale!

Grace Rose uśmiechnęła się do matki.

– Tak, zapakowałam już wszystkie te, które mają być wysłane do Ravenscar, mamo – powiedziała. – Czy Fuller zaniesie je jutro na pocztę?

– Nie, skarbie. Wuj Ned telefonował przed chwilą i zapytałam go, czy mógłby zabrać podarunki od nas, jeżeli zapakujemy je do małej walizki, a on chętnie się zgodził. A przy okazji, mam dla ciebie bardzo dobrą wiadomość... – Vicky pomachała kopertą, którą trzymała w ręku. – Moja przyjaciółka Millicent Hanson odpowiedziała na mój list. Pisze, że z radością gościć cię będzie u siebie przez następną wiosnę i lato, dzięki czemu będziesz mogła uczęszczać na zajęcia na Uniwersytecie Oksfordzkim.

– Och, cudownie! Dziękuję, że do niej napisałaś, mamo! Tak się cieszę, że zechciała mnie do siebie zaprosić!

Edward był w paskudnym nastroju i doskonale znał przyczynę tego stanu rzeczy. Był wściekły na George'a i z jakiegoś powodu trudno mu było pozbyć się gniewu. Zwykle odsuwał od siebie niezadowolenie i frustrację, zwłaszcza jeżeli uczucia te miały źródło w złym postępowaniu George'a, lecz afera z hazardem i długami okazała się trudna do zbagatelizowania.

Po pierwsze, była to sprawa honoru. George został wychowany na dżentelmena i powinien wiedzieć, że długi takiej natury należy spłacać natychmiast. Takie zaniedbania były zgubne dla jego opinii i brukały reputację całej rodziny.

Ned odchylił się do tyłu w fotelu, przymknął oczy i zadał sobie pytanie, dlaczego George od razu nie zapłacił klubom, w których przegrał tak duże kwoty. Czyżby brakowało mu pieniędzy? Szczerze w to wątpił. George dostawał sporą pensję w Deravenels oraz kwartalne wypłaty dla dyrektorów, a jego żona Isabel otrzymywała rocznie dużą kwotę od swojej matki. Nan Watkins była milionerką i nigdy nie skąpiła pieniędzy córce i zięciowi. Zdaniem Edwarda, Isabel i George byli bardzo bogatymi ludźmi, lecz trzydzieści tysięcy długu w jednym klubie oraz po pięć w dwóch innych dawało ogromną sumę. Czterdzieści tysięcy funtów to nie bagatelka.

Do tego dochodziła sprawa alkoholu. Edward ze zdumieniem się dowiedział, że George jest uważany za alkoholika. Nie zdawał sobie sprawy, że sytuacja jest tak poważna. Jeśli chodzi o narkotyki, to był skłonny zlekceważyć pogłoski, ale kto wie... Może George rzeczywiście był uzależniony nie tylko od alkoholu.

Edward przyjął już do wiadomości, że po powrocie George'a ze Szkocji będzie musiał surowo się z nim rozprawić, postanowił też, że brat odda mu wyłożone przez niego czterdzieści tysięcy funtów. Nie miał najmniejszego zamiaru finansować hazardowych długów George'a. Nagle przyszło mu do głowy, że może udałoby mu się pozbawić George'a członkostwa w klubach – nie był pewny, czy mógłby tego dokonać, ale z pewnością warto spróbować. Obiecał sobie, że po świętach porządnie postraszy brata. Tak, w nadchodzącym roku będzie musiał rozwiązać wiele problemów.

Teraz powinien jednak otrząsnąć się ze złego nastroju, i to natychmiast. Czas przywołać uśmiech na twarz i pójść do Rules. Nie chciał psuć świątecznej atmosfery w czasie lunchu, który wydawał dla najbliższych współpracowników z Deravenels. Boże Narodzenie zbliżało się wielkimi krokami, pierwsza Gwiazdka od pięciu lat, którą Brytyjczycy będą świętować jak należy. Wojna wreszcie się skończyła, choć wszyscy nadal będą o niej pamiętać – przy stole zabraknie Roba Aspena i Christophera Greena, którzy polegli we Francji, walcząc za ojczyznę. Ned wiedział, że nigdy o nich nie zapomni, podobnie jak jego przyjaciele.

Podniósł się, podszedł do szafy, w której znajdował się sejf i otworzył go. Po chwili podjął decyzję. Wyjął dwie duże koperty, zamknął drzwiczki i przełożył koperty do szuflady biurka. Potem schował kluczyk do kieszeni, włożył palto i szal. Dochodziła pierwsza, powinien się już zbierać.

ROZDZIAŁ
DWUNASTY

Vicky Forth zawsze była optymistką, nawet jako dziecko miała pozytywny stosunek do życia. Jej przysłowiowa szklanka była w połowie pełna, nie pusta, następny dzień kusił mnóstwem ciekawych wydarzeń, a przyszłość niosła obietnicę sukcesów. Charakter Vicky skłaniał ją do odważnego realizowania projektów. Jeżeli napotykała jakąś przeszkodę, pokonywała ją w taki sposób, jakby walka z przeciwnościami losu była najzupełniej naturalną rzeczą.

Jej mąż Stephen, który kochał ją, uwielbiał i motywował do pracy, zawsze powtarzał, że Vicky jest wojowniczką, podbijającą świat dobrymi uczynkami. I miał rację, gdyż Vicky odmieniła wiele ludzkich istnień. Lubiła pomagać innym, zwłaszcza prześladowanym przez los i mężczyzn kobietom, które potrzebowały opieki, rady i zachęty. Pragnęła służyć im pomocą przy budowie lepszego życia.

Optymizm Vicky służył jej od lat i teraz nagle, patrząc na wiszące w garderobie suknie i zastanawiając się, którą wybrać, w pełni zdała sobie z tego sprawę.

Dobrze zrobiła, ucząc Grace Rose optymistycznego stosunku do świata i zachęcając do nauki w Oksfordzie. Kobiety nie miały jeszcze prawa podejmować studiów, mogły jednak uczęszczać na wykłady i ćwiczenia.

Grace Rose będzie bezpieczna i zadowolona pod okiem niedawno owdowiałej Millicent Hanson, starej przyjaciółki Vicky, która miała piękny dom w Oksfordzie. Vicky w myśli pochwaliła się za pomysł nawiązania kontaktu z Millicent.

W liście, który przyszedł tego dnia, Millicent pisała, że z radością gościć będzie u siebie Grace Rose. Vicky bardzo cieszyła się z tego ze względu na córkę, która zawsze uczyła się szybko i z entuzjazmem. Grace Rose miała nadzieję, że pewnego dnia uda jej się zostać historykiem.

Po namyśle Vicky wybrała stylową jedwabną suknię w ciemnoróżowym kolorze, z rękawami trzy czwarte i wąską spódnicą do kostek, z wstawką z beżowej koronki z przodu, co nadawało dekoltowi niepowtarzalny wygląd. Miała ją na sobie tylko raz i teraz doszła do wniosku, że będzie to idealna kreacja na wieczorne przyjęcie, nieprzesadnie elegancka, lecz wytworna, doskonała na wydawaną w domu kolację.

Włożyła suknię i wsunęła stopy w czółenka kryte jedwabiem w tym samym odcieniu różu, następnie wróciła do toaletki i wybrała kolczyki z perłami i brylantami oraz odpowiednią broszę w kształcie kwiatu. Lekkim krokiem, z wdziękiem, podeszła do dużego owalnego lustra w kącie sypialni i z zadowoleniem skinęła głową. Tak, wyglądała nie najgorzej...

Vicky Forth miała czterdzieści parę lat, ale wyglądała znacznie młodziej. Jej ciemnokasztanowe włosy były gęste i lśniące, tylko tu i ówdzie połyskujące srebrzystą siwizną. Nieliczne zmarszczki wokół oczu i ust były prawie niewidoczne. Vicky tryskała nieposkromioną radością życia, emanowała młodzieńczą energią, która czyniła ją wyjątkowo atrakcyjną. Cieszyła się wielkim uznaniem zarówno wśród mężczyzn, jak i kobiet; wszyscy uważali ją za ciepłą, dobrą i wyrozumiałą osobę, a Edward Deravenel powtarzał, że każdy może się wypłakać przed nią i znaleźć pocieszenie.

Vicky odwróciła się i ruszyła ku drzwiom, w których właśnie stanął Stephen. Na widok żony jego twarz rozjaśnił pogodny uśmiech.

– Przepięknie wyglądasz, Vicky! – wykrzyknął.

Pocałował ją, odsunął od siebie na odległość wyciągniętych ramion i z aprobatą skinął głową.

– Witaj, kochanie! – uśmiechnęła się.

– Wcześnie przebrałaś się do kolacji?

Vicky potrząsnęła głową.

– Nie, bo mam jeszcze parę spraw do ustalenia z kucharką i Fullerem. Poza tym, niedawno dzwonił Ned i pytał, czy może wpaść trochę wcześniej, przed innymi. Chce zamienić z nami parę słów, więc powiedziałam mu, że będziemy na niego czekać...

– O czym chce porozmawiać? – zapytał z zaciekawieniem Stephen.

– O Grace Rose.

– To znaczy?

– Okazuje się, że parę lat temu, kiedy przejął Deravenels i zaczął dużo zarabiać, założył dla niej specjalny fundusz. Grace dostanie pieniądze dopiero po ukończeniu dwudziestu jeden lat, ale Ned chce przekazać nam dzisiaj wszystkie dokumenty. Uważa, że do czasu osiągnięcia pełnoletności przez Grace powinny znajdować się u nas...

– Dziwne... Skąd ten pomysł?

– Nie powiedział mi nic więcej, kochany, wspomniał jednak, że postanowił uporządkować swoje sprawy.

– Rozumiem... Cóż, w takim razie ja także powinienem chyba przebrać się na twoje przyjęcie...

– Nasze przyjęcie, skarbie! – sprostowała Vicky. – Ned powiedział, że zajmie nam najwyżej kwadrans. Zaproponował, żeby Grace Rose zajęła się Jane, podczas gdy my porozmawiamy w bibliotece...

– Grace Rose na pewno zrobi to z przyjemnością, ale czy Jane będzie równie miło?

– Co masz na myśli? – Vicky zmarszczyła brwi, obrzucając męża pytającym spojrzeniem.

– Ostatnio Grace Rose stała się bardzo bezpośrednia i chociaż naturalnie w żadnym razie nie jest nieuprzejma, wręcz przeciwnie, to czasami bez wahania mówi dokładnie to, co myśli, nie zauważyłaś?

– Zauważyłam, oczywiście – odparła Vicky. – Widzę jednak, że wypowiada swoje często zaskakujące spostrzeżenia tak lekko i z tak wielkim poczuciem humoru, że nie byłaby w stanie nikogo urazić. – Otworzyła drzwi i posłała mężowi ciepły uśmiech przez ramię. – Muszę zejść do kuchni i sprawdzić, czy wszystko w porządku. Przebierz się, kochany, dobrze? Jest już dziesięć po szóstej, Ned i Jane będą tu o szóstej trzydzieści, a pozostali goście o siódmej.

– Kto jeszcze będzie? Przypomnij mi, kochanie. Nie dałaś mi ostatecznej listy gości, chociaż zwykle to robisz.

– Och, strasznie cię przepraszam! Zaprosiłam tylko naszych najbliższych! Ned i Jane oraz my i Grace to pięcioro, plus Fenella, Amos i mój brat...

– Kathleen nie przyjedzie z Willem?

– Nie, chyba nie. Will dzwonił dziś rano i mówił, że Kathlenn jest okropnie przeziębiona. Oboje doszli do wniosku, że lepiej będzie, jeśli zostanie w domu, bo nie zaszkodzi i sobie, i innym... Po południu dostałam od niej liścik z przeprosinami i piękny bukiet. To taka dobra kobieta, taka myśląca.

– Tak, to prawda... Wszystkie te przeziębienia to wina tej przeklętej deszczowej pogody – mruknął Stephen. – Od paru dni leje jak z cebra, nic dziwnego, że ludzie chorują.

Vicky parsknęła śmiechem.

– Nie narzekajmy na angielską pogodę, kochany! Cieszmy się lepiej, że wojna wreszcie się skończyła, bo to powód do prawdziwej radości! Do diabła z pogodą, nie może nam przecież zaszkodzić!

Stephen zaśmiał się cicho i ruszył w stronę swojej garderoby.

– Za dziesięć minut będę na dole – obiecał, zamykając za sobą drzwi.

Vicky uśmiechnęła się do siebie. Pomyślała, że jej życie bez niego byłoby po prostu okropne i szybko zbiegła na dół. Chciała jeszcze pomówić z Fullerem i upewnić się, że zaniósł szampana do biblioteki – wybrała kruga, wiedząc, że jest to ulubiona marka Neda.

Kochany Ned... Zawsze bardzo go lubiła, od lat był jednym z jej najbliższych przyjaciół. Znali się od dawna i z upływem czasu coraz lepiej się rozumieli. Ned był najserdeczniejszym przyjacielem jej brata Willa.

Pomogła Nedowi pokonać smutek i rozpacz po śmierci jego ukochanej Lily, która zginęła w strasznym wypadku. Cóż, właściwie nie był to wypadek, tylko zaplanowane z zimną krwią morderstwo. Margot Grant, zagorzały wróg Edwarda i jego przeciwniczka w walce o kontrolę nad Deravenels, wynajęła zabójcę, który pozbawił życia Lily Overton. I uszło jej to na sucho... Nie, jednak nie do końca, pomyślała Vicky. Francuzka zapłaciła jednak za swoje czyny. Straciła wszystkich i wszystko. Niewątpliwie stało się tak z Bożej woli.

Vicky zadrżała, skórę na jej ramionach i karku pokryła gęsia skórka. Tamtego strasznego dnia jechała powozem z Lily i także mogła z łatwością zginąć.

Lily... Jej najlepsza przyjaciółka, taka piękna i zbyt młoda, aby umierać. Razem z Lily zginęło także nienarodzone dziecko jej i Neda. Vicky wiedziała, że nigdy nie zapomni widoku leżącej na trawie Lily, krwi na błękitnym jedwabiu jej sukni. Ten obraz wrył się w jej pamięć raz na zawsze.

Przystanęła na podeście schodów, wzięła głęboki oddech i spróbowała odsunąć wspomnienia tamtego okropnego dnia. Po chwili zaczęła schodzić powoli, pragnąc uspokoić się przed przybyciem gości.

W holu na dole wpadła na Fullera.

– Dobry wieczór pani – rzekł z lekkim ukłonem. – Zamierzam właśnie zanieść grog do biblioteki...

– Dziękuję. – Popatrzyła na wypełnione lodem srebrne wiaderko, które służący trzymał w ręku. – Wszystko poza tym w porządku? – spytała. – Ogień w kominkach rozpalony?

– Tak, naturalnie, wszystko jak należy, proszę pani! Jesteśmy gotowi do wyjścia z portu!

– Dziękuję, Fuller!

Ruszyła do kuchni, z rozbawieniem kręcąc głową. Nim Fuller w ubiegłym roku rozpoczął pracę w jej domu, był lokajem u byłego admirała królewskiej marynarki wojennej, teraz już nieżyjącego, i miał tendencję do stosowania wyrażeń typowych dla ludzi morza. Ona i Grace Rose świetnie się bawiły, słuchając wypowiedzi Fullera, lecz Stephen czasami wpadał w rozdrażnienie. Parę dni wcześniej skarżył się, że czuje się jak na przeklętym okręcie wojennym. Vicky przypomniała wtedy mężowi, że poza tym drobnym dziwactwem Fuller jest jednak znakomitym lokajem, najlepszym, jakiego mieli.

Otworzyła drzwi i ostrożnie zajrzała do kuchni.

– Jestem pani może potrzebna, pani Johnson? – zapytała.

Kucharka odwróciła się i szybko odłożyła trzymaną w ręku wazową łyżkę.

– Dobry wieczór, proszę pani! – rozpromieniła się. – Nie, nie trzeba mi pomocy, wszystko jest w porządku, kolacja będzie na czas, dokładnie na ósmy dzwonek, tak jak pani prosiła! – mocno zacisnęła wargi, tłumiąc śmiech. – Wygląda na to, że zaraziłam się żargonem Fullera, proszę pani, strasznie przepraszam...

Vicky też z trudem powstrzymała wybuch wesołości.

– Proszę tylko pamiętać, żeby zupa była gorąca – przypomniała. – Wie pani, że pan Forth lubi taką naprawdę wrzącą...

– Tak, oczywiście! Wiem, że lubi gorące dania i wcale mnie to nie dziwi!

Vicky ze śmiechem pośpieszyła do dużego salonu. Był to jej ulubiony pokój i teraz z przyjemnością rozejrzała się dookoła. Ściany pokryte były jasnożółtym jedwabiem, u okien wisiały pięknie udrapowane żółtokremowe zasłony z tafty; od tego jasnego tła wyraźnie odcinały się inne kolory, głównie rozmaite odcienie błękitu i czerwieni tkaniny, jaką obito francuskie antyki, krzesła i duże wygodne sofy. W kominku wesoło trzaskał ogień, porcelanowe lampy z abażurami z kremowego jedwabiu rozsiewały wokół przyjemne światło, wszędzie rozstawiono wazony pełne świeżych kwiatów. Idealnie, pomyślała Jane. Salon wygląda naprawdę doskonale.

Drgnęła na dźwięk dzwonka i szybko pomaszerowała po pięknym dywanie z Aubusson, słysząc głośne kroki Fullera w wyłożonym marmurowymi płytami holu. Miała nadzieję, że lokaj nie przywita gości jak na pokładzie statku, co czasami mu się zdarzało, ale też wiedziała, że Edward byłby szczerze ubawiony takim powitaniem.

R O Z D Z I A Ł
TRZYNASTY

Grace Rose miała zabawiać panią Shaw w czasie, gdy jej rodzice i wuj Ned odbywali jakieś biznesowe spotkanie w bibliotece.

Cieszyła się, że poprosili ją o dotrzymanie towarzystwa Jane Shaw, ponieważ bardzo ją lubiła. Jane była fascynującą, wyjątkową osobą, poza tym Grace wiedziała, że jej sympatia jest w pełni odwzajemniona.

Grace pomyślała, że przyjaciółka wuja Neda jest nie tylko prawdziwie piękną, ale także czarującą, miłą i bardzo inteligentną kobietą. Była pod wrażeniem wiedzy Jane o malarstwie i rzeźbie, a także jej gotowości do udzielania odpowiedzi na wszystkie możliwe pytania z tej dziedziny. Jane była wielką znawczynią twórczości niektórych malarzy, szczególnie francuskich impresjonistów i postimpresjonistów, i z radością dzieliła się posiadanymi informacjami.

Obie siedziały w żółtym salonie i gawędziły na tematy ogólne. Grace z podziwem przyglądała się Jane Shaw, myśląc, jak doskonale wygląda ona na tle tego pięknego pokoju. Miała na sobie wyrafinowanie elegancką i modną suknię z szafirowego welwetu oraz kolczyki z szafirami w takim samym odcieniu, jaki pojawiał się wśród rozmaitych błękitów tkaniny obiciowej, wybranej przez Vicky. Grace Rose przyszło nagle do głowy, że Jane powinna pozwolić namalować się właśnie tutaj, w tym salonie, a obraz powinien nosić tytuł *Błękitny portret*.

Po krótkiej dyskusji na temat nowej wystawy malarstwa w znanej galerii w Chelsea obie na chwilę umilkły, lecz było to milczenie pełne wzajemnego zrozumienia. Obie doskonale czuły się w swoim towarzystwie – było tak od początku ich znajomości.

Ciszę przerwała Jane.

– Słyszałam, że studia bardzo przypadły ci do gustu – powiedziała, obrzucając Grace Rose łagodnym spojrzeniem. – Twój wuj mówi, że jesteś bardzo zdyscyplinowana i w niczym sobie nie pobłażasz. Uważa, podobnie jak ja, że to poświęcenie i zapał godne są najwyższego podziwu.

Pociągnęła łyk szampana i posłała towarzyszce ciepły uśmiech. Grace Rose kiwnęła głową.

– Zawsze lubiłam szkołę, pani Shaw – oznajmiła. – Dziś jestem wyjątkowo szczęśliwa, bo niedługo zamieszkam w Oksfordzie u przyjaciółki mamy i zacznę uczęszczać na wykłady na uniwersytecie.

– Cudownie, gratuluję ci! Twoim ulubionym przedmiotem jest historia, prawda?

– Tak. W tej chwili szczególnie interesuje mnie Francja i jej królowie.

– Co za niezwykły zbieg okoliczności – uśmiechnęła się Jane. – Mnie także zawsze fascynowała historia Francji i chociaż teoretycznie Brytyjczycy nie przepadają za Napoleonem Bonaparte, muszę przyznać, że zawsze podziwiałam jego geniusz.

– Przypuszczalnie był najwspanialszym dowódcą, jakiego znał świat.

– Porażkę poniósł dopiero wtedy, gdy zdecydował się dokonać inwazji Rosji. – Jane uważnie popatrzyła na młodą dziewczynę.

– To prawda, ale w gruncie rzeczy został pokonany przez warunki klimatyczne – odparła Grace. – Jeśli chodzi o zdolności strategiczne, nikt nie może się z nim równać i właśnie to miałam na myśli.

– Rozumiem, zresztą wielu entuzjastów historii całkowicie się z tobą zgadza. Powiedz mi jednak, który władca Francji najbardziej cię intryguje.

– Szczerze mówiąc, bardziej niż królowie interesują mnie ich metresy. W tej chwili zajmuję się studiowaniem życiorysów królewskich kochanek i… – przerwała, przypomniawszy sobie nagle, że Jane Shaw jest kochanką wuja Neda i w myśli ostro skarciła się za to, że poruszyła tak kontrowersyjny temat. – O, Boże, strasznie przepraszam – wykrztusiła, czerwieniąc się gwałtownie.

Jane nie zdołała powstrzymać śmiechu na widok przerażenia i zmieszania na twarzy dziewczyny, i lekko poklepała ją po ramieniu.

– Nie przepraszaj, moja droga – odezwała się spokojnie. – Wiem, że nie jest dla ciebie tajemnicą, iż jestem kochanką twojego wuja.

– No, tak... – Grace nerwowo skinęła głową. – Wszyscy o tym wiedzą.

Znowu przerwała, bardziej zażenowana niż wcześniej, i odchrząknęła.

– Przepraszam, ciągle mówię nie to, co trzeba – podjęła po chwili. – Nie zamierzałam pani urazić.

– I nie uraziłaś mnie, naprawdę! Wytłumacz mi lepiej, dlaczego królewskie kochanki interesują cię aż tak bardzo, że chcesz dokładnie poznać ich życiorysy!

Grace odetchnęła z ulgą, czując, że Jane słucha jej wynurzeń ze szczerym zaciekawieniem.

– Wszystkie, o których czytałam, były niezwykłymi kobietami – zaczęła. – Odegrały bardzo ważną rolę w historii, wywierały duży wpływ na polityków, a jednocześnie pozostawały w gorących związkach emocjonalnych z królami. To, co robiły i czym się zajmowały, dużo mówi nam o czasach, w jakich żyły. Możemy się od nich uczyć. W ich romansach najczęściej chodziło o władzę, więc...

– Masz absolutną rację! O władzę, pieniądze i pozycję, o wpływy, a także akceptację społeczną i supremację!

– Życiorysy tych kobiet to fascynujący temat – ciągnęła Grace Rose. – Wolę czytać o nich niż o królowych! Często zdarzało się, że królowie kochali je bardziej niż swoje koronowane małżonki.

Ujęta otwartością dziewczyny i jej zapierającą dech w piersiach szczerością, Jane parsknęła śmiechem, nie kryjąc rozbawienia.

– O której królewskiej kochance czytasz w tej chwili? – spytała.

– O Dianie de Poitiers, metresie Henryka II. Kiedy go poznała, był jeszcze chłopcem, zaledwie dwunastoletnim. Było to tuż po jego powrocie z niewoli u Hiszpanów. Henryk był zakładnikiem, podobnie jak jego brat, natomiast ich ojciec cieszył się wolnością. Chłopiec był wtedy przygnębiony i nieśmiały, i Diana zaprzyjaźniła się z nim, właściwie można powiedzieć, że stała się jego protektorką, opiekunką. Okazała mu dużo serca, matkowała mu, wywierała na niego dobry wpływ i przywróciła mu poczucie bezpieczeństwa. Moim zdaniem, wszystko to razem było niezwykle ważne.

– Na pewno masz rację.

– Uwiodła Henryka, gdy miał siedemnaście lat. Była dwadzieścia lat starsza od niego, lecz on nigdy jej nie porzucił. Pozostała jego kochanką na całe życie, bo umarł przed nią. Zawsze okazywał jej ogromne przywiązanie i uwielbienie, kochał ją znacznie bardziej niż swoją królową.

– Ach tak, słynną Katarzynę Medycejską! Kobietę, która od początku małżeństwa doznawała samych upokorzeń! Henryk II był zbyt zajęty Dianą, aby poświęcić żonie choć trochę uwagi!

– Widzę, że sporo pani wie o Dianie.

– To prawda. – Kąciki ust Jane uniosły się w lekkim uśmiechu, a jej oczy zalśniły rozbawieniem.

Grace Rose roześmiała się cicho, Jane Shaw zawtórowała jej po chwili. I właśnie w tym momencie narodziła się silna więź, która połączyła je na zawsze. Kochanka i nieślubna córka... Obie były outsiderkami, a jednak stały tak blisko mężczyzny, który odgrywał szczególną rolę w życiu jednej i drugiej.

– W takim razie na pewno pani wie, że Henryk II ofiarował Dianie klejnoty koronne – powiedziała Grace Rose. – Trudno w to uwierzyć, prawda? A jednak tak było. Podarował jej także najwspanialszy ze swoich zamków Chenonceaux!

– Tak. Wiem również, że Diana dzierżyła władzę przez prawie trzydzieści lat i była bardzo łaskawa dla całej królewskiej rodziny, także dla królowej, gdy ta zapadła na zdrowiu. Można śmiało powiedzieć, że to Diana wychowała królewskie dzieci.

– Które przyszły na świat tylko dlatego, że Diana nakłoniła króla do odwiedzania łożnicy królowej i przekonała go, iż potrzebuje dziedzica – wtrąciła Grace.

– Naprawdę świetnie znasz ten temat, moja droga! – Jane z podziwem uniosła brwi. – Diana faktycznie jest twoją ulubioną historyczną postacią.

– To prawda! Jest jednak jeszcze jedna królewska metresa, którą z całego serca podziwiam i którą chciałabym poznać, gdyby to było możliwe...

– Kto to, jeśli mogę wiedzieć?

– Agnes Sorel. W 1444 roku została kochanką Karola VII. Był nią tak zafascynowany, że uczynił ją swoją oficjalną metresą, po raz pierwszy w historii Francji tworząc taką pozycję. *Maitresse en titre*...

– Kim jest *maitresse en titre*? – zapytał od drzwi Edward, wchodząc do pokoju z wyrazem rozbawienia na twarzy.

Obie kobiety nie miały pojęcia, że od kilku minut uważnie przysłuchiwał się ich rozmowie.

– Och, wuj Ned! – zawołała Grace. – Opowiadałam właśnie pani Shaw, że studiuję teraz życiorysy królewskich kochanek. – Znowu wyraźnie się zmieszała. – Kochanek francuskich królów, chciałam powiedzieć.

– Tylko francuskich królów? A co z angielskimi monarchami i ich kochankami? – Edward zaśmiał się cicho. – Czy ta strona historii Anglii jest dla ciebie zbyt nudna?

– Nie, skądże znowu! Znam historię Karola II i Nell Gwynne, a także…

– Żartowałem tylko, moja droga! – Edward podszedł bliżej, stanął za plecami córki, czułym gestem oparł dłonie na jej ramionach i rzucił Jane pytające spojrzenie.

Jane uśmiechnęła się lekko.

– Nasza rozmowa sprawiła mi ogromną przyjemność – wyznała szczerze. – Grace Rose będzie znakomitym historykiem, ma świetny instynkt. Najwyraźniej nie obawia się trudnych badań i chyba posiada szczególną zdolność rozróżniania prawdy i fałszu. Nikt z nas nie ma prawa uważać się za świadka wydarzeń, które miały miejsce przed setkami lat, więc historycy muszą prawidłowo oceniać zapisane świadectwa i podążać w kierunku, który wskazuje intuicja.

– Zawsze byłem pod wrażeniem zdolności Grace – mruknął Edward, bardzo zadowolony z pochwał Jane.

Chwilę stał nieruchomo, zatopiony w swoich myślach. Jane wstrzymała oddech. Widok Grace Rose i Edwarda mówił wszystko, co trzeba było wiedzieć. Nikt nie mógł mieć cienia wątpliwości, czyją córką jest ta rudowłosa, błękitnooka dziewczyna. Oboje mieli także tę samą różowokremową cerę. Tak, Grace Rose była bardzo podobna do Neda.

Chciałabym się z nią zaprzyjaźnić, pomyślała nagle Jane. Tak, zostanę jej przyjaciółką i jeśli trzeba, będę chronić ją przed wszystkim, co mogłoby jej zagrażać. I w ten sposób, niezależnie od tego, co się stanie, zawsze będę miała przy sobie cząstkę Neda.

Z zamyślenia wyrwało ją pojawienie się gospodyni.

– Wszyscy przyszli dosłownie w tej samej chwili! – zawołała Vicky. – Chodź, Grace Rose, Fenella i Amos są już w holu!

– Idź do nich, kochanie – powiedział Edward, zdejmując dłonie z ramion dziewczyny. – Idź przywitać swoich starych przyjaciół.

– Och, oczywiście! – Grace zerwała się na równe nogi.

Edward przez chwilę patrzył za córką, potem odwrócił się do Jane. Pociągnął ją ku sobie, pocałował w policzek i podprowadził do kominka.

– Jej szczerość zapiera dech w piersiach – zauważył. – Mam nadzieję, że nie powiedziała nic niewłaściwego i nie wprawiła cię w zażenowanie.

– Nie, skądże! Towarzystwo Grace Rose jest bardzo odświeżające. – Zawahała się lekko. – Chciałabym ją lepiej poznać, mój drogi – dodała cicho.

– Więc tak się stanie.

– Nie dzieje się nic złego, prawda? – zapytała Vicky, nie spuszczając czujnego spojrzenia z twarzy Edwarda. – Nie jesteś chyba chory, Ned?

Edward Deravenel siedział po jej prawej ręce przy okrągłym stole.

– Nie, oczywiście, że nie! – uspokoił ją. – Cieszę się znakomitym zdrowiem, jak zwykle zresztą! Czemu pytasz?

– Bo postanowiłeś przekazać nam dziś te dokumenty... Zaskoczyło nas to i zaczęłam się zastanawiać, czy wszystko jest w porządku...

Edward pochylił się ku niej.

– Wojna i pandemia grypy wywarły na mnie pewien wpływ, oczywiście – rzekł. – Uświadomiły mi, że jestem śmiertelny, tak jak wszyscy. Młodym ludziom wydaje się najczęściej, że będą żyli wiecznie, ale to nieprawda, niestety. Wszyscy jesteśmy kruchymi istotami. – Obdarzył Vicky swoim najbardziej promiennym uśmiechem. – Tak czy inaczej, nic mi nie dolega, moja droga, i zamierzam żyć jeszcze przez wiele, wiele lat! Daję ci słowo honoru, że przekazałem te dokumenty tobie i Stephenowi wyłącznie dlatego, że powinny być u was, ponieważ jesteście rodzicami Grace Rose. W ciągu ostatnich kilku tygodni uporządkowałem trochę swoje sprawy, to wszystko.

Vicky skinęła głową i wyprostowała się, oddychając z ulgą. Uśmiechnęła się do Neda ciepło, z wielką sympatią.

– Zawsze byłeś dla niej bardzo dobry, podobnie jak dla wszystkich swoich bliskich.

– Staram się robić, co w mojej mocy, i tyle. – Edward lekko wzruszył ramionami i odwrócił się do lady Fenelli, która przed sekundą zadała mu pytanie o Młodego Edwarda.

Vicky, całkowicie uspokojona, objęła wzrokiem siedzących przy stole gości. Wszyscy doskonale się bawili, wyraźnie zadowoleni z przedświątecznego spotkania. Fuller podał właśnie solę w sosie i obecni z zapałem chwalili smak potrawy, co sprawiło Vicky ogromną przyjemność. Minęła dłuższa chwila, nim zdała sobie sprawę, że Jane Shaw usiłuje zwrócić na siebie jej uwagę.

– Wszystko w porządku, Jane? – spytała. – Mam nadzieję, że ryba ci smakuje.

Jane się uśmiechnęła.

– Jest znakomita! Chciałam tylko powiedzieć ci, że twój stół wygląda dzisiaj po prostu przepięknie. Wiesz, jak bardzo lubię twoją jadalnię, to „małe czerwone pudełko", jak ją nazywasz.

– Dziękuję! Wszyscy czują się tu dobrze pewnie dlatego, że jest to takie przytulne, ciepłe miejsce, co nie pozostaje bez znaczenia w zimowy wieczór.

Jane kiwnęła głową i znowu skupiła się na jedzeniu.

Vicky rozejrzała się po jadalni, którą odnowiła i umeblowała pięć lat wcześniej, tuż przed wojną. Uwagi Jane bardzo jej pochlebiły. Pokój rzeczywiście przypominał małe czerwone pudełko – szkarłatny brokat pokrywał ściany i zdobił okna, wiktoriańskie krzesła obite były ciemnoczerwonym aksamitem, a turecki dywan przyciągał oko mieszanką pięknych odcieni czerwieni, różu i ciemnego błękitu. W kominku płonął ogień, świece w smukłych świecznikach rozjaśniały wnętrze ciepłym blaskiem i w tę zimną grudniową noc jadalnia zachwycała przytulnością i elegancją wystroju.

Vicky zwykle wydawała przyjęcie dla przyjaciół przed Bożym Narodzeniem i nawet w czasie wojny nie zrezygnowała z tej tradycji. Zapraszała na nie zawsze te same osoby, najbliższych przyjaciół i krewnych. Teraz nagle przyszło jej do głowy, że stanowią swoisty klan. Cóż, członkowie rodziny Deravenel byli bardzo blisko związani z ludźmi, którzy okazywali im życzliwość. Wszyscy obecni mieli podobne opinie i ideały, podobną filozofię oraz styl życia, co ułatwiało porozumienie. Lojalność, przyjaźń i wzajemne wsparcie były ważnymi elementami tej szczególnej wspólnoty.

Pomyślała o swojej bratowej Kathleen, która dziś nie zjawiła się z powodu przeziębienia. Kathleen była kuzynką Neda, siostrą nieżyjących Neville'a i Johnny'ego Watkinsów, którzy zginęli w strasznym wypadku samochodowym w Ravenscar przed czterema laty. Brakowało jej obecności Kathleen. Will powiedział, że jego żona naprawdę marnie się czuje.

– Ale nie jest to hiszpańska grypa – zapewnił, widząc wyraz zaniepokojenia na twarzy Vicky. – Poważne przeziębienie, nic więcej...

Will bardzo kochał Kathleen i ich małżeństwo od początku było wyjątkowo szczęśliwe, co ogromnie cieszyło Vicky.

Z zamyślenia wyrwał ją głos Fenelli, która właśnie zwróciła się do swojego starego przyjaciela.

– Jak czuje się Charlie, Amosie?

– Jest zadowolony, że bezpiecznie wrócił do domu, lady Fenello, i przesyła wszystkim najserdeczniejsze pozdrowienia. Ma poważną kontuzję nogi, mocno utyka i chodzi z laską, ale dzięki wysiłkom lekarzy uniknął amputacji. Poza tym jedna strona jego twarzy pokryta jest bliznami po oparzeniach... – Amos potrząsnął głową, nie kryjąc zatroskania. – Na szczęście udało mu się zachować pogodę ducha i teraz się zastanawia nad swoją pracą w teatrze. Bierze pod uwagę wystawienie jakiegoś spektaklu albo nawet napisanie sztuki.

– Jest bardzo poparzony? – zapytała Fenella.

– Tak, ale blizny powoli bledną. Mówił, że może później da się coś z nimi zrobić, podobno odkryto nowe metody leczenia poparzeń.

– To prawda! – wtrąciła Grace Rose. – Chociaż trudno tu mówić o odkryciu, bo ścieranie zgrubień skórnych i podobne techniki znano już w starożytności!

– Nie wiedziałam o tym! – zawołała Vicky. – Jesteś prawdziwą fontanną informacji, kochanie!

– Przedwczoraj rozmawiałam z Jeanette Ridgely, która wpadła, by nam pomóc w Haddon House – z namysłem odezwała się Fenella. – Jej syn był oficerem na froncie i niedawno wrócił do domu, także ranny. Podobno bardzo żałuje, że nie ma takiego miejsca, gdzie byli żołnierze mogliby spotykać się i rozmawiać. Mówił, że jego podkomendnym bardzo brakuje czegoś w rodzaju Haddon House, ośrodka, w którym odpoczywaliby i oddawali się czynnym rozrywkom, nie tylko piciu alkoholu.

– Interesujący pomysł! – Vicky potoczyła wzrokiem po swoich gościach, lekko unosząc brwi. – Zgadzacie się ze mną?

– Jak najbardziej! – odparł Stephen, zawsze gotowy poprzeć żonę i jej pomysły.

Fenella kiwnęła głową.

– Moglibyśmy porozmawiać z Jeanette w przyszłym tygodniu, gdybyś chciała, Vicky. Wiem, że zgłosiła się do Haddon House do pomocy na dwa dni. Myślę, że stworzenie takiego miejsca byłoby bardzo dobre dla rannych żołnierzy, którzy właśnie wracają do domów…

– Stworzenie ośrodka dla weteranów, czegoś w rodzaju klubu. – Stephen podjął tę myśl z entuzjazmem. – Nie klubu robotniczego, jednego z tych, których tyle powstało teraz w Londynie, ale raczej centrum rekreacyjnego, prawda?

Will przytaknął.

– Mogliby się tam spotykać, zjeść posiłek, pograć w karty, poczytać – rzekł. – Wyjść z domu, przynajmniej na krótko wyrwać się spod opieki żon czy matek, czasami zbyt czułej.

– Moim zdaniem to doskonały pomysł – odezwał się Edward. – Gdybyś zdecydowała się na założenie takiego centrum, Fenello, natychmiast wesprę cię odpowiednią sumą!

– Bardzo ci dziękuję, Ned, ale dopiero teraz zaczynam się nad tym zastanawiać! Cóż, zobaczymy, co z tego wyniknie.

– Ja także wypisałbym czek, bo uważam to za cenną inicjatywę – obiecał Will.

– I ja – dorzucił Stephen. – Musimy docenić naszych rannych żołnierzy, którzy ryzykowali dla nas życie, a wiadomo przecież, że rząd niewiele dla nich zrobi!

– Wspaniale, że jesteście tacy ofiarni – powiedziała Fenella.

Wróciła myślami do dni, kiedy to dawno temu razem z ciotką zakładała Haddon House. Stworzyły wtedy bezpieczne schronienie dla molestowanych kobiet i ku swojej wielkiej satysfakcji zdziałały cuda w dzielnicy East End, ratując wiele ludzkich istnień.

Vicky zerknęła w kierunku drzwi.

– Ach, oto Fuller z głównym daniem! – oznajmiła.

Do jadalni wkroczyli Fuller oraz dwie pokojówki, niosąc duże wazy, wypełnione potrawką z jagnięciny. Po chwili Fuller nalał wszystkim czerwonego wina do pięknych kryształowych kieliszków.

– Twoje kolacje są naprawdę niezrównane, Vicky – powiedział Edward. – Uwielbiam tę jagnięcą potrawkę!

Gospodyni skłoniła głowę, nie kryjąc zadowolenia.

– Dziękuję… – uśmiechnęła się. – Wracając do poprzedniego tematu, gdybyśmy otworzyli taki ośrodek dla weteranów, to należy chyba pomyśleć o stołówce, prawda? Żeby codziennie mogli zjeść przyzwoity lunch.

– Widzę, że ten projekt, powołany do życia zaledwie parę minut temu, wyraźnie się rozrasta – mruknął Will, patrząc na siostrę. – Vicky, Fenello, musicie spokojnie usiąść i obliczyć, jaki byłby koszt utrzymania ośrodka, i to jak najszybciej.

– Masz rację, mój drogi – zgodziła się Fenella. – Jednak zanim przejdziemy do tego etapu, muszę w spokoju zastanowić się nad tym planem. Kierowanie Haddon House pochłania mnóstwo czasu, potrzebowałybyśmy więc kilku osób do pomocy.

– Nie wątpię, że szybko znajdziemy licznych ochotników – oznajmiła Vicky.

Edward roześmiał się głośno.

– Jesteś nieuleczalną optymistką, Vicky! Takich nam potrzeba!

Po kolacji, kiedy wszyscy popijali kawę i likiery w salonie, Amos zbliżył się do Edwarda. Ned, który po wielu latach współpracy nauczył się prawie telepatycznie porozumiewać z byłym prywatnym detektywem, obrzucił go szybkim spojrzeniem. Przeprosił Stephena, z którym właśnie rozmawiał i podszedł do okna.

– O co chodzi, Amosie? Widzę, że masz jakąś pilną sprawę.

– Rzeczywiście chciałbym zamienić z panem parę słów, sir, ale to nic pilnego. Możemy pomówić jutro rano, jeśli pan woli.

– Obawiam się, że jutro rano będzie to niemożliwe – odparł Edward, mając w pamięci umówione przez Jane spotkanie w sprawie obrazu Renoira. – Więc może jednak teraz? Wyjdziemy na chwilę do holu?

– Chętnie, jeżeli nie ma pan nic przeciwko temu!

W holu Edward rozejrzał się dookoła.

– Kręci się tu dużo służby – rzekł. – Chodźmy do biblioteki, tam nikt nie będzie nam przeszkadzał...

– Doskonale, sir!

– Co cię niepokoi, Amosie? – zapytał, zamykając drzwi. – Wyglądasz na zmartwionego.

– Chodzi o to, że wczoraj wieczorem byłem na kolacji u Ritza z Charliem, który w pewnej chwili poszedł przywitać się z innym oficerem. To major, który leczył się w tych samych szpitalach, co Charlie. Kiedy Charlie wrócił do stolika, zapytałem, kim jest jego znajomy, a on odparł, że to niejaki Cedric Crawford.

Edward był tak zaskoczony, słysząc przywołane z przeszłości nazwisko, że parę chwil w milczeniu wpatrywał się w Amosa.

– Ten sam Cedric Crawford, który mieszkał z Tabithą James? – odezwał się w końcu. – Naprawdę? Pewnie tak, bo nie jest to często spotykane imię i nazwisko.

– Tak jest, sir. Nie sądzę, aby w Anglii było dwóch Cedriców Crawfordów.

– Nie wątpię, że masz w związku z tym jakiś plan.

– Zaprosiłem ich obu na kolację jutro wieczorem, Charliego i tego Crawforda – oświadczył Amos. – I mam nadzieję, że uda mi się ustalić jego tożsamość.

– I co wtedy?

– Zamierzam zapytać go o Tabithę James.

– Myślisz, że powie ci prawdę? – Edward uniósł brwi. – Wiemy, że nie została zamordowana, policja nie ma żadnych informacji na ten temat. Wszystkie fakty znamy jedynie na podstawie opowiadania Grace Rose, która miała wtedy zaledwie cztery lata.

– Liczę, że Cedric Crawford będzie w stanie powiedzieć mi, jaki los naprawdę spotkał Tabithę i gdzie została pochowana. Grace Rose powinna wiedzieć, co stało się z jej matką, panie Edwardzie, ma do tego prawo.

– Rozmawiała z tobą, prawda? – mruknął Edward, jak zwykle spostrzegawczy i bystry.

– Tak. Kilka razy była ze mną w Whitechapel, oczywiście za zgodą pani Vicky, no i naturalnie co jakiś czas zagląda do Haddon House. Pani Vicky nigdy niczego przed nią nie ukrywała, uważa, że Grace Rose powinna znać prawdę.

– I ma całkowitą słuszność. Trzymanie takich rzeczy w tajemnicy byłoby dowodem głupoty.

Edward zamyślił się na chwilę, wpatrzony w bursztynowy koniak w trzymanym w dłoni pękatym kieliszku.

– Dowiedz się wszystkiego, Amosie – odezwał się w końcu. – Ciekawe, co Crawford będzie miał ci do powiedzenia. Na twoim miejscu nie spodziewałbym się zbyt wiele. Niewykluczone, że rzucił Tabithę albo ona go opuściła. To dziwna sprawa i nie mogę oprzeć się wrażeniu, że może nigdy nie poznamy wszystkich szczegółów.

ROZDZIAŁ
CZTERNASTY

Przez wszystkie lata pracy jako policjant, a następnie prywatny detektyw Amos Finnister dobrze poznał ludzi i nauczył się odczytywać ich zachowania. Był dobrym psychologiem i najczęściej doskonale rozumiał kierujące innymi motywacje. Poza tym posiadał sporo uroku osobistego i czuł się najzupełniej swobodnie w towarzystwie ludzi ze wszystkich sfer życia, oni zaś czuli się swobodnie przy nim. Z pewnością umiał z nimi postępować, wykorzystując wrodzoną mądrość i delikatność.

Zdolności te były wyraźnie widoczne w piątkowy wieczór, kiedy Charlie i major Cedric Crawford usiedli z nim do kolacji w restauracji u Ritza. Major okazał się prawdziwym angielskim dżentelmenem, doskonale wychowanym i sympatycznym, pochodzącym z dobrej rodziny, natomiast Charlie był po prostu sobą i grał rolę wzorowego angielskiego dżentelmena równie sprawnie, jak często robił to na scenach Londynu i Nowego Jorku.

Amos wiedział, jak wprawić rozmówcę w stan przyjemnego rozluźnienia i już w połowie kolacji rozbawił majora i zachęcił go do opowiadania rozmaitych historii, po części naprawdę zabawnych. Amos także snuł ciekawe opowieści i gawędził o mało istotnych sprawach, a przy okazji uważnie słuchał i obserwował, starając się jak najtrafniej ocenić charakter majora.

Już przed głównym daniem Amos poczuł się w towarzystwie Cedrica Crawforda na tyle pewnie, aby poruszyć temat Tabithy James. W pewnym momencie rzucił Charliemu pytające spojrzenie, a młody mężczyzna odpowiedział mu szybkim, ledwo dostrzegalnym skinieniem głowy.

Amos pociągnął kolejny łyk dobrego francuskiego wina Chateauneuf-du-Pape, odstawił kieliszek i wziął głęboki oddech, starając się wyglądać najzupełniej naturalnie i łagodnie.

– Czy mogę pana o coś zapytać, majorze?

– Proszę bardzo, oczywiście! Czego chciałby się pan dowiedzieć, Finnister?

Opracowawszy przed kolacją prostą, opartą na prawdzie historyjkę, Amos nie musiał się ani chwili zastanawiać.

– Zanim zacznę, pragnę panu coś wyjaśnić – powiedział. – Być może zna pan moją dobrą znajomą...

Major przypatrywał mu się uważnie.

– Kogo ma pan na myśli?

– Lady Fenellę Fayne. Miał pan okazję ją poznać?

– Niestety, nie. Wiem jednak, podobnie jak wszyscy, kim jest lady Fenella. Słyszałem o niej jako o wielkiej działaczce charytatywnej i osobie, która poświęca czas, energię i pieniądze na ratowanie kobiet znajdujących się w trudnych sytuacjach życiowych. To wdowa po lordzie Jeremym Fayne, prawda?

– Tak jest, i córka hrabiego Tanfield. Parę lat temu lady Fenella usiłowała odnaleźć swoją przyjaciółkę z Yorkshire, skąd sama pochodzi, przyjaciółkę, która przyjechała do Londynu i tu wszelki ślad po niej zaginął. Zdołała się dowiedzieć, przez inną znajomą, że kobieta ta za sprawą skomplikowanego zbiegu okoliczności wylądowała na East Endzie, chyba w Whitechapel, i że znała pewnego dżentelmena, niejakiego Cedrica Crawforda... Czy może był to właśnie pan, majorze?

Cedric Crawford natychmiast skinął głową, nie okazując choćby cienia zmieszania czy niechęci.

– Faktycznie, znałem damę, która mieszkała w Whitechapel – powiedział. – Nazywała się Tabitha James... Znałem ją dosyć dobrze. Widzi pan, była to bliska przyjaciółka mojego znajomego z gwardii królewskiej, porucznika Sebastiana Lawforda. Sądziłem nawet, że pewnie się pobiorą, bo byli w sobie szczerze zakochani, ale, niestety, los chciał inaczej...

– Czy wie pan, co właściwie się stało?

– Tak, tak, wiem. Tabitha James poważnie zachorowała, zapadła na gruźlicę, a jej stan dramatycznie pogorszył się w rezultacie obustronnego zapalenia płuc. Nie minęło parę dni, a już nie żyła.

– Rozumiem. I wtedy udał się pan do ich domu w Whitechapel, czy tak?

– Był to dom Tabithy, prawdę mówiąc. Z jakiegoś powodu nie chciała przenieść się do lepszej dzielnicy, chociaż Seb próbował zainstalować ją w wygodnym domku. Nie mam pojęcia, dlaczego tak się upierała przy swoim. – Major bezradnie pokręcił głową. – Cała ta historia była bardzo smutna, bo nie miałem cienia wątpliwości, że Tabitha pochodziła z dobrej rodziny i została wychowana na damę.

– I miał pan rację – przyznał Amos. – Była to lady Tabitha Brockhaven, córka także nieżyjącego już hrabiego Brockhaven.

Cedric Crawford mimo wszystko sprawiał wrażenie zaskoczonego. Popatrzył na Amosa spod uniesionych brwi.

– Jest pan tego pewny, Finnister? – zapytał. – Utytułowana dama, naprawdę? Dobry Boże...

– Tak, jestem absolutnie pewny. Wróćmy jednak do tamtych dni. – Był pan w domu Tabithy?

– O, tak, parę razy! Był to rok 1904, wiosna, jak mi się wydaje. Tak, na pewno wiosna, bo wybierałem się wtedy do Europy z ojcem i dwiema siostrami. Mieliśmy spędzić parę tygodni w rodzinnej willi na południu Francji, a później chciałem jechać do Paryża, na stałe. Myślałem o tym, aby zostać malarzem i mój ojciec zgodził się sfinansować mi studia na Akademii Sztuk Pięknych.

– Ale był pan przecież oficerem gwardii królewskiej, czyż nie?

– Tak, ale ojciec... Cóż, mój pater był dla mnie bardzo dobry, w gruncie rzeczy pozwalał mi robić, co chciałem, i nie oponował, kiedy złożyłem rezygnację ze służby. Jego ojciec, mój dziadek, był prawdziwym tyranem, w każdym razie tak zrozumiałem, i ojciec starał się... – Cedric przerwał na moment i lekko wzruszył ramionami. – No, starał się stosować całkowicie odmienne metody wychowawcze, był wobec mnie bardzo pobłażliwy i pewnie rozpuścił mnie jak dziadowski bicz. Tak czy inaczej, zgodził się, kiedy powiedziałem mu, że raczej nie nadaję się na żołnierza.

– Jednak wrócił pan do wojska po wybuchu wojny i wtedy okazało się, że obaj się myliliście, majorze – rzekł Amos. – Ze słów Charliego wynika bowiem, że był pan świetnym żołnierzem, dokonał pan wielu godnych podziwu i szacunku czynów, tak wybitnych, że otrzymał pan Krzyż Wiktorii, najwyższe odznaczenie wojskowe naszego kraju za odwagę w obliczu wroga.

Na twarzy majora pojawił się wyraz zażenowania. Bez słowa skinął głową, zarumienił się i pociągnął łyk czerwonego wina.

Amos pochylił się nad stołem i wreszcie zadał pytanie, które tak długo nosił w sobie.

– Czy wiosną 1904 roku natknął się pan może na małą dziewczynkę, która mieszkała z Tabithą?

– Dobry Boże, tak, zupełnie o niej zapomniałem! Tabitha miała córeczkę, kilkuletnią dziewczynkę! Tak, tak, oczywiście! Zaraz, zaraz, jak ta mała miała na imię? Och, już wiem! Grace, nosiła imię Grace.

– Nie wie pan, co się z nią stało?

– Nie, niestety. – Major potarł czoło otwartą dłonią i zmarszczył brwi. – Wie pan, właśnie uświadomiłem sobie, że ostatni raz widziałem je obie tego samego dnia.

– Pamięta pan może, co się wtedy działo? – Amos odchylił się do tyłu, umoczył usta w wodzie i czekał, czując narastające podniecenie.

Nie spuszczał wzroku z majora, za wszelką cenę pragnąc dotrzeć do prawdy.

– To był całkiem ładny dzień – zaczął major Crawford. – Słoneczny, choć trochę chłodny. Pojechałem do Whitechapel razem z Sebem Lawfordem, ponieważ koniecznie chciał namówić Tabithę, aby przeprowadziła się w lepsze miejsce, do przyjemnego, czystego domku, który znalazł w Hampstead, niedaleko Heath. Poprosił mnie o pomoc przy przenoszeniu jej rzeczy, przyjechaliśmy wynajętą dorożką. Zastaliśmy Tabithę w domu, ale, niestety, nie chciała zgodzić się na przeprowadzkę, nie chciała ruszyć się z tej… z tej nory. Była bardzo uparta. Obaj zauważyliśmy, że wyglądała okropnie mizernie i strasznie kasłała, w pewnej chwili pomyślałem nawet dość dosadnie, że zaraz wypluje płuca. Seb posłał mnie do kobiety, która mieszkała parę domów dalej, przy tej samej ulicy. Miała nastoletnią córkę i ta dziewczyna czasami zajmowała się Grace. Chciał, żeby ktoś został z Grace, bo sam był zdeterminowany, aby zawieźć Tabithę do szpitala. Nie pamiętam, jak dziewczyna miała na imię, ale poszła ze mną, dałem jej chyba gwineę i kazałem czekać do naszego powrotu. Potem Seb i ta opiekunka pomogli Tabicie się ubrać, we dwóch zanieśliśmy ją do dorożki i pojechaliśmy do szpitala.

– Do którego szpitala?

– Tego przy Whitechapel Road, Royal London Hospital, jednej z najstarszych lecznic w Londynie. Oczywiście lekarze zatrzymali Tabithę, była przecież naprawdę ciężko chora.

– Co stało się potem? – zapytał cicho Amos.

– Seb wrócił do domu Tabithy w Whitechapel, a ja złapałem dorożkę i pojechałem do domu mojego ojca przy Queen Street w Mayfair... Pięć dni później wyjechaliśmy do Francji.

– Powiedział pan, że Tabitha umarła... Wynika z tego, że jeszcze przed wyjazdem widział się pan ze swoim przyjacielem...

– Seb wpadł do mnie po dwóch dniach od mojego ostatniego spotkania z Tabithą i właśnie wtedy powiadomił mnie o jej śmierci. Miała ostre zapalenie płuc, a poza tym gruźlicę, już tamtego dnia z trudem łapała oddech.

– Czy pański przyjaciel wspominał o Grace?

– Nie, nic o niej nie mówił, a mnie nie przyszło do głowy, aby zapytać. Wyjeżdżaliśmy na trzy miesiące, ja pakowałem się na dłużej, bo zamierzałem zostać w Paryżu na rok, może nawet dłużej, więc miałem mnóstwo spraw na głowie. – Cedric Crawford przerwał nagle. – Co stało się z małą, panie Finnister? Mam nadzieję, że nie spotkało jej nic złego.

– Nie, nic złego, Bogu niech będą dzięki. – Amos odchrząknął. – Kiedy lady Fenella szukała Tabithy, sprawdziła wszystkie szpitale w okolicy, wiem o tym, ponieważ jej pomagałem, nigdzie nie natknęła się jednak na nazwisko Tabithy, wygląda na to, że nigdzie jej nie zarejestrowano. Nie uważa pan, że to trochę dziwne?

– Nie, bo Tabitha posługiwała się nazwiskiem mojego przyjaciela, występowała zwykle jako pani Lawford. Seb uznał, że dzięki temu będzie mogła czuć się bezpieczniej w tej niezbyt spokojnej dzielnicy. Sam zawsze nazywał ją „Lucy", nie mam pojęcia dlaczego... Tak czy inaczej, jestem absolutnie pewny, że w szpitalu Tabitha została zarejestrowana jako Lucy Lawford, stałem obok niej, kiedy Seb rozmawiał z pielęgniarką.

– Rozumiem... Tak, to wszystko wyjaśnia. Proszę mi jeszcze tylko powiedzieć, czy Sebastian Lawford zaprosił pana na pogrzeb Tabithy albo powiadomił, gdzie została pochowana.

– Nie, nie dał mi znać, gdzie i kiedy będzie pogrzeb, zresztą w tych okolicznościach i tak nie mógłbym być na nim obecny. – Cedric Crawford z żalem pokręcił głową.

– Chciałbym spotkać się z Sebastianem Lawfordem, jeśli zechciałby pan mi w tym pomóc – rzekł Amos. – Wie pan, gdzie jest pana przyjaciel?

– Tak, wiem.

– Poda mi pan adres?

– Sebastian Lawford spoczywa w żołnierskim grobie we Francji... Zginął w bitwie pod Ypres, trzeciej z kolei, skonał na moich rękach, panie Finnister. Naprawdę bardzo mi przykro, ale nie mogę panu pomóc.

– Pomógł mi pan, i to bardzo! Dzięki panu wiem, do którego szpitala trafiła Tabitha James, czy też raczej pani Lucy Lawford, co pewnie pozwoli mi ustalić, gdzie została pogrzebana. Powinienem znaleźć tę informację w szpitalnych aktach.

– Czy to dla pana ważne? – zapytał major z zaciekawieniem.

– O, tak, bardzo ważne – odpowiedział cicho Amos. – Jeszcze raz serdecznie panu dziękuję, majorze Crawford!

Zdarzało się, że Amos Finnister zjawiał się w Deravenels w sobotę, chociaż siedziba firmy była zwykle zamknięta na weekend. Dość często zachodził do swego gabinetu, aby uporządkować dokumenty czy zająć się sprawami, których nie miał możliwości dopilnować w ciągu tygodnia.

Jednak w ten sobotni ranek przyszedł do pracy w konkretnym celu.

– Dzień dobry, panie Finnister! – przywitał go ubrany w uniform portier. – Pogoda pod psem, prawda?

Amos uśmiechnął się do starszego mężczyzny.

– Dzień dobry, Albercie. Pogoda rzeczywiście jest pod psem, bez dwóch zdań.

Złożył parasol i ruszył wyłożonym marmurem holem w kierunku schodów. Zamierzał zrobić listę cmentarzy w najbliższej okolicy Whitechapel oraz wykonać parę telefonów.

W pierwszej kolejności zadzwonił do Royal London Hospital w Whitechapel, gdzie dowiedział się, że archiwum jest w soboty nieczynne. Spodziewał się takiej informacji. Następnie wybrał numer rezydencji Ravenscar i zamieniwszy parę słów z lokajem Jessupem, poprosił o połączenie z Edwardem Deravenelem.

– Witaj, Amosie! – zabrzmiał w słuchawce głos Edwarda. – Rozumiem, że masz dla mnie jakieś nowiny…

– Dzień dobry panu… Tak, mam dość ważne wiadomości. Trafiłem na właściwego Cedrica Crawforda, tak jak myśleliśmy w czwartek, lecz to nie on był związany z Tabithą James.

– Dziwne! – zawołał Edward. – Przyjaciółka Tabithy, Sophie jakaśtam, sprawiała wrażenie całkowicie pewnej, że chodziło o Cedrica Crawforda!

– Tak, tak twierdziła lady Fenella, ale major Crawford mówi, że ukochanym Tabithy był jego przyjaciel, także oficer gwardii królewskiej Sebastian Lawford, a ja mu wierzę…

– Nietrudno pomylić te dwa nazwiska – przyznał Edward. – Crawford, Lawford…

– Właśnie, panie Edwardzie. Major mówił o swoim przyjacielu: „Seb", co pewnie dodatkowo skomplikowało sprawę. Seb Lawford czy Ced Crawford, co za różnica dla osoby, która nie dba o fakty.

– Na przykład dla tej Sophie, to chcesz powiedzieć?

– Tak, sir. Pozwoli pan, że przekażę panu wszystkie informacje, jakie wczoraj wieczorem udało mi się uzyskać od majora.

Gdy Amos Finnister skończył, z piersi Edwarda wyrwało się ciężkie westchnienie.

– Dobra robota, mój drogi – powiedział. – Teraz dysponujemy wreszcie konkretami.

– Zajmę się wszystkim dopiero w poniedziałek, ponieważ szpitalne i miejskie archiwa są zamknięte w weekend. Mamy nazwisko i imię, jakimi posługiwała się Tabitha James, więc powinienem bez trudu dotrzeć do jej aktu zgonu.

– Dziękuję, że zadałeś sobie tyle kłopotu, Amosie! Zrobiłeś wszystko, co można było zrobić i osiągnąłeś sukces!

– Jest coś jeszcze…

– Tak?

– Czy kiedy już zgromadzę wszystkie informacje, będę mógł przekazać je pani Vicky Forth?

– Oczywiście! Będzie ci równie wdzięczna jak ja, gdyż cała ta sprawa tak długo nas niepokoiła. I na pewno zechce powiedzieć o tym Grace Rose, która powinna wiedzieć, co naprawdę stało się z jej matką!

– Zgadzam się z panem. Zatelefonuję w poniedziałek, gdy skontaktuję się z instytucjami, o których mówiłem, i porozmawiam z panią Vicky.

– Doskonale! Jeszcze raz ci dziękuję. – Edward przerwał na chwilę. – Życie bywa naprawdę dziwne, Amosie. Poznaliśmy prawdę dzięki temu, że Charlie poznał w szpitalu innego żołnierza. Zdumiewające, słowo daję!

ROZDZIAŁ PIĘTNASTY

Ravenscar

Miała się wszystkim zająć, tak powiedziała jej babcia. Bess Deravenel była z tego bardzo zadowolona. Powinna umieć się wszystkim zająć. Miała przecież już całe dziewięć lat, prawda? Była tą najstarszą, pierworodną. Wszyscy wiedzieli, że najstarszy syn, spadkobierca, jest ważniejszy, bo to chłopiec, ale jej wcale to nie przeszkadzało. Doskonale wiedziała, że jest ulubienicą ojca, od zawsze, a więc kimś wyjątkowym. Ojciec powiedział jej o tym, kiedy była zupełnie mała.

Ostatnio ojciec kupił jej duże owalne lustro i kazał ustawić je w kącie jej sypialni, żeby mogła widzieć się cała, od stóp do głów. Teraz podeszła do lustra i długą chwilę przyglądała się sobie z głową lekko przechyloną na ramię.

Doszła do wniosku, że wygląda całkiem ładnie i ma na sobie strój godny takiej okazji jak świąteczny lunch. Sama wybrała sukienkę, ponieważ Niania zajmowała się innymi dziećmi i powiedziała jej, żeby posłużyła się zdrowym rozsądkiem. Bess bardzo lubiła posługiwać się zdrowym rozsądkiem, bo wtedy czuła się osobą dorosłą. Po dłuższym zastanowieniu zdecydowała się na sukienkę z błękitnego aksamitu, z suto marszczoną spódnicą prawie do kostek, długimi rękawami, pięknym kołnierzem z białej koronki i takimi samymi mankietami. Do tego białe pończoszki i czarne pantofelki, i przed kilkoma minutami Niania szczerze pochwaliła ją za dobry gust i umiar.

Bess wróciła przed toaletkę we wnęce z dużym łukowatym oknem i wyjęła z obitego czarnym welwetem puzderka niewielką broszkę. Wcześniej tego samego dnia wszyscy rozpakowywali świąteczne prezenty w bibliotece, gdzie stała ogromna choinka, i właśnie ta broszka, wysadzana brylancikami kokardka, była podarunkiem od ojca. Matka skrzywiła się z rozdrażnieniem i Bess usłyszała, jak mówiła do ojca, że jest to zdecydowanie zbyt kosztowny prezent dla dziecka.

– Nie dla mojego dziecka, Elizabeth! – odparł ojciec ostrym tonem.

Potem odszedł, chyba jeszcze bardziej rozdrażniony niż matka. Bess zdążyła przyzwyczaić się do tego rodzaju scen. Rodzice często się kłócili; dorastała wśród ich kłótni i często się zastanawiała, dlaczego matka mówi rzeczy, które w oczywisty sposób musiały rozgniewać ojca.

Starannie przypięła broszkę pod kołnierzem, w miejscu, gdzie dwa szerokie koronkowe skrzydła rozchodziły się na boki. Dotknęła włosów, ułożyła loki po obu stronach twarzy i lekko skinęła głową. Jej włosy miały podobnie rdzawozłocisty odcień, jak włosy ojca, a oczy były tak samo intensywnie błękitne. Była do niego bardzo podobna, i Grace Rose także. Bardzo rozczarowała ją wiadomość, że Grace Rose nie przyjedzie na święta do Ravenscar. Wszystko to z powodu bronchitu Młodego Edwarda… Ojciec odwołał wszystkie świąteczne uroczystości, wszystkie wizyty i przeprosił wszystkich gości.

– Och, na miłość boską… – jęknęła Niania do Madge, pokojówki, gdy się o tym dowiedziała. – Naprawdę nie wiem, co zrobimy bez rodziny i przyjaciół! Goście zawsze spełniają rolę bufora między nimi, słowo daję!

Bess szybko uciekła spod drzwi. Miała nadzieję, że Niania jej nie zauważyła. Wiedziała, co opiekunka miała na myśli i całkowicie się z nią zgadzała, chociaż nigdy nie ośmieliłaby się powiedzieć tego na głos. Niania od razu by pomyślała, że podsłuchiwała.

Zerwała się z taboretu, podbiegła do drzwi i wyjrzała na korytarz. Z daleka, chyba z pokoju Mary, słychać było głos Niani. Mary dzieliła sypialnię z małą Cecily, która bała się ciemności. Bess przyszło do głowy, że może mają tam jakiś kłopot i pośpieszyła do pokoju młodszych sióstr.

Niania odwróciła się gwałtownie.

– No, no, Bess! – zawołała. – Nie biegaj po korytarzu, bardzo proszę! To nie przystoi młodej damie, ile razy mam ci powtarzać!

– Codziennie, Nianiu! Przepraszam, naprawdę, ale myślałam, że może mnie potrzebujesz.

Niania, która mogła poszczycić się krągłą sylwetką, różowymi jak jabłuszka policzkami i błyszczącymi orzechowymi oczami, mocno zacisnęła wargi, aby ukryć rozbawienie.

– Chyba jednak jakoś sobie poradzę – odparła.

I zaraz się odwróciła, aby skupić całą uwagę na sześcioletniej Cecily, która z wyraźnym trudem powstrzymywała łzy.

– Dlaczego płaczesz, Cecily? – Bess podeszła do siostry. – Jest Boże Narodzenie i za godzinę zjemy wspaniały lunch.

– Nie jestem głodna – obwieściła Cecily, przygryzając drżące wargi. – Nie podoba mi się ta sukenecka.

– Żadna „sukenecka", panienko, nie jesteś już maleńkim dzieckiem! – mruknęła Niania.

Właśnie kończyła wiązać kokardę z jasnoniebieskiej tafty na czubku jasnowłosej głowy Cecily.

– Masz piękną sukienkę, w tym samym kolorze co moja – powiedziała Bess. – Popatrz tylko...

Cecily uważnie obejrzała sukienkę siostry i kiwnęła głową.

– W tym samym – przyznała. – Ale moja sukenka mi się nie podoba.

– Podoba ci się, podoba! I powiedz: „sukienka". Spójrz na Mary, ona też ma niebieską sukienkę i nie narzeka. Wszystkie mamy niebieskie sukienki, to miły pomysł, nie uważasz? Bo jesteśmy siostrami! Niania dobrze zrobiła, wybierając dla ciebie i Mary sukienki w tym samym kolorze co moja.

– Ale ty sama wybrałaś sukenkę – zauważyła Mary. – Niania nam powiedziała, żeś taką chciała.

Niania lekko zmarszczyła brwi.

– No, no, Mary, wyrażaj się prawidłowo! Nie: „żeś taką chciała", tylko „że taką chciałaś", nie mów jak prostaczka!

– To nie przystoi panience – uzupełniła Bess, odwołując się do jednego z ulubionych zwrotów Niani.

Niania odwróciła głowę i obrzuciła Bess czujnym spojrzeniem znad okularów.

– Nie jesteś trochę zbyt śmiała, skarbie?

– Och nie, Nianiu, nigdy nie ośmieliłabym się być zbyt śmiała wobec ciebie!

– No, dobrze. Czegoś jednak cię nauczyłam!

– Tego, co przystoi i co nie przystoi panience! – zawołała Mary, parskając śmiechem.

Ośmioletnia dziewczynka miała bardzo pogodne usposobienie i teraz zaczęła podskakiwać i śpiewać na cały głos.

– Niebieskie siostry! Jesteśmy niebieskimi siostrami! Patrzcie na nas, jesteśmy niebieskie! Niebieskie, niebieskie, niebieskie!

– Przestań, Mary, musimy się pośpieszyć i pomóc Niani – upomniała ją Bess.

– Wszystko jest pod kontrolą, panienko. – Niania rozejrzała się i spostrzegła, że Richard zniknął. – O, Boże, gdzie podział się mały Ritchie? Gdzie jest ten dzieciak?

– Tutaj – odezwał się cienki głosik.

Niania z przerażeniem dostrzegła jasną głowinę, wystającą spod łóżka.

– Ritchie, wyjdź stamtąd, ale już!

Chłopiec usłuchał polecenia i po chwili stanął przed opiekunką. Niania przyjrzała mu się bacznie, wypatrując smug kurzu na świątecznym ubranku, lecz Richard był czysty. Kobieta szybkim ruchem poprawiła jego kurteczkę z czarnego aksamitu.

– Teraz wiemy przynajmniej, że pokojówki porządnie sprzątają – wymamrotała.

– Chcę czerwoną sukenkę! – odezwała się Cecily.

– Przestań mówić: „sukenkę"! – krzyknęła Mary, naśladując Bess.

– Nianiu, a co z Młodym Edwardem? – spytała Bess. – Zejdzie na lunch, czy jest zbyt przeziębiony?

Niania rozpromieniła się w uśmiechu. Młody Edward był jej ulubieńcem, chociaż starała się tego nie okazywać.

– Wasz ojciec pomógł mu się ubrać i przed chwilą zabrał go na dół – odpowiedziała.

– Więc najlepiej chodźmy od razu! – zniecierpliwiła się Bess. – Tata na pewno na mnie czeka!

– Czeka na was wszystkich! – sprostowała Niania.

– Chcę zejść na dół razem z maluchem – oświadczyła Cecily. – Gdzie jest Anne?

– Jej piastunka zaraz zniesie ją do jadalni.

– Czy Anne też ma niebieską sukienkę? – zapytała poważnie Mary.

– Nie żartuj sobie, dziecko! Mała nie ma niebieskiej sukienki, owinięta jest w obszyty koronką kocyk!

– Gdzie babcia? – zainteresowała się Bess.

– Pani Deravenel jest już na dole.

– Lubisz ją, prawda, Nianiu?

– Tak.

– Ale mamy nie lubisz.

– Nie wygaduj takich okropnych rzeczy, Bess! – oburzyła się Niania. – Lubię waszą matkę, oczywiście! To piękna dama, która zawsze okazuje mi dużo serca.

– Szkoda, że nie okazuje serca tacie – mruknęła Bess.

Niania obrzuciła ją ostrożnym spojrzeniem.

– To zupełnie nieodpowiednia uwaga – powiedziała ostrzegawczo.

– Przepraszam – szepnęła Bess. – Już nie będę... – Zrobiła krok do przodu i wspięła się na palce. – Maluchy nic nie rozumieją, Nianiu, nie martw się – dodała szybko.

– Zdziwiłabyś się, gdybyś wiedziała, jak dużo rozumieją! No, chodźmy już na dół, do waszych rodziców i babci! Wyprostuj się, Ritchie, wyglądasz jak szmaciana lalka!

Richard ziewnął szeroko.

– Jestem głodny – oświadczył.

– Ja też! – zawołała Mary. – Zjadłabym konia z kopytami!

– To bardzo prostackie wyrażenie, Mary! Nie używaj go, proszę!

– W takim razie kucyka. Zjadłabym kucyka z kopytami!

Richard roześmiał się, wtórując Mary i Cecily. Cała trójka śmiała się głośno, idąc korytarzem do schodów.

Bess spojrzała na Nianię i ze współczuciem potrząsnęła głową.

– Co można z nimi zrobić? Są jeszcze bardzo mali.

Niania pośpiesznie odwróciła głowę, żeby Bess nie dostrzegła uśmiechu na jej twarzy. Dzieci, które powierzono jej opiece, były cudowne, po prostu niezwykłe, ale zbyt dojrzałe i mądre. I zbyt spostrzegawcze. Były świadkami wielu kłótni, gwałtownych i donośnych. Cóż, winę za ten stan rzeczy ponosiła ich matka. Biedny pan Deravenel! Niania szczerze mu współczuła. Co za los, być mężem takiej zimnej, złej kobiety. A on był przecież taki miły, dobry i przystojny. Biedny człowiek. Och, tak, biedny, naprawdę biedny.

Bess zatrzymała całą grupkę u szczytu schodów.

– Babcia kazała mi się wami zająć, więc musicie mnie słuchać – zwróciła się do młodszego rodzeństwa. – Zejdziemy na dół powoli, z godnością, a kiedy wejdziemy do biblioteki, ustawicie się w szeregu, tak jak wczoraj, rozumiecie? I zaśpiewamy kolędę.

– Jestem głodny! – jęknął Richard.

– Na razie nie dostaniesz nic do jedzenia, Ritchie – ostrzegła Bess. – Dopiero po odśpiewaniu kolędy!

– Uważaj, Ritchie! – powiedziała Niania. – Nie chcesz chyba spaść ze schodów, prawda? Daj mi rękę, zejdziemy razem.

Dwuletni malec, o włosach równie jasnych jak włosy starszego brata, z zapałem chwycił Nianię za rękę, a trzy dziewczynki stanęły za nimi. Kiedy znaleźli się w długim holu, Bess zauważyła czekającego na nich Jessupa.

– Najpierw zaśpiewamy kolędę – poinformowała go Bess.

– Tak jest, panienko! Pani Deravenel, to jest babcia panienki, powiedziała mi, że lunch należy podać dopiero po kolędzie. Pani Deravenel osobiście usiądzie przy fortepianie, żeby podać melodię.

– Nie zapomnijcie stanąć równo w szeregu! – syknęła Bess w progu biblioteki, popychając młodszych przed sobą. – Jesteśmy już, tato! – zawołała. – Zaśpiewamy teraz kolędę dla ciebie i dla mamy!

Odwróciła się i obdarzyła promiennym uśmiechem Cecily Deravenel.

– I dla babci, która zagra dla nas na fortepianie! – dorzuciła.

– Wspaniały pomysł, Bess! – uśmiechnął się Edward. – Nie wiedziałem, że przed lunchem czeka nas świąteczny koncert!

– Och, tato, to tylko jedna kolęda! Tylko jedna, bo przecież musiałam nauczyć ich słów. Musieli nauczyć się wszystkiego na pamięć.

– Bardzo się napracowałaś, kochanie – zauważył Edward. – Właściwie wszyscy się napracowaliście.

Jego oczy spoczęły na czwórce dzieci, stojących w szeregu obok fortepianu, przesuniętego tu poprzedniego popołudnia z pokoju muzycznego. Wszyscy wyglądali prześlicznie, wszyscy mieli włosy jasne lub jasnorude oraz oczy w różnych odcieniach błękitu. Odwrócił się, spojrzał na Elizabeth i uśmiechnął się ciepło.

Elizabeth drgnęła, wyraźnie zaskoczona jego reakcją po tym, jak wcześniej mocno zirytowała go uwagami na temat broszki z brylantami, ponieważ jednak tego szczególnego dnia bardzo zależało jej na spokoju i dobrej atmosferze, czułym gestem szybko musnęła jego dłoń. Zaraz potem przeniosła wzrok na Młodego Edwarda, który siedział na kanapie tuż obok niej.

– Dobrze się czujesz? – zapytała. – Nie jest ci za zimno?

– Nie, mamo... Żałuję tylko, że nie śpiewam kolędy razem z nimi.

– Wiem, że nie lubisz, kiedy coś dzieje się bez twojego udziału, ale w przyszłym roku na pewno zaśpiewasz ze wszystkimi, kochanie!

Cecily Deravenel podniosła się i przeszła przez pokój do fortepianu. Po drodze przystanęła na moment, aby pogłaskać Ritchiego po głowie. Mały uwielbiał babkę i teraz uśmiechnął się do niej szeroko.

– Jestem głodny, babciu!

– Ja też, skarbie – Cecily schyliła się do ucha chłopca. – Czeka nas prawdziwa uczta – nadziewany indyk, ziemniaki i warzywa. Jeszcze tylko wasza kolęda, to już za chwilę.

Bess szybkim spojrzeniem oceniła starannie uformowany szereg.

– Cecily, musisz stanąć obok mnie, bo jesteś wyższa od Mary! – szepnęła. – No, dobrze, teraz niech się już nikt nie rusza, zaczynamy!

– Mam stać tutaj? – upewnił się Ritchie.

– Tak, na końcu. – Bess zajęła miejsce. – Jesteśmy gotowi, babciu.

– Zagram kilka nut, a potem kolędę od początku – powiedziała Cecily.

Parę sekund później bibliotekę wypełnił chóralny śpiew młodych głosów:

Hej, słuchajcie aniołów, jak wyśpiewują chwałę
Królowi, co właśnie się narodził.
Miłosierdzie i pokój na ziemię sprowadził,
Boga z grzesznikami pogodził!
Radośnie wznieście głosy wszystkie narody,
Śpiewajcie aż pod niebiosa:
„Chrystus narodził się w Betlejem,
Niech świat cały cieszy się pokojem!".

Hej, słuchajcie aniołów, jak wyśpiewują chwałę,
Królowi, co właśnie się narodził.

– Dziękuję, dzieci, to było naprawdę wspaniałe!

Edward zaczął bić brawo, a po chwili dołączyły do niego jego żona i matka oraz Niania i pokojówka Madge, która stała przy oknie, kołysząc w wózeczku maleńką Anne.

– Doskonały występ! – pochwalił Edward.

Bess, Mary, Cecily i Ritchie uśmiechnęli się, ukłonili nisko i pobiegli do rodziców. Mary i Cecily dopadły do ojca, jak zwykle pragnąc zwrócić na siebie jego uwagę, natomiast Bess podprowadziła Ritchiego do matki, która schyliła się i pocałowała synka w czubek głowy.

– Dziękuję – powiedziała cicho do stojącej przed nią Bess. – Ojciec ma rację, świetnie się spisaliście.

Bess uśmiechnęła się ostrożnie. Elizabeth wstała i podeszła do okna, do Niani i Madge.

– Idźcie na świąteczny lunch, życzę smacznego! – odezwała się. – Kucharka przygotowała dla was wszystko w jadalni na dole. Kazałam też Jessupowi postawić mały kojec przy kominku, na wypadek, gdybyś chciała wyjąć Anne z wózka, Madge.

– Bardzo pani dziękuję! – Madge dygnęła z przejęciem.

– Ja również, bardzo to miło z pani strony – dodała Niania i lekko dotknęła ramienia młodszej służącej, dając jej do zrozumienia, że powinny wyjść.

Chciała przypomnieć dzieciom, aby grzecznie się zachowywały, ale dwie młodsze dziewczynki nadal stały przy ojcu, a Bess także zmierzała właśnie ku niemu.

Niania najbardziej przywiązana była do Bess, ale ponieważ unikała faworyzowania podopiecznych, utrzymywała to w sekrecie i zawsze traktowała wszystkie dzieci jednakowo. Niemniej bezustannie się martwiła o dziewięcioletnią dziewczynkę, która była zbyt dorosła jak na swój wiek, nie dość blisko związana z matką i zbyt zaborcza w stosunku do ojca.

Deravenelowie byli dziwną rodziną, lecz Niania zdążyła już przywyknąć. Pracowała u nich od ośmiu lat, wychowując Bess i pozostałe dzieciaki. Były dobre i śliczne, a ona bardzo je kochała. Jej niepokój budzili dorośli Deravenelowie, pan Edward i pani Elizabeth. Czasami miała wrażenie, że z całą determinacją dążyli do tego, aby zniszczyć się nawzajem.

Szybko odsunęła od siebie tę przykrą myśl. Było Boże Narodzenie 1918 roku, na świecie znów panował pokój. Wszyscy powtarzali, że wielka wojna, która ledwo co dobiegła końca, była pierwszą i ostatnią wojną światową. Niania miała szczerą nadzieję, że tak właśnie będzie.

ROZDZIAŁ SZESNASTY

Elizabeth w pełni zdawała sobie sprawę, że rano odezwała się w niewłaściwy sposób – niepotrzebnie powiedziała Edwardowi, że broszka z brylantami jest zbyt kosztownym prezentem dla dziecka.

Mąż poczuł się urażony, rzucił jakąś kwaśną uwagę i odszedł. Powinna była wykazać się większą rozwagą, lecz uświadomiła to sobie dopiero po fakcie. Edward zawsze faworyzował Bess, rozpieszczał ją i nie ukrywał, że nic nie jest zbyt dobre czy za drogie, jeśli chodzi o najstarszą córkę.

No i naturalnie nie znosił krytycznych komentarzy pod swoim adresem. Dlaczego nie trzymała języka za zębami? Nie miała pojęcia. Niestety, często wymykały jej się uwagi, które Edward przyjmował nie najlepiej. Nie zdarzało jej się to w stosunku do innych, tylko właśnie do niego. Czyżby to była jakaś nerwowa reakcja?

Niedawno jej brat Anthony powiedział, że jest głupia, ponieważ robi wielką sprawę z rzeczy o niewielkim znaczeniu.

– Przestań dążyć do zwycięstwa w potyczkach – rzekł chłodnym, pełnym dezaprobaty głosem. – I skup się na wygraniu wojny, bo to jest najważniejsze. Któregoś dnia obudzisz się i odkryjesz, że zabiłaś kurę, która znosi złote jaja, Lizzie!

Był na nią tak wściekły, że nawet nie ośmieliła się zaprotestować, kiedy zdrobnił jej imię w znienawidzony sposób, wyjąkała tylko, że nie rozumie, o co mu właściwie chodzi.

– Jak na inteligentną kobietę, czasami zachowujesz się naprawdę idiotycznie – ciągnął Anthony wciąż tym samym tonem, zwiastującym prawdziwą furię. – Wykłócasz się z Edwardem, kaprysisz i skarżysz się, że ma inne kobiety, chociaż wcale ich nie ma.

– W takim razie kim jest Jane Shaw?! – warknęła, obrzucając brata gniewnym spojrzeniem.

– Jego kochanką, o czym oboje doskonale wiemy! Nie jest „inną kobietą", jak to ujmujesz!

– Co masz na myśli? Że powinnam ją zaakceptować?

– Otóż, właśnie! Przymknąć oko, tak jak robią to inne kobiety z naszej sfery, kobiety, których mężowie mają kochanki! I pamiętaj o jednym – kobieta, która długo żyje z mężczyzną jako jego kochanka, w oczywisty sposób nie stawia mu niemożliwych czy choćby trudnych do spełnienia żądań, nie pragnie małżeństwa, nie chce niczego więcej poza związkiem, który już istnieje! Jane Shaw nie sprawia ci kłopotów, więc nie narób ich sobie sama!

– Ta sytuacja rani moje uczucia – powiedziała cicho Elizabeth. – Chcę, żeby był mi wierny.

– Och, na miłość boską, dorośnijże wreszcie! Czy Edward zaniedbuje cię pod względem fizycznym? Głupie pytanie! Nie ulega wątpliwości, że jest wręcz odwrotnie, bo przecież ciągle rodzisz dzieci, jedno za drugim! A może cię bije? No, dalej, powiedz prawdę! Ukrywasz coś przede mną? Czy Ned kiedykolwiek cię uderzył?

– Nie, nie bije ani mnie, ani nikogo! Tak się składa, że Edward ma bardzo łagodny charakter!

– Wiem o tym od dawna, więc nie musisz mi tego mówić! Wiem także, że dba, abyś miała wszystko, czego zapragniesz: luksusowe domy, mnóstwo pieniędzy na ubrania i inne drobiazgi, klejnoty, którymi dosłownie cię zasypuje... Naprawdę nie powinnaś narzekać, moja droga!

– Chodzi mi tylko o to, że...

– O nic ci nie chodzi, co moim zdaniem dowodzi tylko twojej głupoty. – Anthony pochylił się ku niej. – Im dłużej Ned pozostaje w związku z Jane, tym lepiej dla ciebie. Dlaczego nie potrafisz tego zrozumieć?

– Wolałabym, żeby w ogóle nie miał kochanki!

– Dorośnij, powtarzam! To niemożliwe, nie w przypadku mężczyzny takiego jak Edward! Gdyby nie miał kochanki, kochanki takiej jak Jane, co warto podkreślić, niewątpliwie musiałabyś dzielić się nim z wieloma kobietami! Kobietami, które być może nie byłyby tak łagodne i niewymagające jak Jane, rozumiesz? I całkiem niewykluczone, że któraś z nich zapragnęłaby zostać drugą panią Deravenel.

Elizabeth przypomniała sobie teraz, jak bardzo zaniepokoiła i zabolała ją ta ostatnia uwaga. Gdyby nie to, że siedzieli wtedy przy stoliku w restauracji hotelu Ritz, pewnie rozpłakałaby się żałośnie, lecz na szczęście zdołała zapanować nad emocjami. Pochyliła głowę i siedziała w milczeniu, szukając w torebce chusteczki do nosa.

Po chwili Anthony odezwał się znowu, tym razem znacznie łagodniej.

– Nie chcę, żebyś płakała, źle znoszę kobiece łzy.

– Byłeś dla mnie niemiły...

– Powiedziałem ci prawdę, to wszystko! Uwierz, że mam na względzie jedynie twoje dobro. – Delikatnie ujął jej dłoń. – Masz wspaniałe życie, Elizabeth, masz młodego, przystojnego, bogatego męża, który odnosi same sukcesy. Męża, który traktuje cię jak królową i pozwala ci wydawać nieograniczone sumy, na miłość boską! Ned jest hojny, jest też cudownym ojcem i kocha swoje dzieci nad życie. Na dodatek jestem absolutnie pewny, że nie zamierza cię zostawić, więc daj mu trochę spokoju, dobrze?

– Masz rację, Anthony... Wszystko, co mówisz, to prawda. Będę trzymała język za zębami, obiecuję ci. Nie będę go zadręczała.

Anthony kiwnął głową.

– Edward nigdy nie brał pod uwagę możliwości rozwodu, moja droga – zakończył. – Przecież on cię kocha!

Pomyślała wtedy, że Anthony mówi jej to wszystko, ponieważ pracuje dla Edwarda, ale jakimś cudem zdołała powstrzymać to zjadliwe spostrzeżenie, świadoma, że rozgniewa go tylko jeszcze bardziej.

Teraz, w świąteczny wieczór, siedząc samotnie w sypialni w Ravenscar, zdała sobie sprawę, że była niesprawiedliwa wobec brata, kryształowo uczciwego, honorowego człowieka. Wiedziała, że Anthony powiedziałby jej dokładnie to samo, nawet gdyby nie pracował dla Edwarda. Skarciła się za małoduszność i odetchnęła z ulgą na myśl, że nie pogorszyła swoich stosunków z Anthonym. Nie chciała, aby ukochany brat oddalił się od niej, ponieważ zawsze życzył jej wszystkiego, co najlepsze – szczęścia, bezpieczeństwa i zadowolenia.

Z głową opartą o kanapę rozmyślała, jak pogodzić się z Nedem. Musiała to zrobić, i to dzisiaj, najlepiej zaraz. Nie mogła dopuścić, aby jej bezmyślna uwaga o prezencie dla Bess doprowadziła do trwałego rozdźwięku między nimi. Edward zachowywał się wobec niej bardzo uprzejmie i rano, i podczas lunchu, ale może przyczyną tego była obecność dzieci. W czasie kolacji wydał jej się trochę zamyślony, jakby nieobecny, a później życzył dobrej nocy jej i swojej matce, poszedł do biblioteki i zamknął za sobą drzwi. Cecily udała się do swojego pokoju, więc Elizabeth nie pozostało też nic innego jak również pójść do siebie.

Spojrzała na francuski zegar na toaletce. Dochodziła jedenasta, a Edward jeszcze się nie położył. A może już był w swojej sypialni? Jednak nawet kiedy wolał spać sam, u siebie, zwykle zaglądał do niej, aby chwilę pogawędzić przed snem.

Podniosła się, podeszła do drzwi sypialni męża i chwilę nasłuchiwała. Po drugiej stronie panowała kompletna cisza. Ostrożnie nacisnęła klamkę i uchyliła drzwi. Lampy były zapalone, łóżko gładko zasłane. Edwarda nie było.

Może wciąż siedział w bibliotece, popijając koniak, i z niechęcią myślał o jej zachowaniu. Nie wiedziała, co robił, bo niby skąd. Mogła tylko siedzieć tu i czekać na niego. Musiała z nim porozmawiać, musiała oczyścić atmosferę między nimi.

Kiedy Jessup dorzucił drewna do kominka i napełnił kieliszek calvadosem, Edward Deravenel stał chwilę przy ogniu, popijając jabłkową brandy, pogrążony w myślach. Miał mnóstwo spraw na głowie i nie wiedział, od czego zacząć. Niektóre były już prawie załatwione – Richard otrzymał akt własności domu w Chelsea, a George został pozbawiony możliwości jakiegokolwiek działania w tej kwestii; Vicky i Stephen Froth mieli dokumenty związane z funduszem, którym Grace Rose mogła dysponować po osiągnięciu pełnoletności. Edward bardzo się cieszył z tego ostatniego posunięcia. Wiedział, że dzięki posiadanemu majątkowi Grace stanie się niezależna i nigdy nie będzie musiała nikogo o nic prosić.

To samo zrobił dla Jane Shaw. Przed sześciu laty założył dla niej fundusz, który dawał jej pełne finansowe zabezpieczenie, podobnie jak w przypadku Grace Rose. Uśmiechnął się na myśl o zdumieniu, jakie Jane okazała w ubiegły czwartek, gdy wręczył jej oficjalne dokumenty. Przyjechał, żeby zabrać ją na przedświąteczną kolację u Vicky i tuż przed wyjściem położył na jej dłoni owiniętą czerwoną wstążką paczkę.

– Jeszcze jeden mały gwiazdkowy prezent.

Była nie tylko zaskoczona, ale także szczęśliwa, a kiedy w pełni dotarło do niej, co znajduje się w paczce, rozpłakała się.

– Nie płacz, kochanie... – szepnął kojąco. – Nie zamierzam umrzeć, porzucić cię ani wyjechać daleko. Zależy mi tylko, żebyś miała te dokumenty u siebie, ponieważ dotyczą twojego życia i przyszłości, oczywiście jeżeli mnie przeżyjesz.

Jako inteligentna i rozsądna kobieta, Jane od razu zrozumiała wagę dokumentów i schowała je do sejfu, gorąco podziękowawszy Edwardowi za to, że zatroszczył się o jej dobro. W sejfie znajdował się także akt własności domu Jane w Hyde Park Gardens, który Ned kupił dla niej parę lat temu.

Kiedy Jane otarła łzy i poprawiła makijaż, pojechali na kolację, którą wydawali Vicky i Stephen, i spędzili razem cudowny wieczór. Właśnie wtedy Jane pokochała Grace Rose i zapragnęła lepiej ją poznać. Edward był z tego bardzo zadowolony – podobało mu się, że dwie kobiety, odgrywające tak ważną rolę w jego życiu, chciały się zaprzyjaźnić.

Pewnego dnia na początku grudnia Edward usiadł przy biurku i spisał testament. Myślał o tym teraz, siedząc w fotelu przy kominku i powoli sącząc koniak. Postanowił, że zaraz po powrocie do Londynu umówi się ze swoimi prawnikami i przejrzy z nimi nową wersję ostatniej woli, zlecając im wniesienie poprawek do poprzedniej.

Niewiele zmienił. Można powiedzieć, że raczej skonkretyzował pewne zapisy i wyjaśnił niektóre sprawy, nie chcąc, aby któryś z punktów został błędnie zinterpretowany.

Troszczył się przede wszystkim o Elizabeth, która często ulegała ekstrawaganckim pomysłom. Pragnął, aby jego żona miała wszystko, czego kiedykolwiek mogłaby potrzebować, ponieważ zależało mu na niej, chociaż ona myślała inaczej. Poczynił także bardzo duże zapisy dla czterech córek: Bess, Mary, Cecily oraz najmłodszej Anne. Każda miała teraz swój własny fundusz, co zapewniało im całkowitą niezależność finansową. Edward był absolutnie pewny, że jest to najwłaściwsze zabezpieczenie.

Często niepokoił się losem bliskich mu kobiet, z troską myśląc o tym, co stanie się z nimi po jego śmierci. Jako pragmatyk i człowiek przewidujący, uważał, że odpowiednie zapisy należy umieścić w testamencie od razu, najlepiej w chwili, kiedy przyszły mu do głowy. Chciał, aby wszystko było zaktualizowane i całkowicie legalne.

Obaj synowie, Młody Edward i Ritchie, mieli zapewnioną spokojną przyszłość jako męscy spadkobiercy. Najstarszy dziedziczył wszystko – rezydencje w Londynie i w Kent, pieniądze, Ravenscar, miał także zostać głównym dyrektorem Deravenels. Co by się jednak stało, gdyby Edward zmarł przed osiągnięciem przez Młodego Edwarda wieku pozwalającego na przejęcie zarządzania firmą? Ta myśl od dawna go trapiła. Jeżeli Młody Edward byłby jeszcze w wieku szkolnym, firma wpadłaby w ręce George'a, następnego w linii dziedziczenia, który z pewnością nie nadawał się na tak ważne stanowisko. Był nierozważny, niegodny zaufania, całkowicie niekompetentny i na dodatek uzależniony od alkoholu.

Co więcej, George zawsze był chciwy, zazdrosny, kłótliwy i próżny. Nadmiernie ambitny, wpadał w gniew, gdy sprawy układały się nie po jego myśli. Najgorsze było to, że odkąd Edward pamiętał, młodszy brat zawsze chciał zająć jego miejsce. Na szczególną uwagę zasługiwały także jego akty nielojalności, zbyt liczne, aby można było je wytłumaczyć i puścić w niepamięć. A przecież mimo tego Edward wybaczył George'owi, ponieważ uważał, że nie może postąpić inaczej wobec brata.

Tym razem jednak miarka się przebrała, pomyślał. George nie zasługiwał na żadne względy, więc w razie przedwczesnej śmierci Edwarda firmę będzie musiał przejąć Richard. Edward zdecydował, że w następnym tygodniu umieści taki zapis w testamencie. Richard, jego Mała Rybka, wierny i lojalny brat, zawsze faworyzowany... Jeżeli okaże się to konieczne, Richard poprowadzi Deravenels do czasu, aż Młody Edward osiągnie pełnoletność i przejmie zarządzanie. Tak, to było jedyne rozwiązanie. Młody Edward będzie miał wiernych, dobrych i uczciwych ludzi, którzy pomogą mu i pokierują jego krokami. Will Hasling, Alfredo Oliveri, Anthony Wyland, jego wuj i oczywiście Amos Finnister będą czuwać nad jego bezpieczeństwem.

Edward roześmiał się nagle. Miał przecież dopiero trzydzieści trzy lata... Dwudziestego ósmego kwietnia następnego roku kończył trzydziesty czwarty rok życia. Był przecież za młody, aby umierać, prawda? Znowu parsknął śmiechem. Wiedział, że ma przed sobą długie życie.

Wstał, podszedł do stołu w rogu pokoju, gdzie Jessup postawił tacę z alkoholami, nalał sobie calvadosu z odrobiną wody sodowej, wrócił przed kominek i długą chwilę myślał o swoich przyjaciołach, szczerze żałując, że nie ma ich przy nim. Przyzwyczaił się do ich obecności, lubił czuć, że ma ich przy sobie, tych najlepszych, najwierniejszych, darzących go przywiązaniem i całkowitą lojalnością, co on sam w pełni odwzajemniał. Teraz czuł się samotny, gdyż nie przywykł do braku męskiego towarzystwa.

Edward Deravenel, podobnie jak większość młodych mężczyzn z arystokratycznych rodzin, którzy przyszli na świat w epoce wiktoriańskiej, był tradycjonalistą, dorastał w świecie męskiej dominacji. Był to szczególny świat, oparty na takich pojęciach jak klasa, majątek, szkoły prywatne, uniwersytety, prywatne kluby, a dla niektórych brytyjska armia, marynarka wojenna, stanowiska w Kościele lub na arenie politycznej. Światem tym rządziły zasady i regulacje, kodeksy zachowania, honorowego postępowania, odpowiedniego ubioru. Młodych mężczyzn wychowywano na dżentelmenów, którzy wiedzieli, jak traktować starszych, wyższych rangą, rodziców i kobiety. Złe maniery, szorstkie zachowanie wobec kobiet, niehonorowe długi, hazard, oszustwa karciane, pijaństwo, i ogólnie rzecz biorąc, niegodne postępowanie, prowadziły do wykluczenia z towarzystwa i złej opinii.

Wszyscy bliscy przyjaciele Neda byli dżentelmenami, podobnie jak on. Mówili tym samym językiem, mieli podobny styl życia, te same wzorce i ideały, i w przyszłości mieli zostać klasą rządzącą, tak jak wcześniej ich ojcowie. Tego wieczoru Edward dotkliwie odczuwał ich brak. Był zagubiony i nie mógł się już doczekać, kiedy wróci do Londynu i znowu znajdzie się wśród nich. Podniósł się z fotela, wyłączył lampy, wrócił na poprzednie miejsce i długo siedział nieruchomo, popijając brandy, zamyślony, zanurzony we własnym świecie, na granicy snu i jawy.

R O Z D Z I A Ł
SIEDEMNASTY

Całkowitą ciszę zakłócił najlżejszy, najdelikatniejszy dźwięk, coś jakby długie westchnienie. Wyciągnięty w fotelu Edward był zupełnie rozluźniony. Było mu wygodnie, ponieważ surdut i krawat zrzucił już ponad godzinę wcześniej.

I znowu... Długie westchnienie, a po nim inny dźwięk, ledwo dosłyszalny szmer. Szelest jedwabiu, cichy i intrygujący.

Nieoczekiwanie dotarła do niego fala aromatu gardenii, niesiona ciepłym powietrzem. Dźwignął się wyżej i wyprostował. Biblioteka skąpana była w blasku księżyca i kiedy zamrugał, otrząsając się z przyjemnej drzemki, ujrzał ją, stojącą w progu. Elizabeth... Światło lamp palących się w długim holu wydobywało z mroku i uwydatniało jej kuszącą sylwetkę, wyraźnie widoczną poprzez szary jak dym szyfonowy peniuar. Sięgające do pasa rozpuszczone srebrzyste włosy opadały skrzydłami po obu stronach twarzy.

Edward nigdy nie widział piękniejszej twarzy. Była absolutnie doskonała, jak wyrzeźbiona w marmurze dłutem znakomitego artysty. Blada jak duch, zdawała się unosić przed nim niczym zjawa. Nagle odwróciła się, zamknęła za sobą drzwi, zrobiła krok naprzód i znieruchomiała, wpatrzona w niego uważnie, milcząca.

Przyszła go uwieść, odgadł to od razu.

Zrobiło mu się gorąco, policzki zapłonęły mu żywym ogniem. Nie mógł oderwać od niej wzroku, przykuła całą jego uwagę.

Wreszcie podniósł się i wyszedł na jej spotkanie na środek pokoju. Uniosła ku niemu twarz, błękitne oczy spojrzały w błękitne źrenice.

– Co tu robisz? – zapytał.

Zaskoczyło go brzmienie własnego głosu, zachrypniętego z pożądania.

– Szukam mojego męża.

– Jest tutaj.

– Czeka na swoją żonę?

– Tak.

– Pragnie jej?

– Tak.

– Jest twoja! Tylko twoja.

Wyciągnął rękę i zamknął w dłoni długie, smukłe palce Elizabeth, przyciągając ją do siebie. Otoczył ją ramionami, odszukał jej wargi i głęboko odetchnął jej zapachem.

Przywarła do niego, do męża, którego tak kochała. Był jej ukochanym, jedynym. Zanurzyła palce w jego gęstych rudozłotych włosach, przycisnęła ciało do jego ciała, zmysłowo wsunęła język w jego usta, tak jak lubił. Od razu poczuła jego twardą erekcję i z jej piersi wyrwało się ciche westchnienie ulgi. Właśnie tak powinna postępować, matka ciągle jej o tym przypominała. W ten sposób zawsze mogła go odzyskać i znowu uczynić swoim, tylko swoim.

– Uczyń go swoim niewolnikiem – powiedziała jej niedawno matka. – To zmysłowy mężczyzna, namiętność odgrywa wielką rolę w jego życiu. Daj mu wszystko, czego zapragnie. Jesteś jego żoną, matką jego dzieci, ale bądź także jego kochanką.

Elizabeth przywołała teraz tamte słowa. Powoli zsunęła dłonie na barki Edwarda, potem na jego plecy i w końcu na pośladki. Wtuliła go w siebie z całej siły. Czuła jego podniecenie.

– Chodźmy na górę – wymamrotał, z ustami w jej długich, jedwabistych włosach.

– Nie, nie, zostańmy tutaj.

Uwolnił ją w milczeniu, zdjął koszulę i resztę ubrania, ona zrzuciła peniuar, pozwalając, by szarą chmurą opadł na podłogę. Długo stali, patrząc sobie prosto w oczy, zupełnie jakby widzieli się pierwszy raz w życiu.

Był nią zaskoczony. Niezwykle piękna, sprawiała wrażenie bardzo młodej, niewinnej dziewczyny, choć przecież była pięć lat starsza od niego.

Elizabeth, patrząc na Neda i czując na sobie jego wzrok, z trudem panowała nad sobą. Był taki męski, taki wysoki i silny, długonogi, szeroki w ramionach... Kiedyś powiedziała mu, że wygląda jak Adonis, i była to prawda, choć zareagował wybuchem śmiechu.

Wziął ją za rękę i pociągnął przed kominek. Położyli się obok siebie na grubym dywanie. Z czułością ucałował jej jasne włosy, pochylił się nad nią i zaczął pieścić ustami jej szyję, powieki i znowu wargi. Jego pocałunki były z początku delikatne, lecz w miarę jak ich wzajemne podniecenie narastało, stawały się coraz bardziej namiętne i chciwe.

Elizabeth drżała w jego ramionach.

– Och, Ned, tak cię pragnę – szepnęła mu do ucha.

Uniósł się lekko, aby spojrzeć jej w oczy.

– Naprawdę cię kocham, chyba o tym wiesz – powiedział cicho.

– Dowiedź mi tego, błagam…

Spełnił jej prośbę, biorąc ją tak, jak już dawno nie brał jej w posiadanie, a ona oddała mu się całkowicie, wyczuwając, że ten wieczór odmienił go w jakiś sposób. Był czuły i kochający, lecz także pełen prawie dzikiego pożądania. Pozbyła się wszelkich zahamowań i w pewnym momencie zrozumiała, że udało jej się go odzyskać. Nabyte w obcowaniu z nim umiejętności i doświadczenie pozwoliły zafascynować go i przez całą noc karmić jego żądzę. Rozpaliła go tak bardzo, że wspięli się na wyżyny, których od lat już nie odwiedzali. Zapomnieli o kłótniach i nieporozumieniach, i znowu byli mężem i żoną, zakochanymi w sobie bez reszty.

Powiew zimnego powietrza przemknął po ciele Edwarda, wyrywając go ze snu. Usiadł gwałtownie i zorientował się, że jest w swojej sypialni; okno uchyliło się i raz po raz uderzało o ścianę. W pokoju buszował lodowaty wiatr znad Morza Północnego.

Wyskoczył z łóżka, zamknął okno i potoczył wzrokiem po pokoju. Podszedł do drzwi i ostrożnie zajrzał do sypialni Elizabeth. Panowała tam ciemność, ponieważ Elizabeth lubiła spać właśnie w takich warunkach. Edward usiadł na łóżku. Męczył go potworny ból głowy i uczucie suchości w ustach. Miał kaca po dużej ilości calvadosu, wypitego poprzedniego wieczoru, zanim Elizabeth zeszła do biblioteki i uwiodła go. Dzięki Bogu, że miała dość rozsądku, aby zamknąć drzwi, bo on nawet o tym nie pomyślał.

Z uśmiechem pokręcił głową, wstał i poszedł do łazienki. Napełnił szklankę zimną wodą i szybko ugasił pragnienie, następnie sięgnął po mydło do golenia i brzytwę.

Elizabeth postanowiła go uwieść i oczywiście odniosła sukces. Nie musiała zresztą tak bardzo się starać. Ned był nią zafascynowany i okazał się chętnym, pełnym entuzjazmu partnerem, a ponieważ wyjątkowo nie powiedziała nic, czym mogłaby go zirytować, przez całą noc cieszyli się cudownymi doznaniami.

Gdyby tylko Elizabeth częściej trzymała język za zębami, sprawy pomiędzy nimi układałyby się znacznie lepiej. Niestety, ciągle pozwalała sobie na złośliwe uwagi, które, mówiąc wprost, doprowadzały go do wściekłości.

Znieruchomiał nagle, z brzytwą w powietrzu, porażony nieoczekiwaną myślą. Elizabeth, inteligentna, bystra i nawet przebiegła pod niektórymi względami, była najzwyczajniej głupia.

– Tak jest – wymamrotał, wreszcie oceniając żonę w całkowicie obiektywny sposób, widząc ją ostro i wyraźnie.

Niektóre rzeczy po prostu nie docierały do jej mózgu. Była całkowicie niewrażliwa na uczucia innych ludzi.

Westchnął głęboko i znowu zaczął się golić, cały czas myśląc o żonie. Była jedną z najbardziej nieznośnych osób, jakie znał, i często wprawiała go w ogromne rozdrażnienie, ale nigdy nie przyszło mu do głowy, aby ją zostawić, zależało mu bowiem na normalnej rodzinie i musiał myśleć o dzieciach, których mieli już sześcioro. Kochał je całym sercem i doskonale wiedział, jak bardzo go potrzebowały. Potrzebowały zresztą obojga rodziców.

Poza tym trzeba było uczciwie przyznać, że Elizabeth posiadała pozytywne cechy, które były dla niego ważne. Nadal podniecała go seksualnie, chociaż ich małżeństwo trwało już jedenaście lat; nie miała też nic przeciwko rodzeniu dzieci, nawet jeżeli po ich przyjściu na świat nie poświęcała im zbyt wiele uwagi.

Edward uważnie popatrzył na swoje odbicie, zadając sobie pytanie, czy poprzedniej nocy doprowadzili może do poczęcia kolejnego potomka. Elizabeth na pewno nie byłaby tym zmartwiona, podobnie jak on. Duże rodziny były popularne w epoce wiktoriańskiej i edwardiańskiej – patrzono na nie z dumą i radością.

Nie bez znaczenia był również fakt, że Elizabeth cieszyła się opinią światowej piękności i rzeczywiście nią była. Potrafiła doskonale się ubrać, była szykowna, miała swój styl, a on uwielbiał pokazywać się z nią publicznie. Nauczyła się także prowadzić ich londyńską rezydencję przy Berkeley Square, co przemawiało na jej korzyść. Nie martwił się o swój dom nad morzem, w Kent, ponieważ pani Nettleton, gospodyni, utrzymywała go w doskonałym porządku, podczas gdy jego matka sprawnie i z przyjemnością zarządzała Ravenscar. Ta posiadłość przynosiła teraz spore pieniądze; Cecily Deravenel mocno dzierżyła ster majątku, dbając, by Alan Pettigrew, oficjalny zarządca, posłusznie wykonywał wszystkie jej polecenia.

Pod jego kierunkiem Elizabeth stała się czarującą, ujmująco uprzejmą panią domu, lecz nie znaczyło to, że jej wady nagle zniknęły. Edward doszedł do wniosku, że musi przymykać na nie oko. Jego żona była kłótliwa i często siała niepokój, odzywała się w nietaktowny sposób i zrażała do siebie ludzi. Próbował jej uprzytomnić, jakie błędy popełnia, ale mu się nie udało.

– Elizabeth prawie zawsze mówi nie to, co trzeba – powtarzał Will Hasling.

I miał całkowitą rację.

Elizabeth była ekscytująca w łóżku, lecz śmiertelnie nudna poza nim. Nie interesowały ją żadne sprawy, które przykuwały uwagę Neda i pozwalały mu znaleźć wytchnienie po pracy.

Oczywiście zawsze mógł cieszyć się towarzystwem Jane Shaw oraz ich wspólnymi zainteresowaniami – malarstwem, rzeźbą, muzyką i literaturą. Na moment skupił się na Jane – była taką dobrą osobą i nie ukrywała, że ich związek czyni ją ogromnie szczęśliwą. Małżeństwo w ogóle nie interesowało Jane, ani małżeństwo z Edwardem, ani z jakimkolwiek innym mężczyzną. Była już raz zamężna i najwyraźniej to doświadczenie uznała za całkowicie wystarczające, w każdym razie tak często mu mówiła.

Will, najserdeczniejszy przyjaciel i powiernik Edwarda, stale powtarzał mu, aby akceptował swoje życie i nie dręczył się wyrzutami sumienia.

– Przestań się martwić, że wyrządzasz krzywdę Elizabeth i Jane – powiedział niedawno. – Traktujesz je obie bardzo dobrze, podobnie jak wszystkich ludzi, których spotykasz na swojej ścieżce. Nie ma żadnego powodu, abyś robił sobie wyrzuty!

Edward miał nadzieję, że Will się nie mylił.

ROZDZIAŁ
OSIEMNASTY

– Ach, jesteś, Ned! – ucieszyła się Cecily Deravenel, stawiając filiżankę na spodeczku. – Dzień dobry, kochanie!

– Dzień dobry, mamo – odparł z uśmiechem.

Przystanął obok matki, pocałował ją w policzek i podszedł do blatu, na którym stały przygotowane na śniadanie dania. Na podgrzewanych płytkach czekał rząd waz, a w nich same przysmaki – grillowane kiełbaski, cynaderki, bekon, grzyby i pomidory, jajecznica i wędzone śledzie.

– Dobry Boże, Kuchcia naprawdę stanęła na wysokości zadania! – wykrzyknął, nakładając sobie na talerz pomidory i kiełbaski.

Usiadł właśnie obok matki, kiedy do jadalni wkroczył Jessup, niosąc gorące grzanki i dzbanek ze świeżo zaparzoną herbatą.

– Dzień dobry, sir – powiedział, stawiając tacę z herbatą na stole.

– Dzień dobry, Jessup... Piękny dzień, prawda?

– Tak jest, sir! Pogodny, bez cienia mgły, choć jak zwykle chłodny. – Służący podał panu domu szklaną maselniczkę i miseczkę z truskawkowym dżemem.

Edward skinął głową i posmarował grzankę masłem.

– Jesteśmy gotowi na drugi dzień świąt, Jessup? Wszystko jest na swoim miejscu?

– Oczywiście, sir! Kucharka przygotowała pudła z przysmakami dla zatrudnionych w majątku, jest w nich indyk, szynka i wołowa pieczeń, zapiekanki z wieprzowiną i świąteczne ciasta, a pan Pettigrew napełnił szkatułki suwerenami...

– Doskonale! Nie chciałbym zaniedbać nikogo z pracowników, bo przecież wszyscy zasługują na troskę i nagrodę... Może jeszcze dodałbyś po butelce wina do każdego z pudeł dla dzierżawców, dobrze? To przyzwoici ludzie!

– Naturalnie, sir… – Jessup spojrzał na matkę Edwarda. – Czy potrzebuje pani czegoś? Mam coś przynieść?

– Nie, dziękuję bardzo. – Cecily wyjęła kartkę z kieszeni żakietu i podała ją służącemu. – To dla Kuchci, menu dzisiejszego lunchu i kolacji. Och, i proszę jej powiedzieć, że po południu na herbatę wpadnie lady Fenella. Wystarczy nam taki podwieczorek, jak zwykle, ale niech Kuchcia pamięta, że lady Fenella uwielbia jej mięsne paszteciki.

– Tak jest, proszę pani! – Jessup szybkim krokiem opuścił jadalnię.

– Zapomniałem o Fenelli – rzekł Edward, odwracając się do matki. – Przyjedzie z Markiem Ledbetterem, prawda?

– Tak. Wiem, że odwołałeś wszystkie uroczystości, Ned, ale Fenella miała tak wielką ochotę wpaść do nas dziś po południu, że nie miałam serca jej odmówić.

– To żaden problem, mamo, naprawdę! Zdecydowałem się na ciche święta z powodu choroby Młodego Edwarda, przecież wiesz. Na szczęście chłopiec szybko wraca do zdrowia, a wizyta Fenelli na pewno go nie zmęczy. – Pociągnął łyk herbaty. – Muszę z tobą o czymś pomówić, ale możemy zrobić to później.

Cecily jęknęła głośno.

– Zawsze to samo! Najpierw mówisz, że musimy o czymś porozmawiać, a chwilę później odkładasz rozmowę, zupełnie jak twój ojciec! Powiedz od razu, o co chodzi, nie zwlekaj!

– Chcę, żebyś wyjęła dokumenty założycielskie firmy z sejfu w twoim domu przy Charles Street. Muszę je przejrzeć.

Cecily wyprostowała się i lekko zmarszczyła brwi.

– Coś się stało? Masz jakiś kłopot, Ned?

Potrząsnął głową.

– Nie, skądże… Powinienem jeszcze raz przeczytać zasady zarządzania firmą, to wszystko.

– Ach, tak. – Cecily otworzyła usta i zaraz znowu je zamknęła. – Czy pojawił się jakiś problem w związku z tym krewnym Henry'ego Granta Henrym Turnerem, tym, który mieszka we Francji? – spytała po chwili. – Mam nadzieję, że nie spadnie na nas znowu jakaś historia z Grantami, niczym grom z jasnego nieba…

– Nie, oczywiście, że nie! Jeśli chodzi o Henry'ego Turnera, to jest to młody chłopak, siedemnasto- czy osiemnastoletni, więc nie może sprawić nam żadnych problemów! Od lat mieszka we Francji, nie wiem nawet, co się z nim dzieje, nie ma jednak żadnych podstaw do żądań wobec Deravenels, jeśli to miałaś na myśli, mamo.

– Nic nie sugeruję, wiem jednak, że parę lat temu wymieniano go jako prawowitego spadkobiercę Henry'ego Granta.

Edward zaśmiał się głośno, wbijając widelec w pieczoną kiełbaskę.

– Tak, ale spadkobiercę czego? Turner nie może wysuwać żadnych roszczeń wobec Deravenels! Poza tym spadkobierca jest z niego raczej wątpliwy, ponieważ jego ojciec był tylko przyrodnim bratem Henry'ego Granta, co czyni tego ostatniego chyba jego kuzynem, nie stryjem.

Cecily pokręciła głową.

– Naturalnie, masz całkowitą rację, kochanie, ale dobrze wiesz, że ten się śmieje, kto się śmieje ostatni. Jesteś pewny, że ten Turner nic nie knuje?

– Wolne żarty, mamo! Pozwól, że dokładnie wyjaśnię ci, o co mi chodzi. Chcę przejrzeć zasady zarządzania firmą, aby się zorientować, czy mogę zmienić jedną z nich.

– Mocno w to wątpię! – Cecily utkwiła bystre spojrzenie w twarzy syna. – Jakąż to zasadę chciałbyś zmienić, mój drogi?

– Tę, która dotyczy prawa dziedziczenia firmy.

– W czym rzecz? Firmę dziedziczy pierworodny potomek prezesa zarządu albo głównego dyrektora, jak w twoim przypadku! Młody Edward jest twoim spadkobiercą, a po nim Ritchie, gdyby Edward zszedł z tego świata w młodym wieku...

– Akurat to świetnie rozumiem, ponieważ sam w ten sposób odziedziczyłem firmę po ojcu. Zdarzają się jednak różne sytuacje, życie jest nieprzewidywalne i dlatego chcę się upewnić, czy na wypadek, gdybym nie zostawił po sobie żadnego spadkobiercy płci męskiej, mogłaby dziedziczyć po mnie kobieta...

– Kobieta u steru Deravenels! Mój Boże, Edwardzie, co też przychodzi ci do głowy! Nie wyobrażam sobie, aby zarząd firmy wyraził zgodę na coś takiego! Boże, na pewno nie! I nie zapominaj, że zarząd naprawdę ma coś do powiedzenia i może uniemożliwić ci takie posunięcie!

– Wiem o tym, ale czasy się zmieniają, a życie jest absolutnie nieprzewidywalne, jak już mówiłem. Chcę mieć pewność, że Bess mogłaby odziedziczyć po mnie firmę, gdyby okazało się, że nie mam spadkobiercy płci męskiej.

– Dlaczego taka sytuacja miałaby w ogóle zaistnieć? – Na twarzy Cecily Deravenel pojawił się wyraz napięcia.

– Jestem przekonany, że nie zaistnieje, ale co by się stało, gdyby chłopcom przydarzyło się coś złego? – Edward potrząsnął głową i rzucił matce długie spojrzenie. – Dobrze zapamiętałem, co kiedyś powiedziałaś mi tutaj, w Ravenscar... Zapytałaś, czy nikt nie uprzedził mnie, że życie bywa tragedią. To było czternaście lat temu, gdy dowiedziałem się od ciebie, że ojciec, brat, wuj i kuzyn zginęli we Włoszech.

Po chwili milczenia Cecily skinęła głową.

– Tak, to prawda, faktycznie powiedziałam coś takiego. Może jest jakiś sposób, aby zmienić zasadę dziedziczenia, która dotyczy kobiet. Dawniej czasami przeprowadzano takie rzeczy, dziś jednak niektórzy twierdzą, że to niemożliwe. Zamknęła oczy i zamyśliła się głęboko. Po chwili podniosła powieki i uśmiechnęła się do najstarszego syna. – Odnoszę wrażenie, że jeśli komuś może się to udać, to chyba właśnie tobie, Ned. Niewykluczone, że zdołasz przekonać zarząd firmy do swojego punktu widzenia.

Edwarda ogarnęło nagle uczucie ulgi.

– Potrafię być bardzo przekonujący, mamo – rzekł cicho. – Naprawdę bardzo przekonujący.

– Och, wiem, nie musisz mi tego mówić!

Na zewnątrz rozpętała się jakaś awantura – pies ujadał, dziecko płakało, ktoś krzyczał głośno. Edwardowi wydawało się, że poznaje głos Bess, gdy nagle dobiegł go wrzask Mary.

– Nie! Nie! Przestań!

Zerwał się na równe nogi.

– Co się tam dzieje, na miłość boską?!

Jednym szarpnięciem otworzył wychodzące na taras francuskie okno i zbiegł po schodach do ogrodu. Opętany lękiem o dzieci i naglącym pragnieniem dotarcia do nich, nie zauważył, że stopnie pokryte są lodem, poślizgnął się i ciężko runął na ziemię. Bezwładnie stoczył się po schodach i u ich stóp, na krawędzi trawnika, znieruchomiał.

– Ojcze! Ojcze! – krzyknęła Bess, biegnąc ku niemu. – Mary, sprowadź Jessupa! I poszukaj Niani! Pośpiesz się, mówię!

– Co mam zrobić z psem? – zapytała Mary drżącym, zapłakanym głosem.

– Oddaj smycz Cecily! Szybciej!

Dopadła do Edwarda i uklękła przy nim, gorączkowo dotykając jego twarzy.

– Tato, otwórz oczy...

Edward jęknął, lecz z jego ust nie wydobyły się żadne słowa.

– Tato, tato... – powtarzała przerażona dziewięciolatka. – Proszę, odezwij się...

Edward nie reagował. Elizabeth chwyciła jego dłoń i mocno ją ścisnęła. Czekała na Jessupa, modląc się żarliwie, aby ojciec nie umarł.

ROZDZIAŁ
DZIEWIĘTNASTY

Niania stała na środku jednego z dziecinnych pokojów i liczyła krzesła przy okrągłym stole, gdzie jej podopieczni jadali posiłki. Doliczyła do siedmiu i przerwała.

– Jednego krzesła brakuje – oznajmiła, mierząc swoją trzódkę badawczym spojrzeniem. – Gdzie się podziało? Ktoś wie?

– Poszło sobie... – odparła Cecily i pośpiesznie utkwiła wzrok w kominku.

– Dokąd? – Niania lekko zmrużyła oczy.

– Nie wiem... – wymamrotała dziewczynka.

– Rozumiem. No, no, krzesła same tu chodzą, co? Chyba jednak nie. Więc kto je zabrał?

– Bess! – odezwał się niepewny głosik.

Orzechowe oczy Niani spoczęły na Ritchiem.

– Dziękuję ci bardzo. Gdzie jest Bess, Mary? Zawsze wszystko wiesz, więc powiedz mi, gdzie jest twoja siostra.

Mary wyprostowała się na krześle i dumnie wydęła wargi.

– Kiedy kazała mi zająć się dziećmi, powiedziała, że idzie do taty. Czy on umarł?

Cecily popatrzyła na starszą siostrę i zalała się łzami. Niania podeszła do niej szybko i pocieszająco pogłaskała po głowie.

– Nie, nie, wasz ojciec wcale nie umarł, jest tylko trochę chory – zapewniła, obrzucając Mary gniewnym spojrzeniem. – Nie wygaduj takich rzeczy, skarbie! – krzyknęła. – Straszysz tylko dzieci! Wiesz, że poważnie traktują wszystko, co im się powie!

– Tak, Nianiu. Przepraszam bardzo. Zachowałam się niewłaściwie.

Niania bez słowa przeszła do drugiego pokoju.

– Zerknij, co się tam dzieje – poleciła Madge. – Zaraz wracam.

– Będę tutaj, Nianiu, proszę się nie martwić! – odparła piastunka, poprawiając koronkową sukieneczkę leżącej w wózeczku Anne.

Niania dotarła do schodów biegiem, potem jednak zwolniła kroku, schodząc z godnością na pierwsze piętro, gdzie znajdowały się sypialnie. Nazywała się Joan Madley i była wspaniałą, stąpającą twardo po ziemi kobietą z Yorkshire, która spędziła całe życie, opiekując się dziećmi innych ludzi. Wszyscy wiedzieli, że jest najlepszą nianią na świecie.

Od razu zobaczyła Bess, która stała pod drzwiami sypialni ojca. Obok dziewczynki, na krześle, które zniknęło z dziecinnego pokoju, siedział Młody Edward.

– Dzieci, proszę wrócić ze mną na górę! – zawołała. – Natychmiast! Rodzeństwo na was czeka, czas na drugie śniadanie!

– Czekamy na doktora – odparła Bess przyciszonym głosem. – Powie nam, czy tata poważnie ucierpiał w wyniku upadku...

– Rozumiem, ale nie możecie tu zostać! Daję wam słowo, że wkrótce wszystkiego się dowiemy! Wasza mama albo babcia na pewno przyjdą i powiedzą, jak czuje się wasz ojciec...

– Babcia mówi, że jestem prawdziwym szczęściem – oznajmił z satysfakcją Młody Edward.

– A dlaczego... – zaczęła Niania.

– Nie, nie! – wtrąciła się Bess. – Babcia powiedziała, jakie to szczęście, że masz bronchit, bo gdybyś był całkiem zdrowy, doktor Leighton nie przyjechałby dziś rano, żeby cię osłuchać, i to dokładnie w chwili, gdy tata poślizgnął się na schodach. Babcia uważa, że doktor nie mógł pojawić się w bardziej odpowiedniej chwili.

Młody Edward sprawiał wrażenie poważnie rozczarowanego.

– Ale przecież to to samo, prawda? – Zerknął na Nianię. – Podoba mi się, że jestem prawdziwym szczęściem.

– I bardzo dobrze, skarbie! – uśmiechnęła się kobieta. – Twoi najbliżsi dobrze wiedzą, że jesteś ich szczęściem, to jasne. Ale nie będziemy koczować pod drzwiami waszego taty, bo to najzupełniej niewłaściwe, rozumiesz? – Ujęła małą dłoń chłopca, który posłusznie zsunął się z krzesła.

– Tata nie umrze, co? – spytał niespokojnie.

– Nie, skądże znowu! Nie bądź głuptaskiem! Najprawdopodobniej jest tylko trochę posiniaczony.

– Czy po śmierci człowiek mieszka z aniołami, Nianiu?

– Nie rozmawiajmy o śmierci, Edwardzie – odparła Niania zdecydowanym tonem. – To okropnie ponury temat! Nikt tu nie zamierza umierać, a już na pewno nie wasz ojciec, który jest młody i silny!

Buzia Bess rozpromieniła się w uśmiechu.

– Tata nie umrze, bo to... – Dziewczynka na chwilę zawiesiła głos. – Bo to byłoby najzupełniej niewłaściwe! – dokończyła, posługując się ulubionym określeniem Niani i parsknęła głośnym śmiechem.

Niania i Młody Edward od razu jej zawtórowali. Niania wzięła krzesło i wszyscy troje poszli do pokoju dziecinnego na drugie śniadanie.

– Nie zdaje pan sobie sprawy, ile miał pan szczęścia, panie Deravenel – powiedział doktor Leighton, wkładając stetoskop i inne medyczne instrumenty do czarnej skórzanej torby. – Mógł się pan zabić! Taki upadek, przy pana wadze i wzroście, mógł się skończyć śmiertelnym uszkodzeniem kręgosłupa lub czymś równie fatalnym w skutkach – lekarz potrząsnął głową. – Jestem zdumiony, że nie odniósł pan żadnej poważniejszej kontuzji!

– Ja również... Kiedy poczułem, że tracę równowagę, starałem się za wszelką cenę spowolnić upadek i chyba właśnie wtedy stłukłem bark i ramię. Tak czy inaczej, doktorze, aż trudno mi uwierzyć, że wyszedłem z tego tylko z kilkoma zadrapaniami. – Edward podniósł się na poduszkach. – Pewnie jutro będę miał sporo siniaków...

Doktor Leighton pokiwał głową.

– Nawet już dzisiaj – rzekł. – Najbardziej będą pana bolały plecy, no i to ramię... Dzięki Bogu, że nie jest złamane! Prawdziwy cud, że tak się to skończyło!

Kiedy szedł już w kierunku drzwi, jego wzrok padł na leżące na kanapie ubranie Edwarda.

– Dobrze, że miał pan na sobie strój do konnej jazdy – zauważył. – Długie skórzane buty z pewnością ochroniły nogi!

– Miałem też szczęście, że akurat przyjechał pan zbadać Młodego Edwarda. – Ned się uśmiechnął. – Dziękuję, że tak sprawnie się pan mną zajął...

– Nie ma za co. Pański syn już w Wigilię czuł się na tyle lepiej, że dziś byłem o niego zupełnie spokojny, ale postanowiłem jednak wpaść, skoro oboje z żoną nadal jesteśmy w gościnie u Dunbarów. Studiowałem medycynę razem z Erikiem Dunbarem i jego rodzice zawsze serdecznie zapraszają nas na weekendy. Uważają, że nasza obecność poprawia mu nastrój.

– A właśnie, jak czuje się Eric? – spytał Edward, opuszczając nogi na podłogę. – Słyszałem, że wrócił z frontu, ale był ciężko ranny.

– Stracił nogę, mówi jednak, że dopóki nadal ma dwie ręce, może praktykować, oczywiście kiedy wróci do zdrowia. To zdumiewające, jaki jest dzielny i pogodny, zdumiewające...

– Wszyscy nasi żołnierze są ogromnie dzielni, szczególnie ranni – mruknął Edward.

Natychmiast pomyślał o Fenelli, która miała tego dnia przyjechać na podwieczorek i doszedł do wniosku, że w rozmowie z nią wróci do tematu założenia ośrodka dla byłych żołnierzy.

Peter Leighton przystanął w drzwiach.

– Proszę odpoczywać i unikać wysiłku, panie Deravenel – powiedział. – Myślę, że przez kilka dni będzie pan obolały na całym ciele, ból głowy także da się pewnie we znaki. Niech pan zażywa aspirynę i odpoczywa. Zalecam spokój i ostrożność. I jeszcze coś – gdyby poczuł się pan zdecydowanie gorzej, chodzi mi zwłaszcza o ból kończyn, pleców lub głowy, a także o mdłości, proszę natychmiast zatelefonować do mnie do Dunbarów. Niezależnie od wszystkiego, wpadnę jutro rano, żeby pana zbadać, ale proszę pamiętać, że w ciągu dwudziestu minut mogę być w Ravenscar. A teraz muszę zajrzeć do mojego młodego pacjenta! Jessupa znajdę pewnie na dole, prawda?

– Tak jest. Moja żona czeka w bibliotece i zaprowadzi pana do małego, który pewnie jest teraz w pokoju dziecinnym. Jeszcze raz dziękuję za sprawną pomoc, doktorze Leighton!

Cecily Deravenel była głęboko poruszona i jeszcze teraz, późnym popołudniem, nadal nie mogła otrząsnąć się ze zdenerwowania. Była oszołomiona, tylko tak można było to określić.

Jej najstarszy syn cudem uniknął poważnej kontuzji, kalectwa albo nawet śmierci. Mógł złamać kręgosłup lub odnieść fatalne obrażenia czaszki. Wszystko jest możliwe, kiedy ktoś spada z kamiennych schodów.

I stało się to najzupełniej niespodziewanie, dosłownie w mgnieniu oka. Właśnie to wydało się Cecily najbardziej przerażające. Człowiek w jednej chwili jest na świecie, a w drugiej już go nie ma, pomyślała.

Klęczała w ławce w starej prywatnej kaplicy Deravenelów, znajdującej się tuż za domem. Przyszła tu, aby podziękować Bogu za uratowanie syna. Teraz, z różańcem w ręku, szeptała modlitwę, zanosząc dzięki do Boga za liczne błogosławieństwa, jakimi ją obdarzył i za bezpieczeństwo wszystkich swoich dzieci.

Po paru chwilach jej myśli znowu skupiły się na Edwardzie i rozmowie, jaką toczyli przy śniadaniu. Edward powiedział, że chce zmienić zasady zarządzania firmą, zadbać, aby na jej czele zawsze stał ktoś noszący nazwisko Deravenel, nawet jeśli miałaby to być kobieta. Cecily nie była pewna, czy uda mu się przekonać zarząd do tego pomysłu, namówić członków rady, aby dodali do kodeksu zasadę, przyznającą równe prawa dziedziczenia płci pięknej, ale miała nadzieję, że Edward odniesie zwycięstwo.

Z jej ust wyrwało się ciche westchnienie. Klęczała wpatrzona w pięknie rzeźbiony ołtarz z postacią Chrystusa na krzyżu. Co za niesamowity zbieg okoliczności. Rano Ned rozmawiał z nią o swoich spadkobiercach, a parę minut później runął z kamiennych schodów, cudem unikając śmierci... Nie do wiary.

Gdyby coś się stało Nedowi, rodzinna firma znalazłaby się na rozdrożu, bez człowieka, który umiałby nią sprawnie zarządzać. Młody Edward był jeszcze małym chłopcem, a Cecily doskonale wiedziała, że Edward nigdy nie przekazałby Deravenels w ręce George'a, nigdy... Władzę przejąłby pewnie Richard, który by pełnił funkcję głównego dyrektora do osiągnięcia przez Młodego Edwarda pełnoletności.

Biedny George... Miał w sobie coś, co zawsze poruszało jej serce i zmuszało ją, by go broniła przed światem. Zawsze przybiegał do niej jako dziecko, zupełnie jakby rzeczywiście potrzebował ochrony. Szukał u niej ratunku nawet i później, kiedy był już nastoletnim chłopcem, a ona odpowiadała na jego wołanie jak każda matka na wołanie dziecka, miłością i zapewnieniem, że będzie go osłaniać i dbać, aby nie spotkało go nic złego.

Wiedziała jednak, że nie będzie mogła zapewnić mu bezpieczeństwa do końca życia. Od dawna nękały ją przeczucia, że George'a czeka nieszczęście, że jej średni syn jest skazany na niepowodzenie. Była świadoma, że bezustannie wpada w kłopoty, które sam na siebie ściąga. Miał skłonności do zrażania ludzi i często wywoływał wściekłość Edwarda. Cecily rozumiała, dlaczego Ned w taki sposób reaguje na młodszego brata, lecz z drugiej strony współczuła George'owi. Pomyślała, że George należy do ludzi, którzy nieświadomie powodują problemy, drażnią innych, a nawet im szkodzą. W ciągu minionych lat wiele razy uderzała ją myśl, że George dąży do autodestrukcji.

Niedawno naraził się teściowej; Cecily usłyszała całą historię bezpośrednio od Nan Watkins. Parę miesięcy wcześniej Nan odwiedziła Cecily w jej londyńskim domu przy Charles Street i wylała przed nią wszystkie żale. W dość jednoznaczny sposób oświadczyła, że George jest hulaką i utracjuszem, który szasta jej pieniędzmi, bo to on wydaje dużą pensję, którą Nan wypłaca Isabel.

Cecily pamiętała swoje zaskoczenie i uczucie irytacji na George'a. Nan była bardzo dobra dla swojej córki i zięcia, który najwyraźniej nadużywał jej wielkoduszności. Tamtego dnia Cecily próbowała pocieszyć naprawdę zdenerwowaną Nan i zasugerowała, aby ta poważnie porozmawiała z George'em.

– Musisz przemówić mu do rozsądku. Albo wstrzymać wypłaty na rzecz Isabel i w ten sposób zmusić George'a, by sam utrzymywał żonę i przestał żyć ponad stan.

Nan przytaknęła i na tym się skończyło.

Cecily zastanawiała się teraz, jak Nan rozwiązała problem z George'em, ponieważ nigdy więcej nie prosiła ją o rozmowę na ten temat. George, jej uroczy i przystojny syn, naprawdę był utracjuszem i hulaką, czasami zachowującym się tak, że miało się wątpliwości co do jego inteligencji. Niepoprawny, bezmyślny drań… George był jednak jej synem i kochała go całym sercem, tak samo jak Edwarda i Richarda, tyle że tamci dwaj dużo lepiej potrafili o siebie zadbać.

Podniosła się z klęcznika, wykonała znak krzyża i powoli ruszyła środkiem ku drzwiom. Dałaby wiele, aby się dowiedzieć, co stanie się z jej synami i ich rodzinami. Tego dnia, w drugi dzień Bożego Narodzenia 1918 roku, nie była w stanie przewidzieć, że nad całą jej rodziną wisi katastrofa i że tragiczne wydarzenia zmienią życie ich wszystkich, nieodwołalnie i w tak ogromnym stopniu, że już nic nigdy nie będzie takie jak dawniej.

ROZDZIAŁ DWUDZIESTY

Mark Ledbetter dawno nie odwiedzał Ravenscar, nie zapomniał jednak niesamowitego widoku, jaki roztaczał się z okien biblioteki.

Kiedy Cecily Deravenel wprowadziła go razem z Fenellą do pokoju, z trudem powstrzymał pragnienie, aby natychmiast podbiec do okna i nacieszyć oczy wspaniałą perspektywą.

– Cudownie, że przyjechaliście oboje – uśmiechnęła się Cecily. – Ach, oto i Bess, twoja największa admiratorka, Fenello. I Niania z pozostałymi dziećmi!

Fenellę i Cecily otoczyła grupka dzieci, z których każde domagało się uwagi. Mark skorzystał z okazji, aby wreszcie przejść na drugą stronę biblioteki. Stał przed francuskim oknem i patrzył na panoramę Morza Północnego oraz falistą linię kremowych klifów, rozciągającą się przed jego oczami. Tego popołudnia morze miało metaliczny połysk, rozjaśniony szerokimi pasmami słonecznego blasku. Niebo, często tak szare i ponure nad tym fragmentem północnego wybrzeża, teraz jaśniało nieskalanym błękitem, tylko tu i ówdzie usianym strzępkami białych, pierzastych obłoczków.

Stary dom zbudowany na szczycie klifów był niczym widokowy taras i teraz, patrząc przez okno, daleko na horyzoncie Mark ujrzał dwa duże statki, zmagające się z niespokojnym morzem. Dzień był wietrzny, a wzburzone Morze Północne podrywało się do góry spienionymi grzywami.

Mark odwrócił się i przez chwilę z podziwem rozglądał się po pokoju. Patrzył na sięgające sufitu półki, wypełnione książkami, świetne obrazy na ścianach i piękne antyczne meble z ciemnego drewna. W pobliżu ogromnego kamiennego kominka, w którym wesoło trzaskał ogień, ustawiono sofy, fotele i krzesła. Miło było znaleźć się w takim miejscu.

Mark przeniósł wzrok na Fenellę, oblężoną przez małych Deravenelów. Musiał przyznać, że nigdy nie widział tak urodziwych dzieci. Wszystkie sprawiały wrażenie, jakby przed sekundą wyszły z ram płótna któregoś z najwybitniejszych portrecistów osiemnastego wieku – Thomasa Gainsborough, George'a Romneya czy sir Joshuy Reynoldsa.

Nagle ogarnął go żal, że Fenella nie ma dzieci. Niewątpliwie jej maluchy byłyby równie śliczne jak te tutaj, które teraz domagały się jej uwagi. Mąż Fenelli Jeremy zginął niedługo po ślubie. Fenella była prawdziwą pięknością – miała przejrzyście szare oczy, jedwabiste jasne włosy, okalające twarz o łagodnych konturach, smukłą sylwetkę i subtelny wdzięk. Tak, jej dzieci na pewno odziedziczyłyby urodę po matce.

Uważnie przyjrzał się piątce młodych Deravenelów. Dawno temu, jeszcze w czasach kawalerskich, Edward Deravenel nosił przydomek „Złotego Chłopca"; jego dzieci również zasługiwały na miano „złotych". Miały piękne, arystokratyczne rysy, przykuwające wzrok rudozłote włosy, błyszczące niebieskie oczy. Były niewinne i zachwycające. Pomyślał, że powinny być starannie chronione przed niebezpiecznym światem, który czyhał za murami ich domu.

Otrząsnął się z zamyślenia, ponieważ podeszła do niego Cecily.

– Przepraszam, nie chciałam zostawić cię samego sobie, mój drogi, ale miałam nadzieję, że uda mi się obronić Fenellę przed dziećmi...

Mark się roześmiał.

– Natychmiast ją osaczyły.

– Właśnie... Jak czuje się twoja matka?

– Jest w wyśmienitej formie i przesyła pani ucałowania oraz najlepsze życzenia. Prosiła, bym pani przypomniał, jak dobrze bawiłyście się zwykle w czasie świąt, pani, ona i Philomena, ciotka Fenelli. Byłyście wtedy jeszcze pannami i dopiero wchodziłyście w świat.

Cecily parsknęła śmiechem.

– Rzeczywiście tak było! Prawdę mówiąc, byłyśmy... Cóż, byłyśmy po prostu nieznośne i wcale nie zamierzałyśmy się poprawić! – Odchrząknęła. – Elizabeth wkrótce do nas dołączy. W chwili, gdy przyjechaliście, musiała odebrać telefon. Ach, jest Ned, nareszcie! Trochę kuleje po upadku.

– Przewrócił się? – zapytał Mark ze zdziwieniem.

W jego ciemnobrązowych oczach pojawił się wyraz zaniepokojenia.

– Tak, dziś rano. Poślizgnął się na schodach na tarasie przy jadalni.

Edward, ciężko opierając się na grubej lasce, podszedł do nich powoli i z uśmiechem wyciągnął rękę do gościa.

– Przepraszam, widzę, że Jessup kręci się w pobliżu – powiedziała Cecily. – Chyba chce mi coś powiedzieć.

Ruszyła w stronę drzwi, zostawiając mężczyzn samych.

– W jaki sposób upadłeś? – zapytał Mark.

– Runąłem z kamiennych schodów, które były kompletnie oblodzone. To moja wina, powinienem był uważać. Dzieci kłóciły się o coś pod oknem, pies szczekał jak szalony, więc jako troskliwy ojciec wybiegłem, żeby im pomóc, no i tak się to skończyło. Nawet nie pomyślałem, że stopnie mogą być pokryte lodem.

Mark zauważył siniaka pod okiem gospodarza i mocno podrapany policzek.

– Naprawdę paskudnie się poturbowałeś!

– Tak, wiem. I miałem ogromne szczęście, że nie stało mi się nic więcej.

– Ja myślę! Mam nadzieję, że wezwałeś lekarza.

– Tak. Młody Edward ma bronchit i nasz miejscowy lekarz akurat przyjechał osłuchać go dziś rano, dokładnie w chwili, kiedy Jessup i dwóch stajennych wnosiło mnie do domu.

– Starannie cię zbadał?

– Oczywiście! Obiecałem mu też, że za parę dni, gdy będę już w Londynie, zgłoszę się do kliniki Guy's Hospital, do Michaela Robertsona, który leczył mnie wiele lat temu. Nie masz nic przeciwko temu, żebyśmy usiedli? Ta kontuzjowana noga daje mi się trochę we znaki.

– Usiądźmy, naturalnie!

– Kiedy wracasz do Scotland Yardu? – zagadnął Ned, kiedy już wygodnie usadowili się w fotelach przy kominku. – Will Hasling mówił mi, że czeka cię poważny awans…

– Tak, to prawda. Zostanę komisarzem policji miejskiej przy Scotland Yardzie.

– Gratuluję! – Edward uśmiechnął się szeroko. – Bardzo się cieszę, że zajmiesz tak wysokie stanowisko!

Mark się roześmiał.

– Jeśli mam być szczery, to i tak myślałem o powrocie, i awans nie miał na to najmniejszego wpływu. Brakowało mi Scotland Yardu. Praca w Ministerstwie Wojny była dość interesująca, no i naturalnie potrzebna, ale czasami dosłownie dusiłem się pod stosami papierów.

– A więc zmagałeś się ze stosami papierów, podczas gdy my sądziliśmy, że walczysz ze szpiegami! – Edward żartobliwie pokręcił głową.

– Miałem do czynienia ze szpiegami, owszem, ale nie oko w oko. Innymi słowy, pracowałem w wydziale antyszpiegowskim, lecz nie walczyłem na linii ognia.

– Twoja praca była pewnie chwilami nudna, ale bezpieczniejsza niż walka na froncie, prawda?

– Niewątpliwie! Poza tym mimo wszystko czułem, że wnoszę pewien wkład w wojenny wysiłek.

W tej chwili do biblioteki weszła Elizabeth, olśniewająco piękna w kostiumie z beżowej wełny, ozdobionym kilkoma sznurami wspaniałych pereł.

– Bardzo przepraszam! – zawołała, wyciągając rękę do Marka, który na jej widok podniósł się z fotela. – Przykro mi, że nie przywitałam was zaraz po przyjeździe, ale zadzwoniła moja matka i musiałam z nią porozmawiać!

Mark ze zrozumieniem skinął głową i spojrzał na dzieci, które nadal tłoczyły się wokół Fenelli.

– Wszystkie są piękne jak z obrazka – powiedział. – Możesz być z nich dumna.

– Dziękuję!

Cecily wróciła do biblioteki na czele małej grupki, złożonej z Jessupa i trzech pokojówek, pchających przed sobą wózki, na których stały tace z poczęstunkiem.

– Jessup zaraz oznajmi, że podano podwieczorek – rzekł Edward.

Fenella uwolniła się w końcu od swoich wielbicieli, ucałowała Elizabeth oraz Edwarda i usiadła obok nich.

– Och, biedaku, okropnie mi przykro, że tak się potłukłeś! – zwróciła się do Edwarda. – Twoja matka opowiedziała mi o wypadku.

– Najlepiej nie mówmy już o tym! Wybiegłem na oblodzone schody zupełnie bezmyślnie, jak idiota, a wszystko to dlatego, że usłyszałem szczekanie psa i krzyk Mary!

Fenella uśmiechnęła się do niego. Znali się od lat i Fenella, która kochała Edwarda jak brata, zawsze z zapałem broniła go przed innymi.

– No, tak – mruknęła. – Młody Edward opowiedział mi już o psie.

Ned parsknął śmiechem.

– Wyobrażasz sobie takie imię dla psa? Makbet?

Zachichotali jak rozbawione dzieci.

– Od właściciela psa wiem, że chciał wybrać dla niego szkockie imię, bo to przecież szkocki terier... – Fenella pokiwała głową. – I to Niania zasugerowała Makbeta.

– Tak było.

Cecily znowu zbliżyła się do nich i położyła dłoń na ramieniu Edwarda.

– Jessup chce już podawać herbatę – powiedziała. – Może usiądziemy razem przy tamtym stoliku, Fenello, dobrze? Elizabeth także. Niania zajmie się dziećmi, przygotowała dla nich stolik pod oknem.

Fenella wzięła głęboki oddech, wstała i postąpiła krok naprzód.

– Mam, a raczej mamy wam wszystkim coś do powiedzenia, Mark i ja – zaczęła. – Otóż... Otóż parę dni temu zaręczyliśmy się i właśnie dlatego...

Mark także podniósł się i wziął Fenellę za rękę.

– Właśnie dlatego chcieliśmy przyjechać dziś do was – dokończyła z promiennym uśmiechem. – Aby przekazać wam tę wiadomość.

Edward, Elizabeth i Cecily pogratulowali im serdecznie.

– Dzięki Bogu, że jednak nie zostaniesz starą panną! – wykrzyknęła Elizabeth. – Mimo że wszyscy tak myśleli.

W pokoju zapanowała głucha cisza.

Ned rzucił żonie wściekłe spojrzenie, a na twarzy jego matki pojawił się wyraz żalu i ogromnego zakłopotania.

Fenella Fayne wiedziała, że Elizabeth szczerze jej nie lubi, głównie z powodu zazdrości o jej przyjaźń z Nedem, lecz jako kobieta dobrze urodzona i świetnie wychowana nigdy nie zniżała się do poziomu innych ludzi. Była także bardzo spokojną i opanowaną osobą. Teraz uśmiechnęła się do gospodarzy, nie zdradzając urazy czy skrępowania.

– Odkąd owdowiałam, bez przerwy zajmowałam się Haddon House i innymi instytucjami charytatywnymi, a w latach wojny miałam więcej pracy niż kiedykolwiek – powiedziała spokojnym, dźwięcznym głosem. – W rezultacie nie miałam ani chwili dla siebie i dopiero teraz...

Ignorując zjadliwą uwagę Elizabeth, Mark otoczył Fenellę ramieniem i popatrzył na nią z czułością.

– Od lat męczyłem ją, żeby za mnie wyszła – wyznał. – I w końcu się zgodziła, ku mojej nieopisanej radości!

Cecily uściskała Fenellę, potem zdecydowanym ruchem ujęła Elizabeth za ramię.

– Chyba powinnyśmy pomóc dzieciom usiąść przy stole, aby nasi goście mogli spokojnie wypić herbatę.

– Ale przecież Niania...

– Chodź ze mną, Elizabeth! – W głosie Cecily zabrzmiała surowa nuta.

Fenella usiadła na kanapie i uważnie popatrzyła na Edwarda.

– Chciałam cię o coś poprosić, mój drogi – uśmiechnęła się. – Mam nadzieję, że pozwolisz, aby twoje dziewczynki były moimi druhnami? Bardzo mi na tym zależy.

– Ależ oczywiście! – W błękitnych oczach Edwarda zabłysła radość.

Szybkie spojrzenia, jakie wymienili, mówiły o rozczarowaniu Edwarda zachowaniem żony i całkowitej obojętności Fenelli wobec słów Elizabeth. Umieli czytać w swoich myślach i doskonale rozumieli się bez słów.

– Chciałabym także poprosić o tę przysługę Grace Rose, jeśli się zgodzisz – dodała Fenella przyciszonym głosem. – Bardzo ją kocham. Jak wiesz, ta dziewczyna zajmuje szczególne miejsce w moim sercu.

– Świetny pomysł! – ucieszył się Ned. – Nie mam żadnych obiekcji i mogę zaręczyć, że Vicky także będzie ogromnie zadowolona!

– Jeszcze z nią nie rozmawiałam. Szczerze mówiąc, wy pierwsi dowiadujecie się o naszych zaręczynach.

– W dzień Bożego Narodzenia musiałem stanąć oko w oko z ojcem Fenelli. Mark, usiadł obok Neda. – Odetchnąłem z ulgą, kiedy hrabia udzielił nam swego błogosławieństwa!

Jessup zbliżył się do nich z jedną z pokojówek i rzucił Edwardowi pytające spojrzenie. Gdy pan domu kiwnął głową, kobieta ustawiła wózek przy kominku, a Jessup zaczął nalewać herbatę. Druga służąca podawała obecnym filiżanki razem z małymi serwetkami i talerzykami, potem częstowała kanapkami z wędzonym łososiem, sałatką jajeczną, ogórkami, pomidorami, szynką i serem.

Gdy rozległ się dzwonek telefonu, Jessup wyszedł do holu, a kiedy wrócił, szybkim krokiem podszedł do Edwarda i szepnął mu coś do ucha.

– Dziękuję, Jessup. – Edward wyciągnął rękę do lokaja. – Proszę pomóc mi się podnieść, dobrze? Fenello, Marku, muszę odebrać pilny telefon, ale zajmie mi to tylko chwilę…

Ned podniósł słuchawkę aparatu, stojącego na małym stoliku w długim holu.

– Edward Deravenel – rzucił krótko.

Później długą chwilę słuchał w milczeniu potoku słów, które dotarły do niego dzięki połączeniu ze Szkocją. Był niemile zaskoczony i zakłopotany.

Wreszcie jego rozmówca przerwał na chwilę, żeby złapać oddech i wtedy Edward powiedział uspokajającym tonem, starając się załagodzić sytuację.

– Rozumiem, o co chodzi, i całkowicie się z panem zgadzam. W tej chwili mam gości, ale jutro zajmę się tą sprawą z samego rana i na pewno wszystko uda nam się uzgodnić.

Ostatecznie Ian MacDonald zgodził się porozmawiać z nim następnego dnia i bez pożegnania odłożył słuchawkę. Edward długą chwilę stał nieruchomo, całkowicie oszołomiony i blady z wściekłości. Wziął kilka głębokich oddechów, próbując uspokoić się przed powrotem do biblioteki, ale mimo pozornego opanowania nadal kipiał gniewem.

R O Z D Z I A Ł
DWUDZIESTY PIERWSZY

Londyn, 1919

– Przepraszam, że ściągnąłem cię tutaj w sobotę, Amosie – powiedział Edward. – Ale naprawdę potrzebna mi twoja pomoc…

– Nic nie szkodzi, panie Edwardzie – odparł Amos. – Szczerze mówiąc, cieszę się, że przyjechałem do pracy, bo nie mam nic lepszego do roboty. Jak mogę panu pomóc?

– Chciałbym, żebyś włamał się do jednego z gabinetów, ale tak, by nie wyglądało to na włamanie. Wiem, że jeżeli ktokolwiek potrafi to zrobić, to właśnie ty…

– Rozumiem, że chodzi o gabinet pana George'a, czy tak?

Edward zaśmiał się ponuro. Amos jak zwykle w mig się orientował, o co chodziło.

– Tak – rzekł, podnosząc się zza biurka i idąc do drzwi. – Zaczynajmy, dobrze?

– Muszę tylko wpaść na sekundę do mojego pokoju po narzędzia, sir. Zaraz do pana dołączę.

Edward skinął głową i poszedł korytarzem w kierunku gabinetu George'a. Nie mógł przestać myśleć o bracie. George postanowił się przed nim ukryć, lecz Edward doskonale wiedział, gdzie go szukać – za spódnicami kobiet, jego żony Isabel oraz teściowej Nan Watkins. Zachowywał się jak ostatni głupiec, jakby nie miał odrobiny oleju w głowie. Po kilku rozmowach z Ianem MacDonaldem i wysłuchaniu szczegółowego opisu awantury w Edynburgu Edward zyskał całkowitą pewność, że musi pozbawić George'a wszelkiej władzy, i to natychmiast.

Skrzywił się ze złością; gdyby w tej chwili dostał George'a w swoje ręce, z przyjemnością by go udusił. Oparł się o drzwi i czekał na Amosa, który już szedł ku niemu korytarzem.

– Nie śpiesz się, Amosie – mruknął. – Mamy dużo czasu, nikt nie zjawi się tu w sobotę, na dodatek świąteczną.

Był czwarty stycznia i ludzie nadal świętowali początek 1919 roku. Z radością witali pierwszy rok pokoju, rok, który, jak twierdzili politycy, niósł ze sobą mnóstwo możliwości.

Amos rozwinął sakwę z brązowej skóry, ukląkł i wsunął wytrych do zamka. Poruszył nim kilka razy i po chwili usłyszeli ciche kliknięcie. Amos z uśmiechem spojrzał na Edwarda, podniósł się z kolan, nacisnął klamkę i otworzył drzwi.

– Proszę bardzo, pan pierwszy, panie Deravenel.

Edward wszedł do środka i przystanął.

– Mój Boże, George chyba naprawdę kopci jak lokomotywa – wymamrotał.

– Ostatnio palił jednego papierosa za drugim. – Amos potrząsnął głową. – Nigdy nie widziałem, żeby ktoś do tego stopnia uzależnił się od tytoniu. Moim zdaniem, pan George to nałogowiec.

– To znaczy?

– Ma osobowość nałogowca, jak nazywał to nadinspektor Mark Ledbetter, kiedy jeszcze był zwykłym policjantem.

– Widziałem Ledbettera w czasie świąt – powiedział Edward. – Zaręczył się z lady Fenellą...

– O, bardzo się cieszę, naprawdę! – uśmiechnął się Amos. – To taka miła pani, tyle robi dla ludzi. Nie mógłbym życzyć jej lepszego męża niż nadinspektor. Dobry chłop, sól ziemi.

– To prawda. – Edward zamknął drzwi, podszedł do biurka i spróbował otworzyć górną szufladę.

Ani drgnęła. Ned usiłował wysunąć kolejne szuflady, lecz wszystkie były zamknięte na klucz, podobnie jak pierwsza.

– No, przyjacielu, masz tu twardy orzech do zgryzienia. Muszę przejrzeć zawartość całego biurka, więc zabieraj się do pracy!

– Za minutkę wszystkie szuflady będą otwarte, nie ma problemu...

W ciągu paru chwil Amos rzeczywiście otworzył górną szufladę, a następnie pozostałe.

– Proszę bardzo!

Pierwsza szuflada pełna była niezapłaconych rachunków. Oszołomiony sumami, jakie George był winny krawcom i kupcom, Edward starannie odłożył je na miejsce i szukał dalej. Otworzył usta ze zdumienia, kiedy w najniższej szufladzie znalazł rewolwer.

– Spójrz na to, Amosie – rzekł cicho.

Nienawidził broni palnej i nie chciał nawet dotykać rewolweru. Amos, równie zdziwiony, pokręcił głową.

– Bóg jeden wie, po co mu to, panie Edwardzie! To dobra broń, firmy Smith and Wesson.

Ned dokładnie przeszukał pozostałe szuflady, nie znalazł w nich jednak nic poza notesem adresowym z telefonami wielu kobiet oraz nocnych klubów w Londynie. Szafy także nie kryły żadnych tajemnic.

– To chyba wszystko – westchnął Edward. – Lepiej pozamykajmy szuflady.

– Już się robi, sir! Przepraszam, ale czy szukał pan czegoś konkretnego?

– Nie, chociaż właściwie... Tak, zależało mi na znalezieniu czegoś... Czegoś, co obciążałoby George'a, jakiegoś dowodu winy, jeśli rozumiesz, o co mi chodzi...

Amos obrzucił Edwarda uważnym spojrzeniem i zabrał się do zamykania biurka. Po paru minutach opuścili gabinet George'a. Amos zatrzasnął drzwi i w milczeniu ruszyli korytarzem. Nagle Edward przystanął i popatrzył na Amosa, lekko marszcząc brwi.

– Coś chodzi mi po głowie, ale ciągle mi umyka – powiedział. – Szczerze mówiąc, spodziewałem się, że znajdę w jego gabinecie coś naprawdę ważnego, nie umiem jednak konkretnie określić, co by to miało być.

– Jeżeli przypomni pan sobie, co miał pan na myśli, proszę dać mi znać – rzekł Amos. – W razie potrzeby otworzę gabinet w sekundę, sam pan widział, jak sprawnie nam poszło...

Edward siedział w gabinecie, przeglądając notatki otrzymane poprzedniego dnia od Oliveriego i Willa Haslinga. Ci dwaj dyrektorzy Deravenels i jego najbliżsi przyjaciele odgrywali znaczącą rolę w działaniach firmy i w ostatnim czasie ukończyli raport o stanie zysków za rok 1918.

Kiedy przedstawili mu to opracowanie, z satysfakcją oznajmili, że mimo wojny był to wyjątkowo korzystny rok. Może nie tyle mimo wojny, ile częściowo z jej powodu, pomyślał teraz Edward, odchylając się do tyłu w fotelu.

Deravenels, największa firma handlowa na świecie, przynosiła ogromne dochody. Edward był nawet zdania, że osiągnięcie wyższych zysków byłoby raczej niemożliwe. Na jego twarzy pojawił się lekki uśmiech. Nie, dla Deravenels nie było rzeczy niemożliwych. A teraz, kiedy na świecie znowu panował pokój, Anglię czekał wielki boom gospodarczy. Spojrzał na leżące przed nim dokumenty, skupiony na dwóch działach firmy – wydobywczym oraz winnicach we Francji. Winnice przeżywały ostatnio trudne chwile, ponieważ w ostatnim roku pogoda nie sprzyjała, ale zyski z produkcji win prawie nie spadły.

Należące do Deravenels kopalnie kwitły na całym świecie. Edward czuł, że w stosunkowo bliskiej przyszłości będzie musiał zająć się wydobyciem ropy w Persji. Był o tym głęboko przekonany i bardzo zależało mu na rozwinięciu tej gałęzi firmy. Jeszcze chwilę przeglądał papiery, następnie włożył je do szuflady biurka i zamknął na klucz.

Firma była w doskonałym stanie, dzięki Bogu. W ostatnich czternastu latach, ciężko pracując i motywując do działań innych, wyprowadził ją na prostą i popchnął do przodu. Nikt nie mógł mu nic zarzucić. Był dumny ze swoich osiągnięć, zwłaszcza kiedy myślał o bałaganie, jaki odkrył po usunięciu zwolenników Grantów ze stanowisk.

Osobiste sprawy Edwarda także układały się znakomicie. Zakończył zakładanie funduszy powierniczych dla kobiet swojego życia, na następny tydzień umówił się z prawnikami, aby wprowadzić zmiany w testamencie, sprawy finansowe matki, którymi od lat sam się zajmował, również były uporządkowane.

Dobrze zaczął nowy rok i mógłby spokojnie patrzeć w przyszłość, gdyby nie George. Pośpiesznie odsunął myśli o bracie, zamierzał zająć się nim w następnym tygodniu. Pomyślał o Richardzie i jeszcze raz pogratulował sobie mądrej decyzji, jaką było odkupienie domu od Nan Watkins. Richard i Anne mieli teraz w ręku akt własności domu i byli zabezpieczeni.

Schylił się i z dolnej szuflady biurka wyjął fotografię Lily. Podniósł się, podszedł do okna i przyjrzał się zdjęciu w jasnym dziennym świetle. Jakże była piękna, kochająca, uczciwa i pełna czułości. Dobra kobieta. Jego pierwsza kochanka, jedyna kobieta, którą naprawdę kochał i która tak wiele dla niego znaczyła. Jej śmierć na długo rzuciła go na dno rozpaczy. Lily została zamordowana i zginęła razem z ich dzieckiem.

W pełni odwzajemniała jego uczucie, kochała go całym sercem i umierając, uczyniła go bardzo bogatym człowiekiem. Zapisała mu cały swój majątek – pieniądze, domy, prawie całą biżuterię oraz cenne antyki. To właśnie fortunę Lily pomnażał przez lata, to z tych pieniędzy utworzył fundusze dla Grace Rose i młodszych córek i kupił dom w Chelsea od Nan. Wiedział, że Lily byłaby szczęśliwa, gdyby wiedziała, w jaki sposób wykorzystał jej pieniądze. Może zresztą wiedziała... Popatrzył na fotografię. Przez wszystkie te lata bardzo mu jej brakowało. Był przywiązany do Jane Shaw, której towarzystwo było dla niego prawdziwym błogosławieństwem, ale nawet ona nie mogła zastąpić Lily. Żadna kobieta nie mogła zająć jej miejsca, a już na pewno nie Elizabeth.

Elizabeth... Bardzo rozgniewała go w drugi dzień Bożego Narodzenia. Złośliwość, na jaką pozwoliła sobie wobec Fenelli, dotknęła go do żywego. Przypomniał sobie, że Will często nazywał ją najbardziej nietaktowną osobą, jaką znał. Elizabeth była też potwornie zazdrosna. Wieczorem, po odjeździe Marka i Fenelli, bardzo się pokłócili, ponieważ Edward powiedział, że jej zazdrość o jego przyjaźń z Fenellą, którą zawsze traktował jak siostrę, jest dowodem głupoty. Jednak Elizabeth nie była zdolna pojąć, że z Fenellą łączy jej męża tylko czysto platoniczne przywiązanie i oskarżyła go o romans z narzeczoną Marka Ledbettera.

– Zazdrość wynika raczej z miłości własnej niż z miłości do drugiego człowieka – skomentował chłodno zachowanie żony Edward, parafrazując słowa de La Rochefoucauld.

W odpowiedzi rzuciła mu pełne wściekłości spojrzenie i wypadła z pokoju. Od tamtej awantury prawie ze sobą nie rozmawiali. Trudno, niech tak będzie, pomyślał Edward, wracając do biurka.

Usłyszał pukanie do drzwi i do pokoju zajrzał Amos.

– Mogę zamienić z panem parę słów?

– Oczywiście, wejdź! – Edward odłożył zdjęcie Lily do szuflady. – O co chodzi, mój drogi? Coś cię niepokoi?

– Tak... Ciągle myślę o tym przeklętym rewolwerze w gabinecie pana George'a. Nie podoba mi się, że ma pod ręką broń palną, to niebezpieczne.

– Masz rację, ale niewiele mogę na to poradzić.

– Mógłbym zabrać ten rewolwer. – Amos uważnie popatrzył na szefa.

– Chyba nie powinniśmy tego robić. Nie chcę, aby George wiedział, że ktoś może bez trudu dostać się do jego gabinetu i biurka. To musi pozostać naszą tajemnicą, Amosie.

– Rozumiem, o co panu chodzi. Cóż, w takim razie rewolwer zostanie na swoim miejscu, nie ma problemu!

Edward skinął głową.

– Tak będzie najlepiej. Wychodzę teraz, bo umówiłem się z panem Haslingiem w Savoyu na lunch i chyba już dzisiaj nie wrócę. Jutro przyjadę po ciebie i Grace Rose do pani Vicky.

– Dziękuję... Grace Rose jest bardzo podekscytowana, nie może się już doczekać, kiedy stanie przy grobie matki.

– Będzie to dla niej oznaczało zakończenie najważniejszej dotąd życiowej sprawy – zauważył cicho Edward. – Bardzo się cieszę, że pomogłeś Grace Rose dowiedzieć się, co stało się z jej matką.

ROZDZIAŁ
DWUDZIESTY DRUGI

Kiedy Edward Deravenel wszedł do Sali Grillowej w restauracji hotelu Savoy, Will Hasling natychmiast zrozumiał, że jego przyjaciel dźwiga na barkach nowe ciężary.

Ich trwająca ponad dwadzieścia lat przyjaźń była nieskażona kłótniami czy jakimikolwiek nieporozumieniami; Will znał Neda jak samego siebie, a może nawet lepiej, i potrafił czytać w nim jak w otwartej książce. Podejrzewał teraz, że przyczyną ponurego wyrazu twarzy Edwarda jest George.

– Spóźniłem się? – spytał Edward, siadając naprzeciwko przyjaciela.

– Nie, nie… To ja przyszedłem trochę wcześniej i zdumiałem się, ile osób kręci się tu mimo dość wczesnej pory. Cóż, ostatecznie mamy sobotę.

Edward rozejrzał się po sali i kiwnął głową.

– Mnóstwo ludzi, pewnie głównie goście hotelowi. Nie widzę żadnych znajomych twarzy!

– Pewnie tak – przytaknął Will. – Mam ochotę na kieliszek szampana, co ty na to?

– Dlaczego nie…

Will przywołał kelnera, który natychmiast podszedł do ich stolika, i poprosił o kartę win, a kiedy kelner odszedł, obrzucił Edwarda bacznym spojrzeniem.

– Co się stało? Założę się, że chodzi o twojego braciszka George'a!

– Jakżeby inaczej. Jak wiesz, George nie pokazał się w firmie w tym tygodniu i przesłał mi tylko wiadomość, oczywiście przez Isabel, że ma bronchit i nie może podejść do telefonu.

Will prychnął pogardliwie.

– Mówiłeś mi o tym. Bezczelność George'a jest po prostu zdumiewająca, ale chyba nie martwisz się jego nieobecnością?

– Nie. Martwię się natomiast tym, co wydarzyło się w Szkocji. Nie opowiadałem ci o awanturze, jaką wywołał tam George, bo najpierw chciałem pomówić z nim w cztery oczy, wysłuchać jego wersji tej historii, ale ponieważ tak starannie mnie unika i nadal siedzi w Thorpe Manor u Nan, doszedłem do wniosku, że powinieneś o wszystkim się dowiedzieć... – Ned przerwał, ponieważ kelner wrócił właśnie z kartą win.

Will przejrzał ją szybko i zamówił butelkę różowego kruga.

– George spalił negocjacje, czy tak? – podjął po chwili.

– Częściowo, na szczęście nie do końca. Zdołałem przekonać MacDonalda, że poważnie traktuję złożoną mu ofertę, ale chyba będziesz musiał w przyszłym tygodniu pojechać do Szkocji i wykorzystać swoje zdolności dyplomatyczne, aby sfinalizować całą sprawę. Będzie ci towarzyszył Richard, ponieważ MacDonald żąda obecności Deravenela w ostatniej fazie negocjacji, a George jest tam niemile widziany.

– Pojadę, naturalnie, ale co się tam stało? – Will zmarszczył brwi. – Kiedy ostatnio rozmawialiśmy na ten temat, wszystko układało się jak najlepiej!

– Tak było. Pierwsze spotkanie w piątek przed świętami przebiegło w bardzo dobrej atmosferze i w czasie weekendu MacDonald zabrał George'a do paru swoich gorzelni pod Edynburgiem. Problemy zaczęły się w poniedziałek, dwudziestego trzeciego grudnia. George nagle zaczął wysuwać twarde żądania wobec MacDonalda, który wykazał się zdrowym rozsądkiem i dużym opanowaniem. Nie chciał się spierać z George'em, uznał, że lepiej i mądrzej będzie wrócić do rozmów po świętach. Mówiłem ci, że George miał mieszkać w rezydencji MacDonalda w Lammermuir Hills i że święta miała tam także spędzić córka Iana ze swoją rodziną. Wygląda na to, że George zachowywał się fatalnie, upił się, był arogancki i przechwalał się, jak to on. W drugi dzień świąt oświadczył, że nie zamierza dłużej przebywać w Lammermuir i zażądał samochodu z kierowcą, który miał odwieźć go z powrotem do hotelu w Edynburgu, oczywiście razem z Isabel. I właśnie wtedy Ian MacDonald zatelefonował do mnie do Ravenscar, wściekły i obrażony.

– A nasz George jak niepyszny wrócił do Anglii, ale nie do Londynu, tylko do Yorkshire, ponieważ bał się spojrzeć ci w oczy. – Will potrząsnął głową. – Straszny z niego głupiec! Naprawdę nie rozumie, że z łatwością można go przejrzeć na wylot? To żałosne!

Edward uśmiechnął się lekko.

– W tej chwili jest przestraszony, bo spaprał sprawę – rzekł.

– Ale MacDonald nie wycofał się z negocjacji? – spytał Will.

– Nie, nadal jest gotowy rozmawiać. Nie mam pojęcia, dlaczego George kłócił się z nim o pieniądze! Moim zdaniem propozycja MacDonalda jest bardzo rozsądna. Nigdy nie zrozumiem, dlaczego postanowił rozjuszyć Szkota, bo cenę gorzelni trudno nazwać wygórowaną. – Edward zacisnął usta i odwrócił wzrok. – MacDonald opowiedział mi wszystko ze szczegółami i jestem absolutnie pewny, że nie kłamał. Znam go od wielu lat i wiem, że to uczciwy człowiek. Natomiast jeśli chodzi o George'a, to powinien był omówić ze mną swoje propozycje, zwłaszcza jeśli miał jakieś wątpliwości, ale nie, on wolał udawać szefa, jak zwykle popisując się zarozumialstwem i arogancją, co oczywiście nie wyszło mu na zdrowie.

– George chorobliwie pragnie władzy, oto cały problem. Ma zdecydowanie zbyt dobre mniemanie o sobie i swoich umiejętnościach, i zachowuje się jak słoń w składzie porcelany... – Will przerwał i odwrócił się do kelnera, który właśnie przyniósł im szampana.

Chwilę później obaj stuknęli się wysokimi kieliszkami.

– Wyjaśnij mi jedno – podjął Will. – Parę tygodni temu mówiłeś mi, że w gruncie rzeczy nie zależy ci na gorzelniach MacDonalda, więc dlaczego teraz nagle zmieniłeś zdanie?

– Nie zmieniłem – odparł Edward, nachylając się nad stołem. – Uważam, że zakupienie firmy MacDonalda przyniesie nam na dłuższą metę spore korzyści, bo wzmocni dział produkcji alkoholi. Podpiszę umowę kupna, ponieważ cena, jaką podaje MacDonald nie jest wygórowana, a obroty przedsiębiorstwa całkiem niezłe, ale też chcę sfinalizować sprawę przede wszystkim dlatego, że George postawił mnie w wyjątkowo niewygodnej sytuacji.

Will kiwnął głową i pociągnął łyk szampana, czekając na dalszy ciąg.

– Jeśli chcesz wiedzieć, to zwyczajnie się wstydzę – ciągnął Edward przyciszonym głosem. – Zachowanie George'a było po prostu niewybaczalne. Obraził starszego człowieka, pokazał się z najgorszej strony, wysuwał aroganckie żądania wobec pana domu, w którym był gościem, no, krew gotuje mi się w żyłach, kiedy o tym pomyślę! George jest przecież członkiem rodziny Deravenelów, sam rozumiesz...

– Ja rozumiem, ale George nie – westchnął Will. – On myśli wyłącznie o sobie, jest do gruntu zepsuty, za co część winy ponosi twoja siostra Margaret i wasza matka... Przepraszam cię, ale tak to właśnie wygląda.

– Wiem, że Meg za długo traktowała go jak dziecko, a mama do dziś zbyt chętnie śpieszy mu z pomocą. Tak, George jest wobec siebie zupełnie bezkrytyczny.

– Zdaję sobie sprawę, że mierzi cię świadomość, iż George splamił dobrą opinię waszej rodziny i dlatego chcesz ułagodzić MacDonalda i pójść mu na rękę, mówiąc najprościej...

– Otóż to!

– I uważasz, że ja dobrze wypełnię to zadanie? Z pomocą Richarda?

– Pomoc Richarda nie jest ci do niczego potrzebna, Will, ale MacDonald życzy sobie, żeby na spotkaniach był obecny Deravenel.

– W takim razie w porządku, pojadę tam i stanę na głowie, żeby kupić dla ciebie firmę MacDonalda, możesz być tego pewny! Towarzystwo Richarda sprawi mi dużą przyjemność. Zawsze dobrze rozumieliśmy się z twoją Małą Rybką.

Edward się uśmiechnął.

– Richard jest lojalny i rozważny – rzekł i rzucił Willowi długie, skupione spojrzenie. – George ma w swoim biurku rewolwer.

– Dobry Boże! – Will wyprostował się gwałtownie. – Po co mu broń?

– Nie wiem, ale jestem pewny, że nie zamierza chodzić po siedzibie firmy i strzelać do ludzi. Może ukrył rewolwer w gabinecie, bo nie chce trzymać go w domu.

– Po co w ogóle potrzebna mu broń?

Edward wzruszył ramionami.

– I skąd wiesz, że ma ją w biurku?

– Kazałem Amosowi włamać się do jego gabinetu – przyznał się Edward. – Było to dziś rano. Otworzyliśmy także biurko.

– Czego szukaliście?

– Właściwie to sam nie wiem, słowo daję. Ciągle kołacze mi się po głowie jakieś mętne, niejasne wspomnienie czegoś. Czegoś związanego ze spiskiem... Przejęciem firmy... Nie potrafię tego skonkretyzować.

Will znieruchomiał, nie odrywając wzroku od twarzy przyjaciela.

– Chyba mógłbym ci w tym pomóc – odezwał się wreszcie cicho. – Pamiętam, jak dawno temu Johnny Watkins opowiadał mi o Louisie Charpentierze, Johnie Summersie i Margot Grant... Rzucił wtedy uwagę, że niewygodnie jest żyć ze spiskiem w kieszeni. Później zaczęliśmy rozmawiać o Henrym Turnerze, bratanku Henry'ego Granta, i Johnny powiedział, że zawsze będzie ktoś, kto zechce domagać się swoich praw do firmy Deravenels. Byłeś z nami w pokoju i pewnie dlatego takie wspomnienie utkwiło ci w pamięci, nawet jeżeli jest mętne.

– Masz słuszność. Wiem, że George chce być mną, zająć moje miejsce, zarządzać Deravenels, mieć na własność Ravenscar i wszystko to, co ja – pieniądze, władzę, przywileje. Żeby to osiągnąć, chętnie sprzedałby duszę diabłu, a więc i Henry'emu Turnerowi. Moja matka wspominała o nim w czasie świąt i pewnie dlatego teraz także o nim pomyślałem. George jest zdradliwy z natury, wiesz o tym równie dobrze jak ja. Nie można mu ufać.

– Musisz coś z nim zrobić, Edwardzie! I to jak najszybciej!

– Ale co? Oto jest pytanie.

– Wyślij go w długą podróż, tak jak sugerował Oliveri.

– W żadnym razie! – zaoponował Edward. – Muszę mieć na niego oko, to jedyne rozwiązanie.

– Więc trzeba go po prostu pilnować, i tyle. Zamawiamy lunch? – Will uśmiechnął się pierwszy raz w ciągu tego przedpołudnia.

Jednak uśmiech tylko maskował jego prawdziwe uczucia. Zatrzymanie George'a w Londynie wcale nie oznaczało, że Edward będzie zabezpieczony przed knowaniami brata. George Deravenel był urodzonym intrygantem, chciwym i chorobliwie ambitnym. Will wiedział, że dopóki George pozostanie w Deravenels, Ned nie uwolni się od większych i mniejszych kłopotów, a może nawet od poważnych zagrożeń. Obiecał sobie, że razem z Amosem będzie czuwał nad bezpieczeństwem przyjaciela. Czekały ich spore problemy, Will wyczuwał je na odległość.

ROZDZIAŁ
DWUDZIESTY TRZECI

Grace Rose stała nad grobowcem, wpatrzona w płytę z białego marmuru. U góry złotymi literami wyryto słowa: SPOCZYWAJ W POKOJU I MIŁOŚCI, a niżej, nieco mniejszymi: *Tabitha „Lucy" Lawford, Ukochana Sebastiana Lawforda. Zmarła w 1904 roku.*

Nie miała żadnych wątpliwości, że właśnie tu pochowana została jej matka. Nie pamiętała Sebastiana Lawforda, nic nie mówiło jej także nazwisko „Crawford", chociaż Amos wielokrotnie wspomniał o tym ostatnim w jej obecności, lecz imię „Tabitha" było na tyle rzadkie, że sprawa wydawała się oczywista.

Amos wybrał się do szpitala w Whitechapel, przejrzał archiwalne zapisy i znalazł notatkę mówiącą, że Tabitha Lawford spoczęła na cmentarzu Brady Street, w najbliższej okolicy kliniki, a także domu Tabithy James. Grace nie zachowała wyraźnych wspomnień z tamtego okresu; była wtedy bardzo małym dzieckiem i prawie nie pamiętała matki. Zdawała sobie sprawę, że gdyby nie miała jej fotografii, rysy Tabithy zupełnie zatarłyby się w jej pamięci.

Teraz, stojąc między Amosem Finnisterem i Edwardem Deravenelem, uprzytomniła sobie, że nie żywi żadnych uczuć do pogrzebanej tu osoby, ponieważ w ogóle nie może jej sobie przypomnieć. Czuła tylko ogromny smutek i żal, że Tabitha, młoda kobieta, która najwyraźniej kierowała się sercem, nie rozsądkiem, zakończyła życie w chorobie, ubóstwie i rozpaczy.

Za swoją matkę Grace uważała Vicky Forth, tak podpowiadało jej serce i umysł. To Vicky wychowywała Grace przez ostatnie trzynaście lat, to ona ją kochała, dbała o nią i uczyniła osobą, jaką teraz była – wykształconą, kulturalną, pewną siebie młodą dziewczyną o doskonałych manierach, przekonaną o własnej wartości i prawie do swojego miejsca w świecie.

Grace Rose odwróciła głowę i spojrzała na Edwarda Deravenela, swojego prawdziwego ojca. Nie winiła go za nieszczęścia, jakie spotkały matkę – gdy związał się z Tabithą, był jeszcze chłopcem, chłopcem, którego zauroczyła dwudziestoparoletnia kobieta.

Odkąd Edward odkrył, że Grace jest jego córką, zasypywał ją dowodami miłości i wciąż od nowa pokazywał, jak bardzo mu na niej zależy. Nie wyparł się jej przed światem, nie robił tajemnicy z łączących ich więzów, nawet wobec własnej rodziny. Grace Rose czuła dumę, że w jej żyłach płynie jego krew, chociaż za ojca uważała Stephena Fortha, bo przecież to mąż Vicky pomagał ją wychowywać i traktował jak rodzone dziecko.

Po drugiej jej ręce stał Amos Finnister, dobry, uczciwy człowiek, który wiele lat temu znalazł ją w brudnym zaułku Whitechapel, przebraną za chłopca. Grace uśmiechnęła się w duchu, wyobrażając sobie zdumienie wszystkich, kiedy spod poszarpanych szmat wyłoniło się drobne ciało dziewczynki i rudozłote loki. Oczywiście Amos mógł pozostawić ją własnemu losowi i odejść, podzieliwszy się ze znajdą zapiekanką z mięsem, ale nie zrobił tego. Jako odpowiedzialny, myślący człowiek, zabrał ją w jedyne miejsce, w którym mogła być naprawdę bezpieczna, do Haddon House, gdzie już czekały na nią czułe ramiona Vicky oraz Fenelli Fayne.

Od tamtego dnia Amos zawsze pamiętał o jej urodzinach, Gwiazdce i innych wyjątkowych okazjach, obdarzając ją podarunkami i najszczerszą miłością. Jakimś cudem udało mu się poskładać z fragmentów historię Tabithy i odnaleźć miejsca, gdzie przebywała w swoich ostatnich dniach. Teraz zaś Grace Rose stała nad grobem swojej biologicznej matki tylko dzięki jego uporowi i dociekliwości.

– Dobrze się czujesz, Grace? – zapytał Edward.

– Tak, wszystko w porządku – odparła cicho, unosząc ku niemu twarz. – Tyle tylko, że… Że w ogóle jej nie pamiętam.

– To było tak dawno, kiedy Amos cię znalazł, nie miałaś nawet pięciu lat.

– Mam jej twarz przed oczyma, ale zdaję sobie sprawę, że widzę fotografię, a nie ją.

– Wiem o tym. Była bardzo piękna, o wiele piękniejsza niż na tym zdjęciu… I bardzo dobra, pełna miłości, łagodna… – Edward zawiesił głos.

– Wiesz teraz, gdzie spoczywa, więc przynajmniej masz pewność co do jej losów, prawda? – odezwał się Amos.

– Tak, tak, naturalnie! Dręczyła mnie świadomość, że nie mam pojęcia, co się z nią stało... Czasami myślałam nawet, że może nadal żyje i pewnego dnia zjawi się, żeby zabrać mnie ze sobą. Dziewczyna potrząsnęła głową. – Nie wiem, dlaczego przychodziły mi do głowy takie rzeczy.

– To najzupełniej normalne – powiedział Amos. – I całkiem logiczne. Nie wiedziałaś przecież, dokąd pojechała tamtego dnia. Bezradnie rozłożył ręce i wzruszył ramionami. – Więc mogło ci się wydawać, że kiedyś rzeczywiście po ciebie wróci.

– Tak. – Grace Rose schyliła się i dotknęła kwiatów, które przyniosła. – Dobrze, że mama poradziła mi, abym wzięła ze sobą wazon, prawda, Amosie?

– Bardzo dobrze.

Grace z czułością położyła na jego ramieniu obleczoną w rękawiczkę dłoń.

– Dziękuję ci, dziękuję za wszystko – szepnęła. – Za wszystko, co dla mnie zrobiłeś. Nigdy o tym nie zapomnę...

Amos odpowiedział pełnym miłości uśmiechem, który na moment rozjaśnił jego ciemne oczy.

– I tobie także dziękuję, wuju Nedzie. Za miłość i dobroć, i za to, że nigdy się mnie nie wyparłeś.

Gardło Edwarda ściągnął bolesny skurcz wzruszenia. Objął ramieniem osiemnastoletnią córkę, wdzięczny losowi za jej istnienie.

– Jesteś częścią mnie, Grace – wyznał zachrypniętym głosem. – Nie mógłbym się ciebie wyprzeć, kochanie.

Parę minut później Grace Rose i dwaj mężczyźni opuścili cmentarz przy Brady Street i skierowali się do rolls-royce'a, którego Edward zaparkował niedaleko. Kiedy byli już blisko, Broadbent, szofer Edwarda, wyskoczył z wozu i otworzył tylne drzwiczki.

– Wracamy do pani Forth, Broadbent – polecił Edward, pomagając Grace Rose i Amosowi wygodnie usadowić się na szerokiej kanapie.

Był to jeden z tych przejmująco zimnych, szarych styczniowych dni, kiedy chłód przenika człowieka do szpiku kości. Niezbyt miły dzień na wizytę na cmentarzu, pomyślał Edward, siadając obok Grace, ale czy w ogóle cokolwiek mogłoby uprzyjemnić taką okazję... Pogoda nie miała z tym nic wspólnego. Edward czuł smutek i wiedział, że jego przyczyną jest nie tylko śmierć Tabithy, lecz także wszystkich bliskich, którzy już odeszli, jego ojca, brata, wuja Ricka i kuzyna Thomasa, a również dwóch innych, tak bardzo mu drogich – Neville'a i Johnny'ego Watkinsów. Ciągle brakowało mu także obecności Roba Aspena i Christophera Greena, dyrektorów Deravenels, którzy zginęli bohaterską śmiercią w czasie wojny.

Z zamyślenia wyrwał go głos Grace Rose.

– Od czasu do czasu będę tu przychodzić. I zawsze przyniosę jej kwiaty.

– Zaglądaj tu, ile razy poczujesz taką potrzebę. – Edward ujął córkę za rękę i ścisnął ją lekko. – Moja matka zawsze przypomina mi, że życie należy do żyjących, kochanie, i ty także musisz o tym pamiętać. Powinniśmy myśleć o tych naszych bliskich, którzy umarli, ale musimy żyć dniem dzisiejszym i przyszłością, nie patrząc zbyt często w przeszłość.

– Tak, wiem...

Grace westchnęła głęboko i chwilę milczała, pochłonięta smutnymi myślami.

– Jestem bardzo zadowolona, że będę druhną na ślubie lady Fenelli – odezwała się wreszcie, już dużo pogodniejszym tonem. – I że pozwoliłeś Bess, Mary oraz Cecily, aby mi towarzyszyły. Mama mówi, że będziemy miały jasnoniebieskie suknie z tafty i wianki z polnych kwiatów na głowach!

Edward uśmiechnął się do niej.

– Nie mogę się już doczekać widoku moich złotowłosych piękności, kroczących środkową nawą za Fenellą. Będę z was okropnie dumny, z wszystkich moich czterech dziewcząt! Wyobrażam sobie, jak zachwycająco będziecie wyglądały!

Grace Rose roześmiała się i przechyliła ku Amosowi, który siedział z drugiej strony Edwarda.

– Wiem od mamy, że ty też będziesz na ślubie, Amosie! Czekają nas wspaniałe chwile, prawda?

– Z pewnością – przytaknął Finnister, zadowolony, że pogodny uśmiech na twarzy dziewczyny zastąpił wyraz smutku, jaki widział na cmentarzu.

Przygniatająca, straszna troska, z jaką zmagała się przez długie lata w końcu ustąpiła. Dobrze, że Grace Rose nie będzie już musiała się obawiać, iż Tabitha James zjawi się niespodziewanie i zabierze ją z domu Vicky i Stephena Forthów. Amos wiedział, że ten niepokój oraz niepewność, co stało się z Tabithą stanowiły główną troskę Grace. Trudno jest normalnie żyć dziecku, którego matka odeszła nagle, nie zostawiając żadnej wiadomości.

Chwilę milczenia przerwał Edward.

– Sprawa, którą zajmowaliśmy się wczoraj, powinna zostać zakończona dzisiaj – odezwał się do Amosa. – Zajrzyj do mnie do gabinetu, kiedy już wrócisz do pracy, dobrze? Chciałbym wydobyć pewien przedmiot z najniższej szuflady i wszystkie papiery ze środkowej. Jutro będę u siebie od samego rana, myślę, że od siódmej, więc może spotkamy się wtedy i omówimy wszystkie szczegóły.

– Oczywiście, sir! – Amos nie krył zadowolenia, że może usunąć rewolwer z biurka George'a. – I będę u pana dziś po południu.

Myśl o broni palnej w siedzibie firmy budziła w nim duży niepokój, szczególnie że wspomniana broń znajdowała się w biurku całkowicie nieodpowiedzialnego i nieobliczalnego George'a Deravenela.

Dalsza droga upłynęła im na rozmowie o codziennych, mało istotnych sprawach. Rolls-royce przedzierał się zatłoczonymi ulicami East Endu, powoli zmierzając w kierunku Piccadilly i Kensington, gdzie mieszkali Forthowie.

Gdy Grace Rose ujrzała Vicky, czekającą na nich w salonie, podbiegła do niej i rzuciła się jej w ramiona. Vicky z pełnym czułości uśmiechem mocno przytuliła dziewczynę, wiedząc, jak bardzo poruszona była wyprawą na cmentarz.

Grace przywarła do niej na parę sekund, potem zaś odsunęła się i spojrzała Vicky prosto w oczy.

– Wszystko w porządku, mamo, naprawdę – zapewniła. – Cieszę się, że tam pojechałam, bo teraz przynajmniej wiem, gdzie jest moja pierwsza matka i nigdy więcej nie będę się o nią martwić.

– W takim razie ja też jestem zadowolona. Nie ma już żadnego powodu, abyś oglądała się za siebie i czuła niepokój! Możesz ruszyć naprzód, skupić się na studiach i przyszłości!

– Tak, mamo. Powiedziałam wujowi Nedowi, że czasami będę chodzić na jej grób i zanosić kwiaty.

Vicky skinęła głową.

– To doskonały pomysł, kochanie! Chętnie pójdziemy z tobą oboje, ja i ojciec, prawda Stephenie?

Stephen Forth z uśmiechem podszedł do Grace Rose i Vicky.

– Naturalnie. Pojechalibyśmy tam z tobą i dzisiaj, skarbie, ale mieliśmy wrażenie, że nie życzysz sobie tego.

Grace pocałowała ojca w policzek.

– Czułam, że muszę zachować się jak osoba dorosła, to wszystko – wyznała i roześmiała się cicho.

Stephen zawtórował jej i pośpieszył przywitać Edwarda oraz Amosa, którzy razem weszli do salonu.

Edward Deravenel jak zwykle stanął przy kominku, pragnąc się ogrzać.

– Na dworze panuje wilgoć i ziąb – powiedział. – A w waszym salonie jest ciepło i przytulnie! Na pewno nie odmówię filiżanki herbaty, Vicky!

– Zaraz ją dostaniesz – odparła.

Wyszła i po krótkiej chwili z uśmiechem wróciła do gości.

– Herbata jest już w drodze – oznajmiła wesoło. – Ty też chętnie się napijesz, prawda, Amosie?

– Z przyjemnością. Nie ma nic gorszego niż angielska mżawka, zdolna przeniknąć przez dowolnie gruby materiał i zniszczyć nawet najlepszy nastrój.

– To prawda! – roześmiała się Vicky, siadając na kanapie.

Stephen dołączył do Edwarda.

– Przedwczoraj widziałem w klubie Churchilla – rzekł. – Dobrze wygląda i na szczęście znowu ma lepszy humor.

– Cieszę się! Czy Winston mówił ci, co teraz zamierza? – W głosie Edwarda brzmiało zaciekawienie.

– Nadal będzie członkiem Parlamentu, to pewne! W tym roku czekają nas wybory, ale Lloyd George jest bezpieczny, nie ma też żadnych wątpliwości, że Winston znowu zdobędzie miejsce, kandydując z Dundee.

– Całkowicie się z tobą zgadzam. – Edward pokiwał głową. – Szkoda, że obarczono go winą za Gallipoli, moim zdaniem to duża przesada.

– Masz rację, Ned, lecz z drugiej strony Churchill rzeczywiście był wtedy naczelnym dowódcą marynarki wojennej i plan ataku na Dardanele był jego dziełem… – Stephen przerwał na chwilę. – Cóż, wszyscy wiemy, jacy są politycy, a Churchill ma sporo wrogów. To samo można zresztą powiedzieć o nas wszystkich, prawda, stary?

– Tak, lecz ja, jak zawsze, stawiam na Churchilla – oświadczył Edward. – Mam dla niego ogromny szacunek i podziw, nie ja jeden zresztą! Winston jeszcze nie raz da o sobie znać i założę się, że w przyszłości okaże się najwybitniejszą postacią w życiu publicznym naszego kraju, zobaczysz!

Rozmowa o polityce dobiegła końca, dopiero gdy Fuller i pokojówka wnieśli do salonu tace, na których ułożono tartinki oraz gorące ciasteczka z dżemem truskawkowym i śmietaną. Wszyscy chętnie usiedli do herbaty i chwalili poczęstunek.

Forthowie i Edward dyskutowali jeszcze o wielu innych sprawach, a Amos i Grace Rose siedzieli obok siebie na kanapie, sącząc herbatę i rozmawiając o czekającej dziewczynę przeprowadzce do Oksfordu, która miała nastąpić w niedalekiej przyszłości.

R O Z D Z I A Ł
DWUDZIESTY CZWARTY

– Dość szybko wróciłeś do zdrowia po ataku bronchitu, co? – powiedział lodowatym tonem Edward, przyglądając się przez biurko George'owi. – Cudowne ozdrowienie, doprawdy... Mówiono mi zawsze, że przy bronchicie dochodzi się do siebie mniej więcej po miesiącu, w najlepszym razie.

– To było tylko przeziębienie – wymamrotał George, unikając ostrego, bezpośredniego wzroku brata.

– Co za szczęście... – Edward odchylił się do tyłu i nadal uważnie obserwował rozmówcę. – Opowiedz mi o swoich przygodach w Szkocji.

– Nie bardzo jest co opowiadać.

– O, ja mam na ten temat zupełnie odmienne zdanie, uważam, że masz mi wiele do opowiedzenia! Kiedy telefonowałeś w przedświąteczny piątek, a dokładnie – dwudziestego grudnia, oświadczyłeś, że umowa jest praktycznie gotowa do podpisania i że nie przewidujesz żadnych kłopotów.

– Bo nie przewidywałem!

– Po prostu się pojawiły, tak? Jeden po drugim? – Cichy głos Edwarda ociekał sarkazmem.

George nie odpowiedział i dalej unikał jego spojrzenia.

– Co z gorzelniami? Odwiedziłeś je następnego dnia, w każdym razie tak powiedział mi MacDonald! Nie zrobiły na tobie pozytywnego wrażenia?

Usłyszawszy to określenie, George, nie dość bystry, aby rozpoznać drwinę w głosie brata, postanowił się nim podeprzeć.

– Właśnie! – zawołał. – Nie zrobiły na mnie pozytywnego wrażenia! Tak jest, nie zrobiły, a poza tym cena okazała się zupełnie nieodpowiednia!

– Doprawdy? Bardzo interesujące! A jak upłynęły ci święta? Wiem, że pojechaliście do wiejskiej rezydencji MacDonalda w Lammermuir Hills, ty, Isabel i dzieci. Dobrze się tam bawiliście?

– Och, było całkiem przyjemnie, tylko trochę nudno.

– Ach, tak! I pewnie dlatego wcześniej wróciliście do Edynburga?

– Nie, wyjechaliśmy z Lammermuir Hills w drugi dzień świąt, ponieważ Nan była chora. Isabel chciała wrócić do Yorkshire, by zobaczyć się z matką i upewnić się, że nic jej nie grozi. – George pośpiesznie odwrócił głowę.

– Hubris! – krzyknął Edward, uderzając dłonią o blat biurka z taką siłą, że kryształowe kałamarze zabrzęczały na srebrnej tacy.

George skulił się, zaskoczony gwałtownością gniewu brata. Serce podskoczyło mu do gardła ze strachu, z trudem przełknął ślinę i próbował się odezwać, odkrył jednak, że nie może wydobyć z siebie ani słowa.

– Patrz na mnie, kiedy do ciebie mówię, do cholery! – ryknął Edward, nie panując nad zimną furią. – Widzę przecież, że nie miałeś bronchitu, chociaż niewątpliwie jesteś chory! Cierpisz na hubris i jest to poważny przypadek tej dolegliwości!

Zbity z tropu George nadal bez słowa wpatrywał się w brata, gorączkowo zastanawiając się, co ten ma na myśli. Na ustach Edwarda pojawił się ponury uśmiech.

– Najwyraźniej nie masz zielonego pojęcia, co znaczy „hubris"! – warknął, opierając się o biurko. – To słowo pochodzi z greki i jest określeniem nadmiernej, nieuzasadnionej dumy oraz zadufania w sobie! Oznacza także wystąpienie przeciwko bogom, prowokowanie ich gniewu aroganckim zachowaniem!

– Nadal nie wiem...

– Zamknij się! I chociaż raz w życiu posłuchaj, co się do ciebie mówi! Wysłałem cię do Szkocji na negocjacje z Ianem MacDonaldem, ale ty zlekceważyłeś moje polecenia i zaprzepaściłeś sukces, zdobywając dla nas w zamian kolejnego wroga, zupełnie jakbyśmy i tak nie mieli ich wystarczająco wielu! Upiłeś się, zachowałeś jak ostatni idiota i gbur, obraziłeś człowieka, który mógłby być twoim ojcem! I jeszcze na koniec zażądałeś samochodu z kierowcą, spakowałeś się i kazałeś się odwieźć do Edynburga, gdzie siedziałeś przez parę dni!

– Nieprawda! Pojechałem do Yorkshire, od razu!

– Jesteś nie tylko idiotą, ale i kłamcą! Nan powiedziała mi, kiedy przyjechaliście do Thorpe Manor! Była też lekko zdumiona, gdy usłyszała o swojej rzekomej chorobie, bo przez cały czas czuła się doskonale!

– Wyzdrowiała! – pośpieszył z nędzną wymówką George, odgarniając jasne włosy z czoła. – Chyba się czymś zatruła...

Najchętniej otrułbym ciebie, pomyślał ze złością Edward.

– Wymyśl coś lepszego! – warknął. – Co z tobą, uważasz mnie za idiotę?! Sprawdziłem wszystko, więc nawet nie próbuj kłamać!

– Szpiegowałeś mnie! – krzyknął George.

Znowu był gotowy walczyć z bratem, któremu w głębi serca tak zazdrościł.

– Nie podnoś głosu! – Edward usiadł i wyjął z szuflady biurka plik dokumentów. – Spłaciłem twoje długi, jesteś mi winien czterdzieści tysięcy funtów – oznajmił zimno. – Masz niezwłocznie zwrócić mi tę sumę!

Oszołomiony George wyprostował się i rzucił bratu niepewne spojrzenie. Zaczerwienił się i nagle zrobiło mu się niedobrze ze strachu. Edward odkrył jego tajemnicę...

Nie zwracając uwagi na milczenie George'a, świadomy, że zaskoczył go i przeraził, Edward pomachał w powietrzu wekslami.

– Oto weksle z twoim podpisem. Wykupiłem je. Kiedy otrzymam od ciebie czek i bank go nie odrzuci, oddam ci je. Powinieneś też wiedzieć, że poinformowałem trzy kluby, w których się zadłużyłeś, iż nie będę więcej spłacał twoich zobowiązań. Napisałem do nich i wyjaśniłem, że nie zamierzam za nie odpowiadać. Sądzę, że automatycznie pozbawili cię członkostwa. Trafiłeś na ich czarną listę. I co masz teraz do powiedzenia, braciszku?

– Chciałbym wiedzieć, dlaczego mieszasz się w moje sprawy! – wrzasnął George, usiłując odzyskać utraconą pozycję.

– Nie mieszam się, tylko próbuję chronić dobrą opinię naszej rodziny. Po mieście krąży tyle plotek o tobie, twoich długach, dziwkach oraz pijaństwach i narkotyzowaniu się, że po prostu musiałem coś zrobić. Uważam jednak, że ty także powinieneś podjąć jakieś kroki, zwłaszcza jeśli chodzi o te rachunki... – Znowu sięgnął do szuflady i położył na biurku kilkanaście rachunków. – Najwyższy czas je uregulować, zapłacić kupcom i twojemu krawcowi z Saville Row! Nie zamierzam tolerować nowych skandalizujących plotek na twój temat!

– Skąd masz moje rachunki?! – wybuchnął George, zrywając się na równe nogi. – W jaki sposób otworzyłeś moje biurko?! Było przecież zamknięte na klucz!

– Włamałem się. A skoro już mówimy o twoim biurku, to może powiesz mi, po co trzymasz tam ten drobiazg. – Edward uniósł do góry rewolwer.

George opadł ciężko na krzesło. Przez chwilę nie mógł wydusić z siebie ani słowa, wreszcie potrząsnął głową, jakby nie rozumiał, co się dzieje, i wreszcie popatrzył na brata. W tym samym momencie krew odpłynęła mu z twarzy. Był pokonany.

Błękitne oczy Neda były zimne jak lód.

– Potrzebuję go na wszelki wypadek – wykrztusił George. – Gdybym musiał się przed kimś bronić...

Z trudem powstrzymał łzy, wiedząc, że jest na łasce brata. Nie miał nic na swoją obronę, a jednak wyobrażał sobie, że dzięki jakiemuś zgrabnemu blefowi znajdzie wyjście z patowej sytuacji.

Edward wziął dużą szarą kopertę i wrzucił do niej rewolwer.

– Umieszczę broń w sejfie i tam niech pozostanie – rzekł. – Jak już mówiłem, masz natychmiast spłacić długi. Poza tym oczekuję, że jutro znajdę na swoim biurku czek na czterdzieści tysięcy funtów, które jesteś mi winien...

George kiwnął głową. Był biały jak kreda i trząsł się w środku. Nienawidził Neda, nie mógł na niego patrzeć. Pomyślał, że musi znaleźć jakiś sposób, żeby go zrujnować, zniszczyć, potem samemu przejąć kontrolę nad Deravenels. Nie miał cienia wątpliwości, że zarządzałby firmą dużo lepiej niż jego nieznośny brat.

– Nie masz mi wiele do powiedzenia. – Edward ściągnął brwi. – Nie czujesz wstydu? Nie żałujesz, że narobiłeś ostatnio tyle kłopotów i wywołałeś całą tę awanturę w Szkocji? Na miłość boską, człowieku, masz dwadzieścia sześć lat, jesteś żonaty, masz dzieci, no i nosisz nazwisko Deravenel, a to do czegoś zobowiązuje! Musisz wykazać się choćby odrobiną odpowiedzialności i dumy!

– Jak śmiesz mnie pouczać! – wściekł się George. – Za kogo ty się uważasz?! Nie jesteś Bogiem!

– Masz rację, tyle, że ja dokładnie wiem, kim jestem! Nazywam się Edward Deravenel, jestem głową rodu, naczelnym dyrektorem firmy i twoim starszym bratem, a na dodatek człowiekiem, dla którego pracujesz. Innymi słowy, jestem twoim szefem. I pozwól, że powiem ci coś jeszcze – gdybyś nie był moim bratem, natychmiast wyrzuciłbym cię z pracy.

– Nie możesz mnie wyrzucić! Jestem dyrektorem w tej firmie i Deravenelem!

– Bardzo się mylisz, mogę cię wyrzucić! Jako główny dyrektor mogę robić niemal wszystko, oczywiście w pewnych granicach. Nie poślę cię na zieloną trawkę wyłącznie dlatego, że jesteś moim bratem, mężem mojej kuzynki oraz ojcem. Biorąc to wszystko pod uwagę, potraktuję cię łagodniej, niż powinienem, przymknę oko na twoje zachowanie wobec Iana MacDonalda i spróbuję wznowić negocjacje. Nie przymknę jednak oka na twój dług. Jutro chcę dostać czek!

– Nie wiem, skąd wziąć czterdzieści tysięcy funtów – jęknął George, w którego niebieskozielonych oczach znowu zabłysły łzy.

– Będziesz musiał zwrócić się o pomoc do żony, to chyba jasne! Isabel jest jedną z dziedziczek po Neville'u Watkinsie, jej matka też jest bardzo bogatą kobietą, więc chyba udzielą ci pożyczki. – Edward uniósł jasnorude brwi. – Jak myślisz, Georgie? Czy panie zdecydują się wydobyć cię z tarapatów?

– Nie wiem – odparł George drżącym głosem.

Wstał z krzesła i ruszył do drzwi.

– Nie śpiesz się tak, braciszku, zabierz te rachunki! Może twoja teściowa zdecyduje się zapłacić je za ciebie, ale lepiej, żeby zrobiła to jak najszybciej!

George dopadł biurka, chwycił rachunki i zmierzył Edwarda rozjuszonym wzrokiem. Sekundę później drzwi zatrzasnęły się za nim z hukiem. Dziwna rzecz, pomyślał Edward, patrząc w ślad za nim, że młody człowiek o tak świetnym wyglądzie, z tak piękną twarzą, oczami jak turkusy i gęstą grzywą jasnych włosów jest tak zepsuty i małoduszny. I na dodatek głupi, w przeciwieństwie do Richarda. Ci dwaj byli zupełnie różni, a przecież wychowywali się razem, wśród tych samych ludzi i w tym samym miejscu, głównie w Ravenscar. Jeden często bronił drugiego i Edward wiedział, że w głębi duszy byli do siebie naprawdę przywiązani. Mimo tego George zawsze starał się dominować nad Richardem, przez co Edward czuł, że musi chronić Małą Rybkę. Chciwość, chora ambicja, zazdrość i arogancja – oto były podstawowe cechy George'a. Hubris. To określenie doskonale opisywało jego charakter. Tymczasem Richard był absolutnie lojalny, uparty, odważny i poważnie nastawiony do życia. Dzięki Bogu za mojego Richarda – pomyślał Edward. – On będzie mi wierny aż do śmierci. Nie muszę się nim martwić.

Wstał i zapukał do drzwi sąsiedniego gabinetu, gdzie za biurkiem siedział Will Hasling.

– Dzień dobry, wejdź! – zawołał z uśmiechem. – Słyszałem podniesione głosy. Chyba porządnie objechałeś George'a, prawda?

– Tak. Mój brat jest tak przerażająco głupi, że w ogóle nie zrozumiał, o co chodziło w tych szkockich negocjacjach, chociaż bardzo się starałem mu to wytłumaczyć. W pewnej chwili sprawiał wrażenie przestraszonego, ale zaraz potem rzucił się na mnie z wściekłością i goryczą. I jeszcze podniósł na mnie głos, wyobrażasz sobie?

Will się roześmiał.

– Nie musisz mi mówić, słyszałem go! Dobrze wiesz, że zawsze uważałem go za trochę niedorozwiniętego!

Edward parsknął śmiechem.

– Trochę? – powtórzył kpiąco, siadając na krześle. – Pozwól, że zadam ci pewne pytanie. Sądzisz, że zarząd pozwoli mi zmienić jedną z reguł?

– Nie wiem... Zależy, jaka to reguła.

– Kobiety mogą pracować tutaj jako sekretarki, recepcjonistki i telefonistki, ale tylko kobieta z rodu Deravenelów może piastować wyższą pozycję i zostać dyrektorem firmy. Nie może jednak uczestniczyć w pracach zarządu, bo do zarządu należą jedynie mężczyźni. Poza tym nawet kobieta z rodu Deravenelów nie może zostać dyrektorem generalnym.

– I właśnie tę zasadę chciałbyś zmienić? – Will przygryzł wargę i ściągnął brwi. – To dosyć radykalna propozycja, nie wydaje ci się? I właściwie dlaczego chcesz wprowadzić nową regułę?

– Ponieważ obaj wiemy, że kobiety są równie kompetentne i odpowiedzialne jak mężczyźni, i nie mniej inteligentne. Wszyscy mamy w tym samym stopniu sprawne mózgi, lecz czasami odnoszę wrażenie, że kobiety potrafią wykorzystywać swoje lepiej niż mężczyźni, jeśli mam być szczery. Osobiście znam kilka kobiet godnych najwyższego podziwu. Słuchaj, Will, mam cztery córki, licząc Grace Rose. Chcę mieć całkowitą pewność, że wszystkie będą miały możliwość zasiadania w zarządzie i zostania dyrektorem generalnym firmy lub prezesem. Że będą mogły zarządzać firmą, gdyby okazało się to konieczne. Mam dwóch synów, ale co by było, gdyby spotkało ich coś złego, a ja bym umarł? Co wtedy? Kto odziedziczyłby po mnie firmę?

– Nie muszę się zastanawiać. Twoim spadkobiercą byłby George!

– Właśnie, a powinien nim być Richard! Ale trzymajmy się jednego tematu! Uważnie przejrzałem kodeks firmy, który moja matka wydobyła z sejfu i myślę, że wszystko sprowadza się do tego – jeśli dwunastu z siedemnastu członków zarządu opowie się za zmianą, to nowa reguła, niezależnie od treści, może znaleźć się w kodeksie.

– Jesteś tego pewny, Ned? Naprawdę?

– Tak. Mama jest specjalistką od kodeksu Deravenels, bo z powodu problemów mojego ojca w firmie studiowała kodeks przez długie lata, i całkowicie się ze mną zgadza. Pytanie tylko, czy członkowie zarządu pójdą mi na rękę.

– Na pewno! Sześciu mogę wymienić od razu – Oliveri, Anthony Wyland, Frank Lane, Matthew Reynolds, ja, no i ty. Gwarantuję też poparcie innych sześciu, którzy również udzielą ci poparcia, niewykluczone zresztą, że wszyscy zagłosują za twoją poprawką. Ostatecznie to ty jesteś kurą, która znosi złote jaja, prawda?

– Serdeczne dzięki! – Edward roześmiał się głośno.

Wyciągnął przed siebie długie nogi, złączył palce dłoni, zamyślił się na chwilę, a następnie podniósł głowę i uważnie popatrzył na Willa Haslinga.

– O co chodzi? – zapytał Will. – Wyglądasz, jakbyś chciał mi zadać bardzo ważne pytanie.

– Sam nie wiem. Mamy jakieś informacje o Henrym Turnerze, tym, który mieszka we Francji?

– Niewiele... Jest kimś w rodzaju pretendenta do tronu, czyli najwyższego stanowiska w Deravenels. Jego przyrodnim stryjem był Henry Grant, matką jest Margaret Beauchard, żona przyrodniego brata Henry'ego, Edmunda Turnera. Tak, chyba się nie pomyliłem...

– Hmmm... I to wszystko, co wiemy?

Will kiwnął głową.

– Obawiam się, że tak.

– Chętnie posłałbym do Francji Finnistera, ale na razie podróże są jeszcze zbyt skomplikowane.

– Spróbuję dowiedzieć się czegoś więcej o młodym Turnerze. A kiedy tylko będzie to możliwe, wyprawimy Amosa do wesołego Paryża…

Edward znowu się roześmiał.

– Zawsze potrafisz mnie rozweselić – powiedział, podnosząc się z krzesła. – No, zajrzę teraz do Oliveriego. Może poszlibyśmy dziś we trzech na lunch, co ty na to?

– Zarezerwuję stolik w Rules! Chcesz, żebym zaprosił Richarda? Będziemy mogli porozmawiać o negocjacjach z Ianem MacDonaldem.

– Dobry pomysł! – pochwalił Edward.

ROZDZIAŁ DWUDZIESTY PIĄTY

Alfredo Oliveri przyszedł do Rules jako pierwszy i szef sali zaprowadził go do stolika, który Edward Deravenel zwykle rezerwował dla siebie i swoich przyjaciół. Oliveri usiadł i mimo woli zaczął się zastanawiać, jak rozwiązać problem George'a Deravenela.

George zawsze był trudny, teraz należało jednak brać pod uwagę, że może okazać się niebezpieczny, co było nowym elementem skomplikowanego równania. Kiedy Alfredo dowiedział się o rewolwerze, zdziwił się i zaniepokoił tak samo jak Amos i Edward; nie ulegało wątpliwości, że przechowywanie broni w miejscu pracy nasuwało bardzo nieprzyjemne skojarzenia.

Oliveri oparł się wygodnie i zadał sobie pytanie, co można zrobić z George'em. Jakiś czas temu sądził, że dobrze byłoby wysłać go w podróż, bo w ten sposób można by było uwolnić Edwarda od kłopotliwej i drażniącej obecności młodszego brata, ale teraz nie miał wątpliwości, że George mógł jedynie zaszkodzić firmie wszędzie, gdziekolwiek by się znalazł. Najrozsądniej było mieć go cały czas w pobliżu.

Oliveri, który niedawno przekroczył pięćdziesiątkę, pracował w Deravenels od trzydziestu czterech lat. Kiedy Edward przed czternastu laty przejął firmę, Alfredo miał już za sobą dwudziestoletnie doświadczenie i uważany był za jednego ze starej gwardii, a obecnie należał do grupy najstarszych pracowników, którzy stali się częścią bardzo nowoczesnej teraźniejszości.

Rozpoczął karierę w dziale wydobywczym i teraz był jego szefem. Wszystkie na całym świecie kopalnie Deravenels znajdowały się pod jego nadzorem – kopalnie diamentów w Indiach, diamentów i złota w Afryce Południowej, szmaragdów, szafirów oraz rubinów w Ameryce Południowej i wreszcie niedawno kupione kopalnie opali w Australii.

Oliveri i Edward Deravenel poznali się w Carrarze, dokąd młody Deravenel i Neville Watkins przyjechali zbadać sprawę zabójstwa swoich ojców i braci. W wyprawie towarzyszył im także Will Hasling. Oliveri, który w tamtym okresie zarządzał kopalniami marmuru we Włoszech, szybko przekonał przybyłych, że chce być lojalny wobec Deravenelów z Yorkshire, nie zaś Deravenelów Grantów z Lancashire. Ojciec Edwarda zawsze traktował go bardzo dobrze i dbał, aby otrzymywał należne awanse.

Alfredo pomógł Anglikom w Carrarze i zaraz potem przyjechał do Londynu, tłumacząc podróż koniecznością konsultacji z ówczesnym szefem działu wydobywczego Aubreyem Mastersem, choć tak naprawdę jego intencją było podtrzymanie kontaktu z młodym Deravenelem. W rezultacie bardzo szybko został szpiegiem Edwarda i Neville'a Watkinsa wewnątrz firmy.

Był nie tylko jednym z najwybitniejszych ekspertów w dziedzinie kopalni i kamieni szlachetnych, lecz także niezwykle pracowitym, sympatycznym i przyjaźnie nastawionym do świata człowiekiem, który potrafił wydobywać to, co najlepsze ze swoich współpracowników i podwładnych. Wszyscy szczerze go lubili i darzyli wielkim szacunkiem jako dyrektora.

Większość ludzi uważała Oliveriego raczej za Anglika niż Włocha, co wynikało z jego powierzchowności – miał jasną, piegowatą cerę i jeszcze do niedawna płomiennie rude włosy, którym zawdzięczał przydomki takie jak „Marchewa" czy „Rudy". Jakiś czas temu jego czupryny rozjaśniła siwizna, lecz Alfredo nadal był przystojnym mężczyzną, zawsze dobrze ubranym, choć nie tak eleganckim jak Edward i Will.

Był szczęśliwie żonaty z Angielką, miał dwóch synów w wieku dwudziestu dwóch i dziewiętnastu lat, i całym sercem kochał swoją rodzinę. Jego kochanką, niewątpliwie bardzo wymagającą, była firma. Całą uwagę pochłaniał rozwój i sukcesy działu wydobywczego.

Edward zwykł mawiać, że Oliveri poświęcił całe życie i prawie całe serce firmie. Było to prawdą, lecz Alfredo doskonale wiedział, że to samo można było powiedzieć o Edwardzie Deravenelu; gdyby nie całkowite poświęcenie szefa, firma nigdy nie stałaby się tak potężna. Ta szczególna więź połączyła ich na zawsze.

– O czym myślisz, Oliveri? – Edward uważnie patrzył na jednego ze swoich najlepszych dyrektorów, człowieka, którego od dawna uważał nie tylko za kolegę, ale także serdecznego przyjaciela.

Alfredo podniósł wzrok.

– Raczej o kim – mruknął. – O George'u, rzecz jasna...

– Nie dziwię się! – Edward zajął miejsce obok niego. – Sam na razie wstrzymuję oddech i czekam, czy jutro przyniesie mi czek.

– Przyniesie! Dam głowę, że poprosi o pieniądze Nan Watkins – rzekł Oliveri.

Kątem oka dostrzegł Richarda, który właśnie wszedł do restauracji, wyraźnie zdenerwowany. Młody mężczyzna miał na sobie rozpięty płaszcz, a na jego bladej twarzy malował się wyraz zaniepokojenia.

Edward podążył za spojrzeniem Oliveriego i zerwał się, aby przywitać brata. Znał Richarda na tyle dobrze, że od razu się domyślił, iż coś mocno go poruszyło.

– Dobry Boże, Dick, co się stało?

– Przed chwilą wpadłem na George'a... Zatrzymał mnie w holu Deravenels, wrzeszczał jak wariat, powtarzał, że pewnego dnia cię zabije. Powiedział, że stanie na głowie, żeby znaleźć gdzieś pieniądze i odda ci. Potem wybiegł na ulicę, na środku Strandu o mały włos nie potrącił go samochód. To po prostu niewiarygodne.

Edward potrząsnął głową, jego błękitne oczy przyćmił smutek.

– Z dnia na dzień coraz trudniej go zrozumieć – rzekł cicho. – Dzieje się z nim coś złego! Jeżeli Nan mu nie pomoże, wyciągnie pieniądze od naszej matki. Opowie jej jakąś smutną historyjkę i poprosi o pożyczkę, a ona oczywiście da mu każdą sumę. Zawsze uważała, że musi go chronić. No, Dick, uspokój się, złap oddech, bo widzę, że jesteś bardzo zdenerwowany! I koniecznie zdejmij palto!

– Nic mi nie jest Ned. Nie rozebrałem się w szatni, bo nie mogę z wami zostać. Mówiłem już Willowi, że strasznie boli mnie ząb i muszę jechać do dentysty. Nie mogę się spóźnić, bardzo mi przykro.

– W porządku, nie przejmuj się. – Edward poklepał brata po ramieniu. – Zadbaj o siebie i zrób coś z tym nieszczęsnym zębem!

Richard uśmiechnął się blado do Oliveriego.

– Przepraszam, że tak was nastraszyłem – powiedział.

– Nic nie szkodzi – Oliveri też się uśmiechnął. – O, jest już Hasling...

Richard przywitał się z Willem i wyszedł, a Hasling zajął miejsce obok Alfreda.

– Widzę, że wiecie już o scenie w holu – rzekł.

Edward westchnął głęboko.

– Richard właśnie nam powiedział. Wydaje mi się, że George ma zupełnie nierówno pod sufitem, w każdym razie czasami tak się zachowuje.

– Nie tyle czasami, co bardzo często. – Will podniósł rękę, przywołując kelnera. – Napijmy się czerwonego wina, co wy na to? Dzień jest zimny i jeśli o mnie chodzi, to bardzo chętnie wypiję kieliszek.

Edward i Alfredo przystali na propozycję Willa, który przejrzał kartę win, złożył zamówienie i odchylił się do tyłu na krześle, patrząc na przyjaciół. Jego twarz była poważna i skupiona.

– Stanowisz część niebezpiecznego trójkąta – odezwał się do Edwarda. – Bardzo niebezpiecznego, i nie mam tu na myśli kobiet i twojego prywatnego życia, Ned. Chodzi mi o twoich braci.

Edward milczał, zaskoczony nieoczekiwaną uwagą.

– Mów dalej, proszę – rzekł po chwili.

Will uniósł dłoń i palcem nakreślił w powietrzu duży trójkąt.

– Ty, Ned, znajdujesz się u szczytu, a twoi dwaj bracia zajmują dwa pozostałe wierzchołki. Zastanówmy się najpierw nad George'em – jest zazdrosny, wiecznie niezadowolony, chorobliwie ambitny i skłonny do zdrady, wszyscy o tym wiemy. Zazdrości ci, chce być tobą i bez wahania wbiłby ci nóż w plecy, by dostać to, na czym mu zależy. Dobrze wiesz, z jaką łatwością Neville Watkins skłonił go do intrygowania przeciwko tobie. Weźmy teraz pod lupę Richarda. On i George w dzieciństwie byli sobie bardzo bliscy, ale ty zawsze faworyzowałeś Richarda, więc George ma o to żal i do ciebie, i do niego. I oczywiście jest na was obu wściekły. Zazdrości także Richardowi i ma mu za złe, że poślubił Anne Watkins, drugą dziedziczkę majątku Neville'a. George najchętniej pozbawiłby Anne jej części spadku i zatrzymał wszystko dla Isabel, swojej żony, a fakt, że jest to niemożliwe, drażni go jeszcze bardziej. I wreszcie trzeba wspomnieć o tym, że Richard jest absolutnie wierny tobie, pracowity i bardzo inteligentny – to także działa na jego niekorzyść w oczach George'a.

Edward w zamyśleniu pokręcił głową.

– Krótko mówiąc, nic mi nie pomoże – powiedział. – George jest do mnie negatywnie nastawiony z wielu powodów, między innymi dlatego, że... Że jestem sobą, prawda?

– Tak jest! – potwierdził Will. – No, dobrze, oto i nasze czerwone wino...

Kiedy wypili już za swoje zdrowie, głos zabrał Oliveri.

– George od lat wystawia twoją cierpliwość na próbę i czasami posuwa się za daleko – zauważył. – Ostatnio proponowałem, żeby wysłać go w podróż, ale nie był to dobry pomysł. Musimy zatrzymać go tutaj i nie spuszczać z niego oka...

– Zgadzam się! – zawołał Will. – Żadnych podróży dla pana George'a!

– Słusznie. – Edward pociągnął łyk czerwonego wina. – Jeżeli nawet miałem jeszcze do niego trochę zaufania, to straciłem tę resztkę po awanturze w Szkocji. Dzięki Bogu, że Ian MacDonald rzeczywiście chce sprzedać swoje gorzelnie. Powiedz mi więc, Will, co mam robić?

Will powoli pokręcił głową.

– Nic nie możesz zrobić, niestety. Radzę ci jednak, żebyś miał się na baczności, zresztą my także będziemy czuwać, ja, Oliveri i Amos.

Edward uśmiechnął się lekko.

– Nie, nie śmiej się! – zaoponował gorąco Will. – Nie traktuj tego lekko, Ned, bo moim zdaniem mamy do czynienia z bardzo poważną sytuacją! George to urodzony intrygant, człowiek, który zdradę ma we krwi! Nigdy mu nie ufałem. Miej na uwadze, ile morderstw pozostaje niewykrytych, ponieważ uchodzą za nieszczęśliwe wypadki! No, ale dosyć o tym. Zamówimy lunch?

– Naprawdę myślisz, że George posunąłby się do bratobójstwa? – Edward ściągnął brwi, w jego oczach pojawił się wyraz niepokoju. – To przecież niemożliwe.

Will lekko wzruszył ramionami.

– Wezmę chyba solę z grilla – powiedział. – A wy?

– Zamawiam to samo – rzekł Edward.

– Ja także. – Oliveri wyprostował się i podniósł kieliszek do ust.

Zastanawiał się, w jaki sposób zamordować George'a, nie budząc niczyich podejrzeń.

Julian Stark, właściciel hazardowego klubu Starks, nie krył zdziwienia, kiedy jego sekretarka oznajmiła, że przyszedł George Deravenel.

– Pan Deravenel nie umawiał się wcześniej na spotkanie, ale mówi, że zajmie panu tylko parę chwil.

– Wprowadź go, Gladys – odparł Stark, zastanawiając się, o co może chodzić George'owi.

Przywitawszy gościa, spokojnie czekał, jak rozwinie się sytuacja.

– Co mogę dla ciebie zrobić? – zagadnął uprzejmie.

– Tym razem raczej ja mógłbym wyrządzić ci przysługę – oświadczył George.

– Och, doprawdy? Jakiego rodzaju?

– Przejdę od razu do rzeczy. Mam dobrą wskazówkę, nie tyle dla ciebie, ile dla twojego brata Alexandra. Wiem, że jest finansistą w City i ma bogatych klientów. Chętnie przekażę mu informację na temat przeznaczonej na sprzedaż firmy, której jeszcze nie ma na rynku, ale niedługo będzie.

Stark skinął głową, zdziwiony i zaintrygowany.

– Co to za firma?

– Gorzelnie MacDonalda. – George sięgnął do kieszeni surduta, wyjął kopertę i podał ją Starkowi. – Wszystkie szczegóły znajdziesz tutaj.

Stark położył kopertę na biurku i popatrzył na nią uważnie.

– Dlaczego przychodzisz z tym do mnie? Pozbawiłem cię przecież możliwości gry w moim klubie.

– Stare szkolne znajomości i tak dalej – uśmiechnął się George. – Poza tym zawsze traktowałeś mnie bardzo przyzwoicie, długo nie żądałeś weksli.

Julian Stark odchylił się do tyłu w fotelu. Dobrze znał się na ludziach i od razu się zorientował, o co chodzi George'owi, postanowił jednak udawać, że nie rozumie motywów jego działania.

– Czego chciałbyś w zamian za tę ważną informację?

– Niczego nie chcę – zapewnił George, wstając. – Ta wiadomość przypadkiem wpadła mi w ręce i pomyślałem, że dobrze byłoby przekazać ją tobie. Zrobisz z nią, co zechcesz. – Podszedł do drzwi i odwrócił się do gospodarza. – Dziękuję, że poświęciłeś mi swój czas, chociaż nie umówiłem się wcześniej na spotkanie.

Po wyjściu George'a Julian Stark zacisnął usta i pokręcił głową. George Deravenel był draniem i zdrajcą. Julian był przekonany, że przekazana mu informacja dotyczy firmy, którą zamierzał kupić Edward, brat George'a. Z westchnieniem otworzył kopertę, przebiegł wzrokiem znajdujące się wewnątrz dwie kartki i sięgnął po telefon.

– To ty, Howardzie? – zapytał.

– Tak, Julianie. Czym mogę ci służyć?

Stark zrelacjonował przyjacielowi rozmowę z George'em Deravenelem.

– Zrób z tą informacją, co chcesz, ale osobiście uważam, że uczciwie byłoby zawiadomić Willa – zakończył. – Edward Deravenel powinien dowiedzieć się o zdradzie brata, bo George to naprawdę kawał łajdaka.

– Załatwione! – rzucił Howard Hasling i odłożył słuchawkę.

R O Z D Z I A Ł
DWUDZIESTY SZÓSTY

Jane Shaw stała przy balkonowym oknie swojego błękitnego pokoju i patrzyła na ogród, który w to słoneczne marcowe popołudnie przykuwał uwagę różnorodnością barw; kwitły w nim fioletowe, żółte i białe krokusy, jasne, delikatne narcyzy i obfite kępy intensywnie żółtych żonkili.

– Tańczą i falują na wietrze... – powiedziała głośno, uśmiechając się do siebie.

Zawsze lubiła wiersz Wordswortha o żonkilach, który siłą rzeczy przypomniała sobie teraz.

Podeszła do kominka, pogrzebaczem poprawiła drewniane szczapy i dorzuciła do ognia. Nadeszła wiosna, lecz powietrze wciąż było chłodne, zwłaszcza w tak wietrzny dzień jak ten.

Spojrzała na stojący na kominku zegar. Dochodziła trzecia czterdzieści pięć, było później, niż sądziła. Zamknęła za sobą drzwi pokoju, przeszła przez hol i ruszyła na poszukiwanie gospodyni. Panią Longden znalazła w spiżarni, gdzie przeglądała listę zakupów.

– Myślałam, że jest wcześniej – odezwała się Jane z uśmiechem. – Wkrótce przyjdą pani Forth i pan Deravenel. Wszystko jest przygotowane, prawda?

– Tak, proszę pani! Czy życzy sobie pani, żeby od razu podać herbatę, czy może chwilę zaczekamy?

– Zaczekamy parę minut, żeby goście mogli odetchnąć i się ogrzać... – Jane przerwała, słysząc dzwonek u drzwi.

– Ktoś przyszedł trochę wcześniej! – zawołała pani Longden. – Pójdę otworzyć.

Jane powoli ruszyła za gospodynią. Była pewna, że za chwilę zobaczy Vicky, nie Edwarda, który uprzedził ją, że może się trochę spóźnić, i prosił, aby nie czekać na niego z herbatą.

Miała rację. Do holu weszła Vicky Forth, jak zwykle piękna i elegancka, ubrana w świetnie skrojony płaszcz z ciemnofioletowej wełny, z futrzanym kołnierzem, oraz fioletowy kapelusz z satynową wstążką i małym bukiecikiem sztucznych fiołków.

Obie kobiety uściskały się serdecznie.

– Pogoda jest dziś bardzo zdradliwa, moja droga! – powiedziała Vicky. – Jest zimno, a ostry wiatr dosłownie zapiera dech w piersiach.

– Widziałam, jak szarpie drzewami w ogrodzie – odparła Jane, gdy Vicky zdjęła płaszcz i podała go pani Langdon. – Dobrze przynajmniej, że śnieg całkiem już zniknął.

– Przyszłam trochę wcześniej, żebyśmy mogły porozmawiać o przyjęciu – powiedziała Vicky, gdy przeszły do błękitnego pokoju. – O fantastycznym przyjęciu, jakie planujemy.

Jane skinęła głową i podprowadziła przyjaciółkę do kominka.

– To dość skomplikowana sprawa, moja droga – rzekła. – Usiądź tutaj, w cieple.

– Wiem, co masz na myśli, Jane! Całkiem możliwe, że Elizabeth dowie się o naszym projekcie i będzie robić trudności.

– Nie wątpię, że tak będzie. – Jane skrzywiła się lekko. – Nie zapominaj, że to strasznie plotkarskie miasto. – Usiadła w fotelu naprzeciwko Vicky. – Byłaś dziś u Fenelli, prawda? Jak ona się czuje?

– Tak, zajrzałam do niej rano. Była bardzo chora, ale już czuje się dużo lepiej i przesyła ci serdeczności. Cieszy się, że wyszła już ze szpitala i wróciła do domu. Obustronne zapalenie płuc to poważna sprawa, lecz Fenella jest pod opieką najlepszych lekarzy, poza tym ma naprawdę silny organizm.

– Wiem... – Jane westchnęła ciężko. – Pewnie słyszała, jakie plotki rozsiewa o niej Elizabeth.

– Tak, dowiedziała się wszystkiego jeszcze przed pójściem do szpitala... Na szczęście Fenella potrafi wznieść się ponad takie rzeczy. Robi swoje i nie przejmuje się, co myślą o niej ludzie, oczywiście ci, których nie uważa za bliskich.

– To bardzo rozsądne podejście do życia – pokiwała głową Jane. – No, dobrze... Co z urodzinami Neda?

– Bardzo chciałaby wydać dla niego uroczyste przyjęcie! – zawołała z entuzjazmem Vicky. – Kończy trzydzieści cztery lata, to wspaniały wiek dla mężczyzny, zresztą nie tylko dla mężczyzny. Wiesz przecież, jak on lubi, gdy przyjaciele skupiają na nim swoją uwagę... Dwudziesty ósmy kwietnia, jaki to dzień tygodnia?

– Poniedziałek. Wydaje mi się, że trudno mu będzie wziąć udział w przyjęciu akurat tego dnia – musimy brać pod uwagę jego rodzinę, zwłaszcza dzieci, które tak go kochają... Trzeba zorganizować wszystko albo w dzień przed urodzinami, albo zaraz po...

– Na pewno nie zrobi mu różnicy, kiedy odbędzie się przyjęcie. – Vicky z namysłem potarła czoło. – Więc data raczej nie ma znaczenia. Chodzi o to, jakiego rodzaju przyjęcie chcemy wydać i gdzie. No i kogo zaprosimy.

– Zajmijmy się najpierw listą gości – zaproponowała Jane. – Oczywiście będziemy my wszyscy, cała jego paczka, jak Ned nas nazywa, ale kto jeszcze?

Vicky lekko wydęła wargi.

– Myślę, że ty znasz otaczających go ludzi dużo lepiej niż ja, moja droga – powiedziała.

– Jest kilka osób, które Ned darzy sympatią i z którymi czasami się widujemy, ale uważam, że on by wcale nie chciał, żebyśmy organizowały duże przyjęcie... I raczej nie w miejscu publicznym, jak na przykład w sali balowej w hotelu Ritz czy Savoy... – Jane przerwała i potrząsnęła głową. – Już wiem! Najbardziej ucieszy Neda wieczór w towarzystwie jego paczki, jak sama powiedziałaś! Będziemy my wszyscy, ty i Stephen, Will i Kathleen, Amos, Grace Rose... Urządzimy uroczystą kolację u ciebie albo tutaj, co ty na to?

– Chyba masz rację. Poza tym, tak będzie bezpieczniej, po co mielibyśmy dostarczać *jej* materiału do nowych plotek. Zrobiła już dosyć złego.

– Przed chwilą mówiłaś, że Fenella w ogóle nie przejęła się tą gadaniną! – przerwała jej Jane.

– Bo się nie przejęła, uważam jednak, że plotki Elizabeth szkodzą dobrej opinii Edwarda! Nie rozumiem, dlaczego ta kobieta nie może trzymać języka za zębami, przecież to jej mąż. – Vicky rzuciła Jane przepraszające spojrzenie. – Przykro mi, kochanie, nie chciałam tego powiedzieć...

Jane roześmiała się cicho.

– Wiem, że nie chciałaś, ale taka jest przecież prawda – Edward jest mężem Elizabeth, czy nam się to podoba, czy nie.

– Czy czasami nie ogarnia cię zazdrość? – Vicky z zaciekawieniem popatrzyła na przyjaciółkę. – Nigdy tego nie okazujesz, bo jesteś damą, ale...

– Zdarza się, że jestem zazdrosna, wiem jednak, że uczucie, którym darzy mnie Edward, jest szczere – odparła powoli Jane. – Mam świadomość, że daję mu miłość, wsparcie i poczucie bezpieczeństwa, a tego właśnie mu potrzeba... Poza tym wolę, żeby nasza sytuacja się nie zmieniła.

– Dlaczego? – zdziwiła się Vicky.

– Gdyby bardzo mi na tym zależało, pewnie mogłabym przykuć go do siebie na stałe. – Jane popatrzyła przyjaciółce prosto w oczy. – Skłonić go, by ją zostawił, może nawet się z nią rozwiódł... Ale Edward bardzo kocha swoje dzieci i wcześniej czy później zacząłby za nimi tęsknić. Dręczyłyby go wyrzuty sumienia, a ja wcale bym nie chciała, żeby uciekał ode mnie, aby się z nimi spotykać. Teraz, gdy jestem jego kochanką, przychodzi do mnie dobrowolnie, bo potrzebuje mnie i pragnie, i wie, że może mieć i mnie, i dzieci. W pewnym sensie ma to, co najlepsze z obu światów, i tak jest dobrze. Wiem, że sypia z Elizabeth, nie musisz mi tego mówić, przecież ona regularnie rodzi mu dzieci... Cóż, Ned jest właśnie takim mężczyzną. Mimo tego nie wątpię, że jest mi wierny.

Vicky się uśmiechnęła.

– Bardzo przypominasz mi Lily Overton – wyznała cicho. – Jesteś do niej podobna, i to pod wieloma względami. Och, zmieńmy temat! Twój służący niesie już herbatę.

Vicky siedziała na kanapie i słuchała, jak Edward rozmawiał z Jane o obrazie, który zamierzał kupić; później zajęli się bardziej przyziemnymi sprawami, omawiając jego dzień w pracy oraz sprawy, które pochłaniały jej uwagę, a także plany obojga na drugą część tygodnia.

Vicky uśmiechnęła się do siebie. Zachowywali się raczej jak stare małżeństwo niż kochankowie. Ich rozmowa stanowiła wierne echo pogawędek, jakie co wieczór toczyła ze Stephenem, gdy wracał do domu z banku.

Pomyślała, że na dobrą sprawę ci dwoje są jak małżeństwo, brakuje im tylko dokumentu legalizującego ich związek. Ned cieszył się spokojem właśnie tutaj, w domu Jane, gdzie prowadzili normalne, pełne radości życie. Jakże inaczej musiały wyglądać wieczory, które spędzał z Elizabeth na Berkeley Square.

Zadrżała na myśl o jego żonie, złej, płytkiej kobiecie, pochłoniętej wyłącznie swoim wyglądem, strojami, biżuterią oraz pieniędzmi, które wydawała na kosztowne zachcianki. Elizabeth nie była szczególnie dobrą matką, od początku zaniedbywała Bess i pozostałe dziewczynki, okazując zainteresowanie tylko dwóm chłopcom, a szczególnie Młodemu Edwardowi, spadkobiercy Deravenels i całego majątku Edwarda.

Vicky czuła ogromny niepokój na myśl, jak zareaguje Edward, gdy powie mu, co Elizabeth opowiada o Fenelli. Obie z Jane ustaliły, że to właśnie ona przekaże mu rozsiewane przez Elizabeth plotki, ponieważ słyszała je na własne uszy.

Spuściła wzrok i popatrzyła na wypolerowane do połysku buty Edwarda. Wiedziała, że zamawiał obuwie u Lobba, znanego szewca. Popatrzyła na nienagannie skrojony granatowy garnitur, z całą pewnością od jednego z krawców z Saville Row, elegancki, modny, i na białą koszulę z delikatnej egipskiej bawełny, z pewnością od Turnbulla i Assera, na jasnoniebieski jedwabny fular pod szyją, modnie zawiązany, w kolorze jego oczu.

Miała przed sobą wytwornego, przystojnego biznesmena. Przypomniała sobie, jak wielkie wrażenie wywarł na niej Ned wiele lat temu, gdy Will jej go przedstawił. Jej uwagę przykuła wtedy nie tyle męska uroda Edwarda, ile jego urok, pogoda ducha, a przede wszystkim ogromna pewność siebie. To przekonanie o własnej wartości stanowiło część jego charakteru, przyszedł z nim na świat, nie musiał go zdobywać i utwierdzać się w nim, w przeciwieństwie do wielu innych ludzi. Niektórzy mylnie brali je za arogancję, lecz Ned nigdy nie był aroganckim człowiekiem.

Wiedziała od Willa, że Edward od początku pewną ręką sterował firmą Deravenels, chociaż w chwili jej przejęcia miał zaledwie dziewiętnaście lat i brakowało mu doświadczenia w biznesie. Oczarował tych dyrektorów, którzy opowiadali się za Deravenelami z Yorkshire i zapewnił sobie ich pomoc w okresie, kiedy dopiero uczył się, jak prowadzić interesy. Wszyscy oni poszli za przykładem Oliveriego i przekazali Edwardowi całą wiedzę o działach, których pracę nadzorowali. Kiedy Edward miał dwadzieścia jeden lat, wiedział już absolutnie wszystko o firmie założonej kilkaset lat wcześniej przez jego przodka, Guya de Ravenela.

– Chłonął informacje i natychmiast je zapamiętywał – tłumaczył siostrze Will. – I nadal tak robi. Ma fotograficzną pamięć, ogromną energię i gotowość do pracy. Nauczył mnie wszystkiego, co wiem, to dzięki niemu odniosłem sukces jako jeden z dyrektorów Deravenels.

Przez głowę Vicky przemknęła myśl, że chociaż w przeszłości Edward uważany był za playboya i kobieciarza, już dawno bardzo się zmienił. Od ponad dziesięciu lat był z Jane Shaw i chyba nigdy jej nie zdradził. Krążące o nim plotki dotyczyły raczej jego wierności wobec Jane niż seksualnych przygód z innymi kobietami. Tą „drugą" w życiu Neda była jego żona, Elizabeth. Najwyraźniej nadal uważał ją za atrakcyjną fizycznie, ponieważ regularnie płodził z nią dzieci, Vicky była jednak przekonana, że poza tym niewiele ich łączyło. Związek Edwarda i Elizabeth poza łóżkiem wydawał się przerażająco jałowy. Nie mieli ze sobą praktycznie nic wspólnego.

– Jesteś bardzo milcząca, Vicky – odezwał się niespodziewanie Edward, spoglądając na przyjaciółkę. – Mam nadzieję, że nie martwisz się o fundusze na centrum rekreacyjne dla byłych żołnierzy, które ty i Fenella zdecydowałyście założyć. Przyniosłem ci czek na dziesięć tysięcy funtów...

Vicky popatrzyła na niego z wdzięcznością.

– Jesteś bardzo hojny! – zawołała. – Bardzo ci dziękuję! Fenella dołoży tyle samo, i ja także... Stephen i Will obiecali, że dadzą nie mniej niż ty, a ciotka Fenelli, Philomena, już ofiarowała nam dwadzieścia tysięcy, więc na początek mamy siedemdziesiąt tysięcy.

– Bardzo się cieszę, gratuluję! Ośrodek dla weteranów to naprawdę godny cel. Postaram się znaleźć wam jeszcze kilku sponsorów i sam także się później dołożę.

– Będę ci ogromnie wdzięczna i Fenella także, możesz mi wierzyć! – zapewniła Vicky.

– Jak ona się czuje? – spytał. – Byłem u niej w zeszłym tygodniu. Mówiła, że nie jest pewna, czy nie przełożyć ślubu, ponieważ po zapaleniu płuc długo będzie wracać do zdrowia, ale moim zdaniem wyglądała dużo lepiej. Tak czy inaczej, zastanawiała się nad przesunięciem terminu z czerwca na lipiec, nie później.

– Ostatecznie postanowiła nie zmieniać daty ceremonii – powiedziała Vicky. – Ślub odbędzie się w drugiej połowie czerwca, tak jak planowali.

– To świetnie, bo w lipcu wybieram się za granicę, jeśli oczywiście podróż po Europie będzie już wtedy możliwa.

Jane spojrzała na Vicky i szybko przeniosła wzrok na Edwarda.

– Kochany, Vicky chciałaby porozmawiać z tobą na dość drażliwy temat... Jeśli wypiłeś już herbatę, poproszę pokojówkę, żeby sprzątnęła ze stołu...

– Już skończyłem, dziękuję. – Edward zmarszczył brwi i odwrócił się do Vicky. – Drażliwy temat? – powtórzył pytająco.

Kiwnęła głową.

Jane zadzwoniła na służbę i po paru minutach wszystkie naczynia zostały uprzątnięte. Kiedy zostali sami, Jane usiadła obok Edwarda.

– Vicky nie była pewna, czy powinna ci o tym mówić, ale ją przekonałam.

Edward zmierzył Vicky uważnym spojrzeniem.

– Powiedz, o co chodzi – poprosił.

Nie potrafił oprzeć się wrażeniu, że będzie to coś nieprzyjemnego. Ufał Vicky, która w przeszłości wielokrotnie dowiodła, że jest jego prawdziwą przyjaciółką, a teraz najwyraźniej miała mu do powiedzenia coś ważnego.

Vicky odchrząknęła.

– Dotyczy to Elizabeth – zaczęła cichym, spokojnym głosem. – Nienawidzę mieszać się w nie swoje sprawy, zwłaszcza między małżonkami, ale po długim zastanowieniu doszłam do wniosku, że powinieneś się o tym dowiedzieć.

– Znam cię wystarczająco dobrze, aby nie podejrzewać cię o chęć intrygowania – rzekł Edward.

– Dziękuję... Chodzi o to, Ned, że... Cóż, najwyraźniej Elizabeth powiedziała coś o Fenelli jednej ze swoich sióstr, która powtórzyła to Maude Tillotson, ta z kolei przekazała plotkę przyjaciółce, i tak dalej, i tak dalej... Sam wiesz, jakie jest londyńskie towarzystwo, niektóre z tych dam nie mają nic lepszego do roboty, jak tylko roznosić plotki.

Edward poczuł, jak ogarnia go nagły niepokój.

– Rozumiem, że plotki o Fenelli mają coś wspólnego ze mną – mruknął.

– Tak. Elizabeth powiedziała swojej siostrze, że cała historia o znalezieniu Grace Rose w Whitechapel przez Amosa Finnistera to stek kłamstw. Że tak naprawdę Grace Rose jest nieślubną córką twoją i Fenelli, wychowaną w majątku ojca Fenelli w Yorkshire. Powiedziała też, że Fenella przez wiele lat była twoją kochanką i nadal nią jest, i że bierze ślub z Markiem Ledbetterem wyłącznie po to, aby zmylić ją, Elizabeth...

Kompletnie oszołomiony Edward bez słowa wpatrywał się w Vicky.

– Co za bzdury! – wykrzyknął w końcu, z trudem panując nad gniewem. – Co ona sobie myśli?! Po co wymyśla takie historie?! Kto mógłby w to uwierzyć?! To po prostu niewiarygodne! – Cały dygotał wewnątrz, wściekły i zaskoczony.

– Wątpię, aby ktokolwiek potraktował to poważnie – powiedziała Vicky. – Tak czy inaczej, to bardzo nieprzyjemna historia, która może zaszkodzić waszej rodzinie, nie wspominając o opinii Fenelli, kobiety tak dobrej i wrażliwej na ludzką krzywdę, że wielu uważa ją za świętą.

– Elizabeth musiała oszaleć! – wybuchnął Edward.

Jane uspokajającym gestem położyła mu rękę na ramieniu.

– Na pewno nikt w to nie uwierzy, Ned! Jestem o tym przekonana, ale namówiłam Vicky, żeby powtórzyła ci tę plotkę, bo przecież powinieneś wiedzieć o takich sprawach. Musisz jakoś rozwiązać ten problem, porozmawiać z Elizabeth.

– Oczywiście! – Edward rzucił Vicky czujne spojrzenie. – Czy dotarło to do uszu Fenelli?

– Tak, stosunkowo niedawno. Fenella postanowiła nie reagować, podobnie jak Mark. Moim zdaniem, zachowują się bardzo rozsądnie, całą tę aferę najlepiej zignorować.

Ned skinął głową, podniósł się z krzesła i wyjął kopertę z wewnętrznej kieszeni marynarki.

– Oto czek na ośrodek rekreacyjny, Vicky – rzekł. – Jane, przykro mi, ale muszę już iść... Powinienem wrócić na Berkeley Square i niezwłocznie zająć się tą nieszczęsną sprawą.

R O Z D Z I A Ł
DWUDZIESTY SIÓDMY

– Bardzo się cieszę, że wpadłaś na herbatę. – Anne Watkins Deravenel uśmiechnęła się do siostry. – Ostatnio nie widujemy się zbyt często, więc tak mi miło, że zaproponowałaś, abyśmy się spotkały.

Isabel westchnęła.

– Małżeństwo i dzieci pochłaniają mnóstwo czasu, prawda? – Wzruszyła lekko ramionami i zrobiła zabawną minę. – Poza tym George'owi zależy, żebym spędzała z nim każdą wolną chwilę.

– Jak czuje się George? – zapytała uprzejmie Anne, choć w gruncie rzeczy niewiele ją to obchodziło.

Nigdy nie lubiła swojego szwagra, a czasami szczerze go nie znosiła.

– W tej chwili jest wyjątkowo zajęty pracą. Wykonuje mnóstwo dodatkowych zleceń dla Neda i prawie codziennie przesiaduje w Deravenels do późna. – Isabel nalała sobie drugą filiżankę herbaty i wrzuciła do niej plasterek cytryny.

Anne wiedziała, że nie jest to prawda. Ned był nadal wściekły na George'a o awanturę w Szkocji i z pewnością nie zamierzał zlecać mu żadnych dodatkowych prac. Richard i Will musieli naprawić sytuację za George'a i umowa zakupu gorzelni MacDonalda przez Deravenels została podpisana poprzedniego dnia. Sprawa była prosta – George kłamał, wieczorami widywał się z innymi kobietami. Jednak Anne nie mogła powiedzieć tego siostrze, więc tylko uśmiechnęła się i szybko zmieniła temat.

– Mama chce, żebyśmy wszyscy przyjechali do Thorpe Manor na Wielkanoc, Isabel, i my już się zgodziliśmy. Czy wy także przyjmiecie jej zaproszenie?

– Naprawdę nie wiem. George ma chyba nieco inne plany. Widzisz, liczył, że uda nam się wybrać do Europy. Mówił, że bardzo chciałby zabrać mnie do

Paryża na Wielkanoc, a ja powiedziałam, że byłoby po prostu cudownie... Pojechalibyśmy sami, więc czułabym się jak w czasie drugiego miesiąca miodowego.

– Masz rację, na pewno byłaby to wyjątkowa podróż – przytaknęła Anne.

Zastanawiała się, jak jej siostra znosi George'a. Był przystojny, to prawda, ale bezustannie kłamał, oszukiwał i terroryzował słabszych. Cóż, może Isabel widziała go w innym świetle. Kiedy były małymi dziewczynkami, każda wybrała sobie na męża jednego z braci Deravenel. Dla Anne zawsze istniał tylko Richard i wszyscy wiedzieli, że Isabel czuje to samo do George'a. Anne zdawała sobie sprawę, że teraz Isabel szaleje na punkcie urody George'a, zniewolona jego fizycznym urokiem.

Isabel, która uważnie przyglądała się Anne, poczuła nagle ostre ukłucie zazdrości. Jej siostra wyglądała doskonale, na dodatek miała na sobie bardzo elegancki i drogi kostium, no i perły... Co więcej, mieszkała w domu, który Isabel pragnęła dla siebie, podobnie jak jej mąż.

– To nasza własność – oświadczył George z naciskiem. – Lepiej przypomnij jej o tym i daj do zrozumienia, że przyszedł czas, aby pomyśleli o wyprowadzce!

Właśnie dlatego Isabel odwiedziła Anne. Na razie nie poruszyła jeszcze drażliwego tematu, ponieważ nie miała odwagi, wiedziała jednak, że niedługo będzie musiała wracać do domu, a przecież powinna wypełnić powierzone jej zadanie... W przeciwnym razie George z pewnością by ją ukarał...

Wzięła głęboki oddech.

– Czy mogłabym przejść się po domu, Anne? – odezwała się. – Spędziłam tu przecież prawie całe dzieciństwo...

Podniosła się i ruszyła w kierunku drzwi.

– Oczywiście! – Anne także wstała z kanapy. – Chodź, pójdziemy najpierw do biblioteki, dobrze? Tata uwielbiał ten pokój, pamiętasz? Zawsze powtarzał, że to jego schronienie...

Isabel potrząsnęła głową.

– Nie, nie pamiętam... – odparła chłodno.

Znowu wzruszyła ramionami i spojrzała na Anne, ogarnięta świeżą falą zazdrości. Pamiętała przede wszystkim to, że Anne była ulubienicą ojca. Neville Watkins świata nie widział poza Anne, no i Nan, ich matką. Ona, Isabel, mogłaby w ogóle nie istnieć...

Anne Watkins Deravenel, młoda kobieta o subtelnej urodzie, z cerą barwy wyzłoconej przez słońce brzoskwini, jasnobrązowymi włosami ze złocistymi refleksami, smukła i długonoga, była pełna uroku, śliczna i pogodna; jej starsza o parę lat siostra przypominała ją pod względem wyglądu, zawsze sprawiała jednak wrażenie niezadowolonej lub zatroskanej i często popadała w ponure nastroje. Nigdy nie była tak atrakcyjna jak Anne i doskonale o tym wiedziała.

Anne zauważyła niepokój siostry już na początku wizyty i teraz się zastanawiała, czy Ned miał rację. Ned często powtarzał, że Isabel wygląda na wiecznie zmartwioną, ponieważ jest głęboko nieszczęśliwa z George'em, który w życiu codziennym jest pewnie prawdziwym potworem. Anne nie miała co do tego cienia wątpliwości. Kiedyś spędziła parę tygodni z Isabel i George'em, który zachowywał się wobec żony złośliwie i małodusznie. Myślała wtedy, że George demonstruje w ten sposób antypatię do niej, lecz zza zamkniętych drzwi często dobiegały ją podniesione głosy, a na policzkach Isabel nie raz widywała ślady łez.

– O czym myślisz? – Isabel zerknęła na Anne, włączając światło przy drzwiach do biblioteki. – Robisz wrażenie przygnębionej.

– Nic mi nie jest – odparła Anne.

Myślała o tym, że George stale zdradza Isabel i nawet specjalnie się z tym nie kryje. Było to okropne.

W tym samym czasie Isabel zbierała siły do ataku. Próbowała znaleźć właściwy sposób i słowa, aby rozpocząć rozmowę na bardzo poważny temat. Chwilę przechadzała się po bibliotece, patrząc na przedmioty, które kiedyś należały do ich ojca, i wreszcie odwróciła się do Anne.

– Tak naprawdę nie masz prawa tu mieszkać, moja droga! – oznajmiła. – Ja jestem najstarszą spadkobierczynią taty, więc ten dom powinien być mój! Nasza matka popełniła wielki błąd, ofiarowując go tobie i Richardowi w prezencie ślubnym! Chyba wiesz, że nie miała prawa tego zrobić…

– Miała prawo – odrzekła Anne zdecydowanym tonem, nagle uświadamiając sobie, co ją czeka.

Ned ostrzegał ją i Richarda, mówił, że coś takiego może się wkrótce zdarzyć.

– Otóż, nie! – Isabel potrząsnęła głową. – Ojciec przyznał jej tylko prawo mieszkania tutaj do końca życia, ale dom nigdy nie był jej własnością!

– Bardzo się mylisz! – Anne podeszła bliżej i stanęła przed siostrą, nie spuszczając wzroku z jej twarzy. – Ojciec kupił ten dom dla mamy i od razu przekazał jej akt własności. To mama była jego właścicielką, nie tata, dlatego miała prawo zrobić z nim, co jej się podobało!

– Och, nie opowiadaj takich bzdur! Nic takiego nie miało miejsca, doskonale o tym wiesz! Zgodnie z prawem dom należy się mnie, bo jestem starsza od ciebie!

– Obie będziemy dziedziczyć majątek ojca, w równych częściach, ale dopiero po śmierci naszej matki! Nie zapominaj o tym, Isabel. Po jej śmierci!

– Nie musisz na mnie krzyczeć! – wymamrotała zrzędliwie Isabel. – Przyszłam dziś porozmawiać z tobą między innymi właśnie o tym domu. Chcielibyśmy wprowadzić się tu za parę miesięcy, więc powiedz Richardowi, żeby zaczął rozglądać się za nowym domem. Ten należy do mnie, to znaczy do nas.

– Chyba będzie lepiej, jeżeli usiądziesz – powiedziała Anne łagodniejszym, lecz wciąż całkowicie opanowanym tonem. Usiadła na sofie i wskazała Isabel stojący obok duży fotel. – Może tutaj? Muszę ci coś wyjaśnić.

Isabel, smukła i elegancka jak Anne, przeszła przez bibliotekę pełnym gracji krokiem i przysiadła na fotelu.

– Co chcesz mi wyjaśnić?

– Jak wygląda sytuacja... Rozumiem, że może to być dla ciebie bolesne, lecz wszystko, co powiedziałam ci o tym domu, to absolutna prawda. Ojciec podarował mamie dom, dał go jej w prezencie. Nigdy nie był jego właścicielem, ponieważ kupił go na jej nazwisko, rozumiesz? Ona zaś sprzedała go, zanim został nam przekazany.

– Sprzedała?! – Oczy Isabel rozszerzyły się ze złości. – Nie miała prawa go sprzedawać! Nie wierzę ci! Nie miała prawa!

– Wręcz przeciwnie, miała wszelkie prawo! Dom od początku stanowił jej własność, powtarzam ci! Mogła go spalić, gdyby przyszła jej na to ochota!

Isabel bez słowa wpatrywała się w siostrę.

– Mama sprzedała dom Nedowi, twojemu i mojemu szwagrowi – ciągnęła Anne. – Zaproponował jej dobrą cenę, zgodziła się, podpisała umowę i otrzymała ustaloną kwotę, Ned zaś niezwłocznie sporządził nowy akt własności, wypisany na Richarda. Właśnie dlatego dom jest nasz. Edward Deravenel kupił go dla nas, w akcie własności figuruje Richard, więc George nie może rościć sobie żadnych praw do tego domu, nie może nam go zabrać. Ani on, ani ty, moja droga...

Twarz Isabel pobladła z wściekłości. Kobieta podniosła się gwałtownie i zrobiła krok w kierunku Anne, która również wstała.

– Jeszcze zobaczymy – powiedziała lodowatym głosem i zanim Anne zdążyła zareagować, odwróciła się na pięcie i wyszła z biblioteki.

Anne dogoniła ją dopiero w holu, przy drzwiach wejściowych.

– Mówiłam ci, Isabel, że nic na to nie poradzisz! Dom stanowi naszą własność i jest to całkowicie zgodne z prawem!

Isabel prychnęła wzgardliwie i wyjęła płaszcz z szafy.

– George sam skontaktuje się z tobą! – warknęła. – A raczej z twoim mężem!

Anne kiwnęła głową.

– Poinformuję go o tym – odparła zimno.

Po wyjściu siostry ogarnęło ją uczucie ulgi. W myśli serdecznie podziękowała Nedowi za jego umiejętność przewidywania wydarzeń. Całe szczęście, że kupił dom i podarował im, sporządzając nowy akt własności.

Kiedy Edward wybiegł z domu Jane, Broadbent czekał już na niego w rolls-roysie i wóz natychmiast ruszył w stronę Mayfair oraz Berkeley Square.

Ned usadowił się wygodnie, próbując opanować wściekłość. Tym razem Elizabeth posunęła się za daleko i przyszedł czas, aby ją powstrzymać. Rozsiewanie złośliwych plotek na jego temat to jedno, lecz mieszanie Fenelli do tych historii to zupełnie co innego... Elizabeth opowiadała bzdury o Fenelli i o nim, i każdy z odrobiną oleju w głowie nie miał co do tego wątpliwości, niemniej trzeba było powiedzieć jej parę słów prawdy i zmusić do opamiętania.

W holu domu przy Berkeley Square przywitał go lokaj Mallet.

– Dobry wieczór, sir.

– Dobry wieczór! – Edward zrzucił płaszcz i podał go służącemu. – Gdzie pani Deravenel?

– Wydaje mi się, że w salonie na piętrze, sir.

– Dziękuję, Mallet!

Edward ruszył na górę, pokonując po dwa stopnie i otworzył drzwi salonu z taką siłą, że mocno uderzyły o pokrytą brokatem ścianę.

Elizabeth, która siedziała przy kominku, pogrążona w lekturze francuskiego magazynu mody, podskoczyła nerwowo i wyprostowała się. Na widok malującej się na twarzy Edwarda furii skuliła się w fotelu, a jej oczy rozszerzyły się ze strachu.

– Co się z tobą dzieje?! – krzyknął Edward, kopniakiem zatrzaskując drzwi za sobą. – Najwyraźniej oszalałaś, kobieto! Jak śmiesz rozsiewać takie historie o mnie i Fenelli Fayne, tak, przede wszystkim o niej, o kobiecie, która nigdy nie zrobiła ci nic złego, ani tobie, ani komukolwiek innemu, która zawsze traktowała cię serdecznie, przyjaźnie i z szacunkiem?! Jak śmiesz obrzucać błotem jej dobre imię?! A co z moją opinią?! Co z reputacją rodu Deravenel, twojej własnej rodziny, na miłość boską?! Nie masz ani odrobiny dumy?! Poczucia lojalności?! Nie pojmuję, po co wymyślasz takie kłamstwa! I nie pozwolę na to! Nie pozwolę, rozumiesz?!

– Nie wiem, o czym...

– Zamilknij! Nie wykręcisz się z tej sytuacji, nie wyłgasz, chociaż wcześniej nie raz ci się to udawało! Doskonale wiesz, o czym mówię!

– Edwardzie, ja...

– Kazałem ci zamilknąć! – ryknął Edward, z twarzą czerwoną z wściekłości. – Jesteś niewiarygodnie głupia!

Stojąc w odległości kilku kroków od niej, rozejrzał się po pokoju, ogarniając wzrokiem bezcenne obrazy postimpresjonistów, piękne antyczne meble, wspaniałe brokaty, jedwabie i aksamity. Bogactwo wystroju tego salonu budziło prawdziwy podziw. I wszystko to było jego zasługą, bo Elizabeth nie miała za grosz gustu. Mimo tego mieszkała w domu słynącym z piękna, uroku i elegancji.

– Mieszkasz w luksusie! – krzyknął. – Nosisz ubrania szyte przez największych krawców świata, jesteś zasypywana klejnotami! Daję ci wszystko, czego zapragniesz, niczego ci nie odmawiam! A ty plotkujesz o mnie! Ty, moja żona! – nieomal zakrztusił się ze złości. – To niewiarygodne, powtarzam! I wszystko to kłamstwa!

Elizabeth wtuliła się głębiej w fotel, nie śmiejąc wydusić choćby jedno słowo na swoją obronę, wiedziała bowiem, że nie ma prawa się bronić.

Edward patrzył na nią z góry, podobny do olbrzyma, z wyrazem niekłamanego obrzydzenia na twarzy. Przełknęła ślinę, starając się zachować spokój. Nie obawiała się fizycznej siły Edwarda – nigdy nie uderzyłby kobiety, był zbyt łagodny i dobrze wychowany, wszelkie przejawy przemocy fizycznej budziły w nim uczucie pogardy. Jednak jego słowa raniły ją jak zawsze... Kiedy był wściekły, wyrażał się jasno i dobitnie, a to, co mówił, przeszywało bólem jej duszę. Jakaż była głupia... Dlaczego mówiła o nim takie złe rzeczy? Miał rację – była idiotką.

Jakby czytając w jej myślach, Edward schylił się i zbliżył twarz do jej twarzy.

– Dlaczego? Dlaczego wymyśliłaś tę historię o Fenelli? Dlaczego powiedziałaś, że to ona jest matką Grace Rose? Dlaczego, Elizabeth? Dlaczego, na miłość boską?

– Nie... Nie wiem... – wybełkotała niepewnie.

– To dlatego, że chcesz mnie zranić, prawda?

Potrząsnęła głową.

– Ależ tak! – warknął lodowato. – Jesteś tak nieprzytomnie zazdrosna o każdą kobietę, jaką znam, że czujesz potrzebę, aby mnie w jakiś sposób ukarać, choćby za to, że się do którejś uśmiechnąłem! Albo za to, że z którąś łączy mnie prawdziwa przyjaźń, tak jak z Fenellą, którą znam niemal od urodzenia! A co z Vicky? Może ona będzie następna, co? Czy ją także niedługo zaczniesz oczerniać?

Elizabeth znowu zaprzeczyła bez słów. Nie miała nic na swoją obronę. Brat od dawna jej powtarzał, że jest głupia, i miał słuszność. Dlaczego robiła tak idiotyczne rzeczy? Czyżby Ned trafił w dziesiątkę? Czy naprawdę kierowała nią zazdrość? Podniosła głowę, spojrzała w bladą z wściekłości twarz, w zimne błękitne oczy i zaczęła szlochać.

– Przestań! – krzyknął. – Przestań, słyszysz?! Twoje łzy nie mają dla mnie żadnego znaczenia! Obrzuciłaś błotem nasze nazwisko, wyrządziłaś nam wszystkim trudne do określenia szkody! Najgorsze jednak, że znieważyłaś Fenellę, zraniłaś kobietę, która dopiero wraca do sił po bardzo poważnej chorobie! A wszystko to dlatego, że nie jesteś w stanie mną rządzić, zmusić mnie, bym był na każde twoje zawołanie! Brzydzę się tobą!

– Przepraszam... – zaczęła.

– Wcale nie przepraszasz, wcale nie jest ci przykro! Przypominasz George'a! Zawsze wywołujesz wokół siebie zamieszanie i nigdy nie żałujesz, że przy okazji zrobiłaś komuś krzywdę!

– Nie... Nie porównuj mnie z... Nie porównuj mnie z George'em... – wyjąkała, tracąc resztki panowania nad sobą.

Edward zignorował jej słowa, schylił się i jeszcze raz zbliżył twarz do jej twarzy.

– Posłuchaj mnie, moja pani, i to uważnie, bo nie zamierzam niczego powtarzać! Jeśli znowu ośmielisz się powiedzieć coś złego o mnie i moich przyjaciołach, obojętnie komu, to cię zostawię! Albo raczej ty zostawisz mnie! Każę wywieźć cię stąd na wieś, gdzie kupię ci mały domek! Dostaniesz odpowiednią sumę na utrzymanie i zostaniesz tam na stałe, bez możliwości powrotu do londyńskiego towarzystwa! Nie wrócisz ani do tego domu, ani do Londynu, przysięgam! Będziesz skazana na życie na wsi! Zapewnię ci ograniczone prawo kontaktu z dziećmi, chociaż i tak niewiele cię one interesują, no, może z wyjątkiem Młodego Edwarda, wyłącznie dlatego, że jest moim spadkobiercą i może okazać się ważny dla twojej przyszłości, oczywiście jeżeli mnie przeżyjesz! Rozumiesz, co mówię?! Wypędzę cię stąd!

Elizabeth bez słowa skinęła głową, dygocząc na całym ciele. Dobrze wiedziała, że Edward jest zdolny spełnić swoją groźbę. Miał w sobie sporo bezwzględności i nigdy nie rzucał słów na wiatr.

Edward odwrócił się i podszedł do drzwi.

– Dokąd idziesz? – wyszeptała.

– Wychodzę! – odparł lakonicznie i z rozmachem zatrzasnął za sobą drzwi.

Zbiegł na dół, odnalazł w spiżarni polerującego Malleta srebra i oznajmił:

– Nie wrócę dziś na kolację. Proszę o spakowanie mojej małej walizki, dobrze? Wystarczy kilka rzeczy – świeża bielizna, parę koszul, przybory do golenia. Przenocuję w klubie.

– Tak jest, sir!

– Nie musisz się śpieszyć, Mallet, mam teraz umówione spotkanie. Kiedy będę na miejscu, przyślę Broadbenta po walizkę.

– Zaraz ją przygotuję, panie Deravenel.

– Dziękuję, Millet, i dobranoc! Po odjeździe Broadbenta można już zamknąć dom.

– Tak, dobranoc, sir.

Lokaj stał chwilę w otwartych drzwiach, obserwując Edwarda schodzącego do zaparkowanego rolls-royce'a. Pan Deravenel był takim dobrym człowiekiem, zawsze gotowym śpieszyć z pomocą potrzebującym, mniej uprzywilejowanym niż on sam. Miał złote serce i otwartą kieszeń. Szkoda, że ożenił się z taką wiedźmą. Z kobietą, która bezustannie zniechęcała go do siebie…

– Głupia baba – wymamrotał, pełen antypatii do pani domu. – Ładna mi dama – dorzucił z pogardą, zamykając drzwi i idąc na górę, aby spakować rzeczy.

ROZDZIAŁ
DWUDZIESTY ÓSMY

– Chcę się rozwieść – powiedział cicho Edward, nie spuszczając błękitnych oczu z twarzy matki.

Cecily Deravenel, choć całkowicie zaskoczona, długą chwilę trwała w milczeniu.

– A więc sprawy zaszły aż tak daleko, Ned? – odezwała się w końcu.

– Obawiam się, że tak. Elizabeth jest... – Przerwał, szukając odpowiedniego słowa, najtrafniejszego określenia. – Po prostu nie da się z nią żyć – podjął. – Moim zdaniem jest nieobliczalna, może nawet niebezpieczna. Jest w stanie powiedzieć o mnie absolutnie wszystko, każde kłamstwo! Wymyśla bzdury i puszcza je w obieg, zresztą nie tylko o mnie, ale w ogóle o rodzinie Deravenelów!

Cecily zmarszczyła brwi. Jej szaroniebieskie oczy, identyczne jak oczy jej syna Richarda, przybrały wyraz głębokiego zamyślenia. Ogarnęło ją uczucie zniechęcenia i smutku.

– Najwyraźniej zdarzyło się coś, co bardzo cię zdenerwowało, Ned. Od chwili, kiedy stanąłeś w progu, jesteś w fatalnym nastroju. Co się stało? Powiedz mi, kochanie... Musimy o tym pomówić. Może uda nam się rozwiązać ten problem tak, żeby nikt nie ucierpiał.

Edward usiadł wygodniej na kanapie, skrzyżował nogi i wziął głęboki oddech.

– Elizabeth opowiada idiotyczną historię, która rzuca cień na reputację Fenelli... Opowiedziała ją jednej ze swoich sióstr, najpewniej tej idiotce Iris, a ta powtórzyła ją Maude Tillotson, która przekazała ją jeszcze komuś, i tak dalej, i tak dalej...

– O tobie i Fenelli? – Cecily zmrużyła oczy. – Ale przecież was dwoje zawsze łączyła tylko przyjaźń, nic więcej. Dlaczego Elizabeth wybrała jako przedmiot plotki akurat Fenellę, która cieszy się tak wielkim i powszechnym szacunkiem?

– Nie wiem... Z drugiej strony, może zupełnie przypadkiem podałaś właściwy powód. Fenellę kochają wszyscy jej przyjaciele i znajomi, a nawet ludzie, którzy w ogóle jej nie znają...

– I mówisz, że Elizabeth oskarżyła cię o romans z Fenellą?

– Tak, długotrwały romans. – Edward pochylił się nad stołem. – Zresztą to jeszcze nie wszystko.

Opowiedział matce całą historię, w takiej postaci, w jakiej usłyszał ją z ust Vicky Forth.

– Ależ to zwyczajnie oburzające! – wykrzyknęła z przerażeniem Cecily. – Wygląda na to, że Elizabeth chce narobić ci kłopotów. – Bezradnie pokręciła głową. – To śmieszne, ale i okropne... Zależy jej chyba, żeby zemścić się na tobie za jakieś urojone nieszczęścia.

Przerwała i zapatrzyła się w ogień. Jej umysł pracował jak zwykle szybko i sprawnie.

– Postąpiła naprawdę niegodziwie – podjęła po chwili.

– I destrukcyjnie...

– Kiedy się dowiedziałeś? – Cecily była szczerze zaniepokojona podstępnym zachowaniem synowej.

– Dziś po południu. Umówiłem się na herbatę z Vicky i moją przyjaciółką, chciałem bowiem dać Vicky czek na ośrodek rekreacyjny dla rannych weteranów, który zamierza założyć razem z Fenellą... Wspominałem ci o tym, prawda?

– Cieszę się, że zdecydowałeś się wesprzeć ten cel, to wspaniale... Więc dowiedziałeś się po południu i pojechałeś do domu, żeby rozprawić się z Elizabeth, czy tak?

– Tak... Próbowała wyprzeć się wszystkiego, ale nie chciałem słuchać. Zagroziłem, że jeżeli jeszcze raz wymyśli jakąś podłą historyjkę o mnie lub moich przyjaciołach, wyślę ją na wieś i skażę na życie w bardzo skromnych warunkach. I w samotności.

– Dobrze pomyślane. Elizabeth nie zniosłaby życia w skromnych warunkach, szczególnie na wsi, z dala od londyńskiej socjety. Nie umiałaby żyć poza Londynem.

– Wiem, ale wcale nie jestem pewny, czy zastosuje się do moich żądań! Dlatego pomyślałem o rozwodzie i postanowiłem porozmawiać o tym z tobą. Wtedy mógłbym pozbyć się jej w legalny sposób.

– Naprawdę zależy ci na rozwodzie, Ned? Powinieneś dokładnie przemyśleć konsekwencje takiego kroku. Pamiętaj też, że jesteśmy katolikami.

– Jakie właściwie znaczenie ma dziś religia, mamo? – Edward zaśmiał się ponuro. – Kilkaset lat temu mieliśmy katolickiego króla, który zerwał z papieżem, aby dostać rozwód.

– Tak, i został protestantem! – przerwała mu Cecily.

– Właśnie...

– Pozwól, że zadam ci drażliwe pytanie – zaczęła ostrożnie Cecily, mierząc syna badawczym spojrzeniem. – Czy chcesz ożenić się z panią Shaw?

– Nie wiem... Tak czy inaczej, moje intencje nie bardzo liczą się w tym wypadku, bo jestem całkowicie pewny, że Jane nie chce za mnie wyjść i nie zrobiłaby tego, nawet gdybym był wolny.

– Dlaczego, na miłość boską? – W głosie Cecily zabrzmiało szczere zdumienie.

– Gdybyśmy zostali małżeństwem, Jane by uznała, że stworzyłem swoisty wakat dla... Dla nowej kochanki. Nie zniosłaby takiej sytuacji, w każdym razie tak mi się wydaje.

Cecily uśmiechnęła się lekko, następnie westchnęła i znowu zamyśliła się głęboko, jakby zapadając się w siebie.

– Co skłoniło Elizabeth do rozsiewania takich plotek? – zagadnęła po chwili. – Chciała cię zranić? A może zrobiła to z zazdrości? Z zazdrości o Jane Shaw?

– Całkiem możliwe, chociaż z pewnością w grę nie wchodzi tylko chęć zadania mi bólu czy tylko zazdrość o Jane... Elizabeth jest zazdrosna o każdą kobietę, niezależnie od wieku, która znajduje się blisko mnie i którą darzę sympatią.

Wstał, podszedł do kominka i stanął przed nim w swojej zwykłej pozie.

– W czasie świąt okazała nawet zazdrość o własną córkę, dziewięcioletnią dziewczynkę – ciągnął. – Wpadła w złość, ponieważ kupiłem Bess małą broszkę, srebrny drobiazg z kilkoma brylantowymi iskierkami. Nie była droga, w sam raz dla małej dziewczynki, ale Elizabeth była wściekła i wcale tego nie ukrywała. To przerażające, nie uważasz?

– Tak, ja też to zauważyłam – przyznała Cecily.

– Osobna sprawa to Grace Rose – podjął Edward. – Czasami Elizabeth demonstruje zazdrość o Grace i więzi, które mnie z nią łączą. Jest także zazdrosna o twoje uczucie do Grace, chociaż na pewno nigdy ci o tym nie mówiła. W ostatnich tygodniach słyszałem od mojej żony niejedną sarkastyczną uwagę na temat Grace Rose i jej radości z tego, że ma być druhną na ślubie Fenelli.

Wzruszył ramionami, rozłożył ręce i bezradnie potrząsnął głową.

– Nie ulega wątpliwości, że Elizabeth jest bardzo zazdrosna z natury – powiedziała Cecily. – Sama kilkakrotnie zwróciłam uwagę na jej reakcje. Nie znosi, kiedy okazujesz innym kobietom sympatię czy zainteresowanie, nawet najzupełniej platoniczne. Mój drogi, wszystko to razem jest po prostu chore. Mam na myśli taki rodzaj zachowania. To rezultat całkowicie irracjonalnego, niezdrowego sposobu myślenia. Ciekawe, jak oceniłby postępowanie twojej żony mądry doktor Zygmunt Freud. – Lekko uniosła brwi.

– Uważasz, że Elizabeth wymaga leczenia psychiatrycznego, mamo?

– To całkiem możliwe, ale nie odbiegajmy od sedna sprawy. Posłuchaj mnie bardzo uważnie, Ned... Po pierwsze, jeżeli rozpoczniesz postępowanie rozwodowe, narazisz siebie i całą rodzinę na paskudne plotki i rozmaite kłopoty. Elizabeth będzie tak rozjuszona, że nie cofnie się przed niczym, aby cię zniszczyć. Zatrudni najlepszych prawników, twardych i bezwzględnych, którzy ukrzyżują cię bez mrugnięcia okiem. Napuszczą na ciebie prywatnych detektywów i rozgrzebią całe twoje życie, zajrzą do wszystkich jego zakamarków. Pani Shaw padnie ich ofiarą, Vicky i Grace Rose staną się celem rozmaitych złośliwości Elizabeth. Wybuchnie olbrzymi skandal, a na to nie możemy sobie przecież pozwolić, prawda?

– Nie możemy, masz rację. Nie potrzeba nam dodatkowych plam na reputacji naszej rodziny, wystarczy to, co zrobił George, zadłużając się w domach gry. A przy okazji – dziękuję, że mu pomogłaś, przemówiłaś do rozsądku i zmusiłaś, żeby oddał mi pieniądze.

Cecily bez słowa skinęła głową i obrzuciła Edwarda długim spojrzeniem.

Edward także milczał, patrząc na nią uważnie. Nie zamierzał rozmawiać teraz z matką o George'u, imię brata wymknęło mu się przypadkiem. Zdawał sobie sprawę, że musi zaakceptować fakt, iż Cecily z jakiegoś powodu zawsze chroni młodszego brata. Podejrzewał, że będzie to robiła do śmierci. Cóż, nikt nie mógł jej tego zabronić.

– Naprawdę uważam, że rozwód z Elizabeth nie byłby dobrym rozwiązaniem, kochanie – odezwała się cicho Cecily. – Szczególnie w tych okolicznościach, nie sądzisz?

Edward powoli pokiwał głową.

– Co mogę zrobić, na miłość boską? – zapytał ze zmęczeniem. – Jak mam z nią żyć po czymś takim? Po takiej niegodziwości?

– Założę się, że śmiertelnie ją przestraszyłeś, grożąc wygnaniem z Londynu. – Czy to była pusta groźba, Ned, czy też mówiłeś poważnie?

– Najzupełniej poważnie! Nic innego nie przyszło mi do głowy, pomyślałem, że to jedyny sposób, aby się jej pozbyć, oczywiście poza rozwodem.

– I słusznie! Oto moja rada – zapomnij o rozwodzie czy o legalnej separacji i żyj tak jak do tej pory. Powinieneś tylko częściej przebywać poza domem, najlepiej sam, jeśli rozumiesz, co mam na myśli. Podróżuj z Willem Haslingiem albo z Richardem i nadal bądź dobrym, troskliwym mężem, hojnym i wyrozumiałym, który ma własne życie na boku, podobnie jak większość mężczyzn z naszej klasy. I bądź dyskretny, zwłaszcza jeśli chodzi o panią Shaw. Nie stwarzaj żadnych problemów, idź własną drogą, tak jak dotąd. Pamiętaj też, że rzeczywiście możesz skazać Elizabeth na skromne życie na wsi, jeśli zechcesz. Jestem przekonana, że ona nie zapomni o tej groźbie.

– Ja także! Zrobię, jak proponujesz, mamo.

– I jeszcze coś – dorzuciła Cecily. – Nie wybaczaj zbyt łatwo! Trzymaj ją na dystans, jak najdłużej zdołasz. Nie postępuj nierozważnie, ale pamiętaj, że to ty trzymasz w ręku wszystkie karty. Elizabeth korzysta z twoich pieniędzy i pozycji, i pewnie wolałaby umrzeć niż stracić te bonusy.

– Masz rację. A co ze ślubem Fenelli i z dziewczynkami, mamo? Jak mam postąpić?

– Nie powinieneś nawet pytać, Ned! To jasne, że twoje córki mogą być druhnami Fenelli, ona i jej ojciec, hrabia Tanfield, zawsze byli naszymi przyjaciółmi. Nie chcę słyszeć od twojej żony ani słowa przeciwko tej propozycji! Obiecaliśmy to Fenelli, a Deravenelowie nigdy nie cofają danego słowa! Powiedz mi jeszcze, dokąd wybierałeś się dziś wieczorem, zanim postanowiłeś wstąpić do mnie i poprosić o radę. – W oczach Cecily zabłysły iskierki rozbawienia.

– Do mojego klubu.

– Nie jedź tam, kochanie, nie dzisiaj. Klub to zbyt chłodne miejsce dla mężczyzny z małżeńskimi problemami! Lepiej będzie, jeśli odwiedzisz swoją przyjaciółkę! W takiej sytuacji powinieneś mieć przy sobie czułą, kochającą kobietę, mój drogi.

Po wyjściu syna Cecily Deravenel długo jeszcze siedziała przy kominku w swoim niewielkim salonie i rozmyślała o jego problemach. Zawsze czuła, że Elizabeth Wyland nie będzie dobrą żoną dla Neda – zrozumiała to w chwili, gdy pierwszy raz ujrzała wybrankę syna.

Ale teraz było przecież za późno, aby wybić mu ją z głowy. Poślubił Elizabeth w tajemnicy. To małżeństwo, zawarte pod wpływem impulsu i raczej niekorzystne, stało się przyczyną nieporozumień między Nedem i Neville'em Watkinsem, otworzyło przepaść, która nadal istniała, mimo że Neville i John Watkinsowie zginęli w tragicznym wypadku samochodowym w Ravenscar. Dopiero po ich śmierci kobiety z obu rodów znowu zbliżyły się do siebie.

Ned nie był szczęśliwy w małżeństwie. Wszyscy o tym wiedzieli i nie mieli wątpliwości, że przyczyną jest charakter i osobowość Elizabeth, kobiety chciwej, zaborczej, zazdrosnej i ambitnej. Dla Cecily nie było też tajemnicą, że jej synowa jest istotą płytką i pozbawioną empatii.

Mimo tego wszystkiego Elizabeth nadal fascynowała Edwarda w łóżku, a z ich zmysłowego, nasyconego seksualnością związku rodziły się cudowne dzieci. Cecily pomyślała o wnukach, kochanych, ślicznych dziewczynkach oraz dwóch równie jej drogich chłopcach. Na moment skupiła myśli wokół swojej ukochanej Bess, niezwykłej istocie, pięknej zewnętrznie i wewnętrznie, zaledwie dziewięcioletniej. Cecily kochała wszystkie wnuki, ale Bess była wyjątkowa i można było spodziewać się po niej wielkich rzeczy. Dziewczynka była praktyczna, rozważna i inteligentna, bardziej podobna do ojca niż do matki.

Kiedy Ned wspomniał o rozwodzie, Cecily była kompletnie zaskoczona. Pierwszy raz poruszył ten temat i sama myśl o takiej możliwości przeraziła ją. Uważała, że będzie dużo lepiej, jeśli syn nadal będzie żył jak do tej pory, unikając stwarzania problemów prowadzących do trwałego rozdźwięku i gorzkich wyrzutów.

Elizabeth na pewno nie chciała rozwodu i zrobiłaby wszystko, aby zaszkodzić Edwardowi – Cecily nie miała co do tego cienia wątpliwości. Wybuchłby ogromny skandal, a Ned i tak nigdy nie pozbyłby się Elizabeth, nawet gdyby otrzymał rozwód. Poza tym trzeba było brać pod uwagę dzieci. Wnuki Cecily potrzebowały ojca, który uwielbiał je i chętnie spędzał z nimi czas, podczas gdy matka pozostawiała je własnemu losowi, zdane na towarzystwo Niani i nowej guwernantki, panny Elliot.

Cecily zadała sobie nagle pytanie, czy jakaś inna matka wysłałaby syna do kochanki, tak jak ona zrobiła to tego wieczoru. Owszem, może niejedna w takich okolicznościach postąpiłaby podobnie, pragnąc pocieszyć zrozpaczonego syna, zwłaszcza jeżeli kochanka byłaby pełną współczucia, dobrą kobietą, która nigdy nie wysuwała żadnych żądań…

Wiele lat temu Cecily postanowiła dowiedzieć się wszystkiego o pani Shaw i z ulgą przekonała się, że kochance Neda trudno byłoby cokolwiek zarzucić. Edward był przy niej bezpieczny. Cecily miała nadzieję, że pojechał do Jane, a nie do klubu, gdzie piłby alkohol z innymi mężczyznami, popadając w coraz większe przygnębienie. Nie chciała widzieć go nieszczęśliwym i zniechęconym do życia, pragnęła, aby pocieszyła go osoba, która najwyraźniej kochała go całym sercem i była gotowa zrobić wszystko, aby poprawić jego nastrój.

R O Z D Z I A Ł
DWUDZIESTY DZIEWIĄTY

– Przepraszam, że cię niepokoję, Jane – powiedział Richard. – Szukam Neda. Czy jest może u ciebie?

– Nie, nie ma go – odparła Jane, zaciskając palce na słuchawce, mimo woli zaniepokojona. – Nie spodziewałam się go dziś wieczorem, możliwe jednak, że wpadnie.

– Rozumiem... Rozmawiałem z Malletem, ale wiesz, jacy są lokaje, nigdy nie można wyciągnąć od nich prostej odpowiedzi, instynktownie unikają udzielania informacji o swoich pracodawcach. Rozmawiałem też z naszą matką i wiem, że był u niej wcześniej. Tak czy inaczej, czy mogłabyś go poprosić, aby zadzwonił do mnie, gdyby przyszedł? Mam mu coś ważnego do przekazania.

– Powtórzę mu to, oczywiście! Dobranoc, Richardzie.

– Dobranoc! Jeszcze raz przepraszam za kłopot.

– Nic nie szkodzi, wszystko jest w jak największym porządku. – Jane odłożyła słuchawkę.

Sięgnęła po książkę, którą wcześniej czytała, ale nie mogła się skoncentrować. Jej myśli krążyły wokół Edwarda Deravenela, mężczyzny, którego kochała i który zawsze wydawał się żyć na linii ognia.

Kiedy rozstali się po południu, był bardzo rozgniewany i Jane wiedziała, że pojechał do domu, aby rozprawić się z Elizabeth. Cóż, nie miał innego wyjścia, musiał to zrobić. Była pewna, że Edward rozwiąże nieprzyjemną sytuację jak należy – kiedy okoliczności tego wymagały, potrafił być twardy, nawet bezwzględny. Teraz powinien uciszyć żonę, skłonić ją, aby przestała wymyślać niestworzone historie i rozsiewać kłamstwa o nim, a także o Fenelli, kłamstwa, które stawały się podstawą do okropnych, szkodliwych plotek.

Elizabeth zawsze stwarzała kłopoty, Jane wiedziała o tym od dawna, nie miała jednak prawa mówić Edwardowi, w jaki sposób powinien poradzić sobie z fatalnym zachowaniem żony. Nie była to jej sprawa.

Ze słów Richarda wynikało, że Edward był wieczorem u matki przy Charles Street; może Cecily Deravenel pomogła mu znaleźć jakąś radę na całe to zło. Cecily była mądrą, obytą w świecie i doświadczoną kobietą; posiadała ogromną wiedzę i dobrze rozumiała ludzi oraz ich motywacje.

Małżeństwo Neda nie było idealne, o czym wiedzieli wszyscy jego bliscy, Jane miała jednak świadomość, że Edward Deravenel nie jest nieszczęśliwym człowiekiem.

Miał dzieci, kochał je i uwielbiał z nimi przebywać. Miał też jej towarzystwo, przyjaźń, wspólne zainteresowania oraz namiętność, jaka ich łączyła. Bardzo lubił jej dom, dom, który pomógł urządzić i umeblować, i czerpał wielką przyjemność z przebywania z nią pod wspólnym dachem. Umiał rozluźnić się w spokojnej atmosferze, jaką stworzyła, i czuł się u niej naprawdę swobodnie. Śmiało można było powiedzieć, że ich związek był dla Neda spokojnym, bezpiecznym portem; często żartował, że są jak stare dobre małżeństwo.

Poza tym Ned był bardzo szczęśliwy w pracy i czuł się całkowicie spełniony zawodowo. Firma znaczyła dla niego naprawdę dużo. Z przyjemnością przyjeżdżał codziennie do Deravenels, lubił tę rutynę, wyzwania, triumfy, rozwiązywanie problemów oraz możliwość koleżeńskiej wymiany myśli z dwoma najwyżej stojącymi w hierarchii dyrektorami.

Pracował praktycznie bez przerwy, czerpał z pracy ogromną radość i był dumny ze wszystkiego, co udało mu się osiągnąć przez czternaście lat, które poświęcił na zarządzanie Deravenels. Dzięki niemu rodzinna firma stała się największym przedsiębiorstwem handlowym na świecie i świadomość tego napawała Edwarda wielką satysfakcją.

Cieszył się swoim sukcesem, sławą, władzą, pieniędzmi oraz przywilejami, które towarzyszyły jego pozycji, lecz w przeciwieństwie do wielu równie wpływowych ludzi miał czas dla wszystkich, od portierów, pilnujących frontowych drzwi budynku, po telefonistki, maszynistki, sekretarki i przedstawicieli zarządu.

Był przyjacielem wszystkich. Jako człowiek wyjątkowej dobroci, rozumiał potrzeby każdego, kto się do niego zgłaszał, i nic nie było dla niego zbyt kłopotliwe. Nigdy nie mówił o nikim źle i nikogo nie krytykował. Za jego motto można byłoby uznać słynne: „Żyj i pozwól żyć innym".

Bliscy przyjaciele doskonale wiedzieli, że jest absolutnie lojalny. Kiedy mieli trudności, stał u ich boku i nie szczędził wysiłków, aby wydobyć ich z tarapatów. Był też filantropem i nie liczył się z pieniędzmi, gdy w grę wchodziło ulżenie doli naprawdę potrzebujących, niemających takiego powodzenia w życiu jak on. Mówiąc najprościej, Edward był prawdziwie dobrym człowiekiem.

Ci, którzy znali go nie gorzej niż Jane – Fenella, Vicky, Stephen oraz Will, czyli jego paczka, jak ich nazywał – wysoko cenili jego charakter i szczerze go kochali. Ich wierność wobec niego była niezachwiana, a poświęcenie bez granic.

Ludzie, którzy w ogóle go nie znali, uważali go za snoba, kobieciarza i playboya, widzieli bowiem jedynie wybitnie przystojnego mężczyznę w drogich, eleganckich ubraniach i oceniali go na podstawie rzeczy mało istotnych. Niektórzy brali jego wyjątkową pewność siebie za arogancję, co także było fałszywym osądem. Tak czy inaczej, ludzie ci nie liczyli się w oczach Edwarda. Jego przyjaciele świetnie wiedzieli, że nie jest snobem, kobieciarzem, playboyem ani człowiekiem aroganckim. Jane uważała zresztą, że Ned nigdy nie uganiał się za kobietami – był jej wierny, podobnie jak wcześniej był wierny Lily Overton.

I jeżeli nawet niektórzy określali go mianem niewiernego męża i cudzołożnika, to jakież to miało znaczenie... Zwykle sądy takie wygłaszali ludzie, którzy nic nie wiedzieli o jego życiu prywatnym, no i naturalnie nie znali Elizabeth, jędzowatej, kłótliwej i kłopotliwej żony, do której większość jego bliskich czuła antypatię.

Jane rozejrzała się dookoła, nadal myśląc o swoim mężczyźnie. Biblioteka i błękitno-żółty pokój były ulubionymi pokojami Neda w jej domu. Kochał biblioteki, uwielbiał projektować je i urządzać, pewnie dlatego, że książki były również jego wielką pasją.

Jej biblioteka wyłożona była drewnem pomalowanym na szczególny odcień jabłkowej zieleni, rozmytej przydymioną szarością, który Ned nazywał „zielenią francuską"; Jane kolor ten zawsze kojarzył się z zaciągniętą zasłoną mgły łąką.

Ściany zasłaniały półki z książkami, wśród których nie brakowało pierwszych wydań, wyszukanych przez Edwarda dla Jane. Prawie wszystkie tomy oprawione były w czerwoną marokańską skórę; ta sama barwa powtarzała się w tkaninach, którymi obito krzesła i kanapy, natomiast zasłony uszyto z szarozielonego aksamitu. Był to wygodny pokój, pokój, w którym mężczyzna mógł czuć się naprawdę dobrze, chociaż wystrój nie był utrzymany w zdecydowanie męskim tonie.

Jane poprosiła wcześniej służącego, aby rozpalił ogień w kominku i teraz była z tego bardzo zadowolona. Dzień był słoneczny i ciepły jak na marzec, ale wieczorem pogoda się zmieniła, temperatura znacznie spadła i zerwał się ostry, porywisty wiatr.

Sięgnęła po książkę i próbowała znowu zająć się lekturą, gdy nagle dobiegł ją cichy trzask zamykanych frontowych drzwi. Zerwała się, odłożyła książkę na stolik i pośpieszyła do holu, gdzie z ulgą zobaczyła zdejmującego płaszcz Neda.

– Przepraszam, że cię nie uprzedziłem, kochanie – powiedział, rzucając okrycie na ławę i biorąc ją w ramiona. – Nie chciałem nawet dzwonić do drzwi, żeby nikogo nie niepokoić.

– Nie żartuj, nic się nie stało! – Ujęła go pod ramię i wprowadziła do biblioteki. – Jesteś blady i chyba bardzo zmęczony, prawda? Mam nadzieję, że rozmowa z Elizabeth nie była zbyt denerwująca.

– Nie. – Edward potrząsnął głową. – I jestem prawie pewny, że nic podobnego więcej się nie powtórzy. Wybacz, ale nie mam ochoty o tym rozmawiać, kochanie. Najchętniej po prostu zapomniałbym o całym tym zdarzeniu. – Wstrząsnął ramionami, podszedł do ognia i jak zwykle stanął plecami do kominka. – Z przyjemnością napiję się szkockiej, ale nie dzwoń po Wellsa, proszę. Sam sobie naleję.

– Nie, nie, ja to zrobię! I żebym nie zapomniała – jakieś pół godziny temu dzwonił Richard i chciał z tobą rozmawiać, mówił, że to ważne. Wcześniej telefonował na Berkeley Square i na Charles Street, lecz nikt nie miał pojęcia, gdzie cię szukać.

– Dobrze.

Edward podszedł do biurka w stylu króla Jerzego, usiadł i wybrał numer telefonu brata w Chelsea. Richard natychmiast podniósł słuchawkę.

– Szukałeś mnie, stary? – zapytał Ned ciepłym tonem.

– Tak, dziękuję, że dzwonisz! Jesteś u pani Shaw, prawda?

– Przed chwilą wszedłem. Jane powiedziała mi, że masz dla mnie jakąś ważną wiadomość.

– Właśnie! Słuchaj, George znowu dziś narozrabiał! Isabel niespodziewanie wprosiła się do Anne na herbatę i nagle oświadczyła, że dom jest jej, a raczej ich dwojga, jej i George'a, i że mamy się z niego wyprowadzić. Co ty na to?

Ned odrzucił głowę do tyłu i wybuchnął gromkim śmiechem.

– No, no, coś takiego! Co Anne odpowiedziała siostrze?

– Że kupiłeś dom od ich matki, zapłaciłeś za niego i zaraz potem podarowałeś go nam, to znaczy mnie. Wyjaśniła jej, że nasz dom w żaden sposób nie stanowi ich własności.

– Brawo dla Anne! Isabel pewnie wyszła, wygłosiwszy parę gróźb, i wróciła do domu, aby powtórzyć wszystko George'owi, tak?

– Wyszła mocno rozzłoszczona, ale nic więcej nie wiem. – Richard zaśmiał się cicho. – Mogę tylko dziękować Bogu za twoją zdolność przewidywania, Ned! Wszystko wskazuje na to, że George nadal szaleje...

– Mam nadzieję, że jednak nie, Dick! Uspokoiłem małą burzę w Deravenels, a ty i Will załatwiliście sprawę z Ianem MacDonaldem i ostatecznie dobiliście targu, miałem więc nadzieję na odrobinę spokoju.

– Postaram się więc, żebyś miał spokój – powiedział Richard. – Wszyscy się o to postaramy! A jeśli chodzi o George'a, to dzięki tobie nie może nic zrobić w sprawie mojego domu. Mojego domu – jak to miło brzmi.

– Cieszę się, mój drogi. Porozmawiamy jutro, jeśli nie masz nic przeciwko temu, bo właściwie prawie nie zdążyłem jeszcze przywitać się z moją przyjaciółką i chyba zachowuję się mało uprzejmie.

– Oczywiście, Ned, dobranoc! Do zobaczenia jutro w pracy!

Jane wróciła ze szkocką dla Neda i kieliszkiem szampana dla siebie.

– George znowu sprawia problemy – powiedział, kiedy wygodnie usadowili się przy ogniu.

– No nie, to nie do zniesienia! – wybuchnęła Jane z przerażeniem.

– Owszem, ale tym razem uprzedziłem jego posunięcie.

– Zawsze jesteś szybszy. – Jane ściągnęła brwi. – Co znowu wymyślił?

– Nieprędko otrząśnie się ze zdumienia, jestem tego pewny...

I Edward opowiedział Jane o wizycie Isabel u Anne oraz o tym, jak żona Richarda osadziła siostrę na miejscu. Jane przyniosła mu drugiego drinka i słuchała go z ogromną uwagą. Ani razu nie wspomniał o Elizabeth i Jane także unikała tego tematu.

Zdawała sobie sprawę, że był naprawdę zmęczony, na skraju wyczerpania. W jego głosie brzmiała nuta znużenia, a policzki pozostały blade, chociaż zwykle w cieple, zwłaszcza po drinku, pokrywały się rumieńcem. Bladość Edwarda i ton jego głosu mocno niepokoiły Jane, wskazywały bowiem wyraźnie, że jest wyczerpany. On, zwykle tak silny i pełen życia, teraz sprawiał wrażenie człowieka, którego zasoby energii uległy wyczerpaniu.

Dużo później powiedział, że spędzi u niej noc i razem poszli na górę. Kiedy rozkoszując się spokojem i ciszą, leżeli w ciemności, wśród świetlistych cieni, jakie rzucały na ściany, tańczące w kominku płomienie, Ned zapadł w drzemkę, lecz po paru chwilach otrząsnął się z senności.

– Przepraszam cię, kochanie, chyba na moment zasnąłem... – zaśmiał się słabo.

Jane uniosła się na łokciu.

– Powinieneś zasnąć. Masz za sobą bardzo męczący dzień... Chodźmy spać, najlepiej od razu!

– Przepraszam – powtórzył. – Jestem kompletnie wykończony, nie dam rady kochać się z tobą dziś wieczorem. – Otoczył ją ramieniem. – Możemy przyjąć, że zostałaś porządnie wycałowana, skarbie?

– Jak najbardziej – odparła. – Śpij już, Ned.

Ku jej wielkiej uldze zasnął prawie natychmiast, ale ona długo jeszcze leżała nieruchomo, martwiąc się o niego. Ostatnio spotkało go wiele złego, zwłaszcza ze strony George'a, któremu należała się chłosta za niegodziwe zachowanie. Jane nigdy nie ufała młodszemu bratu Edwarda, uważała George'a za chciwego, zdradzieckiego drania. Nie przepadała też za Richardem, Małą Rybką, jak od dziecka nazywał go Edward. Najmłodszy z braci Deravenel był jej zdaniem skryty i nadmiernie ostrożny. Jane miała zaufanie do najbliższych przyjaciół Edwarda, nie do jego rodziny, może z wyjątkiem matki, która darzyła najstarszego syna wielką miłością.

Wkrótce także zasnęła, lecz jej sen był niespokojny, wypełniony obrazami walczących ze sobą Deravenelów, zemsty, śmierci oraz zniszczenia.

Anthony Wyland był człowiekiem wyjątkowym. Honorowy, lojalny i uczciwy, w razie potrzeby bez wahania oddałby życie za Edwarda. Kiedy parę lat wcześniej Wyland Merchant Bank popadł w kłopoty, to Edward pośpieszył na pomoc Anthony'emu, ofiarowując mu środki na ratowanie firmy. Anthony powiedział mu wtedy szczerze, aby nie marnował pieniędzy na wyciąganie z tarapatów banku i poprosił o pracę. Ned natychmiast zatrudnił go w Deravenels i nigdy tego nie żałował, podobnie jak Anthony.

Anthony pracował dla Edwarda od kilku lat; doświadczenie, znajomość finansów i umiejętności czyniły z niego nieocenionego pracownika. Poza sferą czysto zawodową Wyland podzielał liczne zainteresowania Edwarda, szczególnie w dziedzinie literatury i sztuki. Szybko zostali bliskimi przyjaciółmi, nie tylko kolegami i powinowatymi.

Teraz, w deszczowe czwartkowe popołudnie pod koniec marca, Anthony siedział z siostrą w bibliotece w domu Edwarda przy Berkeley Square. Elizabeth przyjęła go z pewną rezerwą, wiedziała bowiem dobrze, dlaczego wprosił się na herbatę, przywitała się jednak serdecznie i zapytała o zdrowie matki.

Na całe szczęście Mallet wniósł herbatę w niewygodnej chwili, kiedy Elizabeth wymieniła imię ich siostry Iris. Anthony podejrzewał, że Elizabeth pozwoliła sobie na wynurzenia właśnie wobec Iris, rodzinnej gaduły i plotkary. Zdaniem Anthony'ego Iris była kompletną idiotką.

– Mam nadzieję, że w przyszłości dasz sobie spokój z pogawędkami z Iris, Lizzie – odezwał się, gdy Mallet nalał im herbaty i wyszedł. – To ryzykowna powiernica, jak dobrze wiesz...

– Nieprawda! Iris jest cudowna! I nie nazywaj mnie „Lizzie", bardzo proszę, nie znoszę tego!

Anthony skrzywił się lekko, słysząc ton głosu siostry. Przyszedł do niej z najlepszymi intencjami, tymczasem ona zachowywała się opryskliwie bez najmniejszej prowokacji z jego strony. Ostatnio nie miał dla niej dużo czasu i szczerze współczuł Nedowi, który musiał radzić sobie z nią na co dzień. Nie wątpił, że Elizabeth jest bardzo trudna, miał o niej ugruntowaną opinię. Biedny Ned...

Spokojnie pociągnął łyk herbaty.

– Nie traktuj mnie w ten wyniosły sposób, Elizabeth – rzekł powoli. – Jestem jednym z niewielu przyjaciół, jacy ci jeszcze zostali. Prawdziwych przyjaciół!

– Nie sądzę, pracujesz przecież dla niego! A właśnie – gdzie on jest? Od paru dni w ogóle nie zjawia się w domu!

– Nie mam pojęcia. Najprawdopodobniej w klubie, skoro tutaj go nie ma.

Przyglądała mu się w milczeniu, popijając herbatę.

Jest piękna, pomyślał Anthony, ogarniając siostrę spojrzeniem. Miała trzydzieści osiem lat, ale wyglądała na dwudziestoośmioletnią dziewczynę, może nawet młodziej. Jej upięte w koronę włosy były jak płynne białe złoto, cera mlecznobiała, bez skazy i zmarszczek, jasnoniebieskie oczy przejrzyste jak kryształ. Zachowała też idealną figurę. Nie była wysoka, ale od wczesnej młodości nie przybrała ani grama na wadze – była smukła, miała jędrne, wysokie piersi i cudowne nogi. Nic dziwnego, że Ned tak często lądował w jej łóżku. Na całym świecie niewiele było równie pięknych kobiet. Co za szkoda, że taka z niej wiedźma.

– Gapisz się na mnie! – warknęła.

– Po prostu cię podziwiam, to wszystko. – Anthony pochylił się do przodu. – Posłuchaj mnie, moja droga – zaczął ugodowym tonem. – Ned jest dobrym mężem, dba, żebyś miała wszystko, czego dusza zapragnie, więc daj mu trochę spokoju, dobrze?

– Nie zrobiłam mu nic złego! Dlaczego tak do mnie mówisz?

– Dobrze wiesz, że puściłaś w obieg paskudne kłamstwa na temat Neda i Fenelli Fayne.

– Bo cała ta opowiastka o tym, jak to Finnister znalazł Grace Rose w zaułku Whitechapel, i jak to jej matką była niejaka Tabitha James, to wierutne bzdury! Nie istniał nikt taki jak Tabitha James! To była Fenella, zawsze ona! Edward sypia z nią od lat! Wtedy zaszła w ciążę i urodziła tę dziewczynę, i całkiem możliwe, że znowu urodzi mu jakiegoś bękarta! Fenella to dziwka, tak jak wszystkie kobiety w jego życiu!

Anthony cofnął się instynktownie, przerażony wybuchem siostry. Czy Elizabeth oszalała? Czy jego siostra była wariatką? Nie chciał myśleć w ten sposób, widział jednak, że wierzyła w brednie, które wylewały się z jej ust.

Odchrząknął.

– Widziałem dowody, dokumenty, który znalazła Vicky – wyjaśnił cierpliwie. – Widziałem je, możesz mi wierzyć. Myślę, że powinnaś dać spokój tej sprawie. Wyrządziłaś już trudne do oszacowania szkody, oczywiście do spółki z Iris.

Patrzyła na niego tępo, jakby nie pojmowała, co do niej mówi.

– Wstydzę się za was obie! – krzyknął nagle ze złością. – Obie zachowałyście się w sposób godny najwyższej pogardy! Jak możesz rozsiewać plotki o własnym mężu?!

– To mój mąż jest godny najwyższej pogardy! Gdzie jest teraz, na miłość boską?! Możesz odpowiedzieć na to pytanie?!

Anthony odstawił filiżankę na spodeczek i wstał.

– Nie powinnaś mówić o swoim mężu takim tonem – powiedział. – Dobrze, że słyszałem to tylko ja, a nie kto inny... Jeżeli nie przestaniesz, pewnego dnia możesz obudzić się bez męża! Trzymaj buzię na kłódkę, jeśli idzie o Edwarda Deravenela i jego rodzinę, dobrze ci radzę! Uważaj, żebyś nie została zupełnie sama, moja droga! Do widzenia, Elizabeth. Powinnaś posłuchać mnie dla własnego dobra!

– Jak śmiesz tak się do mnie odzywać?! – krzyknęła.

Nikt jej nie odpowiedział. Anthony wyszedł, zatrzaskując za sobą drzwi.

Gdy Edward Deravenel wracał do domu późnym wieczorem, zawsze szedł do biblioteki, aby chwilę odpocząć i napić się koniaku. Mallet czekał na niego czasami, ale nie zawsze, tym razem nie było go, ponieważ miał wolny dzień i jak zwykle wybrał się w odwiedziny do siostry w Maida Vale.

Edward otworzył drzwi, wszedł do środka i przystanął. Na krześle pod ścianą siedziała jego żona, zdenerwowana i mizerna; była śmiertelnie blada, pod jej oczami rysowały się fioletowe cienie.

– Dlaczego tu siedzisz? – Zmarszczył brwi. – Nie wątpię, że czekasz na mnie, ale dlaczego tutaj, a nie na górze?

– Muszę z tobą porozmawiać – odparła przyciszonym głosem.

– W tej chwili raczej nie mamy sobie wiele do powiedzenia, nie sądzisz? Moim zdaniem, odbyłaś dosyć rozmów, przynajmniej na razie...

Elizabeth pochyliła głowę.

– Przepraszam cię, Edwardzie, naprawdę przepraszam. Proszę, proszę, powiedz, że mi wybaczasz.

– Obawiam się, że trochę potrwa, zanim ci wybaczę! Jeszcze nie doszedłem do siebie po twoim ostatnim występie!

– Tak mi przykro – szepnęła drżącym głosem.

– Nie płacz, bo to nic ci nie da. – Podszedł do barku, nalał sobie koniaku i stanął przed kominkiem. – Splugawiłaś nasze nazwisko i skrzywdziłaś dobrą, uczciwą kobietę! Fenella nie zrobiła ci przecież nic złego, na miłość boską! Wręcz przeciwnie, zawsze zachowywała się wobec ciebie bardzo przyjaźnie! Zupełnie nie rozumiem twojego zachowania!

– Ja też, Ned. – Elizabeth nerwowym ruchem splotła ręce na kolanach. – Naprawdę nie rozumiem, dlaczego zrobiłam coś takiego. Myślę, że to przez tę okropną zazdrość, która mnie dręczy. Jestem o ciebie zazdrosna, podejrzewam inne kobiety, że chcą mi cię odebrać, mogę się do tego przyznać. I nic nie mogę na to poradzić.

– Fenella praktycznie od dziecka jest przyjaciółką naszej rodziny i nigdy nie łączyły nas żadne romantyczne uczucia! Nie ma też żadnych innych kobiet, o które mogłabyś być zazdrosna, Elizabeth!

Otworzyła usta, aby coś powiedzieć, lecz zaraz znowu je zamknęła, świadoma, że lepiej go nie drażnić. Czekała przecież na jego powrót po to, aby go przeprosić, nie oskarżać...

– I nawet nie wspominaj o mojej kochance – rzekł z naciskiem. – Ona istnieje, tak, to prawda, ale mężczyźni tacy jak ja zwykle mają kochanki. Możesz być wdzięczna losowi, bo kobieta, o której mówię, nie sprawia żadnych kłopotów ani mnie, ani tobie, ani naszej rodzinie. Pozycja, jaką zajmuje w moim życiu, całkowicie jej odpowiada. Ty także musisz zaakceptować tę sytuację!

– Wiem i akceptuję ją. – Elizabeth podniosła się z krzesła, podeszła do męża i ujęła go za ramię. – Proszę cię, Ned, zostawmy to wszystko za sobą.

Długo wpatrywał się w jej twarz, potem powoli zdjął jej rękę ze swojego rękawa.

– Zrobię, co w mojej mocy – powiedział bardzo cicho. – Dla dobra dzieci. Teraz idź już do łóżka, bo zrobiło się bardzo późno.

– Nie przyjdziesz na górę?

– Raczej nie. Mam mnóstwo pracy.

ROZDZIAŁ
TRZYDZIESTY

Londyn, 1920

Była środa, trzydziesty pierwszy marca. Jej urodziny. Dwudzieste urodziny... Grace Rose prawie nie mogła w to uwierzyć, ale tak właśnie było. Nagle, dosłownie z dnia na dzień, poczuła się zupełnie dorosła. Bardzo dorosła.

Poprzedniego wieczoru ojciec nazwał ją „prześliczną młodą damą", ona zaś obdarzyła go promiennym uśmiechem, uściskała i powiedziała, że jest bardzo szczęśliwa, bo ma jego i Vicky, najwspanialszych rodziców na świecie. I naprawdę była bardzo, bardzo szczęśliwa.

Właśnie poprzedniego dnia przy kolacji Vicky i Stephen oświadczyli, że są bardzo dumni z niej i wszystkich jej osiągnięć. Grace Rose zalała wtedy ogromna fala miłości i wdzięczności. Stephen dodał, że czeka ją cudowna przyszłość, a ona nie widziała żadnego powodu, aby mu nie wierzyć, ponieważ zawsze mówił jej tylko prawdę.

Marzenie Grace o studiach spełniło się dzięki matce i przez ostatni rok mieszkała w Oksfordzie, pilnie uczęszczając na wykłady. Cieszyła się każdą chwilą spędzoną w tym cudownym starym mieście o lśniących wieżach, pełnych uroku skwerach i pięknej architekturze. Pobyt w stolicy wiedzy był dla niej niezwykłym doświadczeniem, wspaniałym przeżyciem, które miała wspominać z radością do końca życia.

Grace Rose studiowała historię Anglii i Francji, swoje ulubione dziedziny. Miała nadzieję, że kiedyś zostanie historykiem, sama będzie wykładała i pisała książki. Uwielbiała pisać i uważała, że może właśnie pisanie jest jej życiowym celem.

Kiedy nie słuchała wykładów, pracowała w swoim dużym, wygodnym pokoju w pięknym starym domu Millicent Hanson, przy jednej z cichych, spokojnych uliczek. Serdeczna przyjaciółka matki przyjęła ją bardzo ciepło i Grace

Rose od razu poczuła się u siebie wśród antyków i książek. Pani Hanson troszczyła się o nią, lecz nie wtrącała się w jej sprawy i nie próbowała żyć jej życiem, dając dziewczynie poczucie absolutnego bezpieczeństwa. Czasami siadały razem do posiłku i ten układ sprawdzał się znakomicie. Millicent była pisarką i pracowała nad książką w gabinecie na górze; zawsze powtarzała, że Grace Rose może korzystać z całego domu, nic więc dziwnego, że on się stał dla młodej studentki przytulnym, miłym schronieniem.

– Grace Rose! – zawołała Vicky z dołu. – Broadbent już po nas przyjechał! Pośpiesz się, kochanie!

– Już schodzę, mamo! – odpowiedziała, wystawiając głowę zza drzwi swojego pokoju.

Pośpiesznie chwyciła niebieski płaszcz, wieczorową torebkę oraz rękawiczki i uważnie spojrzała na swoje odbicie w lustrze.

Bardzo podobała jej się sukienka, którą miała na sobie, nowa, specjalnie zaprojektowana i uszyta dla niej przez Madame Henriette z intensywnie błękitnego jedwabiu, doskonale skrojona, dopasowana, z wąską spódnicą do połowy łydki. Ta długość była ostatnim krzykiem mody i wyglądała doskonale. Grace Rose z uśmiechem popatrzyła na perły, które dostała na urodziny – naszyjnik od rodziców, bransoletę od Amosa i kolczyki od Fenelli i Marka. Zerknęła na nowy zegarek od Cartiera, prezent od wuja Neda; wskazywał godzinę siódmą.

Zamknęła za sobą drzwi sypialni i zbiegła na dół, podekscytowana perspektywą urodzinowej kolacji w restauracji hotelu Ritz, kolacji wydanej przez wuja Neda. Mieli usiąść do stołu w osiem osób – Grace Rose i jej rodzice, Fenella i Mark, Amos, wuj Ned i Jane Shaw. Grace nie miała cienia wątpliwości, że czeka ją wspaniały wieczór.

Kiedy zostawili okrycia w szatni, Vicky ujęła Grace Rose za ramię.

– Mamy spotkać się z wujem Nedem na górze, kochanie – wyjaśniła. – Maisie oraz jej mąż przyjechali z Irlandii i zaprosili nas na szampana z okazji twoich urodzin.

– Och, jak to miło! – zawołała Grace Rose, idąc z Vicky w kierunku windy. – Co robi tata? – spytała, oglądając się za siebie.

– Pewnie prosi tego młodego człowieka w recepcji, żeby nas zaanonsował. O, już idzie.

Po chwili wszyscy troje znaleźli się w jadącej na piąte piętro windzie.

– Idziemy do sali w końcu korytarza – powiedział Stephen.

Sekundę później pukał już do podwójnych drzwi apartamentu. Otworzył je Edward Deravenel. Z szerokim uśmiechem chwycił Grace za rękę i szybko wciągnął do pokoju, gdzie czekało na nich kilkanaście osób.

– Wszystkiego najlepszego, Grace Rose! – wykrzyknęli chórem obecni. – Wszystkiego najlepszego z okazji urodzin!

Grace Rose była tak zaskoczona i oszołomiona, że nie mogła wydobyć głosu ze ściśniętego wzruszeniem gardła. Z najwyższym trudem powstrzymała łzy i rozejrzała się po pokoju. Mężczyźni byli w eleganckich ciemnych garniturach, kobiety w pięknych sukniach. Obok Fenelli i Marka stała Jane Shaw – obie kobiety wyglądały przepięknie w modnych kreacjach i biżuterii. Po przeciwnej stronie, przy kominku, Grace dostrzegła ciocię Cecily, bardzo dostojną w ciemnoróżowych jedwabiach, ze sznurem pereł, i Bess, opartą o jej fotel. Bess była po prostu prześliczna w szkarłatnej sukni, kolorze prawie nigdy niewybieranym przez rudowłose, który znakomicie podkreślał urodę dziewczynki. U boku Bess stał najdroższy, najlepszy z ludzi Amos Finnister, a po jego drugiej ręce, uśmiechnięty wesoło Charlie Morran ze swoją nową przyjaciółką Roweną Crawford. Obok Roweny Grace ujrzała Maisie, siostrę Charliego, w szafirowej sukni i szafirach, zachwycającą jak gwiazda sceny, którą kiedyś była, razem z jej mężem Liamem – świat znał tych dwoje jako lorda oraz lady Dunleith.

Łzy napłynęły do oczu Grace Rose, kiedy spojrzała na wuja Neda, wiedziała bowiem, że to on zorganizował to przyjęcie i zaprosił wszystkich ludzi, którzy byli jej drodzy. Wargi jej zadrżały, lecz nagle, gdy zobaczyła szeroki uśmiech na jego przystojnej twarzy, sama uśmiechnęła się radośnie.

– Moja dzielna dziewczynka! – zawołał Ned, prowadząc Grace oraz Vicky i Stephena na środek salonu.

Grace Rose w jednej chwili otoczył tłumek życzliwych ludzi.

Jedenastoletnia Bess, przyrodnia siostra Grace, bardzo dorosła z wyglądu, podbiegła do niej pierwsza.

– Mam dla ciebie piękny prezent! – rozpromieniła się w uśmiechu. – Tata pozwolił mi go wybrać! Dam ci go później!

– Bardzo dziękuję. – Grace Rose odwróciła się do Amosa, który uściskał ją i pocałował w policzek.

– Wszystkiego najlepszego, Grace Rose – rzekł cicho, pełen dumy i miłości.

Dziewczyna uniosła rękę, pokazując mu bransoletę i uśmiechem dziękując za prezent. Fenella życzyła jej wielu takich szczęśliwych okazji i ucałowała ją z czułością, podobnie jak Mark, a Grace podziękowała im za kolczyki. Potem podeszła do niej Jane Shaw.

– Dziękuję za skórzaną teczkę, Jane – powiedziała Grace. – Jest przepiękna!

Jane uśmiechnęła się do niej serdecznie. Ona i Grace zaprzyjaźniły się przed dwoma laty i kiedy dziewczyna była w Londynie, często się spotykały.

Grace Rose usłyszała swoje imię i odwróciła się do Charliego, który podszedł, aby przedstawić jej Rowenę.

Wreszcie dziewczyna mogła przejść na drugą stronę pokoju, gdzie przy kominku czekała na nią ciotka Cecily.

– Pozwól mi na siebie popatrzeć, kochanie – Cecily Deravenel odezwała się z pełnym czułości uśmiechem. – Dobry Boże, prawdziwa z ciebie piękność. I jesteś tak podobna do…

Zawiesiła głos, lecz Grace Rose wiedziała, że Cecily zamierzała powiedzieć, iż jest podobna do swojego ojca.

Grace schyliła się i ucałowała starszą panią w policzek.

– Należysz do rodziny Deravenel, wygląd tego dowodzi, wnuczko! – szepnęła jej Cecily do ucha. – Wszystkiego najlepszego!

– Dziękuję, ciociu Cecily. – Grace z trudem przełknęła ślinę.

Była mocno poruszona, ponieważ Cecily Deravenel pierwszy raz nazwała ją wnuczką.

– I bardzo dziękuję za komplet na toaletkę – dodała. – Te srebrne szczotki do włosów i lusterko z moimi inicjałami są prześliczne. Będę je zawsze miała przy sobie!

– To podarunek miłości. – Cecily uśmiechnęła się lekko.

Jej oczy zamgliły się łzami. Bess przypominała Neda, nawet bardzo, lecz Grace Rose, jego pierworodne dziecko, była do niego uderzająco podobna.

Grace przeprosiła na chwilę Cecily i podeszła do Maisie, którą wcześniej spotkała dwukrotnie, kiedy ta przyjechała do Charliego, a także do Liama, jej męża, którego jeszcze nie miała okazji poznać.

– Co za cudowny zbieg okoliczności, że akurat gdy przyjechaliśmy do Londynu na Wielkanoc, Charlie przekazał nam zaproszenie od twojego wuja na uroczystą kolację z okazji twoich urodzin – powiedziała Maisie, przedstawiwszy Liama jubilatce.

– Ja też bardzo się z tego cieszę – przytaknęła Grace. – Charlie świetnie wygląda, prawda?

– Tak! I wreszcie poznał miłą młodą damę... – uśmiechnęła się Maisie. – Oczywiście ma sporo miłych znajomych, ale wiele wskazuje na to, że ta bardzo przypadła mu do gustu...

Nagle w sąsiednim pokoju rozległa się seria odgłosów, towarzyszących otwieraniu butelek z szampanem i po chwili dwaj kelnerzy wnieśli tace z wysokimi kieliszkami i zaczęli częstować gości.

Do Grace Rose zbliżył się teraz Charlie.

– Mam dla ciebie prezent, ale dostaniesz go trochę później. – Odchrząknął. – Rowena pomogła mi go wybrać – oświadczył nieśmiało.

– Dziękuję, Charlie! Twoja znajoma robi wrażenie wyjątkowo miłej osoby i jest bardzo ładna!

– Dziękuję. – Charlie uśmiechnął się szeroko. – Dobrze, że zyskała twoją aprobatę!

Grace Rose roześmiała się razem z nim. W ciągu ostatnich dwóch lat ona i Charlie serdecznie się zaprzyjaźnili, pewnie między innymi z racji bardzo podobnego poczucia humoru.

– Twoja twarz wygląda o wiele lepiej – zauważyła Grace w typowy dla siebie szczery, bezpośredni sposób. – Zabieg ścierania skóry zdziałał cuda, blizny są prawie niewidoczne! Chirurdzy poskładali cię z kawałków, trudno to inaczej nazwać!

Charlie parsknął śmiechem, jak zwykle szczerze rozbawiony jej prostolinijnym sposobem wyrażania się.

– Dobrze, że wszyscy obecni widzieli mnie przed zabiegami, nie sądzisz? W przeciwnym razie nie zrozumieliby, co masz na myśli!

Rumieniec oblał dekolt i szyję Grace Rose i popełzł w górę, ogarniając jej policzki.

– Strasznie mi przykro, nie chciałam postawić cię w krępującej sytuacji – powiedziała cicho. – Ale naprawdę uważam, że świetnie wyglądasz i jestem pewna, że niedługo wrócisz na scenę.

– Taką mam nadzieję.

– Ja również! Nie mogę się już doczekać, kiedy zobaczę cię w teatrze! Założę się, że Rowena ma podobne odczucia. Zamierzasz się z nią ożenić?

Charlie uśmiechnął się i lekko wzruszył ramionami.

– Nie wiem – zniżył głos. – Jeszcze nie poprosiłem ją o rękę, ale kiedy to zrobię, ty dowiesz się pierwsza.

Grace zaśmiała się cicho i przeszła dalej. Chciała zamienić parę słów z Jane Shaw i już po chwili obie pogrążyły się w ożywionej rozmowie.

Jako gospodarz, Edward czuwał nad wszystkim i dbał, aby kelnerzy szybko i sprawnie dolewali gościom szampana oraz białego wina. Gdy przechadzał się po salonie dużego apartamentu, który wynajął na przyjęcie, Cecily zdołała zwrócić na siebie jego uwagę. Podszedł do niej i pochylił się nad jej krzesłem.

– Wszystko w porządku, mamo? – zapytał. – Podać ci coś? Może jeszcze kawioru albo kieliszek szampana?

– Mam wszystko, czego mi potrzeba, Ned. Zastanawiałam się tylko, gdzie są Will i Kathleen... Nie mogli przyjść?

– Nie, przyjdą, ale Will wyjechał w interesach, oczywiście interesach Deravenels, więc trochę się spóźnią. Za nic w świecie nie zrezygnowaliby z udziału w przyjęciu na cześć Grace Rose.

– Wiesz, dziś po południu przypomniałam sobie coś interesującego i pomyślałam, że powinnam ci o tym powiedzieć. – Lekko dotknęła dłoni syna. – Nie wiem, dlaczego wyleciało mi to z głowy.

Ned zmarszczył brwi.

– Brzmi to poważnie. Co takiego sobie przypomniałaś?

– Wiele lat temu, zaraz po twoim ślubie, Neville powiedział, że gdyby nie to zawarte w tajemnicy małżeństwo, mógłbyś ożenić się z Blanche, córką Louisa Charpentiera. Neville'owi bardzo zależało na tym mariażu, więc trochę narzekał, twierdził nawet, że go zawiodłeś.

– Znam tę historię, mamo! Do czego zmierzasz?

– Neville wspomniał też wtedy, że Henry Turner jest spokrewniony z Louisem Charpentierem przez swoją matkę Margaret Beauchard, o czym ja wcześniej nie wiedziałam. Dodał, że twoje małżeństwo z Blanche zlikwidowałoby przepaść istniejącą między Deravenelami Grantami z Lancashire i Deravenelami, naszą rodziną.

Ned wybuchnął śmiechem.

– Sądzę, że jednak nie mówił tego poważnie, mamo! Na pewno nie! Jestem absolutnie pewny, że Margaret Beauchard i jej syn są moimi zaprzysięgłymi wrogami, naszymi wrogami, i wtedy także nimi byli! Ostatecznie Turner jest przecież spadkobiercą Henry'ego Granta. Niektórzy podważają jego prawo do dziedziczenia, ale Henry nie pozostawił po sobie nikogo innego, jak wiesz. Poza tym Turner odziedziczył udziały Granta w Deravenels. Na szczęście ma ich za mało, aby narobić nam kłopotów, zresztą, odkąd przejąłem firmę, zawsze honorowaliśmy te udziały! Ostatnio osobiście sprawdzałem ich wartość, więc wiem, że wszystko jest w jak najlepszym porządku. Dywidendy są regularnie wypłacane Margaret Beauchard, która przechowuje je dla syna.

– No, no, nic o tym nie wiedziałam – powiedziała cicho Cecily, obrzucając syna nieco zdumionym wzrokiem. – Nigdy mi o tym nie mówiłeś.

– Nie przyszło mi po prostu do głowy, że może to mieć jakiekolwiek znaczenie, mamo. Grantowie mają udziały w Deravenels od kilkuset lat, muszę cię jednak zapewnić, że zdecydowana ich większość jest w naszych rękach, a w gruncie rzeczy tylko to się liczy, prawda? Nie zapominaj też, że to ja zarządzam firmą i mam pod kontrolą wszystkie strony jej działalności.

Cecily uśmiechnęła się do niego.

– Zdaję sobie sprawę, że kierujesz Deravenels żelazną ręką.

– Żelazną ręką w aksamitnej rękawiczce!

Cecily pomyślała, że chłopięcy, pełen uroku uśmiech syna zawrócił w głowie niejednej kobiecie.

W tym momencie drzwi się otworzyły i do salonu weszli Will Hasling z żoną Kathleen, siostrą nieżyjących Neville'a oraz Johnny'ego Watkinsów i siostrzenicą Cecily Deravenel. Ciemnowłosa, urodziwa Kathleen wyglądała jak młodsza wersja swojej ciotki; miała piękne, szlachetne rysy i świetną sylwetkę.

Edward pośpieszył ku świeżo przybyłym i wprowadził do pokoju. Kiedy już przywitali się ze wszystkimi i wzięli z tacy kieliszki z szampanem, Kathleen usiadła obok Cecily, natomiast Will i Ned odeszli na stronę i pogrążyli się w cichej rozmowie.

– Jest tak, jak myślałeś – rzekł Will. – Naszemu staremu przeciwnikowi Louisowi Charpentierowi bardzo zależało na wydaniu bratanicy za kogoś z rodziny Deravenel – stara historia, co? Podobno kiedyś prosił Meg o pomoc w tej sprawie, ale na szczęście twoja siostra miała dość zdrowego rozsądku, aby zniechęcić go do tego pomysłu. Myślę, że nagle uświadomiła sobie, że Louis, ten stary lis, mógłby wcześniej czy później spróbować wyrządzić ci jakąś krzywdę i przejąć firmę. Okazało się, że ostatecznie ty byłeś dla niej ważniejszy niż George, dlatego wierzę, że udało ci się zdusić w zarodku potencjalny spisek, kiedy z nią porozmawiałeś. Twoja siostra jest wobec ciebie naprawdę lojalna, lecz trzeba też przyznać, że trafiłeś w dziesiątkę z tą interwencją.

Edward westchnął.

– George jest potwornym głupcem! – Ze smutkiem potrząsnął głową. – Ciągle pragnie władzy, myśli, że może mnie pokonać i w jakiś sposób zaszkodzić. Isabel zmarła dopiero sześć miesięcy temu, a on już rozgląda się za nową żoną!

– I ma potężne ambicje, mój drogi! – zauważył Will. – Szuka bardzo majętnej żony, ot co! Właśnie dlatego bratanica Charpentiera wydała mu się idealną kandydatką. Po tym, jak Blanche umarła przy porodzie, a wraz z nią jej dziecko, Louis musiał wyznaczyć nową dziedziczkę i w ten sposób Louise zyskała zupełnie nową pozycję...

– Nie tracę tego z oczu, wierz mi – zapewnił go Edward. – A co z tą drugą sprawą? Dowiedziałeś się czegoś o Henrym Turnerze?

– Tak, i jestem z siebie naprawdę zadowolony! Jean-Paul bardzo mi pomógł – dobrze, że to właśnie on zarządza paryskim przedstawicielstwem Deravenels, bo okazał się cholernie dobrym dyrektorem. Wynajął świetnie wykwalifikowanych prywatnych detektywów i dowiedział się, że Henry Turner zamierza znowu pracować dla Louisa Charpentiera, wyobrażasz sobie? Otrzymał wyższe stanowisko, chociaż nie zostało to jeszcze podane do publicznej wiadomości. Najwyraźniej Turner jest świetnym biznesmenem. Ostrożny, czujny, oszczędny, może nawet trochę skąpy – nudny facet, zdaniem prywatnych detektywów. Nie wpadli na trop żadnego skandalu, w którym brałby udział, nie słyszeli żadnych plotek. Osobiście uważam, że Louis przygotowuje go do jakiegoś wyjątkowo ważnego zadania.

– Masz na myśli małżeństwo z Louise?

– Chyba nie... Louis Charpentier jest zdecydowanym przeciwnikiem małżeństw między kuzynami, nie aprobuje takich związków.

– Rozumiem. – Edward kiwnął głową. – Więc teraz wszystko już wiemy. Musimy mieć Turnera na oku, prawda, Will?

– Oczywiście! Niewykluczone, że na dłuższą metę okaże się groźnym przeciwnikiem.

Pół godziny później, kiedy wszyscy wypili już sporo szampana i białego wina oraz spróbowali najlepszego kawioru, Ned zaprosił gości do sąsiedniego pokoju. Był to drugi salon, który tego wieczoru pełnił rolę jadalni.

Dwóch kelnerów otworzyło szeroko drzwi i wszyscy zajęli miejsca przy długim, nakrytym na szesnaście osób stole. Na białym obrusie, na samym środku, widniały bukieciki białych róż w srebrnych miseczkach, a między nimi białe świece w wysokich srebrnych świecznikach. Blask świec odbijał się w srebrach i kryształach, i cały stół lśnił, jakby ktoś obsypał go srebrzystymi iskierkami. Na komodach i stolikach pod ścianami ustawiono wazony z kwiatami i świece, co także nadawało salonowi niezwykle uroczysty wygląd.

Ned rozejrzał się dookoła i z przyjemnością spostrzegł, że wszyscy goście wydają się bardzo zadowoleni. Wiedział, że wszyscy kochali i podziwiali Grace Rose i z radością świętowali jej urodziny.

Tworzyli emanującą ciepłem, szczęśliwą grupę przyjaciół, byli rozluźnieni i rozgadani. Nie ulegało wątpliwości, że świetnie się bawili. Tuż przed podaniem pierwszego dania Ned lekko postukał widelcem w szklankę.

– Chciałbym wznieść toast za Grace Rose w jej dwudzieste urodziny – powiedział, unosząc wysoki kieliszek z szampanem.

Wszyscy pozostali poszli za jego przykładem.

– Wszystkiego najlepszego, Grace Rose! – zawołali chórem.

– Wiem, że niektórzy z was chcieliby coś powiedzieć, wygłosić krótką mowę, aby uhonorować Grace, i bardzo się z tego cieszymy – ciągnął Edward. – Sądzę jednak, że wszyscy już zgłodnieliśmy, więc najpierw zjedzmy kolację, a później wznośmy następne toasty. Jeszcze później Grace Rose otworzy prezenty.

Kelnerzy w białych rękawiczkach wnieśli duże półmiski z wędzonym łososiem i pstrągiem, koszyczki z ciemnym chlebem i masłem, talerzyki z pokrojonymi na ćwiartki cytrynami oraz sosjerki z kremem chrzanowym.

Ned nachylił się do ucha siedzącej po jego prawej ręce matki.

– Zamówiłem dwa główne dania – powiedział. – Pieczoną kaczkę z sosem wiśniowym oraz jagnięcy udziec ze wszystkimi możliwymi dodatkami.

– Wezmę chyba jagnięcinę, chociaż uwielbiam pieczoną kaczkę. – Cecily zerknęła na Neda kątem oka. – Will właśnie wrócił z Paryża, czy tak?

– Tak. Nie mamy się czym martwić, ponieważ Meg spełniła swój obowiązek wobec Deravenels... Nie popiera już planów Charpentiera, niewczesna propozycja została zdławiona w zarodku, w każdym razie tak ujął to Will...

– Co za ulga! – westchnęła Cecily.

Ned był tego samego zdania. Małżeństwo jego niedawno owdowiałego brata George'a z dziedziczką fortuny Louisa Charpentiera było ostatnią rzeczą, jaka była mu potrzebna. Wyglądało na to, że stary lis, jak Louisa nazywał Will, nadal miał zakusy na Deravenels, a George sądził, że dzięki Charpentierowi uda mu się pozbawić Edwarda władzy i przejąć rodzinną firmę. Edward zdawał sobie sprawę, że jego brat stał się niebezpieczny. Od przedwczesnej śmierci Isabel, która kilka miesięcy wcześniej zmarła przy porodzie, zachowywał się gorzej niż zwykle. Po krótkiej żałobie znowu pokazał swoją prawdziwą twarz, wiecznie niezadowoloną, nadąsaną i pełną złości. Edward spodziewał się, że w najbliższej przyszłości George stanie się przyczyną poważnych kłopotów, jego i firmy. Na szczęście był tego świadomy i gotowy do walki.

Z trudem otrząsnął się z dręczących go myśli. Ten wieczór miał być szczęśliwy, zwłaszcza dla Grace Rose. Ned pragnął, aby cieszyła się wydanym na jej cześć przyjęciem i sam także zamierzał dobrze się bawić.

CZĘŚĆ DRUGA

NED

Prawda i miłość

Prawda to prawda, a miłość to miłość;
Daj nam łaskę, abyśmy posmakowali obydwóch.
Lecz jeśli prawda obraża moją słodką,
Odsunę ją od siebie obiema rękami.
Alfred Edgar Coppard

W dzikim sanktuarium pozostaw
Niedostępną dolinę wspomnień.
Ellen Glasgow, *Pewna miara*

Ten, kto zna innych, jest mądry;
Ten, kto zna siebie, jest oświecony.
Lao Cy

R O Z D Z I A Ł
TRZYDZIESTY PIERWSZY

Konstantynopol, 1921

Ropa. Czarna, cuchnąca, tłusta ropa. Czarne złoto. Jego od dawna pielęgnowane marzenie o odkryciu złóż ropy stało się prawdą. Nareszcie...

Edward Deravenel siedział na tarasie pięknego domu na brzegu Bosforu. Był słoneczny lipcowy ranek i Edward powoli sączył gorącą miętową herbatę, jadł migdałowe ciasteczka i myślał o swojej ropie.

Firma wydobywcza Deravco. Stało się. Miał teraz roponośne pole w południowej Persji, a zawdzięczał to uporowi, zdolności przewidywania oraz innym cennym talentom Jarvisa Mersona, w którego zawsze wierzył, oraz współpracownika tego ostatniego, Herba Lipsona. No i swoim pieniądzom, oczywiście, bo przecież to on sfinansował poszukiwania i sprzęt.

Merson i Lipson dotrzymali wszystkich obietnic, jakie złożyli. Odkryli duże, bogate w ropę pole naftowe w długiej dolinie, w miejscu, na które wcześniej wykupili koncesję od szacha. Próbki gleby oraz skał, instynkt i wsparte doświadczeniem wyczucie podpowiedziały im, że teren obfituje w ropę naftową, ten najcenniejszy towar. Odwierty w dolinie rozpoczęli latem 1918 roku, kiedy to otrzymali finansowe wsparcie od Edwarda, który stał się ich pełnoprawnym wspólnikiem. Postanowił zaryzykować, postawił na dwóch nafciarzy, wręczył im czek na ogromną sumę i modlił się, aby odnieśli sukces.

Wszystko zaczęło się w maju 1918 roku. Merson i Lipson zaskoczyli Edwarda, gdy przybyli do Londynu w drodze do Persji. Umówił się z nimi na lunch w Rules i właśnie wtedy zdołali go namówić, aby został ich wspólnikiem. Ich entuzjazm, wiara w siebie oraz doświadczenie natchnęły Neda nadzieją i zaufaniem.

Alfredo Oliveri i Will Hasling, także zaproszeni na lunch w Rules, początkowo mieli spore wątpliwości co do projektu. Oliveri zauważył, że wykupienie koncesji i przystąpienie do odwiertów to dopiero początek.

– Załóżmy, że rzeczywiście znajdziecie ropę – powiedział. – Będziecie potrzebowali ogromnych pieniędzy, aby kontynuować operację, pieniędzy na wydobycie, składowanie, oczyszczenie i transport... Tak, niewiele zrobicie bez stałego dopływu gotówki. – Uniósł brwi i znacząco popatrzył na Edwarda. – Jaka powinna to być suma? Milion funtów? Może nawet dwa? Jesteś gotowy zaryzykować aż tyle, Edwardzie?

Teraz Edward przypomniał sobie, że w pierwszej chwili skrzywił się lekko, zdołał jednak zachować uśmiech na twarzy i błyskawicznie podjął decyzję w oparciu o instynkt. Miał zaufanie do Mersona, a Lipson także zrobił na nim pozytywne wrażenie.

– Dobry argument, Oliveri, ale chyba jednak dołączę do tych dwóch łowców przygód – powiedział. – Nie zaryzykuję jednak funduszu Deravenels. Najprawdopodobniej masz rację, ryzyko faktycznie jest duże, zresztą naftowy biznes w ogóle jest ryzykowny. Tak czy inaczej, wierzę w tych dwóch facetów i zamierzam ich wesprzeć, tyle że własnymi pieniędzmi. Jeżeli nie znajdą ropy, stracę tylko ja. Jeżeli im się uda, Deravenels zwróci mi pieniądze i Deravco stanie się własnością firmy. Co ty na to?

Oliveri kiwnął głową, a Will roześmiał się głośno.

– Właśnie zaakceptowałeś projekt naszych amerykańskich przyjaciół, a ponieważ masz dobrą rękę do nowych pomysłów, z pewnością im się uda! Wypijmy za nowe przedsięwzięcie!

Pięciu mężczyzn zgodnie uniosło kieliszki, wznosząc toast za perskie plany biznesowe.

Po przybyciu do południowej Persji i uzyskaniu koncesji od szacha Merson i Lipson szybko połączyli oba zespoły, złożone z poszukiwaczy ropy z Ameryki, Anglii oraz z Baku w Azerbejdżanie, największym porcie w Rosji i głównym ośrodku rosyjskiego przemysłu naftowego. W 1918 roku rosyjska rewolucja wydawała się powoli wygasać, lecz mimo tego wielu nafciarzy uciekło z Baku do Persji, gdzie znajdowali zatrudnienie w dużych firmach, głównie amerykańskich i brytyjskich. Persja była wymarzonym miejscem dla tych, którzy chcieli szukać ropy naftowej.

Merson i Lipson namówili Arabów z lokalnych plemion, aby pracowali dla nich, wykonując najrozmaitsze zajęcia. Perspektywa odkrycia złóż czarnego złota była ogromną zachętą dla wszystkich.

Co tydzień obaj skrupulatnie pisali szczegółowy raport dla Edwarda i wysyłali do Londynu. Przez następne dwa lata przeżyli wiele rozczarowań i porażek, miesiąc w miesiąc pracując do utraty tchu; kilkakrotnie doświadczyli także przerażenia i wyrzutów sumienia z powodu tragicznych wypadków. Mimo tego nigdy, nawet w najgorszych chwilach i po niespodziewanych katastrofach, nie stracili nadziei, że znajdą ropę.

Poruszony ich uporem, poświęceniem oraz niezachwianą wiarą, że w głębi ziemi, na którą dostali koncesję, znajdują się złoża ropy, Edward regularnie wspierał ich finansowo, dzięki czemu mogli wypłacać pensje, kupować żywność, dodatkowy sprzęt i inne towary.

Pod koniec dwóch i pół roku ciężkiej pracy Merson i Lipson zrozumieli, że muszą szybko znaleźć ropę albo zrezygnować. Całe przedsięwzięcie stało się nad wyraz kosztowne i dwaj Amerykanie rozumieli, że Edward Deravenel nie będzie wspierał ich bez końca. Nie mogli pogodzić się z myślą o całkowitej porażce, zdawali sobie jednak sprawę, że jeśli trzecia studnia nie da ropy, będą musieli zwinąć obóz w Kamiennej Dolinie, jak przyzwyczaili się ją nazywać. Pierwsza i druga studnia były kompletnie suche, wiertła uderzały w litą skałę.

Mieli pełną świadomość, że wszystko zależy teraz od trzeciej studni. Gdyby ona także okazała się sucha, musieliby zakończyć operację. Dowiercili się już do ośmiuset metrów i nie natrafili na ropę, chcieli jednak podjąć jeszcze jedną próbę.

– Nazwijmy to odwiertem ostatniej szansy. – Merson szeroko uśmiechnął się do Lipsona. – Dotrzemy do tysiąca dwustu metrów i zobaczymy, co będzie.

Napisali kolejny raport i wysłali go, wyjaśniając Edwardowi, że to ostateczna próba. Los odmienił się, gdy osiągnęli wyznaczoną głębokość. Usłyszeli jedyny w swoim rodzaju głuchy grzmot, wydobywający się z głębi ziemi i często towarzyszący wstrząsom tektonicznym, następnie serię stłumionych huków; po paru minutach ciszy na zewnątrz wytrysnęła ropa, gejzer gęstego czarnego płynu, najpotężniejszy, jaki widzieli. Wytrysk nie stracił na sile, czarne złoto równym strumieniem wydobywało się spod ziemi. Natrafili na niezwykle bogate złoże.

Pokryci czarnym błotem Amerykanie oraz ich pracownicy śmiali się, krzyczeli i tańczyli jak szaleni derwisze. Następnego dnia wysłali jednego z Anglików do Abadanu, aby nadał telegram do Edwarda.

Gdy Edward otrzymał depeszę, w pierwszej chwili trudno było mu przyjąć do wiadomości jej treść. Po ciężkich, pełnych rozczarowań latach w Persji jego wspólnicy wreszcie odnieśli zwycięstwo... Oszołomiony, przesłał Amerykanom gratulacje, obiecując, że przyjedzie do nich w lipcu. Tego dnia w siedzibie Deravenels odbyła się radosna uroczystość.

Przed trzema tygodniami wreszcie udało mu się wyjechać z Londynu. Razem z Alfredem Oliverim i Willem Haslingiem dotarli do Marsylii i tam wsiedli na pokład statku płynącego do Abadanu. Z Abadanu cała trójka, eskortowana przez Mersona, który witał ich w porcie, wyruszyła w głąb lądu.

Widok pomp na tle bladoniebieskiego nieba nad Persją wprawił Edwarda w najprawdziwszy zachwyt. Jego pompy... Pompy Deravco. Marzył, aby zostać właścicielem firmy wydobywającej ropę, i marzenie to wreszcie się spełniło.

Merson i Lipson oprowadzili przybyłych po terenie i przedstawili im wszystkich członków zespołu. Co wieczór słuchali zdumiewających historii – wielu być może nie do końca prawdziwych – i świętowali do świtu, konsumując duże ilości piwa, szkockiej oraz rosyjskiej wódki.

Po czterech dniach opuścili dolinę, nadal zwaną Kamienną, choć teraz wszyscy wymieniali jej nazwę, mrugając porozumiewawczo. Jechali do Turcji, do Konstantynopola. Edward, Will i Alfredo wybierali się na spotkanie z Ismetem Bozbeylim, uroczym, zanglicyzowanym Turkiem, absolwentem Oksfordu, który nadzorował działania Deravenels na tamtejszym terenie, podobnie jak wcześniej jego ojciec i dziadek.

Było oczywiste, że zatrzymają się w uroczej starej willi, należącej do Ismeta, położonej wśród cudownych ogrodów na brzegach Bosforu. Po kilkudniowym wypoczynku Alfredo i Will wyruszyli do posiadłości Ahmeta Hanuma, który także pracował dla Deravenels, zarządzając kopalniami marmuru. Niektóre z nich znajdowały się na wyspach na morzu Marmara, które łączyło się z Bosforem. Alfredo szukał nowych kopalni, które mógłby kupić dla firmy.

Edward został w Konstantynopolu, ponieważ złapał przeziębienie i obawiając się ataku bronchitu, do której to choroby miał od dziecka skłonność, skorzystał z gościny u Ismeta. Teraz, rozglądając się dookoła, szczerze cieszył się z tej decyzji. Willa była luksusowa, służący uprzedzająco grzeczni, jedzenie doskonałe. Edward odzyskał siły wśród kwiatów, zielonych trawników zbiegających aż na sam brzeg i rzucających kojący cień drzew. Willa była sielankowym miejscem, pobyt w niej leczył nie tylko ciało, ale i duszę. Edward odpoczywał w całkowitym spokoju i cieszył się samotnością w ciągu dnia, kiedy Ismet przebywał w siedzibie Deravenels w centrum miasta.

Firma Deravenelów prowadziła interesy w Turcji od kilkuset lat, zajmując się głównie importem wspaniałych tureckich dywanów z Hereke, Canakkale i Konyi oraz kilimów z Denizil. Pracownicy Edwarda sprowadzali również jedwabie i inne materiały, a także przyprawy, „turecki przysmak", bardzo słodką, gęstą galaretkę, którą Anglicy po prostu uwielbiali, i czysty bułgarski olejek różany, stosowany w produkcji perfum i kosmetyków do pielęgnacji ciała.

Wśród eksportowanych przez Deravenels do Turcji towarów znajdowały się głównie wysokiej jakości wełniane tkaniny z przędzalni w Bradford, gotowe ubrania z fabryk w Leeds i wino z francuskich winnic. Handel ten przynosił duże zyski, a firma cieszyła się wielkim zaufaniem tureckich importerów i kupców.

Edward wstał i ruszył przed siebie ścieżką między trawnikami, zmierzając w kierunku długiego niskiego tarasu, z którego rozciągał się widok na Bosfor. Dotarł do niskiego muru, otworzył wąską furtkę i znalazł się tuż nad cieśniną, od której odgradzało go tylko drugie niskie kamienne obramowanie. Usiadł na nim i z zachwytem patrzył na Bosfor, niezwykłą drogę wodną, łączącą Zachód ze Wschodem.

Cieśnina zajmowała obszar od Dardaneli po Złoty Róg, przesmyk tworzący naturalny port w Konstantynopolu. Dalej znajdowało się Morze Czarne i Rosja. Edward podniósł wzrok i spojrzał na przeciwległą linię brzegową, na której zaczynała się Azja Mniejsza. Niezwykłe miasto, jakim był Konstantynopol, stanowiło swoisty pomost między Europą i Azją.

Pod tarasem Ismet urządził pomieszczenie na łodzie, którymi pływano po Bosforze i przedostawano się na drugą stronę, do Azji Mniejszej, a tuż przed Edwardem wybiegało w cieśninę długie molo, z którego korzystali goście.

Edward cieszył się każdą spędzoną w Konstantynopolu chwilą; z całą pewnością było tu zupełnie inaczej niż w miejscach, które odwiedzał wcześniej. Wiekowe miasto zachwycało egzotyczną i tajemniczą aurą. Przez ostatnie dwa dni zwiedzał z Ismetem zabytki Konstantynopola – Błękitny Meczet, jeden z najstarszych kościołów, zwany Haghia Sophia oraz pałac Topkapi, obecnie muzeum. Konstantynopol był miastem meczetów, minaretów i kościołów, a także wielu pałaców. Byli na targu korzennym, gdzie zafascynowany Edward z przyjemnością oddychał ciepłym powietrzem przesyconym aromatami setek przypraw zwożonych tu z Azji i Afryki, kminku, curry, chili, szafranu, papryki, kolendry, kardamonu, szałwii i cynamonu.

W drugiej połowie tygodnia Ismet planował wyprawę na Wielki Bazar, której Edward nie mógł się już doczekać. Na tym starym targu handlowano dosłownie wszystkim, od biżuterii po dywany. Ned chciał poszukać tam prezentów dla synów i córek, dla Elizabeth, matki, Jane, Vicky i Fenelli. Gdyby o nich zapomniał, poczuliby się boleśnie urażeni.

Do swojego apartamentu wrócił dłuższą drogą, obchodząc willę dookoła, przez liczne ogrody, pełne płonących wieloma barwami kwiatów oraz strzelających wodą fontann. Ismet powiedział mu, że tereny te najpiękniej wyglądają wiosną, w czasie kwitnienia tulipanów; tulipan od wieków był ulubionym kwiatem mieszkańców Konstantynopola oraz okolic, hodowany tu na długo przed przywiezieniem pierwszych cebulek do Holandii. Edward nie wiedział dotąd, że Holendrzy odkryli tulipany właśnie w Konstantynopolu i stąd zabrali je do swojego kraju.

Ranek był bardzo ciepły i słoneczny, lecz od Bosforu ciągnęła odświeżająca, rześka bryza. Ismet zaprosił Edwarda na drugą wizytę wiosną, kiedy pogoda była podobno wspaniała, i Ned właśnie w tej chwili zdecydował się przyjąć zaproszenie.

Pomyślał, że chętnie tu wróci i być może przywiezie ze sobą rodzinę – wiedział, że sprawiłoby im to wielką przyjemność, zwłaszcza Grace Rose, entuzjastce i studentce historii. Nie brakowało tu rzeczy, które mogłyby ją zainteresować.

Odetchnął głęboko. W ostatnich tygodniach naprawdę odpoczął, jego samopoczucie bardzo się poprawiło. Wydawało mu się nawet, że odmłodniał, że spory bagaż lat stoczył się z jego ramion. Rudozłociste włosy lśniły nad jego ogorzałym czołem, błękitne oczy błyszczały radością życia, a krok znowu stał się lekki i sprężysty.

Turcja była ciekawym krajem i Edward był przekonany, że w najbliższych latach zaskoczy zagranicznych obserwatorów. Jak twierdził Ahmet Hunam, rodziło się tu nowe, znacznie bardziej nowoczesne państwo. Założony w VII wieku p.n.e. Konstantynopol przechodził w przeszłości rozmaite przemiany. Przez szesnaście wieków był stolicą Bizancjum, potem zaś głównym ośrodkiem politycznego życia ottomańskiego imperium. Teraz na horyzoncie Konstantynopola pojawiła się nowa ważna postać, człowiek, który zapowiadał przeprowadzenie poważnych reform. Ahmet opowiadał o nim Edwardowi poprzedniego dnia przy kolacji – był to Mustafa Kemal Atatürk, były dowódca armii, który poprowadził Turków do zwycięstwa pod Gallipoli, kiedy alianci zaatakowali Cieśninę Dardanelską.

Zdaniem Ahmeta, Atatürk miał uczynić Turcję nowoczesnym krajem. Młody dyrektor tureckiej siedziby Deravenels przewidywał, że w następnym roku Atatürk zniesie sułtanat i zapoczątkuje przemiany polityczne i społeczne. Ahmet był absolutnie pewny, że Atatürk zostanie wybrany na prezydenta republiki, gdyż taką formę rządów miało obrać nowe tureckie państwo, a Ismet najwyraźniej zgadzał się z młodym człowiekiem.

Jedyną naprawdę stałą rzeczą jest zmiana, pomyślał Edward, przywołując powiedzenie swojej matki. Kiedy pokonał białe marmurowe schody willi i wszedł do chłodnego holu, nagle uświadomił sobie, że prawie wszędzie na świecie zapanowała po wojnie atmosfera wielkich przemian. Wszędzie rodził się nowy początek, myślał, wspinając się na spiralne schody, prowadzące do jego apartamentu.

Nie mógł wiedzieć, że czas nowego nadszedł też w jego życiu. Czas zmian, drastycznych zmian, które miały dotknąć wszystkich jego bliskich.

W pokoju panowała senna cisza, zakłócana jedynie przez ledwo dosłyszalny szmer obracającego się pod sufitem wentylatora, przyjemnie chłodzącego rozgrzane powietrze.

Edward drzemał na łóżku, jak zwykle delektując się sjestą po lunchu, który zjadł z Ismetem w ogrodzie. Odkąd zamieszkał w willi swojego tureckiego wspólnika, przyzwyczaił się do popołudniowej przerwy i uznał ją za wysoce cywilizowany zwyczaj.

Białe drewniane żaluzje chroniły przed upałem i słońcem, do pokoju między deszczułkami przedostawały się tylko cieniutkie pasemka światła, w których tańczyły drobinki kurzu.

Edward westchnął głęboko, poruszył się, otworzył oczy i utkwił wzrok w suficie, śledząc przez chwilę ruch śmigieł wentylatora. Po paru minutach odwrócił się na bok i znowu zapadł w drzemkę, usiłując powrócić do snu, który nawiedził go tuż przed przebudzeniem. Był to sen o jasnowłosej kobiecie... Jasnowłosej kobiecie, która pieszczotliwie gładziła jego czoło, całowała usta...

Elizabeth? Jane? A może Rosjanka, którą poznał w hotelu Pera Palace, kiedy wybrał się tam z tureckimi przyjaciółmi? Nie był pewny. Niewykluczone, że były to wszystkie trzy kobiety, połączone w jedną postać.

Wrócił myślami do Elizabeth, prawdziwej piękności. Elizabeth, jego żona... Jej uroda była niezrównana, podziwiał ją cały świat, lecz zdarzało się, że życie z nią wydawało się nie do zniesienia. Na szczęście w ciągu ostatniego roku zachowywała się wyjątkowo spokojnie i łagodnie, i Edward trzymał kciuki, aby jej nastrój nie zmienił się na gorsze. Podczas ciąży Elizabeth sprawiała wrażenie innej osoby; niedawno oboje z radością powitali na świecie najmłodsze dziecko, trzeciego syna, któremu nadali imię George, chociaż Edward coraz częściej się zastanawiał, dlaczego to zrobili.

Oczywiście wielopokoleniowa tradycja rodu Deravenel, pod tym względem typowa dla większości arystokratycznych angielskich rodzin, wymagała, aby synom i córkom nadawać imiona krewnych z poprzednich generacji, ale George, którego imieniem nazwano chłopczyka, ostatnio sprawiał wszystkim coraz więcej kłopotów.

Edward westchnął ciężko na myśl o kłopotliwym bracie i szybko ją odsunął. Znowu skoncentrował się na żonie. Na sierpień wybierali się do Kentu, jak zwykle w ostatnich latach. Dzieci uwielbiały wędrówki po łąkach i wrzosowiskach, i nie mogły się już doczekać wyjazdu. Edward także bardzo lubił pobyty w Aldington, bo miał wtedy mnóstwo czasu dla rodziny.

Miał teraz siedmioro dzieci – Bess, Mary, Cecily, Młodego Edwarda, Richarda, Anne i George'a. No i oczywiście Grace Rose, która obiecała codziennie przyjeżdżać do Aldington ze Stonehurst Farm, gdzie planowała spędzić część wakacji z Vicky i Stephenem.

Nagle znalazła się w centrum myśli Edwarda. Grace Rose, piękna dwudziestojednoletnia dziewczyna, radość i duma ich wszystkich. W tym roku osiągnęła pełnoletność i w marcu Vicky oraz Stephen wydali na jej cześć bal w hotelu Ritz. Zaprosił Elizabeth, jako że była to wielka rodzinna uroczystość, natomiast Jane wyjechała na tydzień do Paryża, jak zwykle wrażliwa, wyrozumiała i dyskretna.

Ach, Jane, cudowna Jane, tak lojalna, stała, idealna towarzyszka i przyjaciółka. Czasami Edward zadawał sobie pytanie, jak poradziłby sobie bez Jane, która od dawna była tak ważną częścią jego życia…

Elizabeth nadal fascynowała Edwarda pod względem seksualnym, podobnie jak pierwszego dnia ich znajomości. Miała czterdzieści jeden lat, lecz wyglądała na trzydzieści; na jej twarzy nie było ani jednej zmarszczki, sylwetki nie psuła ani odrobina tłuszczu czy tracącego jędrność ciała. Nadal była smukła i piękna, między innymi dlatego, że tak starannie przestrzegała diety.

Edward skończył niedawno trzydzieści sześć lat, ale i on nie wyglądał na swój wiek. Jego żonę bezustannie niepokoił fakt, że był od niej młodszy o pięć lat, lecz on nie przywiązywał do tego najmniejszej wagi. Był zdania, że wiek nie powinien mieć żadnego znaczenia dla dwojga darzących się uczuciem ludzi.

Jego myśli powędrowały teraz ku Nataszy Trubeckiej, rosyjskiej księżniczce, która pracowała jako hostessa w restauracji i barze hotelu Pera Palace. Natasza była piękną, jasnowłosą arystokratką i postacią prawdziwie tragiczną. Uciekła z Sankt Petersburga w 1917 roku, na początku rewolucji, zaraz po upadku Romanowów, kiedy bolszewicy zamordowali jej brata, księcia Igora Trubeckiego. Była kuzynką cara, podobnie jak jej bratowa księżna Natalia Trubecka i bratanica Irina. Nataszy nie udało się odnaleźć Natalii i Iriny, miała jednak nadzieję, że z czasem trafi na ich ślad. Powiedziała Edwardowi, że zamierza zaoszczędzić sumę, z którą będzie mogła wyjechać do Paryża, gdzie podobnie jak w Konstantynopolu istniała wspólnota Białych Rosjan, tyle że znacznie większa. Wierzyła, że przebywający tam rodacy będą mogli jej pomóc, w każdym razie chciała przynajmniej spróbować.

Ismet przedstawił księżniczce Edwarda, Willa i Alfreda, kiedy ci przyjechali do Konstantynopola – zaprosił ich do Pera Palace na kolację, potem zaś przeszli do baru, gdzie grał zespół muzyczny i hostessy tańczyły z gośćmi.

Will i Ned tańczyli z księżniczką i rozmawiali z nią chwilę przy miętowej herbacie. W czasie tamtego wieczoru opowiedziała im o zaginionych krewnych i swoim pragnieniu, aby odnaleźć bratową i jej córeczkę. Natasza była przekonana, że podobnie jak ona uciekły z Rosji i teraz żyły gdzieś w Europie, a może dalej. Spotkanie z nimi było jedyną rzeczą, o jakiej bezustannie myślała, wyjaśniła doskonałym angielskim.

Edward uważał ją za piękną, lecz niezwykle smutną kobietę. Osoby takie jak ona budziły w nim podświadomy lęk, miał ochotę jak najszybciej od nich uciec. Tragedia i rozpacz prześladowały go od wczesnej młodości, dlatego chciał trzymać je jak najdalej od siebie.

Pewnego wieczoru, kiedy znowu odwiedzili hotel tuż przed wyjazdem Willa i Alfreda na poszukiwanie kopalni marmuru, Hasling zaczął pokpiwać z Edwarda, wmawiając mu fascynację Nataszą, lecz Edward zdecydowanie potrząsnął głową i oświadczył, że księżniczka nie pociąga go seksualnie. Dodał też, że instynkt podpowiada mu, iż Natasza żywi podobne odczucia do niego. Will dał wtedy spokój żartom, wiedząc, że jego najlepszy przyjaciel mówi prawdę.

Jednak Natasza i jej los dalej niepokoiły Edwarda. Podniósł się z łóżka, podszedł do biurka i wyjął z szuflady książeczkę czekową, wypisał imienny czek dla księżniczki Natalii Trubeckiej, wsunął go do koperty i zaadresował. Postanowił dać go Natalii wieczorem – Ismet mówił mu przy lunchu, że pojadą do Pera Palace na kolację.

Zamknął szufladę biurka, podszedł do jednego z okien i podciągnął żaluzje. Z oddali dobiegał płaczliwy głos muezina, wzywającego wiernych do modlitwy... Był to samotny, melancholijny dźwięk, który uświadamiał Edwardowi, jak bardzo ten świat różnił się od jego własnego i jak daleko znalazł się od Anglii.

Słońce zachodziło... Noc nadchodziła wielkimi krokami.

Kiedy wieczorem weszli do baru Pera Palace, Edward od razu zauważył księżniczkę Natalię. Stała przy barze, popijając miętową herbatę i rozmawiała z dyrektorem hotelu Abazem Gurcanem.

Widząc wchodzących, skinęła głową, ale nie podeszła do nich, najwyraźniej nie chcąc im przeszkadzać.

– Chciałbym poprosić księżniczkę, aby do nas dołączyła – powiedział cicho Edward.

– Oczywiście! – zgodził się Ismet i z uśmiechem potrząsnął głową. – Dobrze wiesz, że księżniczka lubi twoje towarzystwo. Taka inteligentna, wykształcona i kulturalna kobieta... Serce mnie boli, kiedy pomyślę, na co jej przyszło. Żeby arystokratka, osoba książęcego rodu musiała pracować jako fordanserka.

– Masz rację. – Edward przywołał ruchem ręki kelnera i zamówił butelkę szampana Krug. – Z drugiej strony, należy jej się wielki podziw za to, że samodzielnie zarabia na życie.

– Ledwo zarabia na życie – rzekł z naciskiem Ismet.

Jego ciemnobrązowe oczy, zwykle wesoło błyszczące w pogodnej twarzy, teraz przybrały smutny wyraz. Ismet miał pięćdziesiąt parę lat, był nieżonaty, bez poważnych zobowiązań i bardzo lubił kobiety. Edward wiedział, że Turek ma kochankę, która nigdy nie towarzyszyła mu publicznie; Ismet uwielbiał przychodzić do Pera Palace i tańczyć z kobietami z krajów zachodnich, a przede wszystkim z rosyjskimi emigrantkami.

– Zaproszę ją do naszego stolika. – Edward podniósł się z miejsca. – Mam nadzieję, że nie masz nic przeciwko temu.

– Będzie mi bardzo miło, zwłaszcza że księżniczka zarabia pieniądze, kiedy siada do stołu z klientami – powiedział Ismet. – Zawsze proszę ją, żeby usiadła ze mną, bo wtedy nie musi szukać towarzystwa nieznajomych.

Edward przeszedł przez salę, niezwykle przystojny i elegancki w białym garniturze, takiej samej koszuli i niebieskim krawacie.

– Dobry wieczór, księżniczko – odezwał się, lekko skłaniając głowę. – Dobry wieczór, panie Gurcan.

Oboje odpowiedzieli mu uprzejmie.

– Czy zechciałaby pani przysiąść się do nas, księżniczko? – zwrócił się do Nataszy. – Zamówiłem różowego szampana, ale oczywiście możemy poprosić o miętową herbatę dla pani.

Uśmiech ożywił na moment poważną twarz Nataszy, lecz zaraz zniknął.

– Serdecznie dziękuję, panie Deravenel – powiedziała po angielsku, bez cienia akcentu. – Bardzo chętnie wypiję z panem kieliszek szampana. Czy mamy usiąść przy stoliku pana Bozbeylego?

– Najpierw wolałbym z panią zatańczyć, jeśli można... – odparł Edward.

Wsunął dłoń pod jej łokieć i poprowadził dziewczynę na parkiet w drugim końcu sali. Kołysali się w rytm muzyki w idealnej harmonii i milczeniu.

– Mam dla pani prezent – odezwał się w końcu Edward. – Podkreślam, że jest to prezent, rzecz bez żadnych zobowiązań czy podtekstów.

Natasza odchyliła się do tyłu i uważnie popatrzyła na niego dużymi, ciemnoszarymi oczami, wyraźnie zaskoczona.

– Obawiam się, że nie rozumiem. Co pan ma na myśli?

– Wypisałem dla pani czek. Chcę, aby pojechała pani do Paryża albo gdziekolwiek, gdzie uzna pani za konieczne i odnalazła swoją rodzinę. Nie mogę znieść myśli, że jest pani zupełnie sama, że nikogo pani nie ma. Rodzina jest w życiu najważniejsza, zawsze w to wierzyłem.

– Czek? – lekko ściągnęła brwi. – Ależ ja nie mogę przyjąć od pana pięniędzy, panie Deravenel! Niczego nie mogę od pana przyjąć! Nie znam przecież pana.

– Zdaję sobie z tego sprawę. Mam też świadomość, że pochodzi pani z monarszego rodu, ale jednak zamierzam dać pani ten czek, a pani go przyjmie, aby sprawić mi przyjemność. To prezent, jak już mówiłem. Niczego od pani nie chcę, nie ma mowy o żadnych zobowiązaniach. Spojrzał na młodą kobietę i poprowadził ją dalej tanecznym krokiem. – No, może to nie do końca prawda – podjął po chwili. – Chcę zobaczyć uśmiech na pani twarzy. Chciałbym też, aby napisała pani do mnie, kiedy już odnajdzie pani bratową i bratanicę, a ja wtedy przyjadę, by się z wami spotkać, gdziekolwiek będziecie.

– Nie wiem, co powiedzieć – zaczęła Natasza i natychmiast przerwała, niepewna i zagubiona, całkowicie zaskoczona jego hojnością.

– Usiądźmy tam na chwilę. – Edward wskazał mały stolik w rogu sali.

Kiedy usiedli, wyjął z wewnętrznej kieszeni kopertę i bez słowa wręczył ją księżniczce. Natasza długo wpatrywała się w spoczywający w jej dłoniach biały prostokąt. Gdy wyjęła czek, gwałtownie wciągnęła powietrze.

– Nie mogę tego przyjąć, panie Deravenel! – zawołała cicho. – To za duża kwota! O, mój Boże...

Włożyła czek z powrotem do koperty i podała ją Edwardowi, ale on zdecydowanie potrząsnął głową.

– Proszę schować czek do torebki – rzekł. – A jutro wymienić go na gotówkę i zastanowić się, nad dalszymi planami.

– Nie mogę tego przyjąć – powtórzyła Natasza. – To pięć tysięcy funtów, o wiele za dużo.

– Niechże pani nie myśli o tym w ten sposób. Widzi pani, jeszcze nie podziękowałem losowi za to, że natrafiłem na duże złoża ropy naftowej. Chcę wyrazić wdzięczność właśnie w taki sposób, pomagając pani odszukać rodzinę. Więc proszę zrobić mi przyjemność i podziękować losowi razem ze mną i za mnie, dobrze? A teraz chodźmy dołączyć do Ismeta i wznieść toast różowym szampanem.

Natasza schowała czek, zrobiła to jednak z wyraźnym wahaniem.

– Dziękuję! – szepnęła, kiedy wstali od stolika. – Bardzo panu dziękuję.

Położyła mu rękę na ramieniu, a w jej ciemnych oczach zabłysły łzy.

– Nigdy nie zapomnę tego niezwykłego gestu, tej ogromnej dobroci, jaką mi pan okazał. Nie zapomnę tego do końca życia. Jest pan bardzo hojny, panie Deravenel.

Przez pozostałą część wieczoru obserwował jej nieskrywaną radość. Nie przywykł do widoku uśmiechu na twarzy księżniczki ani do pogodnej, pełnej energii nuty w jej melodyjnym głosie. Promieniała szczęściem i pogodą ducha, co było dla niego całkowicie wystarczającą nagrodą. Przywrócił Nataszy nadzieję.

Zrobił jeden niewielki dobry uczynek, może pomógł pewnej kobiecie odwrócić bieg losu – podarował jej pieniądze, aby spróbowała odnaleźć najbliższe krewne, których nie widziała od 1917 roku. Teraz wreszcie mogła wyruszyć na ich poszukiwanie...

Tego wieczoru księżniczka wyglądała wyjątkowo pięknie. Miała na sobie szaroniebieską szyfonową suknię, która unosiła się wokół niej jak lekki obłok, kiedy tańczyła z Ismetem. Jej jasne włosy, ciemne oczy i szlachetne rysy przykuwały uwagę wszystkich. Wysoka, smukła i pełna gracji, miała w sobie coś wyjątkowego. Na jej widok patrzącym nasuwały się takie określenia, jak elegancja, kultura i dobre pochodzenie, ale Edward widział w niej coś więcej i w pewnej chwili zrozumiał, o co mu chodzi – Natasza emanowała królewską godnością. Nie było w tym nic dziwnego, należała przecież do rodu Romanowów, dynastii, która do niedawna władała Rosją. Była kuzynką jednego z wielkich monarchów, cara Mikołaja, który razem z najbliższą rodziną został bestialsko zamordowany w Jekaterynburgu.

A teraz była tu z nimi w Konstantynopolu... Skrzywdzona przez los księżniczka, ofiara tragicznych, przerażających wydarzeń, krwawego przewrotu, który zniszczył jej kraj i życie, pociągnął ze sobą śmierć brata i tajemnicze zniknięcie jego żony i dziecka. Natasza straciła dom i ojczyznę, straciła wszystko, co miała.

Edward mógł pochwalić się jedynie tym, że nie uciekł, przerażony tragedią Nataszy Trubeckiej, ale postanowił coś dla niej zrobić. Nagle pomyślał, że dobrze by było, aby wszelkie sprawy w życiu były równie proste, jak uczynek, na który się zdobył. Życie byłoby wtedy dużo łatwiejsze, uśmiechnął się lekko, szczególnie moje życie.

Niedługo miał się dowiedzieć, jak bardzo skomplikowane i najeżone trudnościami było jego życie.

ROZDZIAŁ TRZYDZIESTY DRUGI

Kent

– Nie wiem, czy już wiesz, ale George znowu pije, i to dość dużo – odezwała się od progu Elizabeth, patrząc na Edwarda.

Edward siedział przy ogromnym francuskim oknie w bibliotece ich domu w Aldington. Odłożył książkę, którą czytał, zdjął okulary i spojrzał na nią uważnie.

– Tak, zauważyłem to od razu po powrocie z Konstantynopola. – Na jego twarzy pojawił się twardy, ponury wyraz. – Jak wiesz, zawsze charakteryzował go brak umiaru, lecz mimo tego ma dość silny zmysł samozachowawczy, nie sądzisz?

– Pewnie tak. – Elizabeth usiadła naprzeciwko męża. – Ale co właściwie masz na myśli?

– George nadużywa alkoholu, a potem nagle przestaje pić i bierze się w garść. Można powiedzieć, że robi krok do tyłu i znowu zaczyna przyzwoicie się zachowywać. Czasami ma się wrażenie, że jakiś demon kieruje jego postępowaniem.

Elizabeth z namysłem pokręciła głową.

– Mam wrażenie, że teraz George sam kieruje swoim postępowaniem, rozpuszczając plotki po mieście.

Edward wyraźnie zaciekawiony, wyprostował się i zmrużył oczy.

– O co ci chodzi?

– O plotki, których źródłem jest twój brat. Mówiła mi o tym Olivia Davenport, moja przyjaciółka. Przedwczoraj była na kolacji u znajomych i słyszała, jak George mamrotał, że jesteś dzieckiem z nieprawego łoża, więc nie masz prawa dziedziczyć Deravenels. Że to on jest prawowitym spadkobiercą i takie tam bzdury.

Edward chwilę wpatrywał się w nią z niedowierzaniem.

– Przecież to nonsens! – wykrzyknął gniewnie. – To stara plotka, którą wiele lat temu opowiadali Grantowie z Lancashire! Usiłowali znieważyć mojego ojca, przedstawić go jako rogacza! George powinien mieć więcej oleju w głowie! – z wściekłością zerwał się z fotela. – Co za idiota! To najprawdziwsza podłość, że próbuje rzucić cień na reputację kobiety takiej jak Cecily Deravenel, na dodatek swojej własnej matki! Co mu się stało?! Gdyby wpadł mi teraz w ręce, duszę bym z niego wytrząsł!

Nie był w stanie opanować furii. Jak George mógł obrzucać błotem własną matkę, jak mógł sugerować, że była niewierną żoną, która urodziła nieślubne dziecko?!

Elizabeth podniosła się, podeszła do męża i ujęła go za ramię.

– Usiądź, Ned, i przestań się tak denerwować. Całkowicie się z tobą zgadzam! George zachowuje się wyjątkowo podle wobec waszej matki, a ty musisz go powstrzymać.

– Niewątpliwie! – prychnął Edward.

– George stara się spotwarzyć ciebie, jak zwykle zresztą – ciągnęła Elizabeth. – Tym razem jednak zastosował wyjątkowo bolesną metodę, bo zaatakował waszą matkę. Trudno mi sobie wyobrazić, że upadł aż tak nisko.

Edward skinął głową i spróbował się uspokoić. Nie chciał zepsuć swoim najbliższym miłego dnia ani zakłócić spokoju, który panował w domu. Elizabeth była łagodna, czuła i kochająca, i już od dawna nie było między nimi żadnych nieporozumień. Cieszył się życiem w spokojnej atmosferze i wspaniałymi wakacjami nad morzem z żoną, dziećmi i matką.

– Nie możemy pozwolić, aby ta plotka dotarła do uszu mamy – odezwał się cicho. – Nie chcę, żeby się o tym dowiedziała.

– Rozumiem. To naprawdę straszne, zawsze tak starała się chronić George'a, broniła go, brała jego stronę, a on zdradził ją tak samo jak ciebie.

– I właśnie to jest najgorsze!

Elizabeth otworzyła usta, lecz zaraz znowu je zamknęła.

– Co chciałaś powiedzieć? – Edward rzucił jej długie, pytające spojrzenie.

– Cóż, powinnam cię chyba uprzedzić, że twój brat wygaduje także i inne rzeczy. Olivia powiedziała mi, że robił różne uwagi w rozmowie z jej mężem. To Roland Davenport, ten znany adwokat.

– Tak, błyskotliwy prawnik! Co takiego mówił mu George?

– Oznajmił, że twoje dzieci także są nieślubne, podobnie jak ty, ponieważ ja nie jestem twoją żoną. Roland był zaskoczony i zdenerwowany, ale postanowił wyśmiać George'a, bo cała ta opowieść była kompletnie bez sensu. Powiedział twojemu bratu, że nie powinien tyle pić i żeby lepiej uważał, co mówi o tobie, bo może znaleźć się w poważnych kłopotach. – Elizabeth przerwała na chwilę. – George mamrotał coś o Greenwich albo Norwich, a może o obu tych miejscowościach, nie jestem pewna... Wspominał też coś o jakimś człowieku, ale Olivia nie mogła sobie przypomnieć jego nazwiska. Ona i Roland uznali, że George naprawdę za dużo wypił i dlatego opowiada takie brednie. Roland nazwał go draniem godnym najwyższej pogardy...

Edward milczał.

Przez długą chwilę nie był w stanie wykonać najmniejszego ruchu i czuł, jak krew gwałtownie odpływa mu z głowy. Był jak porażony, nagle stracił zdolność jasnego myślenia. Szok całkowicie go sparaliżował, nie miał pojęcia, co zrobić. Myśl, myśl, powtarzał sobie gorączkowo. Co tak naprawdę wiedział George? W jaki sposób zdobył te informacje? Kto mógł mu coś powiedzieć? Tamta historia wydarzyła się tak dawno temu...

– Co się dzieje, Ned? – W głosie Elizabeth zabrzmiał ostra nuta niepokoju. – Okropnie zbladłeś! Źle się czujesz?

Świadomy, że musi zachowywać się jak najbardziej naturalnie, spróbował wziąć się w garść, zapanować nad sytuacją. Przywołał uśmiech na twarz, odchrząknął i roześmiał się cicho.

– Nie wiem, co mi się stało, kochanie, naprawdę nie wiem! Nagle zrobiło mi się słabo, ale to nic poważnego. Możliwe, że to ze złości... Wściekłem się na George'a, bo nie mieści mi się w głowie, jak mógł opowiadać takie rzeczy o naszej matce.

– Dobrze, że nic ci nie jest. – Elizabeth kiwnęła głową i wstała. – Poproszę kucharkę, żeby zaparzyła dla nas herbatę. Masz ochotę coś zjeść?

– Nie, ale bardzo chętnie napiję się herbaty.

Kiedy Elizabeth wyszła, oparł głowę o poduszkę i zamknął oczy. Nie potrafił podjąć decyzji, jak rozwiązać problem, który tak nieoczekiwanie pojawił się na jego drodze, ale jednego był absolutnie pewny – tym razem George posunął się za daleko i trzeba było go powstrzymać. Natychmiast. Stał się zbyt niebezpieczny. Nadszedł czas, aby się go pozbyć.

⁂

Następnego dnia rano Edward Deravenel pojechał do Londynu. Nikogo to nie zdziwiło, ponieważ w czasie spędzanych razem z rodziną wakacji często podróżował między stolicą i Aldington.

– Muszę spotkać się z Oliverim w sprawie kopalni marmuru – powiedział do Elizabeth, wychodząc z nią na podjazd, gdzie czekał już samochód z szoferem. – Wiem, że to rozumiesz. Mam nadzieję, że wrócę za dwa dni, a najdalej w piątek.

– Dobrze. Postaraj się przyjechać na weekend, bo dzieci będą bardzo za tobą tęsknić.

Elizabeth przerwała, widząc Bess, która wybiegła z domu z Mary i Młodym Edwardem.

– Och, tato, dlaczego jedziesz do miasta? – zawołała dziewczynka, chwytając ojca za ramię. – Obiecałeś, że zostaniesz z nami do końca tygodnia!

Edward uśmiechnął się do córki i pogłaskał Młodego Edwarda po głowie.

– Praca mnie wzywa, niestety – rzekł spokojnie. – Ale pomyślcie tylko, że będę miał szansę wpaść do Harrodsa i poszukać tych rzeczy, o które mnie ostatnio prosiliście. Na pewno coś przywiozę, co wy na to, dzieci?

Cała trójka uściskała go serdecznie. Edward pocałował Elizabeth w policzek i wsiadł do rollsa.

– Zrób coś z George'em podczas pobytu w Londynie, dobrze? – powiedziała cicho, kiedy siedział już w aucie.

– Możesz być pewna, że coś zrobię.

Gdy Edward znalazł się w siedzibie Deravenels na Strandzie, natychmiast wezwał swoich dwóch najbliższych współpracowników.

– Muszę podjąć jakieś kroki, jeśli chodzi o George'a – powiedział, wodząc wzrokiem od Willa Haslinga do Alfreda Oliveriego. – Rozpuszcza złośliwe plotki, znieważa naszą matkę, twierdząc, że jestem nieślubnym synem, a więc w zgodzie z prawem nie mogę dziedziczyć po ojcu i zarządzać Deravenels. Za dużo gada, koniecznie trzeba go powstrzymać!

Ani Will, ani Alfredo nie wyglądali na zaskoczonych jego słowami.

– Słyszałem, że George znowu szaleje. – Will pokiwał głową. – Tak, trzeba położyć temu kres, to oczywiste! George jest nieobliczalny! Mam nadzieję, że te plotki nie dotarły do twojej matki, bo zupełnie by ją to załamało.

– Ja też mam taką nadzieję. Elizabeth usłyszała o tym od Olivii Davenport, żony tego znanego prawnika, a oni raczej nie obracają się w naszym towarzystwie. Najwyraźniej George był na kolacji u jakichś znajomych i zaczął wygadywać te bzdury, ale Davenportowie po prostu go wyśmiali. Później Roland Davenport ostrzegł George'a, kazał mu uważać, co mówi.

– Zawsze byłem zdania, że George to niebezpieczny pijak! – Alfredo Oliveri potrząsnął głową, jego twarz spochmurniała. – Wydaje mi się, że od śmierci Isabel jest z nim jeszcze gorzej. Ma za dużo wolnego czasu i na tym polega cały problem.

Edward rzucił przyjacielowi baczne spojrzenie.

– Ale chyba codziennie przychodzi do pracy, prawda? – zapytał. – Bo jeżeli...

– Gdyby nie przychodził, już dawno byś o tym wiedział! – przerwał mu Will. – Oczywiście ode mnie! Cały czas mam go na oku! Codziennie jest w pracy, ale prawie nic nie robi. Jest potwornie leniwy i niczym się nie przejmuje, marnuje tylko czas, traci pieniądze i denerwuje ludzi.

– Co możemy zrobić, aby przestał oczerniać moją matkę? – zapytał Edward.

– Porządnie go nastraszyć, ot, co! – wybuchnął Will.

– Łatwiej powiedzieć niż zrobić – westchnął Alfredo. – Niełatwo go nastraszyć, może dlatego, że brak mu wyobraźni i inteligencji. Niewiele rzeczy do niego trafia, zwykle sprawia wrażenie, że nie rozumie, dlaczego ktoś ma do niego pretensje. Zawsze zachowuje się w bardzo nonszalancki sposób, łagodnie mówiąc.

Edward wyprostował się i popatrzył badawczo na Alfreda.

– Ciekawe, że o tym mówisz – mruknął. – Sam nie raz miałem wrażenie, że George nie jest do końca normalny, że, mówiąc brutalnie, brakuje mu piątej klepki.

– Ciągle ci to powtarzam! – zniecierpliwił się Will.

– Nie chodzi mi jednak o to, że jest tępy – wyjaśnił Edward. – Teraz zaczynam się zastanawiać, czy przypadkiem nie jest psychicznie niezrównoważony.

– Mógłbyś wysłać go do zakładu dla psychicznie chorych – podpowiedział Alfredo. – Kilka tygodni w takim miejscu dobrze by mu zrobiło!

Ned się roześmiał, widząc ponury wyraz twarzy przyjaciela.

– Masz rację, ale ja mówię najzupełniej poważnie. George faktycznie zachowuje się tak niedbale, mówi tak żenujące rzeczy... Słyszałem, że upija się do nieprzytomności i przewraca w miejscach publicznych, ponieważ nie może utrzymać równowagi.

– To dziwne, ale mam wrażenie, że on nie zdaje sobie sprawy z konsekwencji takiego postępowania – zauważył z namysłem Will. – Szkodzi sobie i innym, lecz brnie dalej bez chwili refleksji.

– Właśnie to mam na myśli! – Edward skinął głową. – Poradźcie mi teraz, jak go uciszyć.

– Nie wiem. – Alfredo zmarszczył brwi. – Mamy niewielki wybór: albo zamknąć go w zakładzie dla wariatów, albo wysłać w jakieś odległe miejsce. Nie może zostać w Londynie, bo narobi ci poważnych kłopotów. Zżera go zazdrość, poza tym dobrze wiesz, że nigdy nie poczuwał się do lojalności wobec ciebie.

Edward milczał.

– Pomyśl o tym wszystkim, co wyrabiał przez ostatnie lata – rzekł Will. – Zawarł układ z Neville'em Watkinsem, intrygował na rzecz Louisa Charpentiera, uciekł z Isabel Watkins, spiskował, knuł, podważał twój autorytet, a spokorniał dopiero wtedy, kiedy się zorientował, że Neville zamierza go poświęcić. Krótko mówiąc, bezustannie szkodził tobie, swojemu bratu i pracodawcy. George jest niebezpieczny, Ned, masz absolutną rację!

– Osobiście wolałbym mieć do czynienia z inteligentnym wrogiem niż z głupcem – oznajmił Alfredo. – Głupiec zawsze oznacza kłopoty, a George to jeden wielki kłopot i nigdy się nie zmieni. Taka już jego natura.

– Ale dokąd moglibyśmy go wysłać? – Will popatrzył na Edwarda. – I skąd pewność, że George zgodzi się wyjechać?

– O, zgodzi się na pewno, kiedy już z nim porozmawiam! – wykrzyknął Ned. – A jeśli chodzi o to, gdzie go wysłać, to na razie nie mam żadnego pomysłu. Musimy poważnie zastanowić się nad tym we trzech i rozważyć wszystkie możliwości.

– Powinien wyjechać za granicę – odezwał się Alfredo zdecydowanym tonem. – Wyjazd na prowincję to za mało, musi wynieść się z Anglii!

– Na przykład dokąd? – spytał Will.

– Aby mieć pewność, że nie będzie stawał dęba, trzeba przedstawić mu to jako awans – podsunął Alfredo. – Wiecie, co mam na myśli... „Jesteś nam potrzebny, George, nikt lepiej od ciebie nie pokieruje cukrowniami na Kubie, bez twojej pomocy firma padnie", i tak dalej, i tak dalej... Musimy pomachać mu przed nosem torbą pełną cukiereczków i wychwalać go pod niebiosa, inaczej zacznie się opierać i nie pojedzie.

– Rzeczywiście chciałbyś go wysłać na Kubę? – Edward spojrzał na niego ze zdziwieniem.

Alfredo skrzywił się lekko.

– Niekoniecznie! Wolałbym widzieć go gdzieś bliżej Anglii, żebyśmy mogli regularnie sprawdzać, czy nam nie szkodzi. Mógłby pojechać do Paryża i zająć się czymś w tamtejszym przedstawicielstwie, prawda? – Bezradnie potrząsnął głową. – Nie, nie musisz nic mówić, Ned... Wyraz twojej twarzy świadczy, że byłoby to dobre miejsce dla George'a...

– Żadne miejsce nie byłoby dla niego dobre, ponieważ jest kompletnie bezużyteczny – odparł Edward. – Tak czy inaczej, musimy wymyślić powód, dlaczego go wysyłamy, niezależnie od tego dokąd. Jego wyjazd to nasza jedyna szansa, inaczej się go nie pozbędziemy.

– Zawsze pozostaje morderstwo – powiedział Oliveri z ponurym uśmiechem.

– Nie mogę zabić własnego brata! – zawołał Edward, wysoko unosząc brwi.

– A gdyby ktoś zrobił to za ciebie?

– Masz jakiś pomysł? – Will z zaciekawieniem popatrzył na Oliveriego.

– Nie zastanawiałem się nad tym – odpowiedział Alfredo.

Nie mówił jednak prawdy; wiele razy się zastanawiał, jak raz na zawsze rozwiązać problem George'a Deravenela.

ROZDZIAŁ
TRZYDZIESTY TRZECI

Kent

Edward nie mógł zasnąć. Długo przewracał się z boku na bok, wreszcie wstał, włożył szlafrok oraz domowe pantofle i zszedł na dół.

W domu panowała cisza, wszyscy spali. Włączył małą lampę w bibliotece i spojrzał na zegar nad kominkiem. Dochodziła druga trzydzieści.

Otworzył francuskie okno, wyszedł na taras i chwilę stał nieruchomo, wpatrzony w czarne, aksamitne niebo, usiane lśniącymi jak diamentowe okruchy gwiazdami. Księżyc przypominał srebrzysty rogal i wyglądał, jakby jakiś hollywoodzki spec od dekoracji powiesił go w najbardziej widocznym miejscu, aby dobrze się prezentował.

Powietrze było łagodne, nawet ciepłe, a lekki wiatr niósł zapach morza. Edward wiedział, że gdyby poszedł długą ogrodową ścieżką, dotarłby do fragmentu plaży, na którym uwielbiały bawić się dzieci i zobaczyłby latarnię morską w Dungeness, rzucającą pasma światła na powierzchnię morza. Bardzo lubił ten odcinek wybrzeża, ale tej nocy nie miał najmniejszej ochoty na spacery.

Był zaniepokojony i przygnębiony, i ciągle wracał myślami do księżniczki Nataszy Trubeckiej i jej strasznego losu. Natasza nie miała nikogo, była zupełnie sama. Dając pieniądze, przywrócił jej nadzieję, że zdoła odnaleźć rodzinę, nie było jednak żadnej gwarancji, że tak się stanie. Niewykluczone, że bratowa i bratanica księżniczki już nie żyły.

W 1917 roku życie Nataszy zmieniło się dramatycznie z powodu wybuchu rewolucji w jej kraju. Dom, majątek, stroje, biżuteria i pieniądze zniknęły w mgnieniu oka, a ona sama musiała uciekać za granicę, aby ratować życie. W ten sposób stała się bezdomną żebraczką, szukającą schronienia i pracy.

– Mój świat w ciągu paru dni stanął na głowie – powiedziała mu pewnego wieczoru w Konstantynopolu. – Bolszewicy zniszczyli moje życie. Nigdy go już nie odzyskam, wszystko zmieniło się w nieodwracalny sposób.

To samo mógłbym powiedzieć o sobie, pomyślał Edward, siadając na ławce w ogrodzie. Utkwił wzrok w ciemnym niebie i pogrążył się w myślach o przeszłości. O przeszłości i o Elinor Burton.

Piękna, fascynująca Ellie... Jego kochanka... O, Boże, jakim potwornym głupcem był wiele lat temu. Dlaczego się z nią związał? Teraz jego życie mogło obrócić się w gruzy, tak jak życie Nataszy, dotknięte innego rodzaju katastrofą...

Bo przecież była to katastrofa... Wspomnienie tamtych chwil wisiało nad jego głową niczym miecz Damoklesa. Jego małżeństwo, dzieci, firma – wszystko, co było mu drogie, nagle znalazło się w stanie zagrożenia. Z jego własnej winy. Tak, nie mógł winić za to nikogo innego. I jeszcze te kłopoty z George'em, który rozpuszczał zdradzieckie plotki po całym mieście. Powinien był już dawno nauczyć George'a rozumu, postąpił nierozważnie, nie robiąc tego wcześniej. Był zbyt łagodny, zbyt wyrozumiały.

Kiedy George uciekł z Isabel, a oboje byli za młodzi na małżeństwo, matka błagała Edwarda, aby wybaczył bratu i dał mu pracę w Deravenels. Spełnił jej prośbę, co okazało się wielką głupotą. Popełnił wiele błędów wobec George'a. I wobec Ellie... Nie powinien był ulec fascynacji jej chłodną urodą, jej twarzą Madonny. Teraz będzie musiał zapłacić za lekkomyślność, kładąc na szali los rodziny i swoją karierę. Całkiem możliwe, że straci wszystko.

Wiedział, że w pierwszej kolejności musi rozprawić się z George'em, szybko i sprawnie. Wielka szkoda, ze George'a nie było teraz w Anglii... Wyjechał do Francji, aby spędzić tydzień u ich siostry Meg. Richard powiedział o tym Edwardowi poprzedniego dnia po południu; kiedy zadzwonił do Meg, aby zapytać, czy mogliby z Anne przyjechać do niej na kilka dni we wrześniu, ta wspomniała, że George właśnie u niej jest, ale serdecznie zaprosiła Richarda i Anne na wrzesień i powiedziała, że „biedny George wypoczywa u niej po trudnych chwilach", jak to określiła.

Edward nie ukrywał przed Richardem, że George rozsiewa oszczercze plotki o ich matce oraz jego małżeństwie. Najmłodszy Deravenel był oburzony i zgodził się, że George'a należy usunąć, wysłać gdzieś daleko, najlepiej do Ameryki.

Edward wciąż nie był pewny, dokąd chciałby wyprawić kłopotliwego brata. Czuł, że Oliveriemu nie spodobałby się pomysł wyjazdu George'a do Ameryki, głównie z powodu zbyt dużej odległości. Will i Alfredo woleli mieć George'a gdzieś bliżej, aby móc łatwo sprawdzić, jak się sprawuje, a Amos Finnister całkowicie się z nimi zgadzał.

Edward rozmawiał z Finnisterem po południu, a później obaj poszli na kolację do klubu White. W lecie zawsze panował tam spokój, ponieważ wielu członków wyjeżdżało na wakacje z rodzinami.

Pomysł Amosa wydał się Nedowi najlepszy – Finnister sugerował, że George zapewne chętnie obejmie zarząd nad winnicami we Francji, gdyż bardzo lubi wino i uważa się za prawdziwego konesera.

– Przecież tam ciągle byłby pijany! – zaprotestował Edward.

– Może i tak – odparł ostrożnie Amos. – A może nie, nie wiadomo... Moim zdaniem, byłoby to idealne rozwiązanie, bo nawet nie musiałby pan namawiać go do wyjazdu. Zrobiłby to z własnej woli, i to szybko.

Amos wyprostował się, patrząc Edwardowi prosto w oczy. Po chwili Deravenel zamrugał i odwrócił wzrok. Nie mógł oprzeć się wrażeniu, że dokładnie odczytał myśli Amosa. Obaj rozumieli się bez słów.

Elizabeth wiedziała, że coś jest nie w porządku. Edward zachowywał się tak dziwnie, że godzinami zamartwiała się o niego, o jego zdrowie, spokój umysłu i sytuację w pracy.

We wtorek pojechał do Londynu, wykorzystując jako wymówkę sprawę tureckich kopalń marmuru. Uwierzyła mu, przynajmniej w części. Wiedziała, że nie jest kłamcą i tylko czasami aranżuje sprawy w taki sposób, aby wszystko sprzyjało jego zamiarom, tym razem była jednak absolutnie pewna, że nie wybrał się do Londynu na spotkanie z Jane Shaw czy jakąś inną kobietą. Nie miała cienia wątpliwości, że przyczyną jego decyzji była sytuacja z George'em, który jeszcze nie zdążył się nauczyć, co dla niego dobre, i wykazywał złą wolę w stosunku do Edwarda.

Z ciężkim westchnieniem zamknęła za sobą drzwi sypialni i zeszła do holu. Wyjęła z szafy słomkowy kapelusz, włożyła go i szybkim krokiem ruszyła przed siebie ogrodową ścieżką. Nie chciała, aby dzieci zobaczyły, dokąd idzie; wolała być teraz sama i spokojnie się zastanowić, co robić dalej.

Sierpień tego roku był po prostu cudowny. Niebo od paru dni miało intensywny odcień błękitu, a pojawiające się tu i ówdzie pierzaste białe obłoczki przepływały leniwie. Tego ranka wiatr zupełnie ucichł, gęsty zapach słonego morza wisiał nad całą okolicą. Elizabeth rozejrzała się dookoła, zadowolona ze swego ogrodu. Wszędzie kwitły kwiaty w najrozmaitszych kolorach, różowe, czerwone, żółte, pomarańczowe, niebieskie i fioletowe. Uwielbiała Kent, ponieważ zawsze było tu znacznie cieplej niż w Ravenscar, gdzie nawet letnie miesiące bywały chłodne.

Szczególnym sentymentem darzyła część wybrzeża zwaną Romney Marsh. Nie wiedziała, dlaczego lubi tam przebywać, lecz zawsze chętnie spacerowała po nisko położonych, regularnie zalewanych falami przypływu łąkach. Jej ulubionym miejscem była altana na granicy ogrodu, którą Edward kazał wybudować przed paru laty; teraz weszła do środka, usiadła na jednym z niezwykle wygodnych plecionych krzeseł i poszukała wzrokiem latarni Dungeness. Nocami często siadywali tutaj, obserwując szerokie łuki światła, sunące po powierzchni kanału La Manche, popijając szampana lub lemoniadę, w zależności od nastroju.

Elizabeth z roztargnieniem wpatrywała się w morze, nadal myśląc o Edwardzie. Ich sprawy małżeńskie układały się dużo lepiej niż w ostatnich latach, a ona ze wszystkich sił starała się nie zrobić i nie powiedzieć nic, co mogłoby go zirytować. Ned także wydawał się spokojniejszy i było im ze sobą tak dobrze jak na początku małżeństwa.

Teraz jednak ich spokój zburzył George. Ned zdenerwował się całą tą sprawą bardziej, niż przewidywała, ciągle był zamyślony, ponury i wyraźnie zatroskany. Nie chciał jej nic powiedzieć, co mocno ją niepokoiło, bo zwykle zwierzał się ze swoich kłopotów, mówił, co leży mu na sercu, badał jej reakcję i skupiał się na rozwiązaniu problemu. Nie umiała odgadnąć, dlaczego teraz nawet nie próbował podzielić się z nią myślami.

Wiedziała, że źle sypia. Zawsze mieli sąsiadujące ze sobą sypialnie – Edward często sypiał obok niej i lubił mieć ją blisko siebie, aby móc się z nią kochać lub – rzadziej – porozmawiać. Właśnie dlatego Elizabeth słyszała, jak wstawał w nocy i schodził na dół, by posiedzieć na tarasie albo pospacerować po ogrodzie. Te ataki bezsenności mocno ją niepokoiły. Edward miał fioletowe cienie pod oczami i źle wyglądał, cały czas był zajęty i w jakiś sposób daleki. Wrócił z Turcji w świetnej formie, pełen energii i entuzjazmu, i nagle jakby ugiął się pod zbyt wielkim ciężarem.

Poprzedniego dnia po południu przyjechał z Londynu, dotrzymując danego dzieciom słowa. Przywiózł im drobne prezenty od Harrodsa i w czasie kolacji sprawiał wrażenie rozluźnionego. Elizabeth wiedziała, że mąż jest wytrawnym aktorem, zwłaszcza kiedy musi ukrywać prawdziwe uczucia – tego wieczoru dał wspaniały występ, ponieważ przy stole siedziała wraz z nimi jego matka.

Teraz leżał jeszcze w łóżku, pogrążony we śnie, Elizabeth była jednak pewna, że usiądzie do lunchu razem z nią i dziećmi, bo ich towarzystwo sprawiało mu radość. Postanowiła, że nie wspomni nawet słowem o jego problemach i nowym przyzwyczajeniu do nocnych przechadzek po ogrodzie lub wzdłuż wybrzeża. Wieczorem Cecily wybierała się na kolację w Stonehurst Farm, zaproszona przez Vicky, Stephena i Grace Rose. Oznaczało to, że Elizabeth będzie miała Edwarda tylko dla siebie. Może zdoła odkryć, co aż tak bardzo pochłaniało jego myśli.

Słowo jest dla Anglika zobowiązaniem, uścisk dłoni przypieczętowaniem umowy; Anglik nie kłamie, nie oszukuje, nie jest dwulicowy – tak brzmiały założenia kodeksu honoru dżentelmena. Takie też zasady obowiązywały w City, w świecie finansów i biznesu. Wszyscy postępowali zgodnie z tymi zasadami, przestrzegali ich w sposób instynktowny, ponieważ Anglicy przychodzili na świat z zaszczepionymi w genach regułami honorowego zachowania. Edward Deravenel wierzył w to całym sercem.

Był dumny ze swoich osiągnięć w biznesie. W ciągu siedemnastu lat zarządzania firmą nie zrobił ani jednego fałszywego kroku. Był wzorem dla kolegów i współpracowników oraz innych biznesmenów z City. Szczycił się doskonałą reputacją i cieszył, że inni ludzie sukcesu darzą go tak wielkim szacunkiem. Praca była jego życiem, celem i treścią wszystkich poczynań.

Serce by mu pękło, gdyby stracił ten świat oraz przyjaźń tych, z którymi pracował i prowadził interesy, nie miał co do tego najmniejszych wątpliwości, a teraz musiał brać pod uwagę taką możliwość. Mógł stracić wszystko. Ciemne chmury zawisły nad zawodowym i prywatnym życiem Edwarda, wyłącznie z powodu George'a i jego idiotycznego zachowania, jego pragnienia, aby zniszczyć starszego brata.

Poprzedniego dnia, w czasie podróży samochodem do Kentu razem z Willem Haslingiem, który miał dom na wsi w pobliżu Waverley Court, rezydencji Edwarda, długo rozmawiali o George'u. W pewnym momencie Will wybuchnął gniewem, niezdolny zapanować nad niechęcią do George'a. Najbliższy przyjaciel Neda już dawno stracił cierpliwość do jego brata.

Teraz Edward stał przy oknie jadalni w Waverley Court. Nalał sobie kieliszek białego wina i wyszedł na zewnątrz, powoli zmierzając w kierunku altany. Wieczór był piękny, zachodzące słońce rysowało czerwone i różowe pasma tuż nad linią horyzontu. Czerwony zachód słońca wróży pogodę na następny dzień, pomyślał, przypominając sobie jedno z powiedzeń matki. Pośpiesznie odsunął od siebie tę myśl. Cecily zawsze broniła George'a, osłaniała go i usprawiedliwiała. Nie chciał się nad tym zastanawiać, nie w tej chwili, nie teraz.

Był zmęczony, ledwo żywy ze zmartwienia. Pierwszy raz w życiu nie chciał spojrzeć w twarz rzeczywistości, wiedział jednak, że musi to zrobić. Groziły mu poważne kłopoty.

W altanie postawił na stole kieliszek z winem i zapalił świecę w latarni. Usiadł na krześle, pozwalając, aby oderwane myśli swobodnie przepływały przez jego umysł, a po chwili zamknął oczy, znowu odpychając od siebie rzeczywistość.

– Ned, Ned, to ja…

Ocknął się z drzemki i ujrzał żonę, która stała na schodkach do altany i przyglądała mu się uważnie. Wyprostował się, zamrugał, usiłując odzyskać ostrość widzenia, stępioną przyćmionym światłem, i powoli oprzytomniał. Nagle uświadomił sobie, że Elizabeth wygląda wyjątkowo pięknie, w powiewnej sukni z białego muślinu, podobna do eterycznej istoty z innego świata.

– Zasnąłem, przepraszam – wymamrotał. – Pewnie już czas na kolację… Będziemy tylko my dwoje, prawda?

– Tak. – Elizabeth podeszła bliżej. – Ale kolacja nie jest jeszcze gotowa…

Edward zauważył, że twarz miała bladą, a w niebieskosrebrzystych oczach troskę. Czuł, że zaraz zapyta go, co się z nim dzieje; czekał spokojnie, świadomy, że nie może dłużej ukrywać swoich problemów.

Elizabeth usiadła na krześle z drugiej strony stołu, wyciągnęła rękę i lekko dotknęła jego ramienia.

– Wiem, że coś cię bardzo niepokoi, Ned, więc nie zaprzeczaj, proszę…

Wiem też, że nie możesz spać i ciągle o czymś myślisz. Powiedz mi, o co chodzi. Czy to sprawka George'a? Pewnie tak. Martwi cię, że opowiada takie rzeczy o waszej matce, prawda?

Edward nie odpowiedział.

– Posłuchaj, George, zawsze wszystkiego ci zazdrościł, to nie nowina! – podjęła po chwili bardziej zdecydowanym tonem. – I zawsze próbował ci dokuczyć, jeżeli tylko leżało to w jego możliwościach... To intrygant, podstępny drań, zdrajca! Moim zdaniem, twój brat jest złym człowiekiem, Ned, naprawdę niegodziwym.

Edward wziął głęboki oddech i z wysiłkiem opanował narastające zdenerwowanie.

– Muszę ci coś powiedzieć, Elizabeth – odezwał się. – Masz prawo o tym wiedzieć.

– Jesteś taki poważny – szepnęła, nagle przejęta dziwnym lękiem. – Czy stało się coś jeszcze?

– Stoję w obliczu katastrofy – oświadczył Ned niskim głosem, usiłując powstrzymać jego drżenie.

Nerwy miał napięte, serce pełne rozpaczy. Nie był już pewny, czy ośmieli się powiedzieć jej prawdę.

– Och, Ned, niemożliwe, żeby było aż tak źle! – zawołała Elizabeth, wyrywając go z zamyślenia.

Milczał. Nie mógł wydobyć z siebie ani słowa.

– Jest gorzej, niż myślisz – wyznał w końcu.

– Nie rozumiem, o czym mówisz... Proszę, powiedz mi, co właściwie się stało, Ned.

Edward wziął głęboki oddech i odwrócił się w stronę Elizabeth.

– Pamiętasz, jak zachowywałem się, kiedy się poznaliśmy? – spytał. – Jak powiedziałem ci, że nie jestem gotowy na ślub? Że jestem za młody?

– Tak, dobrze zapamiętałam tę uwagę! Później pomyślałam, że nie chcesz się ze mną ożenić, bo jestem pięć lat starsza od ciebie.

– To nie był powód mojego zachowania! Różnice wieku nigdy nie miały dla mnie żadnego znaczenia!

– Nadal nic nie rozumiem. – Elizabeth pokręciła głową. – Do czego zmierzasz?

– Nie mogłem cię poślubić.

– Jak to?

– Nie mogłem cię poślubić, ponieważ nie byłem wolny. Miałem już żonę.

Elizabeth siedziała nieruchomo, z szeroko otwartymi oczami i rozchylonymi wargami.

– Nie, nie, to niemożliwe! – wybuchnęła wreszcie. – To absolutnie niemożliwe! Powiedz mi, że to nieprawda, Ned, proszę! – W jej głosie zabrzmiała nuta rozpaczliwego błagania.

– Nie mogę ci tego powiedzieć. To prawda.

Utkwiła w jego twarzy rozgorączkowane spojrzenie.

– Popełniłeś bigamię? – zapytała ochrypłym głosem.

– Tak. To zdarzyło się dawno temu i prawie udało mi się wyrzucić z pamięci. Przez wiele lat w ogóle o tym nie myślałem.

Umilkł bezradnie.

– Gdzie ona teraz jest? – Elizabeth mówiła tak cicho, że Ned musiał wytężyć słuch, żeby usłyszeć jej pytanie.

– Nie żyje – odparł.

– Od dawna?

– Umarła rok po tym, jak ożeniłem się z tobą. Wcześniej byliśmy w separacji, rozstaliśmy się jak przyjaciele. Zachorowała i nagle postanowiła przenieść się do Norwich. Sama.

– Jak się nazywała?

– Elinor Burton.

Elizabeth potrząsnęła głową. Nie znała nikogo takiego i nie była w stanie wydobyć z siebie ani słowa. Wiedziała jedno – Edward miał rację, spadła na nich najprawdziwsza katastrofa.

– Była wdową po sir Ellisie Nuttingu – podjął. – Córką lorda Kincannona.

Elizabeth z trudem przełknęła łzy.

– Kto o tym wie?

Edward rozłożył dłonie.

– Myślałem, że nikt. Przestraszyłem się dopiero wtedy, kiedy opowiedziałaś mi o rozmowie George'a z Rolandem Davenportem.

Elizabeth drżała na całym ciele, jej głos załamywał się żałośnie.

– Kto dał wam ślub? – wykrztusiła w końcu.

– Pewien ksiądz w Greenwich. Ale on nikomu by o tym nie powiedział.

– Więc skąd George wie?

– Nie wydaje mi się, żeby wiedział, w każdym razie na pewno nie zna faktów! Może słyszał jakieś plotki.

– Musi coś wiedzieć! – rzuciła nieoczekiwanie ostro.

– Może – zgodził się cicho Edward. – Pamiętam, że kiedy Elinor umarła, niepokoiłem się, czy nie wyznała czegoś księdzu ze swojej parafii. Może pragnęła odpokutować za grzechy, może na łożu śmierci prosiła Boga o przebaczenie.

– George wie i tylko to mnie interesuje! – Elizabeth popatrzyła na niego zimno i powoli otarła łzy czubkami palców.

Edward milczał. Siedział nieruchomo, patrząc na żonę, z twarzą białą jak prześcieradło i straszliwą niepewnością w błękitnych oczach.

Elizabeth gwałtownie zerwała się z krzesła.

– Jak mogłeś?! – krzyknęła. – Jak mogłeś poprosić mnie o rękę?! Wiedziałeś przecież, że jesteś żonaty! Nasz ślub był nielegalny, a ty cały czas doskonale zdawałeś sobie z tego sprawę! Nasze dzieci są bękartami! Cała siódemka! Nasi synowie nie mają prawa dziedziczyć po tobie! Twoim spadkobiercą jest George!

Odwróciła się, zrobiła krok w kierunku schodów, nagle zmieniła jednak zdanie i zawróciła. Edward także zerwał się na równe nogi.

– Proszę, posłuchaj mnie – przerwał, widząc przerażenie malujące się na jej twarzy.

Wyciągnęła przed siebie ręce ze skierowanymi ku niemu dłońmi, jakby chciała odepchnąć go, uniemożliwić jakikolwiek kontakt ze sobą.

Edward zatrzymał się, jego serce na moment przestało bić.

– O, Boże, Boże! – krzyknęła głośno. – Co my teraz zrobimy?! To tragedia, nasze życie leży w gruzach! Jestem zrujnowana, nasze dzieci również! A wszystko przez ciebie! Okłamałeś mnie!

– Nie kłamałem. Nigdy nie mówiłem nic o…

– Oszukałeś mnie, zatajając prawdę! – Twarz Elizabeth była biała z rozpaczy i wściekłości. – Nic dziwnego, że twój brat publicznie ci ubliża i z satysfakcją zaciera ręce! Trzyma cię za jaja!

Jej oczy płonęły najgłębszą nienawiścią do męża.

– Wydaje mi się, że znalazłem rozwiązanie – zaczął Edward. – Jedyne rozwiązanie…

Przerwał. Elizabeth wybiegła z altany i rzuciła się przed siebie. Ruszył za nią, lecz potknął się o duży kamień, wystający ze skalnego ogródka i z trudem odzyskał równowagę. Elizabeth zniknęła. Edward wpadł do domu i zaczął zaglądać do wszystkich pokoi, wołając jej imię.

Nadaremnie. Nie zwracając uwagi na lokaja Faxtona, który patrzył na niego z najwyższym zdziwieniem, znowu wybiegł na zewnątrz i skierował się ku łące, z której widać było latarnię morską w Dungeness. Wołał ją raz po raz, ale odpowiadała mu tylko martwa, nieprzyjazna cisza.

Edward był już prawie wszędzie, wdzięczny losowi, że jest dopiero ósma i na dworze jest jasno, lecz godzina zmroku zbliżała się powoli. Gdzie podziała się Elizabeth?

Nagle przez głowę przemknęła mu myśl, że mogła pobiec do niewielkiej zatoczki, gdzie zwykle tak chętnie bawiły się dzieci. Kiedy dotarł na miejsce, od razu ją zobaczył – siedziała na drewnianej ławce, skulona, jakby zmalała. Odetchnął z ulgą i przyśpieszył kroku.

Gdy zatrzymał się obok niej, nie podniosła wzroku. Siedziała z podwiniętymi nogami i szlochała tak rozpaczliwie, jakby serce miało jej pęknąć na tysiąc kawałków. Wiedział, że to on je złamał, ale mocno wierzył, że zdoła je wyleczyć. Musiał zrobić to ze względu na ich małżeństwo, a zwłaszcza ze względu na dzieci.

Ostrożnie położył rękę na jej ramieniu, lecz ona z nienawiścią strząsnęła jego dłoń.

– Odejdź! – wymamrotała. – Nie dotykaj mnie, nigdy więcej! Zostaw mnie w spokoju!

Cofnął się, ale tylko odrobinę.

– Przepraszam cię – powiedział cicho. – Przepraszam, że sprawiłem ci tyle bólu. Zachowałem się jak ostatni głupiec! Na swoje usprawiedliwienie mam tylko to, że kiedy cię poznałem, Elinor była już dla mnie jedynie mętnym wspomnieniem. I tak bardzo cię kochałem. Kochałem cię.

– Chcesz chyba powiedzieć, że mnie pożądałeś, prawda? – syknęła.

– Tak, to prawda, pożądałem cię jak szaleniec, bardziej niż jakiejkolwiek innej kobiety. Nie kłamię, wierz mi… Musiałem cię zdobyć, po prostu musiałem, a ty byłaś cnotliwą wdową. Zależało ci na ślubie, więc cię poślubiłem.

– I spłodziłeś ze mną siedmioro dzieci! Siedmioro bękartów!

– Nie mów tak! Mogę to naprawić, wszystko ci wynagrodzę!

Elizabeth podniosła się i spojrzała na niego z nienawiścią w oczach. Zanim zdążył się poruszyć, rzuciła się na niego i zaczęła go okładać mocno zaciśniętymi pięściami.

– Zniszczyłeś życie moje i naszych dzieci! – krzyknęła przeraźliwie. – Nienawidzę cię za to, co nam zrobiłeś! Nigdy ci nie przebaczę! Nigdy!

Z trudem chwycił jej ręce i unieruchomił je.

– Źle postąpiłem – wyznał, patrząc jej prosto w twarz. – Bardzo cię przepraszam. Naprawię to, posłuchaj mnie tylko...

– Dlaczego miałabym cię słuchać! – wrzasnęła.

Energia zawiodła ją jednak nagle, a jakiś wewnętrzny głos kazał posłuchać człowieka, którego uważała za męża. Musiała go posłuchać, nie miała wyboru. Łzy popłynęły jej po twarzy. Edward otoczył ją ramionami i mocno przytulił. Szlochała i szlochała, a on pocieszał ją, gładził po włosach, całował policzki i powieki. Uspokoił ją powoli i zaprowadził na ławkę.

Usiadł obok, ogarniając ją ramieniem.

– Wiem, że cię zraniłem i bardzo cię za to przepraszam – powiedział łagodnie. – Jeśli mnie teraz posłuchasz, wyjaśnię ci, co mogę zrobić, aby rozwiązać nasz problem.

Bez słowa kiwnęła głową. Nie ufała własnemu głosowi.

– Muszę cię poślubić, i to natychmiast, uprawomocnić nasz związek! To najważniejsze.

– Jak to zrobić? – wyszeptała. – Ktoś na pewno się dowie.

– Nie!

– Przecież będziemy musieli pojechać do kościoła albo biura rejenta... Niemożliwe, żeby nam się udało, jesteś zbyt znany...

– Masz rację, ale skoro już raz poślubiłem cię w tajemnicy, na pewno zdołam powtórzyć ten wyczyn.

– Gdzie? – spytała łamiącym się głosem.

– W kaplicy w Ravenscar.

– Kiedy?

– Jak najszybciej. Pojedziemy tam jutro pociągiem i natychmiast się pobierzemy. To doskonały moment, bo moja matka i dzieci są tutaj. Zaraz po przyjeździe pojadę do ojca O'Connora. On da nam ślub, nie mam co do tego żadnych wątpliwości!

– Ale uzna to za dziwaczne i zacznie gadać. Wiesz przecież, że ci prowincjonalni księża są jak stare baby i uwielbiają plotki!

– Nie, nie! Nie ojciec Michael, on zrobi wszystko, by pomóc naszej rodzinie! Dobrze czuje się w Ravenscar i jest naszym kapłanem od trzydziestu lat, odkąd przyjechał z Irlandii na miejsce swego wuja! Jest godny najwyższego zaufania, możesz mi wierzyć! I będzie milczał jak grób.

– Na pewno pomyśli, że to jakiś idiotyczny pomysł! – upierała się Elizabeth. – Dlaczego miałby udzielić nam ślubu, skoro jest przekonany, że od dawna jesteśmy małżeństwem?

– Powiem mu, że chcemy odnowić przysięgę małżeńską. Że planujemy kolejne dziecko i nasz przyjazd do Ravenscar to druga podróż poślubna.

Odsunęła się i parsknęła mu złym śmiechem prosto w twarz.

Zignorował ten nagły wybuch gniewu.

– To jedyne rozwiązanie, naprawdę. Pobierzemy się w kaplicy, będziemy tam tylko my dwoje i ksiądz. A kiedy już weźmiemy ślub, George będzie mógł gadać, co mu ślina na język przyniesie! Będziesz moją żoną w oczach Kościoła i prawa, i tyle!

Elizabeth milczała.

Siedzieli na ławce długo, aż do zapadnięcia ciemności. Gdy niebo wreszcie zmieniło barwę, Edward ujął Elizabeth za rękę i pomógł jej wstać. Poszli do domu razem, w zupełnej ciszy.

Elizabeth nie udzieliła Edwardowi odpowiedzi, ale był pewny, że postąpi zgodnie z jego planem. Jaki miała wybór? Nie było innego sposobu, aby wybrnąć z tej niesłychanie trudnej sytuacji.

ROZDZIAŁ
TRZYDZIESTY CZWARTY

Ravenscar

Choć sierpień nadal królował, wieczór był chłodny, co na północnym wybrzeżu nie było niczym dziwnym. Księżyc w pełni zawisł wysoko nad Ravenscar, oblewając srebrzystym blaskiem stary murowany dom, drzewa oraz wiodącą do kaplicy ścieżkę, która stała na krawędzi kępy wysokich drzew, w pewnym oddaleniu od dworu, równie stara jak on.

Edward chwycił Elizabeth za rękę i wprowadził ją do środka. To właśnie tu został ochrzczony on oraz jego bracia i siostry, to tutaj odprawione zostało nabożeństwo żałobne za jego ojca i brata Edmunda. Siedemnaście lat temu, pomyślał Edward. Siedemnaście lat temu… Jak szybko biegnie czas… Potoczył wzrokiem dookoła i przypomniał sobie, jak bardzo Edmund kochał tę małą kaplicę z jasnego piaskowca z Yorkshire, niewielką, przysadzistą budowlę z witrażami, rzeźbionymi dębowymi ławkami i pięknym ołtarzem.

Ojciec Michael O'Connor, pogodny, tryskający energią człowiek, czekał już przy pulpicie i teraz pośpieszył im na spotkanie. Przywitał ich radośnie i od razu zwrócił się do Elizabeth.

– To wspaniały pomysł, pani Deravenel – powiedział. – Naprawdę cudowny.

– Już od pewnego czasu pragnęłam odnowić naszą ślubną przysięgę, ojcze – odparła z uśmiechem. – Serdecznie dziękuję, że zechciał ojciec przyjść do kaplicy o takiej godzinie.

– To żaden problem, doprawdy żaden! Odprawię tę ceremonię z ogromną radością!

Stanęli przed księdzem, który w blasku świec wypowiedział słowa małżeńskiej przysięgi, każąc im dokładnie je powtórzyć i na koniec ogłosił ich mężem i żoną.

– Po raz drugi – dorzucił z irlandzkim akcentem, kiedy było już po wszystkim.

Udzielił im uroczystego błogosławieństwa, pożegnał się z nimi serdecznie i długo odprowadzał ich wzrokiem, gdy szli ku drzwiom kaplicy.

Edward poprowadził Elizabeth przez wiszące ogrody do zrujnowanej strażnicy i parę minut stali obok siebie w milczeniu, patrząc na Morze Północne, lśniące w świetle księżyca niczym naoliwiona kolczuga. Oboje czuli spokój, którym emanowało to pradawne miejsce. Nie odzywali się do siebie, stali nieruchomo, każde zatopione w swoich myślach. Byli wdzięczni Opatrzności, że udało im się wziąć ślub tak szybko i łatwo.

– Teraz naprawdę jesteśmy małżeństwem – powiedział cicho Edward. – Jesteś moją jedyną żoną, a ja twoim jedynym mężem, od dziś na wieki. A nasze dzieci są naszymi dziećmi, nie bękartami.

Elizabeth milczała, niezdolna wypowiedzieć ani słowa. Nadal zmagała się z gniewem i niechęcią, które zagnieździły się w niej przed kilkoma dniami, w czasie tej strasznej sceny w Kent. Wiedziała, że nigdy nie zapomni tamtych chwil. Później Edward chciał od nowa scementować ich związek i próbował się z nią kochać, ale odmówiła, nie wpuściła go do swego łóżka. Musiała przyznać, że zrozumiał jej nastawienie i zachował się jak dżentelmen, którym przecież był – odszedł, zostawiając ją samą w sypialni.

Z jej piersi wyrwało się lekkie westchnienie. Edward zwyciężył, ponieważ nie miała wyboru, musiała go poślubić. W ten sposób uratowała rodzinę i pozwoliła mu uniknąć katastrofy, której zawsze się obawiał.

W głębi serca była zadowolona, że nadal są razem, że jednak się pobrali. Kochała go; na świecie nie było wielu mężczyzn takich jak on. Ceniła jego męską urodę, atletyczne ciało, z którego był dumny, i walory seksualne, lecz także dobroć i wielkoduszność. Był hojnym człowiekiem i wyjątkowym ojcem. Niestety, gdzieś w tle jego życia istniała Jane Shaw, ale z drugiej strony kobieta ta nie sprawiała żadnych problemów.

Elizabeth wzięła głęboki oddech i oparła się o męża. Świadomy, że wreszcie odrobinę się rozluźniła, przechylił ku sobie jej twarz i pocałował ją w policzek.

Wiedziała, że Edward nie wykona następnego ruchu, nie po sobotniej nocy, kiedy to tak wyraźnie go odrzuciła, objęła go więc i zajrzała w jego przystojną twarz. A on, przekonany, że Elizabeth odsunęła już od siebie trudności, które ich rozdzieliły, pochylił głowę i poszukał jej ust. Odpowiedziała ze zwykłym zapałem, przywierając do niego całym ciałem. Stali tak długo, spleceni ze sobą i połączeni w namiętnym pocałunku. Wreszcie Edward cofnął się lekko.

– Wszystko będzie dobrze – powiedział.

– Obiecujesz?

– Obiecuję.

Teraz Elizabeth odsunęła się na odległość ramion i spojrzała mu prosto w oczy, drżąc z pożądania. Był takim przystojnym mężczyzną. Tego wieczoru jego oczy miały odcień głębokiego błękitu, prawie granatu i odbijało się w nich pragnienie, które sama czuła.

– Chodźmy już – rzekł cicho. – Chodźmy do łóżka.

Skinęła głową. Kiedy byli już za murami starej twierdzy, nagle zacisnęła palce na jego ramieniu.

– Co zamierzasz zrobić z George'em? – spytała. – Stanowi dla nas spore zagrożenie, przecież wiesz...

– Wiem. Zajmę się wszystkim, nie musisz się martwić.

– Teraz naprawdę jesteśmy małżeństwem, ale jednak trzeba skłonić go, aby przestał rozsiewać te pogłoski o tobie i dzieciach. I o nas.

– Załatwię to!

– Kiedy?

– Uciszę George'a, gdy wrócimy do Londynu. A teraz chodźmy do łóżka. To nasza noc poślubna, pani Deravenel! Dziś jeszcze raz zaczynamy wspólne życie.

W domu panowała cisza.

Kucharka udała się na spoczynek już dawno temu, a kiedy wychodzili do kaplicy, Edward uprzedził Jessupa, że wybierają się na spacer i wrócą mniej więcej za pół godziny.

Gdy weszli do holu, kamerdyner wyłonił się ze spiżarni i ukłonił się lekko.

– Czy czegoś pani potrzebuje, pani Deravenel? – Jessup przeniósł wzrok na Edwarda. – A może pan, sir?

– Dziękujemy, niczego nam nie trzeba. Można już zamknąć wejściowe drzwi. Dobranoc!

– Życzę państwu dobrej nocy!

– Dobranoc, Jessup – powiedziała Elizabeth.

Gdy weszli do sypialni, Edward odwrócił ją ku sobie i delikatnie dotknął palcem jej policzka.

– Dziękuję ci – szepnął. – Dziękuję za to, że pomogłaś uporządkować nasze życie – uśmiechnął się. – Czy mogę dziś dzielić z tobą łóżko?

– Tak... – w głosie Elizabeth zabrzmiała nuta wahania. – Dobrze wiesz, że wygrałeś, Ned.

– Wiem, że kiedy objęłaś mnie w starej strażnicy, odsunęłaś na bok nasze trudności, arogancja nie należy jednak do moich wad i dlatego uważam, że sama musisz podjąć decyzję. To, że mnie całowałaś, tuliłaś się do mnie, nie znaczy jeszcze, że pozwolisz mi kochać się z tobą i spać w twoim łóżku.

– Możesz dzielić ze mną łóżko – oznajmiła lżejszym tonem.

Pełnym gracji ruchem zrzuciła z siebie jasnoniebieską szyfonową suknię, zdjęła pantofelki, powoli pozbyła się bielizny i sięgnęła po szlafrok z białej jedwabnej satyny, przewieszony przez oparcie krzesła.

Edward wpatrywał się w nią płonącymi oczami, gwałtownie twardniejąc, z każdą chwilą coraz bardziej rozpalony pożądaniem. Wreszcie odwrócił się, przeszedł do swojego pokoju i po chwili wrócił, ubrany w granatowy jedwabny szlafrok.

Elizabeth stała przy oknie, wpatrzona w atramentowe morze i ciemne, usiane gwiazdami niebo. Ned stanął tuż za nią, otoczył ją ramionami i wtulił twarz w jej kark. Odwróciła się twarzą do niego.

– Skapitulowałam, bo nie miałam wyboru – wyznała cicho.

Nie odpowiedział. Bez słowa ujął ją za rękę i zaprowadził do łóżka. Położyli się obok siebie.

– Tak czy inaczej, powinniśmy chyba skonsumować nasz związek, nie sądzisz? – mruknął po chwili. – W ten sposób naprawdę staniemy się mężem i żoną.

Na jego ustach pojawił się zwycięski uśmiech, oczy zabłysły błękitem. Elizabeth, także uśmiechnięta, rozwiązała pasek jego szlafroka, zsunęła z ramion okrywający ją obłok białego jedwabiu i przysunęła się bliżej.

Edward nachylił się nad nią i pocałował głęboko, gładząc jej piersi i pieszcząc sutki. Drugą rękę wsunął między uda. Z gardła Elizabeth wyrwało się długie, namiętne westchnienie, jej dłoń objęła jego nabrzmiały członek. Edward uniósł się na łokciu i uważnie popatrzył na żonę.

– Skapitulowałaś także z tego powodu – rzekł. – Ze względu na mnie, na nas, na wspaniały seks, którym cieszymy się od czternastu lat. Ja dobrze wiem, że nie mógłbym żyć bez ciebie... Bez tego... Przyznaj, że ty także nie wytrzymałabyś beze mnie.

– Nie wytrzymałabym. – Oczy Elizabeth płonęły ogniem pożądania. – To prawda.

Znowu zaczął pieścić całe jej ciało, zachwycony jej wielką urodą. Elizabeth myślała o jego potencji i męskości. Ich związek był równie namiętny i silny przez wszystkie lata.

– Tak, tak... – wyszeptał, wchodząc w nią mocnym ruchem, rozgrzany jej niepohamowanym pożądaniem. – Och tak, Elizabeth – jęknął głucho. – Moja żono...

Odpowiadała na jego ruchy, wyginając ciało w łuk. Przywarli do siebie, poruszali się razem, jak zwykle w doskonałej harmonii, aż wreszcie w tej samej chwili osiągnęli szczyt. Potem długo leżeli, spleceni ze sobą.

W tym momencie Edward pojął, że nigdy jej nie opuści; nie wiedział już, dlaczego jakiś czas temu zastanawiał się nad rozwodem – teraz sama myśl o takim kroku wydawała mu się zwyczajnie śmieszna. Elizabeth fascynowała go bez reszty, był jej niewolnikiem w łóżku, poza tym w pewien sposób czyniła go jednak szczęśliwym.

– Jesteś ze mną szczęśliwy? – spytała parę sekund później, jakby czytała w jego myślach.

W odpowiedzi znowu zaczął ją całować, potem zaś uniósł głowę i spojrzał jej w oczy.

– Kiedy jesteśmy razem, tak jak teraz, jestem niebiańsko szczęśliwy – rzekł. – I ty także, prawda?

– Tak – odparła szczerze.

Objął ją i przytulił do siebie. Po chwili zapadli w sen i przespali tak, mocno objęci, całą noc.

ROZDZIAŁ
TRZYDZIESTY PIĄTY

Londyn

– Mam nieodparte uczucie, że los nam sprzyja – oświadczył Will Hasling, wchodząc do gabinetu Edwarda, który sąsiadował z jego własnym.

Edward szybko podniósł wzrok znad przeglądanych dokumentów.

– W jakim sensie?

– Otrzymałem właśnie list od Vincenta Martella. Pisze, że chciałby już przejść na emeryturę. Jest gotów nadal współpracować z nami jako doradca, ale nie chce dłużej zarządzać winnicami w Mâcon.

– A to dopiero! – roześmiał się Edward. – Zawsze sądziłem, że Vincent umrze w winnicy! Ostatecznie pracował tam prawie całe życie.

– Nie zapominajmy, że ma już ponad sześćdziesiąt lat. Wydaje mi się, że jest po prostu zmęczony…

Edward się zamyślił.

– Czy zarekomendował kogoś na swoje miejsce? – spytał.

– Tak, Marcela Arnauda, który pracuje w Mâcon od jakichś dziesięciu lat. Powinniśmy chyba skorzystać z propozycji Vincenta i zatrudnić go jako doradcę, widzę tu jednak także i inną możliwość.

– Chodzi ci o George'a! – wykrzyknął Edward. – Chcesz, żebym wysłał go do Mâcon i w ten sposób pozbył się go na dobre! W Burgundii będzie mógł kłapać szczęką, ile zechce, bo tam i tak nikogo nie zainteresują plotki o Deravenelach, prawda?

– Tak jest.

– Myślisz, że zgodzi się tam pojechać? – Edward sceptycznie uniósł brwi, lecz zaraz zaśmiał się cicho. – Z drugiej strony, dlaczego nie? Dobrze mówi po francusku, nie będzie miał dużo do roboty, ponieważ i tak nic nie wie o produkcji win, czeka go więc łatwe, wygodne życie. A skoro Vincent zamierza się wycofać, nie będzie bezustannie ścierał się z George'em... Wydaje mi się nawet, że George mógłby być zadowolony. Poza tym Meg, która zawsze bardzo go kochała, mieszka naprawdę blisko, pod Dijon.

– Mam dokładnie te same spostrzeżenia. Przyszło mi też do głowy, że dobrze by było, gdybym pojechał z George'em do Burgundii, oprowadził go po winnicach i pokazał mu château. Kiedy byłem tam ostatni raz, zamek wyglądał pięknie i był w idealnym stanie, więc George mógłby tam wygodnie mieszkać. Nie, nie widzę żadnego powodu, dlaczego nie miałby pójść na ten układ.

– Z czystej przekory – podsunął Edward.

– To niewykluczone, niestety – mruknął Will. – Cóż, zobaczymy... Tak czy inaczej, zgadzasz się, że nie wolno nam przegapić takiej szansy?

– Absolutnie! George jest dziś w pracy?

– Chyba tak.

– W takim razie zaproszę go na lunch do Savoyu. Chodź z nami, dobrze? Przecież to ty nadzorujesz dział produkcji win i wiesz o winnicach więcej niż ktokolwiek inny.

– Z przyjemnością przyjmuję zaproszenie! O której godzinie?

– Pierwsza ci odpowiada?

– Doskonale! – Will się uśmiechnął. – Czy mam zabrać ze sobą Oliveriego?

– Świetny pomysł...

Will kiwnął głową i wrócił do swojego gabinetu.

Alfredo Oliveri obserwował spod oka George'a Deravenela, który szedł ku nim przez salę restauracji hotelu Savoy, i jak zwykle był pod wrażeniem. Choć nie tak przystojny jak jego brat Edward, George wyglądał jednak doskonale. Podobnie jak Edward, miał jasne włosy, tyle że pozbawione rudawego odcienia, a jego oczy zachwycały rzadko spotykaną niebieskozieloną barwą. Są prawie turkusowe, pomyślał Alfredo, patrząc na zbliżającego się do ich stolika George'a.

– Witaj, George! – odezwał się Edward pogodnym tonem. – Dziękuję, że zechciałeś do nas dołączyć.

– Dziękuję za zaproszenie – odparł zimno George, zajmując miejsce naprzeciwko brata.

– Czego się napijesz? Szampana?

– Chętnie. – George przeniósł wzrok na Oliveriego, a następnie na Willa i skinął im obu głową. – No, z jakiegoż to powodu zwołaliście tę wielką naradę? – odgarnął jasne włosy z czoła i popatrzył na Edwarda. – Wspomniałeś o jakichś dobrych wiadomościach, sugerowałeś, że dobrych dla mnie. Mów, w czym rzecz, Ned!

– To naprawdę dobre wiadomości, w każdym razie tak mi się wydaje – odparł spokojnie Edward, usiłując opanować wzbierającą w nim niechęć do brata.

George był jak zwykle nadęty i niezadowolony, i Ned bez trudu wyczuł wrogość, jaką młodszy Deravenel ostatnio mu okazywał. Czy George nigdy niczego się nie nauczy, pomyślał ze znużeniem.

– Vincent Martell wybiera się na emeryturę – ciągnął. – Dziś rano przesłał Willowi tę informację. Jego obowiązki w winnicach przejmie Marcel Arnaud, sądzę jednak, że ta sytuacja otwiera przed tobą interesujące możliwości. Mógłbyś pojechać do Francji i jak najwięcej nauczyć się o uprawie winorośli oraz produkcji win. Vincent pozostanie naszym konsultantem, a ponieważ wie o winach więcej niż ktokolwiek inny, mógłby ci przekazać wiele interesujących szczegółów. Żałuję, że odchodzi, ale rozumiem przyczyny tej decyzji. Vincent jest już zwyczajnie zmęczony.

Chociaż perspektywa wyjazdu do Francji i zamieszkania w pięknym château od razu przypadła George'owi do gustu, nie zamierzał zdradzić się z tym przed Edwardem.

– Dlaczego uważasz, że chciałbym zamieszkać we Francji? – zapytał, krzywiąc się z niesmakiem. – Wcale nie mam na to ochoty.

– Nie odrzucaj tej propozycji tak od razu. – W cichym głosie Edwarda brzmiała uspokajająca nuta.

Bardzo chciał pozbyć się George'a, skłonić go do opuszczenia Anglii i dlatego był gotowy zrobić wszystko, aby zachęcić go do podjęcia pozytywnej decyzji.

– Nie odrzucam jej, chciałbym po prostu wiedzieć, co będę z tego miał. – George nie krył tak typowej dla niego chciwości.

Edward długą chwilę w milczeniu przyglądał się bratu.

– Myślę, że całkiem sporo – powiedział w końcu. – Piękną rezydencję, świeży start w Deravenels oraz możliwość łatwego kontaktu z osobą, która darzy cię bezwarunkową miłością, z naszą siostrą Margaret. Szczerze mówiąc, spodziewałem się, że przyjmiesz tę ofertę z ogromną radością.

– Rzeczywiście, może okazać się dosyć korzystna – odparł George po krótkim zastanowieniu. – Interesuję się winem i dość dużo o nim wiem, a chciałbym dowiedzieć się jeszcze więcej. Zakładam też, że mogę liczyć na podwyżkę, premię oraz inne bonusy.

– Naturalnie! – zapewnił go Edward.

Pieniądze nie miały znaczenia, liczył się tylko ostateczny cel, nie mógł jednak powstrzymać obrzydzenia, jakie budziła w nim chciwość George'a.

Młodszy Deravenel sięgnął po kieliszek i podniósł go w geście toastu.

– Twoje zdrowie, bracie – zwrócił się do Edwarda. – Życzę ci zdrowia i pomyślności! Oby firma rozwijała się szybko i szczęśliwie!

– Wzajemnie! – Edward także uniósł kieliszek. – Wiem, że ten krok przyniesie ci pomyślność, mój drogi! Ja ze swej strony zadbam, abyś był zadowolony.

Czterej mężczyźni trącili się kieliszkami.

– Jak brzmi twoja odpowiedź, George? – zapytał Will.

– Muszę się jeszcze zastanowić – odparł George, uśmiechając się z satysfakcją.

– Słyszałem, że wysyłasz George'a do Mâcon, aby zarządzał tamtejszymi winnicami – rzekł następnego popołudnia Richard, siadając na krześle przed biurkiem Edwarda.

– Nie wysyłam go. Na razie zapytałem tylko, czy chciałby wyjechać do Francji i czekam na odpowiedź. George jeszcze się zastanawia.

– Moim zdaniem, nie powinien tam jechać. – Richard pokręcił głową.

– Dlaczego?

– To dla niego niebezpieczne. Zapije się na śmierć, daję głowę.

– Nie wydaje mi się, nie jest aż taki głupi. Poza tym, to jego decyzja, Dick!

Richard zmierzył Edwarda uważnym spojrzeniem.

– Nie do wiary – westchnął głęboko. – To do ciebie zupełnie niepodobne. Skąd ten ślepy upór? Zdajesz sobie chyba sprawę z niebezpieczeństw, jakie kryją się w tej propozycji.

– Może masz rację, ale nie mogę się tym przejmować. Muszę pozbyć się George'a, który wygaduje najstraszniejsze rzeczy o naszej matce i zarzeka się, że jestem bękartem, dobrze o tym wiesz. Na pewno dotarły do ciebie plotki, jakie George rozsiewa. Twierdzi, że moje dzieci także są bękartami. Wybaczyłem mu wiele, Dick, ale on niczego nie jest w stanie się nauczyć, a ja nie mam już cierpliwości.

– Wiem i bardzo ci współczuję. George zachował się nielojalnie, kiedy Neville spiskował przeciwko tobie, zdradził cię i nawet nie okazał skruchy. Rozumiem to wszystko, ale uważam, że namawiając go do wyjazdu do Mâcon, dajesz mu do ręki broń gotową do strzału. – Richard skrzywił się wymownie. – Nie potrafi odmówić sobie wina, to chyba oczywiste…

– Możliwe, że codziennie wypije parę kieliszków, wydaje mi się jednak, że ma na tyle zdrowego rozsądku, aby nie przesadzić. Tak czy inaczej, może przecież odmówić, prawda? Zaproponowałem mu tylko ten wyjazd, wcale nie nalegałem i nie nalegam.

Richard wstał.

– Rozumiem – mruknął cicho i podszedł do drzwi. – Daj mi znać, jaką decyzję podejmie George. Po południu jadę do Yorkshire, Francis Lowell potrzebuje mojej pomocy w przędzalniach w Bradford. Mamy tam pewien problem.

– Mam nadzieję, że to nic poważnego. – Edward badawczo popatrzył na brata.

– Nie, poradzimy sobie.

– Doskonale załatwiłeś sprawy fabryk na północy, Dick! Jestem z ciebie dumny, powinieneś o tym wiedzieć!

– Dziękuję… To nie tylko mój sukces, ale także ludzi, z którymi pracuję, Francisa Lowella, Roberta Claytona i Alana Ramseya. Mam szczęście, że mogę liczyć na ich pomoc.

Po wyjściu Richarda Edward obrócił się z krzesłem i utkwił wzrok w dużej mapie wiszącej na ścianie za jego biurkiem. Była to mapa jego ojca.

Wpatrywał się we Francję, w Burgundię. Winnice Deravenelów produkowały świetne wina o charakterystycznym dla tego regionu posmaku, między innymi wspaniałe Pouilly Fuisse, białe wino, jedno z najlepszych, a także bardzo dobre i cieszące się wielką popularnością beaujolais. Burgundzkie winnice zawsze przynosiły zyski, podobnie jak te w Prowansji.

Nagle przez głowę przemknęła mu myśl, że może Mâcon istotnie nie jest jednak najlepszym miejscem pobytu dla George'a, lecz natychmiast ją odrzucił. Niewątpliwie Prowansja byłaby jeszcze gorsza, jako położona w sąsiedztwie Marsylii oraz Riwiery. Nie ulegało wątpliwości, że Burgundia jest dla George'a znacznie lepsza.

Margaret i Charles mieszkali niedaleko w swoim zamku tuż pod Dijon. Rodzina Charles'a od kilkuset lat produkowała słynne wino Nuits-St-Georges oraz inne wyśmienite czerwone z tej okolicy. Edward pomyślał, że George będzie mógł ich odwiedzać i spędzać z nimi trochę czasu. Dobrze wiedział, że Meg z otwartymi ramionami przyjmie ukochanego brata, którego od najwcześniejszych lat darzyła szczególnym uczuciem.

Broadbent czekał już, aby odwieźć go do domu przy Berkeley Square i Edward wygodnie usadowił się w rollsie, wciąż myśląc o swoich dwóch braciach.

Ledwo zdążył otworzyć drzwi i wejść do holu, a już z prowadzącego do kuchni korytarza wyłonił się Mallet.

– Dobry wieczór, sir – powiedział cicho. – W bibliotece czeka na pana pani Deravenel, to znaczy pańska matka, sir.

Edward, zaskoczony kiwnął głową.

– Dziękuję, Mallet! Proszę powiedzieć w kuchni, że kolację zjem o zwykłej porze. Dam znać, czy moja matka będzie mi towarzyszyć.

– Tak jest, sir.

Edward szybkim krokiem przeszedł na drugą stronę holu i pchnął drzwi do biblioteki.

– Dobry wieczór, mamo. To naprawdę miła niespodzianka! Nie wiedziałem, że jesteś w mieście! Zjesz ze mną kolację?

– Nie, nie mogę, Edwardzie, ale dziękuję za zaproszenie.

Ned przystanął przed kominkiem, choć w piękny sierpniowy wieczór nikt nie rozpalił w nim ognia.

– Chcesz ze mną o czymś porozmawiać, mamo? – zapytał łagodnie.

– Tak, mój drogi. Chciałam porozmawiać z tobą o twoim bracie. O George'u...

– Ach, tak.

– Nie wysyłaj go do Burgundii! Dłuższy pobyt w Mâcon to dla niego pewna śmierć, nie mam co do tego cienia wątpliwości!

– Myślę, że źle oceniasz George'a. Moim zdaniem, jest zdolny zapanować nad pociągiem do alkoholu i postępować zgodnie ze wskazaniami rozsądku. George ma świadomość, że nadużywanie alkoholu prowadzi do upadku, więc nie będzie dużo pił, możesz być tego pewna.

Cecily Deravenel popatrzyła na najstarszego syna i potrząsnęła głową. Na jej twarzy malował się wyraz niedowierzania.

– George jest alkoholikiem! – rzuciła ostro. – Nie panuje nad sobą! Poza tym jest w fatalnym stanie psychicznym po śmierci Isabel. Tęskni za nią.

– Decyzja o wyjeździe do Francji należy do niego, nie do mnie czy do ciebie, mamo! O ile mi wiadomo, nie postanowił jeszcze, co zrobi, więc cała ta rozmowa jest chyba odrobinę przedwczesna, nie uważasz?

– Nie, wcale tak nie uważam! George pojedzie do Mâcon, nie zdoła oprzeć się pokusie. Proszę cię, żebyś wycofał tę propozycję. Jeśli musisz skazać go na wygnanie, wybierz jakieś inne miejsce, nie winnice! Proszę cię, Edwardzie.

– Powiedziałem ci już, że to jego decyzja!

– Widzę, że zamierzasz obstawać przy swoim. – Z piersi Cecily wyrwało się ciche westchnienie. – Cóż, mogę tylko powiedzieć, że wydałeś na niego wyrok śmierci. – Podniosła się z fotela i powoli podeszła do drzwi. Twarz miała poważną, oczy pełne wielkiego smutku. – Odkąd siedemnaście lat temu przejąłeś Deravenels, o nic cię nie prosiłam, Ned. Wspierałam cię, stałam u twego boku, popierałam wszystkie twoje decyzje. Teraz błagam cię, abyś wycofał propozycję, którą złożyłeś bratu. Błagam cię, Ned.

– George nie musi jechać do Francji, powtarzam raz jeszcze! Znajdziemy dla niego inne miejsce, mamy przecież placówki na całym świecie!

– Nie rozumiesz, prawda? George nie pojedzie nigdzie indziej, nie teraz, kiedy jest tak podekscytowany awansem, bo tak mu to przedstawiłeś. Możesz być pewny, że zgodzi się na wyjazd do Francji. Jest dumny z siebie i pełen nadziei, ponieważ... Ponieważ wybrałeś go na tak odpowiedzialne stanowisko.

– Nie patrz na mnie z taką pogardą, mamo! Jutro porozmawiam z George'em. Może wybrać sobie dowolne miejsce, byle tylko wyjechał z Anglii, mówiłem ci!

– Jest aż tak źle? – Cecily uniosła brwi.

– Tak. Zbyt długo manifestował swoją nielojalność w stosunku do mnie i zachowywał się jak zdrajca! Nie można mu ufać!

– Wiem, że popełnił wiele występków przeciwko tobie, jeśli można tak to nazwać, ale przecież jest jednak twoim bratem. Nie możesz mu wybaczyć?

– Nie, to niemożliwe! Zaczekaj chwilę, mamo!

Ale Cecily już otworzyła drzwi prowadzące do holu.

– Zaczekaj i zostań na kolacji – zawołał Ned.

– Nie, dziękuję! Sama trafię do wyjścia. – Cecily wyszła na ganek przed frontowymi drzwiami. – Nie musisz odprowadzać mnie do domu, Charles Street jest zaraz za rogiem, jak dobrze wiesz.

Edward długo stał nieruchomo, wpatrzony w drzwi, które matka cicho zamknęła za sobą. Wreszcie z jego piersi wyrwało się długie, pełne znużenia westchnienie. Wrócił do biblioteki i usiadł przy biurku. Oparł łokcie o blat, ukrył twarz w dłoniach i jęknął. Był przekonany, że jeśli George wyjedzie do Burgundii i znowu zacznie pić, Cecily obarczy winą za ten stan rzeczy najstarszego syna. Nie ukrywała przecież, że uzna go za odpowiedzialnego za wszystko, co zrobi George. Cóż, niech tak będzie, pomyślał ze smutkiem.

R O Z D Z I A Ł
TRZYDZIESTY SZÓSTY

Mâcon

Will Hasling i Alfredo Oliveri siedzieli w małej czerwonej jadalni Château de Poret, z dużych filiżanek popijając *café au lait* i jedząc świeże croissanty z dużą ilością wytwarzanego na miejscu masła i dżemu malinowego. Był słoneczny ranek pod koniec sierpnia. Obaj przyjechali do Burgundii poprzedniego dnia wieczorem, po długiej podróży pociągiem z Paryża.

– Sądzisz, że George rzeczywiście się pojawi? – Alfredo rzucił Willowi sceptyczne spojrzenie i usiadł wygodniej, czekając na odpowiedź.

– Wiem, że masz duże wątpliwości – Will zamyślił się na chwilę – ale ja uważam, że przyjedzie. Dlaczego miałby się wycofać? Nie ma nic do stracenia i może wybierać – przyjąć naszą propozycję albo ją odrzucić. Niezależnie od wszystkiego wydaje mu się, że to miejsce będzie... Będzie czymś w rodzaju udzielnego księstwa, z nim w roli władcy, i to władcy absolutnego.

– Broń Boże! – wykrzyknął Alfredo, na jego twarzy pojawił się wyraz przerażenia. – Tylko tego nam potrzeba, żeby George próbował przejąć winnice i zaczął nimi rządzić. Bylibyśmy w poważnych kłopotach, słowo daję!

– Nie grozi nam to – oświadczył Will z naciskiem. – George jest leniwy, mówiłem ci już. Zależy mu tylko na wygodnym, luksusowym życiu, chce dostawać pieniądze za nic. Nie znosi pracować, naprawdę.

Will dolał sobie kawy i pienistego mleka i obficie posłodził napój.

– To najlepsza kawa, jaką kiedykolwiek piłem – oznajmił, pociągnąwszy spory łyk. – Właśnie dlatego tak lubię tu przyjeżdżać, oczywiście między innymi. Kawa, jedzenie i château – roześmiał się. – Choć nie jestem pewny, czy akurat w tej kolejności!

– Ja też bardzo lubię ten zamek – wyznał Alfredo. – Vincent Martell odwalił kawał dobrej roboty, utrzymując go w znakomitym stanie po śmierci madame de Poret! Nie rozumiem, dlaczego nie chciał tutaj zamieszkać... Wiem, że kilka razy proponowałeś mu takie rozwiązanie, a on konsekwentnie odmawiał, ale nigdy nie powiedziałeś mi, z jakiego powodu...

– Jego zdaniem, to był zawsze dom rodu de Poret – wyjaśnił Will. – Nie wyobrażał sobie, aby mógł tu mieszkać ktoś obcy, chociaż miał świadomość, że rodzina ta wymarła. Martell przyszedł na świat w wiosce, jego ojciec pracował w winnicach, więc sądzę, że zamieszkanie w zamku widział w kategoriach uzurpowania sobie miejsca, które nigdy do niego nie należało. No i nie zapominaj, że stosunkowo niedawno owdowiał... Pewnie nie chciał opuszczać domu, w którym tyle lat mieszkał razem z Yvette, swoją żoną. Wolał zostać u siebie, bo z tamtym domem wiąże go mnóstwo wspomnień.

– Doskonale go rozumiem. – Alfredo popatrzył na Willa z wielką sympatią. – Wiedział, jak dobrym i mądrym człowiekiem był jego przyjaciel. – Cieszę się, że powiedziałeś mu, iż może zostać w swoim domu. Mamy wiele powodów do wdzięczności wobec niego, zresztą nadal będzie dla nas pracował...

– Vincent mieszkał w tym domu ponad trzydzieści lat – zauważył Will. – Znam go bardzo dobrze i szybko się zorientowałem, że perspektywa przeprowadzki mocno go niepokoi, więc od razu poruszyłem tę kwestię.

– Co myślisz o Marcelu Arnaud? Podobał ci się?

– Jest trochę nieśmiały i chyba niezbyt komunikatywny, ale mam całkowite zaufanie do Vincenta, który polecił go na swoje stanowisko. Jeżeli on uważa, że Arnaud ma odpowiednie kwalifikacje i doświadczenie, aby zarządzać winnicami, to nie pozostaje mi nic innego, jak tylko go poprzeć. Vincent jest ekspertem z prawdziwego zdarzenia, a poza tym, odkąd w 1906 roku kupiliśmy winnice, zawsze był wobec mnie całkowicie szczery, czasami brutalnie szczery.

– Arnaud sprawia wrażenie nieśmiałego, to prawda, ale ja także całkowicie zgadzam się z opinią Vincenta. – Alfredo pokiwał głową. – A przy okazji, czy po przyjeździe George'a i oprowadzeniu go po tutejszej winnicy zamierzasz odwiedzić inne nasze działki w Mâcon?

– Tak. – Will poprawił się na krześle. – Wybieram się do innych winnic, ale na pewno nie zabiorę ze sobą George'a. Chcę pojechać na Côte d'Or i obejrzeć winnice w Beaune. Wiesz, jak ważne są nasze białe wina z Montrachet... Edward podjął słuszną decyzję, kupując w 1910 roku tamte winnice, ponieważ bezustannie zarabiają dla nas duże pieniądze.

– Chętnie pojechałbym z tobą, jeśli nie masz nic przeciwko temu. Później muszę wpaść do Włoch, sprawdzić, co dzieje się z kopalniami marmuru w Carrarze.

Chwilę obaj milczeli. Wreszcie Will odchrząknął.

– Nie byłem w Carrarze od czasu, kiedy przyjechaliśmy tam na spotkanie z tobą po śmierci Richarda Deravenela. Siedemnaście lat temu... Wtedy się poznaliśmy, pamiętasz?

– Dla mnie również jest to trudna wyprawa – westchnął Alfredo. – Może pójdziemy teraz poszukać Vincenta, co ty na to? I pospacerujemy trochę po winnicy?

– Świetny pomysł! I bardzo się cieszę, że będziesz mi towarzyszył w podróży do Beaune, naprawdę!

Vincenta Martella znaleźli w jednej z dużych piwnic służących do składowania wina. Dostrzegł ich z daleka i pośpieszył na ich powitanie. Był krępym, atletycznie zbudowanym mężczyzną o szerokiej klatce piersiowej i pomarszczonej, opalonej na ciemny brąz twarzy, której barwa ostro kontrastowała ze srebrzyście siwymi włosami. Orzechowe oczy Francuza lśniły ogromną energią i żywotnością.

– *Bonjour!* – zawołał, wyciągając rękę najpierw do Willa, a później do Alfreda. – Mam nadzieję, że obaj dobrze spaliście i że Solange dała wam smaczne śniadanie... – dodał po angielsku, z lekkim francuskim akcentem.

– Śniadanie było wyśmienite, serdeczne dzięki. – Will rozejrzał się dookoła. – Widok tej piwnicy to wielka radość dla moich oczu! Tyle beczułek, Vincent! Bardzo mnie to cieszy, naprawdę!

– *Ah, oui, et moi aussi!* Mnie także! – Martell uśmiechnął się szeroko. – Mieliśmy dobry rok!

Poprowadził ich jedną z długich alejek między beczułkami, które spoczywały na boku, ułożone jedne na drugich, aż do sufitu. Alfredo bez pośpiechu szedł za Willem i Vincentem, rozglądając się po ogromnej piwnicy, w której nigdy dotąd nie był. Duże drewniane beczki, spięte grubymi obręczami, piętrzyły się wysoko.

Przystanął i podszedł bliżej do ściany z beczułek, zastanawiając się, w jaki sposób je unieruchomiono. Stos, na który patrzył, składał się z ośmiu beczek w rzędzie na podłodze; wyżej ułożono ich siedem, następnie sześć, pięć, cztery, trzy, dwie i wreszcie na samym szczycie jedną. Każdy rząd podtrzymywały drewniane kliny.

Alfredo pomyślał, że ułożenie takiego stosu musi być dość trudne, zwłaszcza że niektóre były szersze i wyższe od tego, przed którym się zatrzymał. Zastanawiał się, co by się stało, gdyby jedna z beczek spadła. Czy wtedy wszystkie runęłyby na ziemię? Pewnie tak... A jeśli wtedy ktoś znajdowałby się w pobliżu, groziłoby mu poważne niebezpieczeństwo...

Will i Vincent zniknęli gdzieś z przodu i Alfredo musiał się pośpieszyć, aby ich dogonić. Po plecach przebiegł mu dreszcz – w piwnicy panowała naprawdę niska temperatura. Skręcił w prawo i zobaczył obydwu panów. Szli przed siebie, rozmawiając z ożywieniem.

– Układanie beczek to chyba nie lada wyzwanie – odezwał się Alfredo, kiedy do nich dołączył. – Muszą przecież leżeć na boku, to naprawdę trudne... W każdej chwili mogą się stoczyć na ziemię, prawda?

Vincent ze śmiechem potrząsnął głową.

– Nie, w żadnym razie! I wcale nie jest to takie skomplikowane, trzeba tylko wiedzieć, jak je ułożyć! Beczułki produkowane w Burgundii są lżejsze od tych z Bordeaux, których producenci win używają o wiele częściej.

Z entuzjazmem zajął się wyjaśnianiem procesu układania beczek, ich wykonania oraz doboru czopów, a także rozlewania win do butelek i opatrywania ich etykietami, przeprowadzając Alfreda przez kolejne etapy produkcji wina.

Will znał to wszystko na pamięć, ponieważ już od dawna pobierał nauki u mistrza, ruszył więc do przodu, nagle dziwnie przemarznięty. Piwnice były rozległe i zimne, o kamiennych podłogach, grubych murach i sklepieniach z potężnych kamiennych płyt i drewnianych belek. Chciał jak najszybciej wydostać się na słońce i odetchnąć ciepłym powietrzem.

Wiele razy odwiedzał ten zamek i otaczające go winnice, a także inne, stanowiące własność Deravenels. Edward uczynił go szefem działu produkcji win na samym początku jego kariery w firmie i Will był z tego bardzo dumny.

Pracowity i pełen poświęcenia, z zapałem pochłaniał potrzebną wiedzę o hodowli winorośli, dojrzewaniu win, butelkowaniu i przechowywaniu. Chciał znać i rozumieć cały proces produkcji, i to właśnie Vincent nauczył go wszystkiego, co wiedział; przez te wszystkie lata stali się nie tylko dobrymi kolegami, ale również przyjaciółmi. Will przyjeżdżał do Francji sześć razy w roku i szczerze pokochał ten kraj.

Dopiero teraz uświadomił sobie, że będzie musiał później porozmawiać z Vincentem. Powinien wyjaśnić Francuzowi, że pod żadnym pozorem nie wolno dopuścić, aby George wtrącał się do zarządzania winnicami. Musiał też powiedzieć Vincentowi i Marcelowi Arnaud, że George jest tylko figurantem, że należy okazywać mu szacunek, ale nie powierzać żadnych obowiązków.

Godzinę później trzej mężczyźni siedzieli w pełnym uroku salonie, sącząc przed lunchem znakomite wino Pouilly Fuisse, z którego słynęła winnica de Poret. Pokój urządzony był w stylu, który Willowi bardzo odpowiadał. Ściany pokryte były nieco wyblakłą tkaniną w kwiaty w różnych odcieniach beżu, czerwieni, różu oraz błękitu, tą samą, z której uszyto kotary i obicia na meble. Delikatne barwy tworzyły doskonałe tło dla starannie wypolerowanych antyków i dawały wrażenie przyjemnego ciepła. Subtelną urodę salonu podkreślały wysokie okna z widokiem na ogród, pięknie sklepiony sufit i stary kominek z białego marmuru.

Will miał szczerą nadzieję, że George nie zacznie z miejsca krytykować staroświeckiego uroku château, a w głębi serca zazdrościł mu tej wspaniałej, datującej się z siedemnastego wieku rezydencji.

Cóż, George'a naprawdę trzeba było usunąć z Anglii, aby Ned wreszcie mógł się poczuć bezpieczny, a to miejsce było po prostu idealne. Gdyby tylko George potrafił docenić Château de Poret, pomyślał Will. W tej samej chwili drzwi otworzyły się z trzaskiem i w progu stanął George Deravenel we własnej osobie, jak zwykle doskonale ubrany, zadbany i przystojny.

Will zerwał się z krzesła i pośpieszył na powitanie przybyłego.

– Nareszcie jesteś! – zawołał. – Zastanawialiśmy się już, dlaczego tak się spóźniasz...

– Miałem potworną podróż – zaczął George, z niezadowoleniem wydymając wargi. – Poza tym myślałem, że...

– Poznaj Vincenta Martella – przerwał mu Will zdecydowanym tonem. – Vincent spędził tutaj całe życie i na pewno będzie mógł nauczyć cię wszystkiego o produkcji win, oczywiście, jeżeli zdecydujesz się tu przenieść.

George skinął głową.

– Chętnie wypiłbym kieliszek tego wina, które pijecie – oświadczył. – Muszę odświeżyć gardło po tej piekielnej podróży.

– To świetne pouilly fuisse, produkowane w naszej winnicy, panie Deravenel – odezwał się Vincent, podchodząc bliżej i witając się z gościem.

George Deravenel był młodym człowiekiem o przykuwającej wzrok powierzchowności, bardzo podobnym do swego brata Edwarda, bez dwóch zdań... Vincent nie wątpił, że niektóre miejscowe damy uznają tego świeżo upieczonego wdowca za wybitnie atrakcyjnego mężczyznę, no i znakomitą partię, rzecz jasna.

Kiedy Will i Oliveri wyruszyli w drogę powrotną do Londynu, George także postanowił gdzieś się wybrać. Powiedział Vincentowi, że na dwa dni jedzie na Riwierę w interesach i wsiadł do pociągu do Monte Carlo.

Ledwo zameldował się w Hôtel de Paris w pobliżu kasyna, a już jego nastrój uległ znacznej poprawie. Monte Carlo było jego ulubionym miejscem na Lazurowym Wybrzeżu. Znał także inne miasta i ich kasyna – Cannes, Niceę i Beaulieu-sur-Mer – zawsze jednak najchętniej wracał do Monte.

Wieczorem w dniu przyjazdu ubrał się w smoking od krawca z Saville Row, świetnie skrojony i elegancki, oraz białą jak świeży śnieg koszulę z czarną muszką. Uważnie przyjrzał się swemu odbiciu w lustrze w holu swego apartamentu i powoli zszedł na parter. Podszedł do kasy i rozejrzał się dookoła. Był dobrze znany w hotelu, podobnie jak cała rodzina Deravenel, i kilkakrotnie miał już do czynienia z kasjerem pracującym na tej zmianie. Serdecznie przywitał się z mężczyzną doskonałym francuskim, wymienił na gotówkę czek na dwa tysiące funtów, schował pieniądze i opuścił hotel, zmierzając przez skwer w kierunku słynnego kasyna.

Z rozkoszą napawał się chwilą wejścia do Wielkiego Salonu – zawsze był to dla niego moment magiczny. Chwilę stał w progu, omiatając salę wzrokiem. Olbrzymie kryształowe żyrandole u sufitu, czerwony pluszowy dywan, wspaniała kremowa boazeria ze złoconymi detalami i stoły do gry... Ach, cudowne stoły do gry... Tu George mógł grać w ruletkę, chemin de fer oraz bakarata. Czuł, że będzie się bawił lepiej niż kiedykolwiek.

Zawsze uwielbiał specyficzny zapach kasyna, na który składały się rozmaite damskie perfumy, dym cygar i papierosów oraz korzenny ton wód do golenia, używanych przez mężczyzn w doskonale skrojonych smokingach. Magiczne były też typowe dla kasyna odgłosy – łoskot kulki wirującej na kole ruletki, brzęk i klekot przesuwanych żetonów, szelest tasowanych kart. Czuł się tu jak ryba w wodzie.

Wyprostował się i sprężystym krokiem wszedł do sali, kierując się do kasy. Wyjął z kieszeni przywiezione z Londynu pieniądze i te, które przed chwilą otrzymał w hotelu, i kupił żetony za cztery tysiące funtów.

Kiedy odchodził od kasy, tuż obok niego przystanął kelner. George uśmiechnął się, skinął głową, wziął z tacy kryształowy kieliszek z szampanem i ruszył dalej, wysoki i przystojny, jasnowłosy, o oczach jak turkusy. Wiele pięknych kobiet odwracało się, aby na niego popatrzeć.

George udawał, że niczego nie zauważa i uśmiechał się do siebie. Postanowił, że kiedy trochę pogra i wypije jeszcze parę kieliszków tego wyśmienitego szampana, spróbuje wybrać spośród samotnych kobiet jedną najbardziej atrakcyjną i zaprosi ją do swojego łóżka. Jedną, a może dwie...

Po trzech szybko wypitych kieliszkach szampana poczuł się wspaniale. Był podniecony, lecz opanowany i całkowicie pewny siebie. Podszedł do jednego ze stołów w chwili, kiedy krupier wołał: „*Rien ne va plus!*", „Koniec zakładów!", musiał więc zaczekać na następną kolejkę.

Włączył się do gry i postawił po parę żetonów na dziewiątkę, jedenastkę i trzynastkę. Ku swojej wielkiej radości, wygrał raz, drugi i trzeci. Udało mu się potroić postawione pieniądze.

Szczęście sprzyjało mu przez parę godzin. Po ruletce zdecydował się na bakarata i tu zaczął powoli przegrywać; potem przeszedł do stołu z chemin de fer i znowu przegrał. Nie zamierzał się jednak poddawać, o nie... Zaczął od nowa, stawiając ostatni tysiąc funtów i przegrał wszystko. Cztery tysiące funtów!

Nieważne, pomyślał, wracając do kasy. Odegram się, wiem, że szczęście znowu przyjdzie. Podał kasjerowi paszport i podpisał weksel na pięć tysięcy funtów. Jego nazwisko było doskonale znane w kasynie – podobnie jak w Hôtel de Paris, George był tu mile widzianym gościem, jednym z tych, którym okazywano najwyższe względy.

Ale wkrótce okazało się, że ta noc była dla niego naprawdę pechowa. O drugiej, bardzo zmęczony, wrócił do hotelu. Całkiem sam. Kiedy przechodził przez plac, serce ściskało mu się z rozczarowania. Przegrał całą gotówkę, jaką przyniósł do kasyna, no i podpisał weksel na pięć tysięcy... Był teraz winien pieniądze właścicielom kasyna. Na domiar złego nie udało mu się znaleźć żadnej odpowiedniej kobiety ani zjeść kolacji. Te drobne nieszczęścia nie miały jednak znaczenia, George martwił się przede wszystkim świeżymi długami. Wiedział, że Edward będzie na niego wściekły i z całą pewnością nie przyjdzie mu z pomocą. Richard także nie. Nie był nawet pewny, czy może znowu zwrócić się do matki. Ogarnęło go straszliwe przygnębienie.

I nagle wpadł na doskonały pomysł – w Dijon mieszkała przecież jego siostra! Następnego dnia zatelefonuje do Meg, a ona przyjedzie i uratuje go! Modlił się, aby przyjechała, chociaż w tym momencie nawet jej nie był do końca pewny. W głębi serca nosił przekonanie, że jest przeklęty. Najwyraźniej zawsze był skazany na klęskę.

R O Z D Z I A Ł
TRZYDZIESTY SIÓDMY

Kent

– Przygotowałeś ogromne ognisko, Amosie – powiedziała Grace Rose, razem z Bess obchodząc dookoła olbrzymi stos kawałków drewna, gałęzi i patyków, ułożony na środku brukowanego dziedzińca na tyłach Waverley Court. – Kiedy je rozpalimy, płomienie sięgną nieba!

Amos roześmiał się głośno.

– Obawiam się, że nie mogę przypisać sobie żadnej zasługi, moja droga – rzekł. – Jest to dzieło ogrodnika Joby'ego, jego pomocnika Stewa oraz chłopca do czyszczenia butów. Ja tylko stałem z boku i przyglądałem się, jak pracują.

– Najlepsze ognisko, jakie kiedykolwiek mieliśmy – oceniła Bess, poprawiając wełniany szalik. – Niania mówi, że wszyscy mogą przyjść, oczywiście oprócz Małego George'a, który ma dopiero rok. Och, czy nie zapomniałeś zabrać fajerwerków, Amosie?

– Jakżebym mógł zapomnieć, Bess! Mam wszystkie rodzaje, od najmniejszych do największych, także i te, które tak cudownie tryskają iskrami, twoje ulubione!

– Bardzo dziękuję. Pomagałyśmy w kuchni – oświadczyła dziewczynka. – Zrobiłyśmy pierniczki i herbatniki, a Kuchcia upiekła ziemniaki. Mówi, że później możemy trochę je podgrzać z brzegu ogniska, podobnie jak pieczone kasztany.

– Dobry Boże, czeka nas prawdziwa uczta!

Słysząc głos Edwarda, Bess odwróciła się gwałtownie i pobiegła przez dziedziniec do ojca, który uściskał ją mocno i razem z nią podszedł do ogniska.

– Dzień dobry, panie Deravenel – odezwał się Amos, wyciągając rękę.

– Witaj, Amosie! – Edward serdecznie potrząsnął jego dłonią. – Cieszę się, że jesteś z nami! Kiedy przyjechałeś?

– Godzinę temu, przywiózł mnie Broadbent.

– Mam nadzieję, że dostałeś coś ciepłego do jedzenia.

– O, tak, Kuchcia doskonale się mną zaopiekowała! Zrobiła mi kanapkę z pieczoną wołowiną i herbatę.

Edward skinął głową i z pełnym czułości uśmiechem odwrócił się do Grace Rose. Młoda dziewczyna podeszła do niego, a on objął ją ramieniem.

– Twoi rodzice przyjadą trochę później, prawda?

– Tak, wuju Edwardzie! Za żadne skarby świata nie przegapiliby takiej okazji!

Był wczesny sobotni wieczór, piątego listopada, obchodzony w całej Anglii Dzień Guya Fawkesa. Wszędzie rozpalano ogniska i wrzucano do nich kukły symbolizujące Guya Fawkesa, a po pokazie fajerwerków wszyscy jedli pieczone ziemniaki, kasztany i wycięte z piernikowego ciasta figurki chłopców. Obchody Dnia Guya Fawkesa były mocno zakorzenione w angielskiej historii i tradycji; wywodziły się z 1605 roku, kiedy to Guy Fawkes i jego poplecznicy uknuli spisek, którego celem było wysadzenie siedziby Parlamentu.

– Nie bardzo rozumiem, na co właściwie liczył Guy Fawkes – powiedział Edward. – O ile dobrze pamiętam lekcje historii, nie miał dość prochu, prawda?

Amos potrząsnął głową.

– Tak! Ukrył beczułki w podziemiach pod gmachem Parlamentu, ale część prochu zamokła.

– Chciał wysadzić także króla Jakuba – wtrąciła Bess. – Miał nadzieję, że uda mu się wywołać bunt katolików, poruszonych nowymi, surowymi prawami, wymierzonymi w ich religię.

– Doskonale, Bess! – zawołał Edward z pełnym dumy uśmiechem.

– Lubię historię, ojcze. Zamierzam pójść w ślady Grace Rose!

Ned roześmiał się, Grace Rose i Amos mu zawtórowali.

– Idę na razie do domu – rzekł Edward. – Muszę porozmawiać z Amosem o paru sprawach. – Podniósł głowę i popatrzył na niebo, powoli ciemniejące po zachodzie słońca. – Za jakieś pół godziny zrobi się ciemno i wtedy wrócimy do was, żeby nacieszyć się ogniskiem.

Edward tylnym wejściem poprowadził Amosa do biblioteki, zamknął drzwi i jak zwykle podszedł do kominka.

– Usiądź przy ogniu – poradził. – Wiesz, że ja lubię stać albo przechadzać się po pokoju. – Schylił się i dorzucił parę szczap do paleniska. – Kiedy wróciłeś z Mâcon?

– Dziś rano. Nocnym pociągiem dotarłem do Paryża i tam przesiadłem się na następny. Nie odezwałem się zaraz po przyjeździe, bo wiedziałem, że zobaczymy się wieczorem.

– W porządku, rozumiem... Jak wygląda sytuacja w winnicach?

– Wszystko wskazuje na to, że panuje tam spokój, sir. Pan George zachowywał się dosyć serdecznie i z wyraźną radością przywitał dzieci z nianią oraz Oliveriego i mnie. Po paru godzinach przyjechała z Dijon pańska siostra i ona także bardzo ucieszyła się na widok dzieci, zwłaszcza swojej imienniczki, małej Margaret. Solange przygotowała prawdziwy angielski podwieczorek i wszyscy byli pogodni i zadowoleni...

– Dobrze, że Meg spędzi z nimi parę dni... – mruknął Edward.

Zamyślił się i na długą chwilę utkwił wzrok w oknie.

– Czy George pije? – zapytał wreszcie.

– Obawiam się, że tak. Widziałem, jak spadł z wozu, bo na moment stracił równowagę, ale szybko się podniósł. Wydaje mi się, że usiłuje się kontrolować.

– Na pewno był ostrożny, ponieważ wiedział, że go obserwujecie. Co Vincent Martell mówił o winnicach? Miał coś ważnego do przekazania?

– Raczej nie, wszystko jest jak zwykle. Pan George nie sprawia żadnych kłopotów.

– Na razie! – Edward uśmiechnął się ironicznie. – Z nim nigdy nic nie wiadomo, wybuch może nastąpić zupełnie nagle. Co z Marcelem Arnaud? Radzi sobie jakoś z moim bratem?

– Tego akurat nie jestem pewny. Pan Arnaud to cichy, dość zamknięty w sobie człowiek, w każdym razie takie odniosłem wrażenie. Oliveri prosił, bym panu przekazał, że jego zdaniem, pański brat nie znosi Arnauda. Oczywiście byliśmy tam tylko trzy dni, ale zdążyliśmy z grubsza zorientować się w sytuacji. Zdaniem Solange, pan George stał się lokalnym casanovą – o jego względy zabiega parę dam. Pozwolił sobie też podobno na kilka wypadów do Nicei, co zmartwiło Oliveriego, bo są tam przecież kasyna. Powiedział, by ostrzec pana, że pan George być może znowu zaczął grać...

Edward kiwnął głową.

– Czy Vincent mówił coś o zachowaniu mojego brata, jeśli chodzi o pracę? Czy George stara się czegoś nauczyć?

– W pierwszych tygodniach solidnie się przykładał, lecz ostatnio stracił zapał do pracy, jak powiedział nam Martell.

– Więc po prostu nic nie robi, jak zwykle zresztą – mruknął Edward. – Cóż, należało się tego spodziewać. George zawsze był potwornym leniem.

Podszedł do okna, wciąż myśląc o bracie. George był urodzonym hulaką i nigdy nie próbował się zmienić. Edward odwrócił się do Amosa.

– Krótko mówiąc, ugania się za kobietami, znowu pije, jeździ do Nicei i gra w kasynach – rzekł. – Pewnie bywa też w Cannes i Monte Carlo... – przerwał i lekko zmrużył oczy. – Ale czy nadal rozpuszcza plotki o mnie i mojej rodzinie?

Amos chwilę w milczeniu wpatrywał się w Edwarda. Nie chciał powtarzać mu paskudnych historii, jakie George Deravenel opowiadał o nim we Francji, w każdym razie nie tego wieczoru. Nie miał ochoty psuć Nedowi miłych godzin, jakie zamierzali spędzić z rozradowanymi dziećmi, lecz całkowita lojalność i poświęcenie nie pozwoliły mu kłamać.

– Tak, sir – powiedział cicho. – Znowu rozsiewa plotki.

– Z kim rozmawiał?

– Z Vincentem Martellem, naturalnie, ale chyba tylko z nim, bo przecież dla Solange wszystko to nie ma najmniejszego znaczenia, a pan Arnaud ani nic by z tego nie zrozumiał, ani niewiele by go to obeszło. Arnaud jest zresztą typem samotnika, nie próbuje z każdym się zaprzyjaźnić. Vincent nie krył zdenerwowania, było mu wyraźnie przykro, że pański brat opowiada o panu takie historie, że tak okropnie pana oczernia. Był zaskoczony i pełen niesmaku. Wspomniał nam o tym, ponieważ uznał, że powinniśmy wiedzieć. Jest wobec pana bardzo lojalny.

– Wiem.

– Naszym zdaniem, to znaczy moim i Oliveriego, pan George zupełnie pogrążył się w oczach Martella. Przed wyjazdem do Turcji Alfredo poprosił mnie, żebym poinformował pana o opowieściach pana George'a. Był tym szczerze zmartwiony.

– Macie całkowitą rację, jeśli chodzi o Vincenta – rzekł Edward. – Zawsze świetnie się rozumieliśmy, to naprawdę przyzwoity człowiek. Bardzo się cieszył, kiedy wiele lat temu uratowałem winnicę, gdy madame de Poret owdowiała i nie wiedziała, jak sobie poradzić. Był mi wdzięczny za pomoc. – Lekko wzruszył ramionami. – Cóż, porozmawiamy jeszcze jutro, Amosie... Dziś zajmijmy się przyjemniejszymi sprawami i dołączmy do dzieci.

Przerwało mu pukanie do drzwi.

– Proszę wejść! – zawołał.

Do biblioteki zajrzał kamerdyner Faxton.

– Przepraszam, że przeszkadzam, sir, ale przyjechali już państwo Forth z lady Fenellą i panem Ledbetterem. Pani Deravenel właśnie zeszła na dół.

– Dziękuję, Faxton, już wychodzimy!

Edward lekko ścisnął Elizabeth za ramię i zaczął witać się z Vicky, Fenellą, Stephenem oraz Markiem. Zamieniwszy parę słów z najbliższymi przyjaciółmi, rozejrzał się dookoła i spostrzegł, że ogrodnik Joby, jego pomocnik Stew i młody służący Elias czekają na jego polecenie, aby rozpalić przygotowane ognisko.

Na dziedzińcu była także Kuchcia, kilkoro innych służących oraz Faxton, który dołączył do reszty dopiero przed chwilą.

Edward przeniósł wzrok na grupkę stojących obok dzieci. Był z nich niezwykle dumny. Bess zapowiadała się na prawdziwą piękność i była bardzo wysoka jak na swoje dwanaście lat, ośmioletni Młody Edward był ładnym chłopcem, podobnie jak Ritchie, który niedawno skończył pięć lat. Jedenastoletnia Mary trzymała za rękę dziewięcioletnią Cecily, złotowłosą jak jej bracia i nieco nieśmiałą. Niania kołysała w ramionach trzyletnią Anne, a u jej boku stała Grace Rose. Jego ukochana, piękna Grace Rose miała dwadzieścia jeden lat i była ulubienicą wszystkich... Nawet Elizabeth traktowała ją teraz w bardzo miły sposób i nie ukrywała sympatii do dziewczyny.

Rodzina... Jego duża rodzina, rodzina, którą kochał i cenił. Byli bezpieczni, dzięki Bogu. Oboje z Elizabeth zadbali, aby nie spotkało ich nic złego, biorąc w sierpniu sekretny ślub. Edward wiedział, że zawsze będzie wdzięczny Elizabeth, która poślubiła go po raz drugi, nie robiąc z całej sytuacji wielkiego problemu. Z drugiej strony, nie ulegało wątpliwości, że właściwie nie miała wyboru.

Te myśli bezpośrednio łączyły się z George'em i Edward odepchnął je zdecydowanie. Wciąż miał nadzieję, że skutecznie wytrącił broń z rąk brata. Wprawdzie George w dalszym ciągu rozsiewał skandaliczne plotki, ale co z tego. Edward mógł im teraz zdecydowanie zaprzeczyć i zgodnie z prawdą oświadczyć, że jest prawowitym mężem Elizabeth.

Z zamyślenia wyrwała go Bess, która nagle podeszła i ujęła go za ramię.
– Ojcze, musisz wydać polecenie, żeby Joby rozpalił ognisko.
– Oczywiście, kochanie. – Edward odwrócił się w kierunku służących. – W porządku, zapalajcie! – zawołał.
Po paru sekundach drobne gałązki i patyki zapłonęły, a kiedy płomienie skoczyły w górę i przedstawiająca Guya Fawkesa kukła została wrzucona do ognia, Bess kazała rodzeństwu wziąć się za ręce i wszyscy razem, tańcząc wokół ogniska, zaczęli śpiewać starą, przekazywaną z pokolenia na pokolenie piosenkę.

Pamiętaj, pamiętaj, dziś piąty listopada,
Proch, zdrada i spisek!
Doprawdy, doprawdy, nie ma powodu,
By o tym zapomnieć na dobre!
Guy Fawkes, to jego zamiarem
Było zniszczyć tron i Parlament!
Trzy tuziny baryłek prochu w piwnicach
Miało obalić dobrą starą Anglię!

Kiedy dzieci skończyły śpiewać, dorośli nagrodzili je oklaskami i głośnymi okrzykami. Kucharka z kilkoma służącymi częstowała wszystkich pierniczkami i innymi ciastkami, natomiast Faxton przyniósł z holu tacę z wysokimi szklankami, pełnymi lemoniady. Uzbrojony w długie metalowe szczypce Elias kręcił się przy ognisku, wyciągając gorące ziemniaki, Amos rozdawał sztuczne ognie, a Edward, Stephen i Mark zabrali się do ich zapalania.
Dzieci biegały po dziedzińcu, wymachując iskrzącymi pałeczkami, śmiejąc się i pokrzykując radośnie. Edward stał u boku Elizabeth. Mężczyźni popijali szkocką z wodą, kobiety sherry; wszyscy rozmawiali pogodnie, grzejąc się przy ogniu.
W końcu przyszedł czas na fajerwerki i panowie zajęli się ich odpalaniem. Na niebie pojawiły się barwne, iskrzące koła, tęcze i spadające gwiazdy oraz wiele innych atrakcji. Kobiety obserwowały dzieci i wymieniały zadowolone spojrzenia. Cudownie było patrzeć na radosne podniecenie, malujące się na buziach dzieciaków.

ROZDZIAŁ
TRZYDZIESTY ÓSMY

Londyn

Will stał w bibliotece domu Edwarda przy Berkeley Square i patrzył na wiszący nad kominkiem obraz Renoira, przedstawiający dwie rudowłose młode kobiety. Doskonale rozumiał, dlaczego portret umieszczono w najbardziej widocznym miejscu – był prawdziwym arcydziełem i zawsze przypominał Edwardowi o Bess i Grace Rose.

Uprzedził Neda, że musi porozmawiać z nim w cztery oczy i umówili się właśnie tutaj. Elizabeth wyjechała z dziećmi do Waverley w hrabstwie Kent, więc tego popołudnia dom był pusty, cichy i spokojny.

Mallet wszedł do pokoju i odchrząknął, zwracając na siebie uwagę Willa.

– Czy mam coś podać, sir? Może filiżankę herbaty?

– Nie, dziękuję.

Kiedy kamerdyner odszedł, Will znowu skupił wzrok na wspaniałym płótnie. Z zamyślenia wyrwał go dopiero Edward, który szybkim krokiem wszedł do biblioteki, przepraszając, że kazał przyjacielowi czekać.

– Co się stało, Will? Masz bardzo poważny wyraz twarzy, można powiedzieć, że wręcz ponury.

Will milczał. Usiadł w fotelu w pobliżu kominka, rozprostował plecy i założył nogę na nogę. Edward zajął miejsce naprzeciwko, nie odrywając czujnego spojrzenia od twarzy gościa.

– Wydarzyło się coś złego?

– Vincent Martell zatelefonował do mnie, zanim wyszedłem na lunch. Próbował dodzwonić się do ciebie, ale numer był ciągle zajęty, więc w końcu postanowił skontaktować się ze mną.

– Jakieś problemy z winnicami? O, nie, już wiem, George znowu narozrabiał! Czy o to chodzi?

Will wziął głęboki oddech.

– George nie żyje – oznajmił cicho.

Edward drgnął, wyprostował się gwałtownie, otworzył usta i znowu je zamknął. Zmarszczył brwi i potrząsnął głową, wyraźnie nie wierząc w to, co usłyszał.

– George... George nie żyje?

– Tak. Vincent znalazł go dziś rano. Zauważył, że wiatr szarpie drzwiami jednej z dużych piwnic i poszedł sprawdzić, co się dzieje.

Krew w jednej chwili odpłynęła z twarzy Edwarda.

– W jaki sposób umarł? – zapytał ochryple. – Zachorował? Co się właściwie stało?

– Wygląda na to, że w nocy wydarzył się straszny wypadek. Najwyraźniej George miał w zwyczaju zachodzić do największej piwnicy, kiedy w château zabrakło wina. Pod ścianą stał tam stół do próbowania trunku i półki pełne butelek. Vincent sądzi, że George pewnie był pijany, gdy zszedł na dół. Rano znalazł go leżącego na podłodze, twarzą do ziemi, w kałuży czerwonego wina, a dookoła niego potrzaskane kawałki kilku beczułek. Sądzi, że George zatoczył się, upadł na rząd beczek i zderzył się z nimi tak mocno, że potoczyły się na niego. Jedna musiała uderzyć go w głowę i zabić. Miał bardzo poważne obrażenia. Cała piramida baryłek rozsypała się, niektóre popękały...

– O, mój Boże. – Edward zasłonił twarz dłonią. – To straszne.

– Wiem. – Will powoli pokręcił głową. – Stało się to tak nagle. Z drugiej strony, jeśli dobrze się nad tym zastanowić, nie powinniśmy być zaskoczeni. Moim zdaniem, George był skazany na tragiczny koniec. Prześladował go zły los, zawsze przecież pakował się w jakieś tarapaty.

Will przerwał, nie znajdując słów, aby wyrazić swoje uczucia. Obaj starzy przyjaciele milczeli chwilę, pogrążeni w myślach.

– Vincent wezwał lekarza, prawda? – odezwał się wreszcie Edward.

– Tak, oczywiście. George nie żył już wtedy od paru godzin i ciało zdążyło zesztywnieć. Martell wezwał też policję, ale sprawa wydaje się raczej jasna – potrzaskane beczułki i obrażenia głowy mówią same za siebie.

– Powiedzą, że to przeze mnie. – Edward mówił bardzo cicho, prawie szeptem. – Moja matka obarczy mnie winą za śmierć George'a, Richard także.

Oboje prosili mnie, żebym nie wysyłał go do Francji. Uważali, że zapije się na śmierć w winnicach albo padnie ofiarą nieszczęśliwego wypadku, i mieli rację. Moja matka błagała mnie, Will…

– Nie, nie mogą cię winić! Posłuchaj, nie miałeś z tym przecież nic wspólnego, naprawdę! Ach, nigdy nie rozumiałem, dlaczego wasza matka zawsze stawała po stronie George'a. Wiem, że nie należy źle mówić o zmarłych, ale twój brat przez całe życie traktował cię jak wroga!

– To prawda.

Edward podniósł się, podszedł do tacy z alkoholami, stojącej na blacie pod oknem i napełnił kieliszek koniakiem.

– Nalać ci, Will?

– Tak…

– Będę musiał ich zawiadomić – wymamrotał Edward, podając Willowi kieliszek. – Moja matka jest w Ravenscar. Zresztą Richard także. Muszę też zadzwonić do Meg.

– Zrób to jutro – poradził Will.

– Nie, lepiej od razu. Powinienem zatelefonować przynajmniej do matki…

Edward usiadł przy biurku i wybrał numer rezydencji w Ravenscar. Słuchawkę podniósł Jessup, który szybko przełączył rozmowę do salonu. Po chwili Edward usłyszał głos matki.

– Tak, Ned?

– Mamo, stało się coś strasznego. Wypadek we Francji… W winnicach…

– Jaki wypadek? – zapytała Cecily Deravenel drżącym głosem.

Edward opowiedział jej, co musiało wydarzyć się poprzedniego wieczoru, gdy George zszedł do piwnicy i zatoczył się na piramidę beczek z winem. Matka przerwała mu, zanim skończył.

– On nie żyje. George nie żyje, prawda?

– Tak…

– Wiedziałam, że czeka go tam śmierć – powiedziała Cecily i odłożyła słuchawkę.

Mgła. Mgła na zewnątrz i nagle w pokoju, wszędzie dookoła. Otoczyła go, unieruchomiła… Edward usiadł na łóżku, wytężył wzrok, usiłując dojrzeć coś poprzez mgłę. W jaki sposób przedostała się do sypialni? Okno było przecież zamknięte. Odrzucił kołdrę, opuścił nogi na podłogę, po omacku ruszył przed siebie. Prawie natychmiast wpadł na komodę, mocno uderzył się w duży palec u nogi. Skrzywił się boleśnie. Skąd wzięła się komoda w tym miejscu...

Wszedł do łazienki i włączył lampę. Dopiero wtedy uświadomił sobie, że znajduje się w Londynie, w domu przy Berkeley Square, nie w Ravenscar. Ostre światło raziło go w oczy.

Spojrzał na swoje odbicie w lustrze i zamrugał, by pozbyć się wrażenia rozmazanych konturów. Oparł się o umywalkę, bo nagle zakręciło mu się w głowie, w której pulsował ostry ból. Napełnił szklankę zimną wodą i wypił do dna. Opłukał twarz, zmoczył mały ręcznik i przyłożył go do czoła. Mgła zniknęła. Wreszcie widział wyraźnie.

Ból głowy prawie go oślepił. Miał kaca. Wrócił do sypialni i wczołgał się do łóżka. Leżał nieruchomo, usiłując powstrzymać mdłości. I myślał.

Powoli przypomniał sobie, że poprzedniego wieczoru kilka godzin siedział z Willem w bibliotece, popijając koniak. Rozmawiali. Rozmawiali o George'u, o jego śmierci. O konieczności sprowadzenia zwłok do Anglii i zorganizowania pogrzebu w Yorkshire, w Ravenscar. Rozmawiali też o matce, Richardzie, Neville'u Watkinsie i Johnnym, ukochanym kuzynie Neda. Przywoływali przeszłość. Mówili o dzieciach George'a, które musiały jak najszybciej wrócić do Anglii, może pod opieką Meg.

Było już bardzo późno, kiedy Will wyszedł. Broadbent odwiózł go do domu za Marble Arch, niedaleko domu Jane. Jane... Edward poczuł, że musi do niej zatelefonować, najlepiej teraz, od razu... Nie, nie teraz, był przecież środek nocy.

George, jego brat... George nie żył. Był takim pięknym dzieckiem. Wyrósł na bardzo przystojnego młodego mężczyznę. Jasne włosy, turkusowe oczy... Powierzchowna uroda, przerażające wnętrze. George... Czasami Edward zupełnie nie mógł go zrozumieć. Był rozchwiany wewnętrznie, spragniony przyjemności, słaby. Zawsze zwracał się o pomoc do matki, pragnął jej opieki. Jako dziecko, chłopiec i mężczyzna.

Kiedyś Edward bardzo go kochał, lecz miłość stopniowo zmieniła się w niepokój, brak zaufania, zaskoczenie, niechęć. George raz po raz popełniał akty zdrady wobec starszego brata, robił to otwarcie, jakby nie dbał, czy Edward wie o jego postępkach, czy nie.

Nagle Edward usiadł na łóżku, wpatrzony w ciemność. I zadał sobie pytanie, które poprzedniego wieczoru postawił Willowi Haslingowi, zanim upił się do nieprzytomności.

Czy to był wypadek? Czy może morderstwo?

Will odparł, że nie wie. Edward także nie wiedział, ale teraz skupił się na dręczących go wątpliwościach. Nie potrafił znaleźć odpowiedzi.

Do świtu przewracał się z boku na bok, zmagając się z pytaniem, którego nie był w stanie wyrzucić z obolałej głowy.

Skończył się właśnie ubierać, gdy do drzwi zapukał Mallet. Edward wiedział, że to on, bo w domu nie było nikogo poza nim, kamerdynerem, kucharką i dwiema pokojówkami.

– Proszę wejść! – zawołał.

Mallet otworzył drzwi.

– Dzień dobry, panie Deravenel. Przyszedł pan Hasling, czeka w porannym salonie.

Edward włożył marynarkę i zapiął ją.

– Już schodzę – powiedział. – Chętnie napiłbym się kawy.

– Oczywiście, sir! Zaraz przyniosę. – Kamerdyner cicho zamknął za sobą drzwi.

Edward podszedł do lustra, zmierzył wzrokiem swoje odbicie i skinął głową. Żadnych widocznych śladów kaca, na szczęście. Wyglądał dokładnie tak samo jak poprzedniego dnia, czuł się jednak zupełnie inaczej. Nosił wewnątrz pustkę, straszną, bolesną próżnię i coś jeszcze bardziej ulotnego, trudnego do określenia… Nagle zdał sobie sprawę, że tym czymś jest dziwna samotność. Był teraz zupełnie sam i zawsze miało już tak pozostać, do końca jego życia. Matka nigdy nie będzie traktować go tak jak dawniej, Richard także nie. Oboje uznają, że to on jest winny śmierci George'a.

Więc jestem sam – pomyślał. – Jak zawsze.

Will siedział przy okrągłym stole w porannym salonie i pił kawę. Obok niego leżał egzemplarz dziennika „The Times", złożony i wyraźnie jeszcze nieczytany.

– Dzień dobry – odezwał się od progu Edward, z trudem przywołując uśmiech.

Will skinął głową.

– Dzień dobry, Ned! Zapomniałeś, co? Umówiliśmy się, że zjemy dziś razem lunch i ostatecznie ustalimy, czy mam jutro rano jechać do Francji. Razem z Oliverim, po ciało George'a. Zarezerwowałem stolik u Ritza, dobrze?

– Rzeczywiście zapomniałem… – przyznał Edward, siadając i sięgając po srebrny dzbanek z kawą. – Na szczęście to nie problem, bo nie mam żadnych innych planów.

Pijąc czarną kawę, rozmawiali o sprawach i formalnościach, jakie należało załatwić. Po drugiej filiżance wyszli z domu i wolnym krokiem ruszyli w górę Berkeley Street, ku Piccadilly.

Ranek był słoneczny i bezchmurny, lekki wiatr dość ciepły jak na listopad i całkiem przyjemny.

– Przypomniałem sobie o klinach, które blokują beczki – przerwał milczenie Edward. – Myślałem o nich przez pół nocy. Obudziłem się i nie mogłem już zasnąć. Zastanawiałem się, czy George został zamordowany, czy nie… I w pewnym momencie przypomniałem sobie o klinach.

– Rozumiem, do czego zmierzasz. Gdyby ktoś wyjął kliny, piramida beczek runęłaby na ziemię nawet przy niezbyt mocnym pchnięciu.

Edward bez słowa skinął głową.

– Ale kto miałby usunąć kliny? – ciągnął Will. – I skąd pewność, że George wejdzie akurat do tej piwnicy?

– Wszyscy znali jego nawyki. A jeśli chodzi o kliny, to znam kilka osób, które mogłyby je wyjąć… Jeżeli ktoś naprawdę to zrobił, musiał tylko spokojnie czekać. Wcześniej czy później musiało dojść do wypadku, bo tylko tą drogą George mógł się dostać do stojących na półkach butelek…

Will milczał.

– Może ktoś doszedł do wniosku, że wyrządzi mi przysługę, pozbywając się George'a – rzekł w końcu Edward. – Bóg jeden wie, ile miałem przez niego zmartwień i trosk.

– Jestem pewny, że to był wypadek – powiedział szybko Will, chociaż w głębi serca wcale nie czuł takiej pewności.

On również się zastanawiał, czy George został zamordowany i wiedział, że nawet jeśli tak było, nigdy nie znajdą winnego. Potrzebne były dowody, niepodważalne dowody, a tych nie da się zdobyć. Will pomyślał o Vincencie Martellu, Amosie Finnisterze i Alfredzie Oliverim, którzy, jego zdaniem, byli ewentualnymi podejrzanymi. Wszyscy trzej byli bez reszty wierni Nedowi i zdolni do popełnienia takiego czynu. Ale czy faktycznie go popełnili?

R O Z D Z I A Ł
TRZYDZIESTY DZIEWIĄTY

Paryż

Paryż był ulubionym miastem Jane Shaw o każdej porze roku i przy każdej pogodzie, ale szczególnie w maju. I teraz, idąc przez Tuileries, czuła, jak ogarnia ją cudowne uczucie radości.

Pogoda była piękna, powietrze balsamiczne, niebo jasnobłękitne, a promienie słońca przenikały między liśćmi drzew, rzucając na ziemię migotliwe cienie. Jane pomyślała, że są także inne powody, dla których wypełnia ją pogoda ducha i zadowolenie z życia. Minione pięć dni spędziła w Paryżu razem z Edwardem, a za chwilę miała spotkać się w Luwrze z Grace Rose.

Grace Rose od dwóch lat studiowała na Sorbonie i Jane nie mogła się już doczekać, kiedy ją zobaczy. W ostatnich latach bardzo zbliżyły się do siebie, połączone zamiłowaniem do historii i kultury Francji, i często mówiły wszystkim, że są najszczerszymi wielbicielkami tego kraju. Po wizycie w Luwrze wybierały się z Edwardem na lunch do Grand Véfour, restauracji, którą oboje bardzo lubili. W tej chwili Edward był na spotkaniu w paryskiej siedzibie Deravenels i miał dołączyć do Jane i Grace Rose w restauracji w Palais-Royal.

Idąc przez piękne ogrody, zaprojektowane przez André Le Notre'a, sławnego ogrodnika króla Ludwika XIV, Jane rozmyślała o Nedzie. Miesiąc temu obchodził czterdzieste urodziny, choć w żadnym razie nie wyglądał na ten wiek. Był równie młodzieńczy jak zawsze i Jane mogła tylko mieć nadzieję, że ona sama nie sprawia wrażenia kobiety w średnim wieku. Miała teraz pięćdziesiąt lat; była z Nedem osiemnaście lat, od 1907 roku, i dziękowała losowi za to, że nadal są razem.

Był rok 1925. Jane miała na sobie strój w najmodniejszym stylu i wyglądała chyba bardziej szykownie i pięknie niż kiedykolwiek. Jej kostium zaprojektowany został przez Chanel, francuską projektantkę, która zyskała niezwykłą popularność po zakończeniu wojny w 1918 roku, uszyty był z lekkiego granatowego wełnianego tweedu, a złożony ze spódnicy z plisami z przodu i z tyłu oraz prostego, opartego na kształcie kwadratu żakieciku bez guzików.

W ostatnim czasie Jane nosiła wyłącznie Chanel. Uważała, że te świetnie skrojone ubrania są niezwykle eleganckie, a przy tym proste, wygodne i praktyczne. To Coco Chanel jako pierwsza zaprojektowała spodnie dla kobiet i poprzedniego dnia Jane kupiła sobie kilka par, między innymi z szarej flaneli i bladożółtego wełnianego dżerseju, noszone z białymi jedwabnymi koszulami w męskim stylu. Edward towarzyszył jej w czasie zakupów w butiku Chanel na rue Cambon i tak zachwycił go widok Jane w szarych spodniach i białej jedwabnej koszulowej bluzce, że namówił ją, aby kupiła drugi podobny zestaw.

Był wczoraj zadowolony i rozluźniony, co bardzo cieszyło Jane. Od śmierci brata George'a w Mâcon Edward często ulegał nagłym i zupełnie niespodziewanym napadom smutku. Nie był przygnębiony, popadał tylko w melancholijny nastrój i zamyślenie, jakby wciąż wracał do przeszłości i nie mógł przestać roztrząsać szczegółów dość dziwnej śmierci George'a. Choć ten zmarł w rezultacie licznych obrażeń czaszki, Ned wymamrotał kiedyś, że George „utopił się w beaujolais", kiedy jednak Jane zapytała, co ma na myśli, potrząsnął tylko głową i nie odezwał się więcej, patrząc w przestrzeń z wyrazem lekkiego zdziwienia na twarzy.

Jane była zadowolona z jednego – wszystko wskazywało na to, że lód skuwający rodzinę Edwarda zaczyna powoli topnieć. Matka od śmierci George'a przed czterema laty odnosiła się do Neda bardzo chłodno, lecz ostatnio zaczęła traktować go bardziej normalnie, a nawet serdecznie, natomiast Richard, który już wcześniej okazał bratu zrozumienie, znowu był z nim w jak najlepszych stosunkach. Richard przebywał teraz głównie w Yorkshire, gdzie zarządzał licznymi firmami, fabrykami, przędzalniami, a także kopalniami węgla kamiennego na północy Anglii; Ned ufał mu całkowicie, Jane zaś była wdzięczna, że tylko na krótko odwrócił się od jej ukochanego.

Była głęboko oburzona, kiedy matka Neda, Richard i mieszkająca w Burgundii siostra Meg obarczyli go winą za śmierć George'a. Jane nie miała żadnych wątpliwości, że George sam ściągnął na siebie katastrofę – od lat kusił

Opatrzność, przez całe życie raniąc innych niegodziwymi zdradami. George Deravenel nigdy nie poświęcił komukolwiek ani odrobiny czasu czy uwagi, ponieważ był zbyt pochłonięty własną osobą.

To, czy George został zamordowany, czy nie, stanowiło zupełnie odrębną kwestię. Nikomu nie udało się niczego dowieść, lecz oczywiście Jane miała na ten temat swoje zdanie. Wiedziała, że kliny do unieruchamiania beczek, które tak niepokoiły Edwarda, faktycznie zostały częściowo wyciągnięte; żandarmi z Mâcon powiadomili o tym Neda. Poluzowane kliny znaleziono także w innych piramidach i nikt nie potrafił wyjaśnić, jak mogło do tego dojść.

Zamyślona Jane zdała sobie sprawę, że jest już w Luwrze, jednej z paryskich pereł, wspaniałym muzeum, pełnym najwybitniejszych i najwspanialszych obrazów świata. Grace Rose miała na nią czekać w holu muzeum. Jane przyśpieszyła kroku. Nie mogła się już doczekać spotkania z córką Neda, którą nauczyła się kochać tak mocno, jakby była jej własnym dzieckiem.

Na widok wchodzącej do środka Jane Grace Rose pośpieszyła na jej powitanie. Obie uściskały się czule i Jane odsunęła od siebie dziewczynę na odległość ramion, aby lepiej się jej przyjrzeć.

– Wyglądasz cudownie, kochanie! – zawołała. – I widzę, że nosisz się z prawdziwie francuskim szykiem! Znakomity kostium!

Grace Rose roześmiała się, zadowolona z pochwały dla swego nieco niezwykłego stroju.

– To nie kostium, Jane, lecz fragmenty kostiumów, które kupiłam w różnych miejscach, w dziwnych małych sklepikach, na pchlim targu oraz w kilku butikach, prowadzących letnie wyprzedaże! Wszystko to razem kosztowało mnie tyle co nic! Doskonale się bawiłam, kompletując całość, która wypadła dosyć ciekawie, jak mi się wydaje!

Jane zawtórowała jej śmiechem, z przyjemnością przyglądając się krótkiemu żakiecikowi z czerwonego jedwabiu, sięgającej przed kostkę beżowej wełnianej spódnicy, dużej niebieskiej róży, przypiętej do klapy żakietu oraz żółtemu beretowi z czerwonymi i niebieskimi piórami, włożonemu na bakier i odsłaniającemu kasztanowe loki Grace Rose. Dziewczyna naprawdę przykuwała uwagę.

– Chodźmy teraz nacieszyć oczy i duszę. – Jane wsunęła rękę pod ramię Grace. – Co właściwie wiesz o Luwrze?

– Niewiele, jeśli mam być szczera. Byłam tu tylko raz, i to raczej krótko, ale to, co zobaczyłam, zrobiło na mnie ogromne wrażenie.

– Pozwól, że opowiem ci trochę o niektórych wystawionych tu obrazach. Jest tu *Mona Lisa* i *Madonna wśród skał*, są płótna Rafaela, Tycjana, Veronesego i Goi, a także jednego z moich faworytów, Delacroix...

Jane opowiadała Grace Rose o malarstwie przez cały czas nieśpiesznej wędrówki po Luwrze.

– Dobry Boże, jestem oszołomiona! – wyznała Grace, patrząc na arcydzieła malarstwa.

Była głęboko poruszona i zachwycona pięknem obrazów.

– Dziękuję, że nalegałaś, abym przyszła tu dziś z tobą. – Uśmiechnęła się do przyjaciółki. – Od dziś będę tu wracać do końca pobytu w Paryżu i za każdym razem, gdy znowu przyjadę.

– Przypuszczam, że tak będzie – odparła Jane. – W każdym razie ja zawsze tu wracam.

Edward czekał na nie w Le Grand Véfour. Kiedy obie kobiety weszły do restauracji, podniósł się szybko, z ciepłym uśmiechem na twarzy.

Po serdecznym powitaniu panie usiadły i kelner przyniósł zamówionego przez Edwarda różowego szampana.

– Za was obie, moje piękności! – Edward uniósł kieliszek.

Powtórzyły jego gest, uśmiechnięte i szczęśliwe.

– I za ciebie! – odparły zgodnie.

Edward uważnie przyjrzał się obu paniom i z aprobatą skinął głową.

– Interesujący strój, Grace Rose, bez dwóch zdań.

Grace natychmiast opowiedziała mu, w jaki sposób go skompletowała.

– Moim zdaniem Grace wygląda *très chic*! – dorzuciła Jane.

– Jak najbardziej! – przytaknął Edward.

Potoczył wzrokiem po restauracji i zwrócił się do Grace Rose.

– Le Grand Véfour to moim zdaniem najpiękniejsza restauracja w Paryżu. Bardzo lubię tu przychodzić. Mam nadzieję, że przypadnie ci do gustu tak samo jak nam.

– Na pewno! – powiedziała Grace. – Jest bardzo stara, założona jeszcze przed rewolucją… Napoleon przychodził tu z Józefiną, prawda? – Spojrzała na Jane.

– Tak, rzeczywiście byli tu częstymi gośćmi, podobnie jak wiele innych sław. Restaurację otworzono chyba w 1784, z początku nosiła nazwę Café de Chartres. Uwielbiam jej wystrój, zwłaszcza lustra w antycznych ramach na ścianach i suficie…

Z wyrazu twarzy Grace Rose wynikało jasno, że całkowicie zgadza się ze zdaniem przyjaciółki.

– Kocham Palais-Royal – wyznała dziewczyna. – I nic nie sprawia mi takiej przyjemności, jak spacery pod tutejszymi podcieniami.

– Z całym mnóstwem butików, w których można szukać modnych rzeczy – uzupełnił Edward z pełnym rozbawienia błyskiem w oku. – Kiedy kończysz zajęcia na uczelni?

– W przyszłym miesiącu, wuju Nedzie. Potem wracam do Londynu i mam nadzieję dostać pracę nauczycielki.

– Myślałem, że chcesz pisać książki! – zdziwił się Edward. – Nie musisz przecież szukać pracy, jeśli nie masz ochoty! Może powinnaś skoncentrować się na książce.

– Och, wiem, że nie muszę i jeszcze raz bardzo dziękuję ci za mój fundusz i za wszystko, co dla mnie zrobiłeś! Jestem ci ogromnie wdzięczna, naprawdę.

Edward uśmiechnął się lekko w odpowiedzi i zapytał Jane, jak upłynęło im przedpołudnie w Luwrze, następnie przywołał kelnera i poprosił go, aby przyniósł karty dań.

Gdy zamówili już lunch, Edward, Jane i Grace Rose zaczęli omawiać swoje plany na następne dni w stolicy Francji. Dopiero po pierwszym daniu Grace poruszyła temat, który ostatnio nie dawał jej spokoju.

– Wuju Nedzie – zaczęła cicho, z wyraźnym wahaniem. – Muszę porozmawiać z tobą o Amosie.

Edward popatrzył na nią uważnie.

– Co masz na myśli? – spytał.

– Trochę martwię się o niego. Ostatnio wydał mi się jakiś nieswój, ciągle jest zamyślony i nieco roztargniony, nie zauważyłeś tego?

Edward dłuższą chwilę nie spuszczał wzroku z jej twarzy. Wreszcie powoli skinął głową.

– Zauważyłem – przyznał. – I także zastanawiałem się, co mu dolega... Sądzisz, że jest chory?

– Nie, chyba nie, miałam nawet wrażenie, że jest w znakomitej formie.

– Amos ma już sześćdziesiąt parę lat, ale rzeczywiście jest zdrowy jak ryba, masz rację – powiedział Edward. – Sam zresztą kilka razy pytałem go, czy nie chce przejść na emeryturę, ale zawsze zaprzeczał. Chciałabyś, żebym znowu z nim o tym pomówił?

– Tak, gdybyś mógł – odpowiedziała szybko. – Wolałabym tylko, żeby nie przyszło mu do głowy, że próbujesz się go pozbyć. Całe jego życie kręci się wokół Deravenels i ciebie. Chyba by umarł, gdyby musiał cię opuścić.

– Wiem o tym, skarbie – Edward uśmiechnął się łagodnie, w pełni rozumiejąc jej głębokie przywiązanie do Amosa. – Nie martw się, będę bardzo ostrożny i delikatny.

– Bardzo dziękuję! Mama będzie zadowolona, że porozmawiałam z tobą o Amosie, bo sama także uważa, że z jakiegoś powodu jest mocno przygnębiony.

Edward i Jane zatrzymali się w hotelu Plaza Athénée przy Avenue Montaigne. Kiedy wrócili do swego apartamentu, Edward zrzucił marynarkę, rozluźnił krawat i usiadł w fotelu przy oknie.

– Wszystko w porządku, kochany? – Jane lekko zmarszczyła brwi.

– Tak, naturalnie... Czemu pytasz?

– Byłeś dziś dziwnie milczący przy kolacji. Przyszło mi do głowy, że może martwisz się o Amosa.

– Nie, myślałem o czym innym! A jeśli chodzi o Amosa, to mam uczucie, że wiem, co go trapi i porozmawiam z nim zaraz po powrocie do Londynu.

– Więc o czym myślałeś? – spytała, siadając naprzeciwko niego.

– O spotkaniu, które odbyłem dziś w siedzibie Deravenels.

– Było udane?

– Tak, takie jest moje zdanie. – Edward potrząsnął głową. – Spotkałem się z interesującym człowiekiem. Gościłem w swoim gabinecie Henry'ego Turnera.

Jane rzuciła mu pełne zdziwienia spojrzenie.
– Spadkobiercę Henry'ego Granta?
– Tak.
– Ale dlaczego? Przecież to twój wróg!
– Nie nazwałbym go tak. To dobrze wychowany młody człowiek, bardzo inteligentny, o dość poważnym usposobieniu.
– Dlaczego się z nim umówiłeś?
– Kilka tygodni temu napisał do mnie z prośbą o spotkanie i między innymi właśnie z tego powodu chciałem wybrać się do Paryża – wyjaśnił Edward, wstając i podchodząc do barku.
Wybrał butelkę najlepszego koniaku i nalał trochę do pękatego kieliszka.
– Masz ochotę na odrobinę, Jane?
– Nie, dziękuję... Choć, właściwie dlaczego nie... Nalej mi trochę, proszę!
Edward podał jej napełniony do połowy kieliszek i usiadł.
– Chciał spotkać się ze mną, ponieważ szuka pracy – podjął. – W paryskiej placówce Deravenels. Pracował z Louisem Charpentierem, ale najwyraźniej poważnie się poróżnili. Henry ma ten sam problem, co ja wiele lat temu – nie chce, aby ktoś wybierał mu żonę, a Charpentier usiłował ożenić go ze swoją bratanicą Louise.
– Kiedyś mówiłeś mi, że bratanica Charpentiera odziedziczy po nim całą fortunę!
– To prawda, kochanie, tak to właśnie wygląda, ale Henry nie jest zainteresowany tym małżeństwem, niezależnie od tego, czy Louise jest spadkobierczynią Charpentiera, czy nie. Henry Turner zrezygnował więc z pracy u Charpentiera i pomyślał, że może ja zlituję się i zaproponuję mu jakieś zajęcie w Deravenels.
– Zlitujesz się? Dlaczego tak to określasz? Czy Turner jest bez grosza przy duszy?
– Powodzi mu się nie najgorzej, ale zrobił na mnie wrażenie człowieka, który chce i lubi pracować. Ponieważ on i jego matka Margaret Beauchard posiadają sporą część udziałów Deravenels, postanowił zacząć pracę w firmie, która należy także i do niego.
– Jest z tobą spokrewniony? – Jane lekko uniosła brwi. – Czyżby był członkiem rodziny Deravenel? Wydawało mi się, że jest kuzynem Grantów.

– Tak... Nie zapominaj jednak, że pełne nazwisko Henry'ego Granta brzmiało Deravenel Grant z Deravenelów Grantów z Lancashire. Henry również miał w swoich żyłach krew założyciela naszej dynastii, Guya de Ravenela, tak samo jak ja. Byliśmy kuzynami.

– A gdzie jest w tym wszystkim miejsce dla Henry'ego Turnera?

– Ojciec Henry'ego Turnera, nieżyjący już Edmund Turner, to przyrodni brat Henry'ego Granta – mieli tę samą matkę, lecz innych ojców. Edmund Turner nie miał nic wspólnego z Deravenelami, ale Margaret Beauchard Turner, jego żona i matka Henry'ego Turnera, wywodzi się w prostej linii od Guya de Ravenela i jest naszą daleką kuzynką. Ona i jej syn mają udziały Granta, ponieważ Henry Turner jest jego spadkobiercą. Wszyscy inni już nie żyją.

– I dałeś mu pracę? – Przez twarz Jane przemknął cień niepokoju.

– Tak, tutaj, w naszej paryskiej placówce. Z początku będzie zajmował się ogólnymi rzeczami, nie przydzieliłem go do żadnego działu.

– Ale dlaczego? Nie wydaje ci się, że to raczej niebezpieczny krok?

– Nie, skądże znowu! Wierz mi, kochanie, Henry Turner wie, że nie może wysadzić mnie z siodła w Deravenels. Firma jest moja i ten młody człowiek nie ma co do tego żadnych wątpliwości. Nie ma też doświadczenia, wystarczających udziałów i bezczelności, aby zorganizować zamach stanu, jeśli można tak to nazwać. Zależy mu tylko na pracy, to wszystko.

– Sam najlepiej wiesz, co należy robić – powiedziała w końcu z ociąganiem.

Całkowicie ufała zdolnościom Neda, jego instynktowi i wiedzy, ale czuła pewien niepokój, którego przyczyną był Henry Turner. W niezbyt odległej przyszłości miała przypomnieć sobie tę rozmowę i gorzko żałować, że w bardziej zdecydowany sposób nie wpłynęła na decyzję Edwarda. I że nie przedstawiła mu jasno i wyraźnie, czego dotyczą jej złe przeczucia. Ale wtedy było już za późno.

CZĘŚĆ TRZECIA

BESS

Związana lojalnością

Serce ludzkie kryje w sobie skarby,
Sekretne skarby, opieczętowane ciszą.
Charlotte Brontë, *Wieczorna pociecha*

Spałam i śniłam, że życie to piękno.
Obudziłam się i odkryłam, że życie to obowiązek.
Ellen Sturgis Hooper, *Piękno i obowiązek*

Medytowałem przy tych mogiłach, pod tym kojącym niebem,
śledziłem spojrzeniem ćmy latające pośród wrzosów i kampanuli,
słuchałem łagodnego szmeru wiatru i zdumiewałem się, skąd te wymysły,
że spoczywających w tej cichej ziemi dręczą niespokojne sny.
Emily Brontë, *Wichrowe Wzgórza*, przełożył Tomasz Bieroń

R O Z D Z I A Ł
CZTERDZIESTY

Kent

– Co dolega twojemu ojcu, Bess? – zapytał Will Hasling, uściskawszy ją serdecznie na powitanie.

Cofnął się trochę i zajrzał w jej pobladłą, mizerną ze zmartwienia twarz.

– Kilka dni temu było to tylko lekkie przeziębienie – dodał. – Co się stało?

– Z przeziębienia wywiązał się bronchit, jak to często u niego bywa. To chyba rodzinna skłonność, ten brak odporności na infekcje oskrzeli i płuc. Zadzwoniłam do ciebie, wuju Willu, bo ojciec naprawdę marnie się czuje.

– I dobrze zrobiłaś! Cieszę się, że udało mi się przyjechać do Kentu wczoraj wieczorem!

Przeszli holem Waverley Court i skierowali się ku schodom.

– Moja matka pojechała na Wielkanoc do Rzymu, wiesz o tym, prawda? – podjęła Bess. – Zabrała ze sobą Cecily i obu chłopców. Nie miałam ochoty im towarzyszyć i teraz bardzo mnie to cieszy, bo mogę zająć się ojcem…

– Oczywiście telefonowałaś do lekarza?

– Tak, niedługo tu będzie. Razem z Faxtonem kurowaliśmy tatę wszelkimi dostępnymi domowymi środkami – robiliśmy mu inhalacje, podawaliśmy syrop i napary ziołowe. Mam wrażenie, że trochę mu to pomogło.

Kiedy znaleźli się na piętrze, zobaczyli wychodzącego z sypialni Edwarda Faxtona.

– Jak się czuje pan Deravenel? – zapytał Will.

– Wciąż mniej więcej tak samo, sir.

– Gdy doktor przyjedzie, proszę natychmiast zaprowadzić go na górę!

– Oczywiście, sir.

Bess pierwsza weszła do pokoju ojca.

– Tato, przyjechał wuj Will!

Wsparty na stosie białych poduszek Edward przywitał gościa słabym uśmiechem i z wyraźnym trudem uniósł dłoń.

– Nie mogę w to uwierzyć – powiedział zachrypniętym głosem. – Musiałem zrezygnować z wyjazdu do Rzymu. Nie czułem się dość dobrze, aby jechać, a przecież tak bardzo zależało mi na tej wycieczce.

– Wiem. – Will przysunął krzesło do łóżka i usiadł, uważnie przyglądając się Nedowi. – Lepiej, że zostałeś, wierz mi, bo szybciej dojdziesz do siebie. Twoje zdrowie jest bardzo ważne. A właśnie, kto pojechał z Elizabeth i dziećmi?

– Anthony. Nie miał nic przeciwko temu, aby pojechać z siostrą. W ostatniej chwili zdecydowała się też panna Coleman, guwernantka dziewczynek. – Edward przerwał, wyjął chusteczkę z kieszeni piżamy i zasłonił sobie nią usta, zanosząc się ostrym kaszlem.

Po paru minutach atak minął i Ned opadł na poduszki, wyraźnie wyczerpany.

– Podać ci szklankę wody? – spytał Will, kiedy przyjaciel znowu mógł normalnie oddychać.

– Gorącej herbaty z cytryną. – Edward spojrzał na córkę. – Mogłabyś przynieść mi filiżankę herbaty, kochanie? – wyszeptał.

– Oczywiście, ojcze. Czy tobie także coś przynieść, wuju?

– Także herbatę, bardzo proszę. Dziękuję ci, skarbie!

Dziewczyna skinęła głową i wyszła z pokoju.

– Jesteś strasznie blady, Ned – odezwał się Will, kiedy zostali sami. – Czy mogę ci jakoś pomóc? Czuję się zupełnie bezużyteczny…

– Doktor Lessing to dobry specjalista – odparł cicho Edward. – Szybko doprowadzi mnie do porządku, ale na razie nie jest ze mną dobrze. W ubiegły weekend zabrałem chłopców na ryby w Ravenscar i wtedy się przeziębiłem. Nad morzem było zimno i bardzo wietrznie, na dodatek zaczął padać deszcz. Przemokliśmy do ostatniej nitki… Tak czy inaczej, chłopcy byli zachwyceni, więc nie żałuję. – Wziął głęboki oddech. – Muszę trochę podreperować zdrowie, zanim wrócę do pracy, mój drogi.

– Nie martw się pracą, na miłość boską! Firma działa jak w zegarku, sam tak ją zorganizowałeś! Wszystko jest w jak najlepszym porządku, no i mamy najlepszą kadrę zarządzającą na świecie.

– Wiem o tym… – Na moment zamknął oczy.

Czuł ogromne zmęczenie, lecz w jego głowie kłębiło się mnóstwo myśli. Miał tyle ważnych spraw do załatwienia.

Will siedział nieruchomo, obserwując chorego; można by powiedzieć, że czuwał nad nim. Był głęboko zaniepokojony. Nigdy dotąd nie widział Edwarda Deravenela w tak złym stanie. Powiedział Nedowi, że jest blady, lecz tak naprawdę jego twarz była prawie szara, wymęczona gorączką i szarpiącym kaszlem. Will wyciągnął rękę i ostrożnie położył ją na dłoni Edwarda, który natychmiast otworzył oczy i uważnie popatrzył na gościa.

– Zawsze byłeś moim najlepszym przyjacielem – rzekł z wysiłkiem. – Najlepszym przyjacielem i sojusznikiem.

Ton jego słów nie spodobał się Willowi – jego zdaniem brzmiały jak pożegnanie. Zmarszczył brwi.

– Nadal jestem twoim najlepszym przyjacielem, a ty moim i jeszcze długo będziemy cieszyć się tą przyjaźnią. – Siłą przywołał uśmiech. – Obaj jesteśmy dopiero po czterdziestce, mamy jeszcze mnóstwo czasu.

Edward uśmiechnął się lekko.

– To prawda. Mamy mnóstwo czasu na różnego rodzaju przeżycia. Zamierzam zrobić jeszcze dużo zamieszania.

Drzwi otworzyły się nagle i do pokoju weszła Bess z pokojówką i doktorem Ernestem Lessingiem. Był to miejscowy lekarz, z którego usług Deravenelowie korzystali zwykle, kiedy przebywali w swoim majątku w Kent.

Will wstał i serdecznie przywitał się z doktorem, którego dobrze znał.

– Jak zdrowie, doktorze Lessing?

– Doskonale, dziękuję bardzo!

Lekarz zbliżył się do łóżka, postawił czarną torbę na krześle i wyjął stetoskop. Długą chwilę badawczo przyglądał się Edwardowi.

– Dzień dobry, panie Deravenel – odezwał się cicho. – Znowu bronchit, co?

– Niestety, doktorze… Wygląda na to, że mam skłonności do tej choroby.

Lessing skinął głową, założył stetoskop i uważnie osłuchał klatkę piersiową chorego.

– Muszę poprosić, żeby usiadł pan na brzegu łóżka – powiedział po paru minutach. – Chcę jeszcze sprawdzić, co dzieje się w płucach.

– Oczywiście. – Edward podciągnął się wyżej na poduszkach, a Will i doktor pomogli mu usiąść.

Will rozpiął piżamę Neda i zsunął ją z jego szerokich ramion.

Podczas gdy lekarz kontynuował badanie, Will podszedł do stołu pod przeciwległą ścianą, na którym pokojówka postawiła tacę. Bess przyglądała się poczynaniom doktora, ale podniosła wzrok i uśmiechnęła się do Willa.

– Tata wróci do sił, wuju – szepnęła. – Ma końskie zdrowie i zawsze szybko dochodzi do siebie po bronchicie.

– Tak, wiem...

Sięgnął po filiżankę herbaty z cytryną, wrzucił do niej kostkę cukru i zamieszał. Nagle ogarnęło go uczucie wielkiego niepokoju, którego źródła nie potrafił określić. Bał się o Neda, choć pozornie nie było powodu do obaw. Bess miała rację, jej ojciec cieszył się znakomitym zdrowiem, rzadko chorował, zawsze był pełen energii i wigoru. Mimo tego Will daremnie próbował pozbyć się lęku. Miał złe przeczucia.

Z zamyślenia wyrwał go głos doktora Lessinga.

– Jest dokładnie tak, jak pan sądził. – Ma pan ostry atak bronchitu, właśnie dlatego pojawiły się trudności z oddychaniem. Stan zapalny ogarnął drogi oddechowe, ale niedługo wszystko powinno wrócić do normy. Proszę nadal wdychać balsam z olejkiem eukaliptusowym i przyjmować syrop przeciwkaszlowy. Jutro przyślę panu świeżą porcję. Proszę odpoczywać i dużo pić!

Edward uważnie popatrzył na lekarza.

– Nic nowego, doktorze Lessing – mruknął, próbując się uśmiechnąć i zlekceważyć swoją chorobę.

– Tak jest, nic nowego. Przyjadę jutro, żeby pana osłuchać.

Lekarz wyszedł, pożegnawszy się z Willem i Bess. Dziewczyna natychmiast podała ojcu filiżankę herbaty, a chory zanurzył usta w rozgrzewającym napoju.

– Jestem strasznie zmęczony, Will – odezwał się. – Chyba trochę się zdrzemnę.

– Tak, musisz teraz odpocząć – kiwnął głową Will. – Będę w pobliżu, gdybyś mnie potrzebował, natychmiast wrócę.

– Nic mi nie będzie, staruszku.

– Zejdę z wujem na dół. – Bess spojrzała na ojca. – Zajrzę do ciebie później, tato. Teraz odpoczywaj…

Edward uśmiechnął się słabo i zamknął oczy.

U stóp schodów Will nagle przystanął i ujął Bess za ramię.

– Musisz obiecać mi, że natychmiast zadzwonisz, gdyby poczuł się gorzej albo gdybyś po prostu uznała, że mogę ci się na coś przydać – powiedział.

– Obiecuję, wuju… Wiem jednak, że doktor ma rację, ojciec jest w nie najgorszym stanie, a poza tym, naprawdę zawsze szybko odzyskuje siły po chorobie, wystarczy, że przestrzega wskazówek lekarza.

– Kto jest w domu, oczywiście poza Faxtonem? – zapytał Will. – Pewnie kucharka i pokojówki, prawda? A gdzie są twoje młodsze siostry, te, które nie pojechały do Rzymu?

– W tej chwili w pokoju dziecinnym, razem z Nianią. Anne miała jechać z mamą i chłopcami, ponieważ ma już osiem lat, ale Katherine i Bridget są za małe, w każdym razie tak uznała mama. Tyle tylko, że Anne wcale nie chciała jechać – lubi matkować swoim siostrom, no i bardzo tęskni za małym Georgie, nigdy nie przestała go opłakiwać. Jego i Mary.

Will pokiwał głową.

Trzeci syn Neda Georgie zmarł w 1922 roku, przed czterema laty, mając zaledwie dwa latka. Był kolejnym małym dzieckiem, które stracili Deravenelowie, po maleńkiej Margaret, która umarła kilka lat wcześniej. Ned i Elizabeth mieli jednak szczęście, gdyż po śmierci Georgiego urodziły im się jeszcze dwie córki, w 1922 roku Katherine, której przyjście na świat pomogło im przeboleć stratę synka, a w 1923 Bridget, obecnie trzyletnia. Mary, ich druga pod względem starszeństwa córka, umarła przed rokiem, powalona zabójczym atakiem reumatycznej gorączki. Miała piętnaście lat i jej odejście pogrążyło rodziców i rodzeństwo w głębokiej rozpaczy.

Will westchnął ciężko i razem z Bess ruszył w stronę frontowych drzwi. Dziewczyna spojrzała na niego szybko.

– O co chodzi, wuju?

– Myślałem właśnie, że twoi rodzice są bardzo szczęśliwą parą, i to pod wieloma względami. Urodziło im się dziesięcioro dzieci, z których tylko dwoje zmarło w niemowlęctwie, no i Mary, oczywiście. Moim zdaniem to naprawdę niezwykłe osiągnięcie.

– Tak, to prawda. – W głosie Bess zabrzmiała smutna nuta. – Ogromnie brakuje mi Mary... Byłyśmy sobie bardzo bliskie, pewnie także dlatego, że dzieliła nas niewielka różnica wieku.

– Wiem, że za nią tęsknisz. Wszyscy o tym wiemy, ja także czuję jej brak. Będziesz ją długo opłakiwać, moja droga, może nawet do końca życia, ale powinnaś szukać pociechy w obecności rodzeństwa.

– Staram się... To piękne dzieci, tak jak Mary, i jak ona kochane. Naprawdę dobre dzieciaki.

– Deravenelowie to płodna rodzina. Pewnie ty także będziesz miała sporo dzieci, kiedy dorośniesz i wyjdziesz za mąż.

– Na pewno nie dziesięcioro! – wykrzyknęła Bess, nie kryjąc przerażenia, zaraz jednak uśmiechnęła się, widząc rozbawienie na twarzy Willa. – Poza tym, jestem już dorosła, wuju! Zapomniałeś, że skończyłam siedemnaście lat?

– Skądże znowu! – roześmiał się. – Jesteś dorosła i wszystkim się zajmiesz, prawda? Kiedy byłaś mała, zawsze tak mówiłaś! „Wszystkim się zajmę!". I wiesz co, Bess? Ja zawsze ci wierzyłem.

Bess znalazła Nianię na piętrze przeznaczonym dla dzieci i podzielonym na salon, łazienki, pokój dla niemowląt oraz sypialnie dla starszych dzieci, Niani i Madge, jej pomocnicy. Starsza kobieta siedziała przy stole w wygodnym, przytulnym saloniku i piła herbatę, podczas gdy trzy młodsze siostry Bess popijały mleko. Na środku stał talerz z obranymi i pokrojonymi owocami, słynną odtrutką Niani na ciasteczka i czekoladowe paluszki, ulubione słodycze młodych Deravenelów.

– Za dużo cukru! – zrzędziła zwykle Niania, grożąc podopiecznym palcem.

– Jesteś, Bess! – zawołała teraz, odstawiając filiżankę. – Jak czuje się ojciec?

– Nie najgorzej, Nianiu. Ma bronchit, tak jak wszyscy podejrzewaliśmy. Doktor wyszedł przed chwilą.

– Widziałam przez okno jego auto i samochód pana Haslinga.

– Wuj Will pojechał do domu, ale wróci, gdybyśmy go potrzebowali.

– Czy doktor Lessing przyjedzie jutro sprawdzić, jak czuje się pan Deravenel?

– Tak, Nianiu, obiecał, że wpadnie jutro. Na razie musimy opiekować się tatą tak jak zwykle w czasie bronchitu.

Niania z powagą pokiwała głową.

– Zrobimy, co w naszej mocy. Wygląda na to, że skłonność do takich dolegliwości jest u was dziedziczna – powiedziała, myśląc o Młodym Edwardzie, który był równie podatny na bronchit jak jego ojciec.

– Chcę zobaczyć tatę! – oświadczyła Anne, błagalnie patrząc na Bess. – Mogę? Proszę, proszę... Chciałabym go pocałować! Tata lubi, gdy go całuję, sam mi powiedział!

– Trochę później, kochanie – rzekła Bess swoim najbardziej autorytatywnym tonem. – Tata teraz odpoczywa. Wiesz przecież, że nie czuje się zbyt dobrze.

– Obiecał dać mi trzy pensy w Wielki Piątek, czyli dzisiaj! – nalegała ośmiolatka.

– Skoro obiecał, na pewno dotrzyma słowa, moja droga, ale nie w tej chwili. – Bess zerknęła na czteroletnią Katherine i o rok młodszą Bridget. – Każda z was dostanie od taty trzy pensy z okazji Wielkiego Piątku, możecie mi wierzyć...

Trzy siostry rozpromieniły się w uśmiechach i Bess nie zdołała zachować powagi. Wszystkie były jasnowłose i niezwykle urodziwe, podobnie jak ich bracia i siostra. Katherine podniosła na Bess prześliczne turkusowe oczy.

– Dostaniemy gorące bułeczki na podwieczorek – zdradziła tajemnicę. – Niania tak powiedziała.

– Chętnie zjem jedną z wami – uśmiechnęła się Bess.

– A tata? – zapytała natychmiast Katherine.

– Zobaczymy.

Bess spojrzała nad głowami dziewczynek na Nianię i zdecydowanie potrząsnęła głową.

ROZDZIAŁ
CZTERDZIESTY PIERWSZY

Londyn

Bess siedziała przy łóżku ojca w sypialni domu przy Berkeley Square. Poprzedniego dnia, w niedzielę wielkanocną, Edward postanowił wrócić do Londynu. Ponieważ jego stan uległ poprawie od piątku, wyjaśnił, że woli być w mieście, i Broadbent przywiózł ich do stolicy późnym popołudniem.

Patrząc na ojca, Bess musiała przyznać, że wygląda trochę lepiej; jego cera odzyskała prawie normalny kolor, oczy nie lśniły od gorączki, która zdecydowanie spadła.

– Dziękuję, że poczytałaś mi „The Timesa" – odezwał się Edward, z namysłem patrząc na córkę. – Posłuchaj, jest coś, co chciałbym ci wytłumaczyć.

Bess wyprostowała się, zaciekawiona poważnym tonem ojca.

– Co takiego, ojcze?

Edward wysunął szufladę stolika przy łóżku, wyjął kartkę i podał ją Bess.

– Najpierw to przeczytaj…

Dziewczyna przebiegła wzrokiem zapisane kombinacje cyfr.

– To chyba kody do twojego sejfu, prawda? – zapytała.

– Brawo! Do sejfu, który znajduje się w garderobie tego domu i do drugiego, w Ravenscar. Te kody otwierają oba sejfy, takie rozwiązanie wydało mi się łatwiejsze. Otwórz teraz sejf i wyjmij leżące na najwyższej półce koperty.

Bess zerwała się z krzesła i pobiegła do garderoby przy sypialni, zabierając ze sobą kartkę. Po chwili wróciła z dużą kopertą w ręku. Podała ją ojcu i usiadła.

Edward położył kopertę na kołdrze.

– Te dokumenty są dla ciebie – powiedział. – Na zawsze. To regulamin i kodeks Deravenels, z poprawkami wprowadzonymi przeze mnie w 1918 roku. Na pewno pamiętasz, jak w czasie Bożego Narodzenia przewróciłem się wtedy na tarasie.

– Oczywiście, ojcze.

– Miałem mnóstwo szczęścia, wiesz? Mogłem odnieść bardzo poważne obrażenia, uszkodzić kręgosłup albo skręcić kark, mogłem się nawet zabić. Na szczęście nic mi się nie stało, ale ten upadek przypomniał mi pewną rzecz – że jestem tylko kruchym człowiekiem, takim samym jak wszyscy. Zacząłem myśleć o zasadach rządzących Deravenels i doszedłem do wniosku, że muszę je zmienić. Byłem bardzo zadowolony, kiedy członkowie zarządu poparli mnie w tym dążeniu. Nowe zasady, te, które znajdziesz w kopercie, mówią wyraźnie, że kobieta z domu Deravenel może odziedziczyć firmę i zarządzać nią jako główny dyrektor. Rozumiesz mnie?

– Tak, ale co ze spadkobiercą płci męskiej? Czy nie on dziedziczy firmę w pierwszej kolejności?

– Naturalnie! Należy jednak brać pod uwagę i taką możliwość, że coś złego może stać się i mnie, i twoim braciom, czyż nie? Nigdy nie wiadomo, jakie niespodzianki szykuje nam życie, moja droga. Tak czy inaczej, uświadomiłem sobie wtedy, że po twoich braciach właśnie ty jesteś spadkobierczynią Deravenels. Opracowałem więc nowe zasady i przedstawiłem je zarządowi na dorocznym styczniowym zebraniu; był to rok 1919. Zasady zostały zaaprobowane zdecydowaną większością głosów i formalnie zapisane w dokumentach firmy.

– Pozostali członkowie zarządu zgodzili się, aby kobieta kierowała Deravenels? – zawołała Bess ze zdziwieniem. – Nie do wiary!

– Cóż, żyjemy w nowych czasach... Mamy już rok 1926. Krótko mówiąc, gdybym umarł i gdyby twoi bracia także zeszli z tego świata albo zostali w jakiś sposób upośledzeni przez los, ty jesteś moją spadkobierczynią. Ty, jako moje najstarsze dziecko, dziedziczysz w takim wypadku wszystko, łącznie z Deravenels. Wszystko poza funduszami powierniczymi, które założyłem dla twoich sióstr i matki, oczywiście. Grace Rose także ma swój fundusz, podobnie jak ty.

Bess w pierwszej chwili była zupełnie oszołomiona, lecz implikacje wyjaśnień ojca dotarły do niej prawie natychmiast.

– Ale przecież ty nie umrzesz, tato! – zawołała drżącym głosem. – I chłopcy także nie! Proszę, nie opowiadaj takich rzeczy, nie strasz mnie!

– Wiem, co czujesz, musimy jednak zachowywać się jak ludzie praktyczni i rozważni. To bardzo poważna sprawa, Bess! Chcę chronić firmę, muszę ją chronić, zbyt wiele energii i wysiłku włożyłem w jej rozwój. Muszę chronić Deravenels dla przyszłych pokoleń naszej rodziny i tego właśnie dotyczy nasza rozmowa. – Edward położył na kolanach córki wyjętą z sejfu kopertę. – Poza nowymi zasadami firmy jest tu czek, wystawiony na ciebie, na pięć tysięcy funtów. Zależy mi, żebyś zadzwoniła do cioci Vicky, kiedy w drugiej połowie tygodnia wróci z Kent. Ona pójdzie z tobą do banku, gdzie otworzysz sobie rachunek i wynajmiesz sejf. Czek...

– Ojcze, to za dużo! Pięć tysięcy funtów to majątek.

– Czek pozwoli ci na otwarcie rachunku. Zostawisz go sobie na wszelki wypadek, żebyś w razie konieczności mogła dysponować większą sumą. Poproś w banku o założenie rachunku oprocentowanego, dobrze?

Bess w milczeniu skinęła głową.

– Naturalnie rozumiesz, że dokumenty, które trzymasz w ręku masz złożyć w wynajętym sejfie depozytowym, prawda?

– Tak, oczywiście...

– Przeczytaj je później!

– Dobrze.

– Jeszcze jedno, postaraj się nauczyć na pamięć kombinacji do szyfrów, a później zniszcz kartkę.

– Dobrze...

Uśmiechnął się do córki.

– Nie martw się, kochanie, nie zamierzam umierać i będę z tobą jeszcze długo, tak samo jak twoi bracia! Staram się po prostu być przewidujący jak zawsze, to wszystko!

Bess kiwnęła głową. Wszystko, co ojciec mówił o wypadkach i śmierci bardzo ją zaniepokoiło.

– Szybko poczułeś się lepiej, ale musisz bardzo uważać, tato – odezwała się po chwili. – Mam nadzieję, że nie chcesz jechać we wtorek do Deravenels?

– Nawet ja nie jestem aż tak głupi! Nie, będę przestrzegał zaleceń doktora Lessinga, sam zresztą czuję, że powinienem poleżeć w łóżku, popijając syrop na kaszel i robiąc inhalacje.

Edward wygodnie oparł się o stos poduszek. Kiedy miał bronchit, zawsze czuł się lepiej w pozycji siedzącej; łatwiej było mu wtedy oddychać i mniej kasłał.

Bess wstała i podeszła do drzwi prowadzących do garderoby.

– Lepiej zamknę te dokumenty w sejfie, bo do banku zaniosę je dopiero za parę dni.

– Bardzo słusznie...

Kiedy wróciła, stanęła przy łóżku, patrząc na ojca. Jej poważną twarz rozjaśnił ciepły uśmiech.

– Pójdę porozmawiać z Kuchcią, tato! Chcę się dowiedzieć, co przygotowuje dla ciebie na kolację. Masz ochotę na coś konkretnego?

– W ogóle nie jestem głodny, więc najchętniej zjem coś lekkiego. – Edward odchylił głowę nieco do tyłu. – Czuję się zmęczony. Obudzisz mnie za godzinę, skarbie?

– Tak, naturalnie!

Gdy cicho zamknęła za sobą drzwi, Edward pomyślał, że wyrosła na wyjątkową młodą kobietę. Jako dziecko była śliczna, lecz teraz jej rysy jeszcze wyszlachetniały. Wydawało się, że Bess promienieje wewnętrznym światłem, zapierającym dech w piersiach blaskiem. Nadal miała rudozłociste włosy i intensywnie błękitne oczy, ale jej twarz zachwycała klasycznym, subtelnym pięknem. Z wiekiem Bess stawała się coraz podobniejsza do matki. Edward był bardzo dumny z córki i ufał jej bezgranicznie – zawsze była bardziej dzieckiem jego niż Elizabeth. Czasami odnosił wrażenie, że Bess zachowuje się wobec matki z dużą ostrożnością, a nawet stara się jej unikać.

Zamknął oczy, zapadł się w siebie i w swoje myśli. Nie spał. W jego głowie kłębiły się najróżniejsze obrazy. George, jego brat, stanął nagle przed nim jak żywy. Piękny chłopiec, przystojny mężczyzna. Zbyt młody, aby umierać. I Neville, kuzyn i mentor, którego Edward tak długo darzył najwyższym szacunkiem... On także umarł za wcześnie. I Johnny, jego ukochany kuzyn, brat Neville'a... Ten straszny wypadek w Ravenscar. Dorastali razem w Yorkshire, razem jeździli konno po wrzosowiskach. Uwielbiali wrzosowiska, zwłaszcza w sierpniu i wrześniu, kiedy wrzosy pokrywały je morzem fioletowych kwiatków. Lekki wiatr... Wrzosy... Dzikie, puste przestrzenie, wypełnione ciszą i spokojem... Edward nigdy nie czuł się tam samotny, wrzosowiska były jego domem.

Nagle w centrum jego myśli znalazł się Amos Finnister. Kiedy w ubiegłym roku rozmawiał w Paryżu z Grace Rose, mówiła o Amosie z wyraźnym niepokojem. Po powrocie do Londynu Edward bez wahania zapytał Finnistera, czy coś go dręczy, a Amos od razu mu odpowiedział. Edward wciąż słyszał jego głos, niski i pełen smutku.

– Dotyczy to pańskiego brata, pana George'a – wyznał. – Oliveri i ja... Cóż, uważamy, że zginął z naszej winy. Widzi pan, powiedzieliśmy Vincentowi Martellowi, że pan George jest dla pana takim kłopotem jak Thomas Becket dla króla Henryka, i że poplecznicy króla zamordowali Thomasa w katedrze, przekonani, że robią to niejako w imieniu Henryka i dla jego dobra. Od tamtej pory jesteśmy prawie pewni, że Vincent poluzował kliny, które blokowały beczki. Vincent... Kiedyś powiedział nawet coś, co utwierdziło nas w tych podejrzeniach. Czujemy się odpowiedzialni za to, co się stało. I winni. Nie chcieliśmy nic zrobić panu George'owi, ale może Martell uznał, że podsuwamy mu pewien pomysł.

Tamtego dnia Edward zapewnił Amosa, że nie powinien obwiniać się za śmierć George'a, ani on, ani Oliveri. Powiedział, że George sam ściągnął na siebie nieszczęście. Później Amos wyznał, że Vincent Martell szczerze znienawidził George'a za to, że opowiadał takie okropne rzeczy o Edwardzie. Oczywiście niczego nie można było w tej sprawie dowieść, zresztą Edward nie chciał i nie zamierzał tego robić. Vincent miał raka i był już bardzo chory, prawie umierający.

To moja wina, pomyślał Edward. Tylko moja. Powinienem był dużo wcześniej powstrzymać George'a, rozbudzić w nim poczucie odpowiedzialności za jego postępki, nie przebaczać za każdym razem, nie przyjmować z powrotem po kolejnych zdradach. Może wtedy nie doszłoby do najgorszego, może dziś George nadal by żył. Mama zawsze przekonywała mnie, żebym był dla niego łagodny, błagała, żebym mu pomagał, zapominał, wybaczał... Teraz uważa, że jestem mordercą, kiedyś powiedziała mi to prosto w oczy. „Zabiłeś mojego syna" – rzuciła mi te słowa w twarz. Pomyślałem wtedy, że przecież ja też jestem jej synem, ale nie powiedziałem jej tego. Żałuję, że tego nie zrobiłem...

Bess siedziała w bibliotece przy biurku ojca i rozmawiała przez telefon z Willem Haslingiem.

– Tata czuje się lepiej, wuju, możesz mi wierzyć.

Will słuchał jej bardzo uważnie.

– Chciałem tylko sprawdzić, czy wszystko w porządku, no i dać ci znać, że dziś wieczorem wracamy do miasta – powiedział. – Gdybyś więc potrzebowała się ze mną skontaktować, zastaniesz mnie w domu w Londynie.

– Dziękuję za wiadomość, wuju!

– Och, Bess, jeszcze jedno. Czy zawiadomiłaś matkę, że ojciec jest chory? Że znowu ma bronchit?

Bess mocniej ścisnęła słuchawkę i zmarszczyła brwi.

– Nie... Tata prosił, żebym do niej nie dzwoniła! Sądzisz, że powinnam?

– Nie, nie, na pewno nie ma potrzeby – odparł szybko Will. – Skoro mówisz, że ojciec czuje się dziś trochę lepiej, nie warto niepokoić.

Ledwo wypowiedział te słowa, gdy znowu ogarnęło go to samo dziwne uczucie, jakiego doznał w piątek, przeczucie, że stanie się coś złego. Postanowił, że skontaktuje się z Anthonym Wylandem, który przebywał w Rzymie razem z Elizabeth, swoją siostrą. Nie potrafił pozbyć się wrażenia, że powinni wiedzieć o chorobie Edwarda.

– Jesteś tam, wuju? – odezwała się Elizabeth.

– Tak, tak, moja droga. Przekaż ojcu serdeczne pozdrowienia i powiedz, że jutro wpadnę do niego.

Bess odłożyła słuchawkę i długo wpatrywała się w aparat. Czy stan zdrowia ojca nie uległ poprawie? Dobry nastrój opuścił ją w jednej chwili. Dlaczego Will Hasling pytał ją, czy rozmawiała z matką? Czyżby wiedział więcej niż ona? Czy choroba ojca była poważniejsza, niż sądziła? A jeśli nie, to dlaczego Will zdradzał tak wyraźne zaniepokojenie? Cóż, może dlatego, że był najserdeczniejszym przyjacielem ojca i jego najbliższym współpracownikiem.

Szybko pobiegła na górę, zapukała do drzwi pokoju ojca i weszła do środka. Ku jej zdziwieniu, chory siedział na łóżku.

– Przyszłam cię obudzić, ojcze – powiedziała z ulgą. – A ty już nie śpisz!

Uśmiechnął się lekko.

– Jakie smakołyki przygotowała dla mnie Kuchcia?

– Gorący rosół z kury z kluseczkami, pieczoną solę w sosie z natką pietruszki i purée ziemniaczane! Same pyszne rzeczy!

– Doprawdy? Moim zdaniem to typowe menu dla chorego...

– Przyniosę tu sobie kolację na tacy i zjemy razem, dobrze, tato?

– Doskonale!

⁂

Edward obudził się nagle w środku nocy. Czuł straszny ból, zupełnie jakby ktoś miażdżył mu klatkę piersiową, zaciskając na niej metalową obręcz. Próbował poruszyć się, usiąść, ale nie był w stanie. Z ogromnym wysiłkiem przewrócił się na bok; w tej pozycji poczuł się trochę lepiej. Uświadomił sobie, że boli go prawa strona ciała. Skulił się, kiedy przeszywający ból zaatakował go od nowa. To przez ten bronchit, pomyślał. Mam zaflegmienie, zajęte oskrzela, to dlatego...

Jakiś cichy wewnętrzny głos mówił mu, że to nie bronchit, tylko coś zupełnie innego, znacznie gorszego. Przez głowę przemknęła mu myśl, że może ma atak serca. Nie był pewny, co właściwie się z nim dzieje.

Leżał nieruchomo, starając się oddychać regularnie i powoli, i w końcu ból częściowo ustąpił. Prawa strona klatki piersiowej nadal go bolała, ale znacznie mniej niż na początku. Kiedy zorientował się, że może odetchnąć głębiej, uspokoił się i zapadł najpierw w drzemkę, a później w sen.

Śnił, że jest z Lily Overton, swoją ukochaną Lily, kobietą, którą kochał całym sercem, gdy był bardzo młodym mężczyzną.

R O Z D Z I A Ł
CZTERDZIESTY DRUGI

Bess czekała w bibliotece na londyńskiego lekarza ojca, doktora Avery'ego Ince'a, który badał teraz chorego. Trwało to już dosyć długo i Bess zaczęła się poważnie niepokoić.

Parę minut później usłyszała kroki w holu i wybiegła z pokoju, aby porozmawiać z lekarzem.

– Co pan sądzi o stanie ojca, doktorze?

– Wejdźmy na chwilę do biblioteki, Bess...

Doktor Ince znał Bess od dziecka, a w ostatnich latach obserwował ją z rosnącą sympatią i podziwem. Edward Deravenel mógł z niej być naprawdę dumny.

– Czy tata czuje się lepiej? – spytała, siadając na brzegu krzesła.

– Ani lepiej, ani gorzej – odparł lekarz. – Wydaje mi się jednak, że jest dziś dziwnie zmęczony.

– Wczoraj po południu chciał zobaczyć się z kilkorgiem przyjaciół, którzy wpadli na herbatę – wyjaśniła Bess. – Może ta wizyta tak go wyczerpała.

Nie śmiała wyjawić doktorowi całej prawdy. Ojciec zaprosił Alfreda Oliveriego, Amosa Finnistera oraz Willa Haslinga; wszyscy trzej siedzieli u niego do późna.

– Od dziś żadnych gości, Bess. Ojciec powinien porządnie odpocząć, nie wolno zakłócać mu spokoju. I koniecznie dopilnuj, żeby zażywał ten środek wykrztuśny, który mu zostawiłem. Ma mnóstwo flegmy w drogach oddechowych, które należy jak najszybciej oczyścić.

Wstał, wziął torbę i ruszył ku drzwiom. Bess poszła za nim.

– Przyjedzie pan do taty jutro? – zapytała.

– Tak, przed południem! Kiedy wraca z Rzymu twoja matka?

– Jutro. Wuj Will Hasling zadzwonił do wuja Anthony'ego, który jest z mamą i wuj Anthony zorganizował już podróż powrotną.

– Świetnie! – Doktor uśmiechnął się ciepło, uspokajająco. – Nie miej takiej zmartwionej miny, dziecko, szybko postawimy tatę na nogi, zobaczysz! Za parę dni będzie już zdrowy jak ryba! Przypominaj mu, żeby dużo pił, dobrze?

– Tak, doktorze...

Bess zamknęła za lekarzem drzwi wejściowe i pędem rzuciła się do porannego salonu, gdzie czekał na nią Will z Grace Rose i Jane Shaw. Jane zdecydowała się odwiedzić Edwarda w jego domu, ponieważ kamerdyner Mallet miał tego dnia wolne.

– Co powiedział doktor Ince? – zapytała Jane niespokojnie, kiedy Bess weszła do pokoju.

Była blada i wyraźnie przestraszona.

– Że ojciec czuje się mniej więcej tak samo, ale jest bardzo zmęczony. – Bess potrząsnęła głową. – Pewnie dlatego, że wczoraj miał gości, ale wydaje mi się, że Vicky i Fenella naprawdę go rozweseliły.

– Pierwszy raz widzę twojego ojca w takim marnym stanie – odezwał się Will. – Nigdy nie miał aż tak ciężkiego ataku bronchitu. Musi odpoczywać, nie pozwól mu wstawać. Wczoraj mówił mi, że w przyszłym tygodniu chciałby wrócić do pracy, ale to chyba nie byłoby rozsądne.

– Też tak uważam! – Jane podniosła się z krzesła. – Mogę zajrzeć teraz do niego? – uśmiechnęła się do Bess. – Na pewno rozumiesz, że czuję się trochę nieswojo w tym domu.

– Rozumiem, oczywiście... Chodźmy do niego.

Zaprowadziła Jane na górę, szybko wróciła do biblioteki i usiadła obok przyrodniej siostry.

– Ojciec chciałby, żebyś przyszła do niego za piętnaście minut, Grace Rose – powiedziała. – Nie może się już doczekać, kiedy cię zobaczy.

– Ja także. – Grace Rose odchrząknęła. – Czy wuj Ned nie powinien być w szpitalu? – spytała, patrząc niepewnie na Willa i Bess.

– Sugerowaliśmy to doktorowi Ince'owi – odrzekł Will. – Ned nie chce o tym słyszeć, mówi, że ani myśli jechać do szpitala, a doktor uważa chyba, że lepszą opiekę będzie miał w domu niż w prywatnej klinice.

– No, tak – westchnęła Grace Rose. – Doktor Ince jest bardzo dobrym lekarzem, opiekuje się także naszą rodziną. Pewnie najlepiej wie, co robić w takiej sytuacji.

Mimo wszystko uważała, że jej biologiczny ojciec powinien być w szpitalu, niezależnie od tego, co sam uważał. Edward był niezwykle uparty i przyzwyczajony, że wszyscy spełniali jego polecenia, ale jego stan głęboko ją niepokoił.

– Doktor pytał, kiedy mama wraca – odezwała się Bess. – Powiedziałam mu, że jutro, bo tak zrozumiałam z tego, co mi mówiłeś, wuju.

– Tak, Bess. Anthony zapewnił mnie, że będą w czwartek po południu.

Bess rzuciła Willowi znaczące spojrzenie.

– Mam nadzieję, że mama go nie zdenerwuje – szepnęła. – Ona tak często go irytuje. Oby tylko nie poczuł się gorzej.

Will milczał. Dobrze wiedział, że córka Neda mówi prawdę.

Grace Rose także wolała się nie odzywać. Kilka razy sama była świadkiem wybuchów złości Elizabeth, wymierzonych w wuja Neda.

– Pójdę już do niego – powiedziała, podnosząc się z miejsca.

W domu wreszcie zapanowała cisza.

Matka Bess wróciła po południu, o dzień wcześniej, niż planowano, i przy Berkeley Square na krótko zapanował chaos. Elizabeth weszła do domu z wyniośle uniesioną głową, piękna i chłodna jak Królowa Śniegu, wiodąc za sobą orszak złożony z Cecily, Młodego Edwarda, Ritchiego, panny Coleman, nowej guwernantki oraz pokojówki Elsie. Za jej plecami z bagażami zmagali się wuj Anthony Wyland, służący Flon, trzy domowe pokojówki i lokaj Jackson.

Wyminęła Bess bez słowa powitania i poszła na górę, do pokoju męża, starannie zamykając za sobą drzwi.

Dziewczyna była niemile zaskoczona, że matka w ogóle się do niej nie odezwała i to jej pozostawiła zajęcie się zmęczonymi dziećmi oraz poinformowanie wuja Anthony'ego o stanie zdrowia ojca.

Nalewając wujowi herbatę i sprawdzając, czy dwaj bracia oraz siostra dostali mleko i herbatniki, Bess w głębi serca dziękowała Bogu, że nie przyjechali dwie godziny wcześniej, gdyż wtedy przyłapaliby ją, ojca, wuja Willa i Grace Rose na gorącym uczynku – lunchu z Jane Shaw, kochanką ojca. Coś takiego oznaczałoby otwartą wojnę, która niewątpliwie zakończyłaby małżeństwo rodziców Bess. Na szczęście Jane, zawsze tak ostrożna, wyważona i dobrze wychowana, nie czuła się najlepiej w domu przy Berkeley Street i skróciła czas trwania wizyty do minimum.

Po półgodzinie Elizabeth zeszła do salonu. Wyglądała na mocno zdenerwowaną, ale przynajmniej wreszcie przywitała się z Bess i pocałowała ją w policzek. Bess była zdziwiona, że matka ani słowem nie wspomniała o leżącym na piętrze chorym mężu, a kiedy jej brat Anthony zaczął wypytywać ją o stan szwagra, rzuciła mu gniewne spojrzenie.

– Porozmawiamy o tym, ale nie teraz – burknęła.

W tym momencie czternastoletnia Cecily powiedziała, że koniecznie chce zajrzeć do ojca, a Młody Edward i Ritchie natychmiast przyłączyli się do niej. Matka poleciła Bess, aby ich zaprowadziła.

Teraz, wracając myślami do popołudnia, Bess uświadomiła sobie sprawę, jak wielki wysiłek włożył ojciec w to, by stworzyć wrażenie wesołego i pogodnego ze względu na obecność dwóch synów, Cecily i jej samej.

Zwykle chłopcy byli bardzo rozbrykani i spontaniczni, lubili ściskać ojca i skakać dookoła niego, lecz tego popołudnia zachowywali się niezwykle spokojnie i cicho. Może przestraszył ich widok leżącego w łóżku, bladego i wyraźnie wycieńczonego Edwarda. Obaj rozmawiali z ojcem bardzo serdecznie, podobnie jak Cecily, a kiedy Edward zapytał, gdzie są młodsze dziewczynki, Bess przyszło do głowy, że teraz, po powrocie matki, jej siostry powinny chyba być razem z całą rodziną.

– Są w Kent z Nianią – przypomniała ojcu.

Edward kiwnął głową i poprosił ją, aby kazała przywieźć je go Londynu następnego dnia rano. A potem posłał jej uśmiech, którym podbijał wszystkie serca – uśmiech, z jakim żaden inny nie mógł się równać…

Bess obudziła się nagle, zupełnie jakby ktoś potrząsnął jej ramieniem.

Wyprostowała się, rozejrzała dookoła i uświadomiła sobie, że zasnęła w bibliotece, w fotelu ojca. Zerknęła na duży zegar nad kominkiem – była już dziesiąta. Nieoczekiwanie ogarnęła ją fala lęku, dziwnego niepokoju. Pobiegła na górę i przystanęła pod drzwiami pokoju ojca. Cisza… Po chwili uchyliła drzwi, weszła do środka i zbliżyła się do łóżka. Paląca się na stoliku lampka oblewała sypialnię przyjemnym, przyćmionym światłem. Edward odwrócił głowę i dostrzegł córkę. Bess pomyślała, że jego oczy chyba jeszcze nigdy nie były tak intensywnie błękitne jak w tej chwili.

– Witaj, kochanie.

– Potrzeba ci czegoś, tato?

– Will... Sprowadź tu Willa...

– Teraz?

– Tak.

Bess podeszła do telefonu w garderobie ojca i wybrała numer Willa Haslinga.

– Mówi Bess, wuju – odezwała się, gdy podniósł słuchawkę. – Ojciec chce się z wujem zobaczyć. Teraz. Może wuj przyjść?

– Postaram się być jak najszybciej... Czy coś się stało?

– Nie... Nie wiem. Zaczekam na wuja przy drzwiach na dole, żeby... żebyśmy nikogo nie obudzili...

– Rozumiem.

Bess odłożyła słuchawkę i wróciła do ojca.

– Zaraz tu będzie, tato!

Edward skinął głową.

– Zamknij drzwi – polecił cicho, wskazując wejście do garderoby.

– Drzwi do sąsiedniego pokoju?

– Tak.

Bardzo ostrożnie przekręciła klucz w zamku drzwi, prowadzących do sypialni matki.

– Zamknęłam. Zejdę teraz na dół i zaczekam na wuja Willa. Nie chcę, żeby musiał dzwonić do drzwi.

– Bardzo dobrze.

ROZDZIAŁ
CZTERDZIESTY TRZECI

Lokaj Jackson zamknął już dom na noc, więc Bess zabrała się do odsuwania sztab i szukania kluczy. Potem oparła się o ścianę i czekała, nasłuchując kroków Willa Haslinga.

Nie musiała długo czekać.

Po kwadransie usłyszała warkot silnika, trzask zamykanych drzwiczek, przyciszone głosy i kroki. Uchyliła drzwi i znalazła się twarzą w twarz z Willem. Wpuściła go do środka i zamknęła drzwi.

– Wszyscy już śpią – wyjaśniła. – Ojciec nie chciał nikogo budzić. Chłopcy i Cecily są naprawdę ledwo żywi po tej długiej podróży.

Will kiwnął głową.

– Jak ojciec? – spytał.

– Mniej więcej tak samo jak przed południem, ale bardzo milczący. Mama i ja siedziałyśmy z nim trochę po kolacji i wydawał się dziwnie zamyślony, jakby nieobecny. Pewnie czuł się znużony. Kiedy zajrzałam do niego teraz, był chyba silniejszy i poprosił, żebym do wuja zatelefonowała.

– Czy między rodzicami wszystko jest w porządku? Mam nadzieję, że po powrocie matki nie doszło do żadnych nieprzyjemnych scen, co?

– Nic o tym nie wiem, wuju! Mama poszła do ojca zaraz po przyjeździe i nic mi nie mówiła, gdy zeszła na herbatę, dopiero później trochę rozmawiałyśmy. Zasypała mnie pytaniami, chciała wszystko wiedzieć. Bardzo zdenerwowała się chorobą ojca, zaczęła płakać. Namówiłam ją, żeby położyła się przed kolacją i kiedy dołączyła do nas o siódmej, była już spokojniejsza.

Will bez słowa ujął Bess za ramię. Przeszli przez hol, szybko pokonali schody i weszli do pokoju Edwarda.

– Jestem, Ned!

Will podszedł do łóżka, szukając wzrokiem oznak pogorszenia lub emocjonalnego wyczerpania, lecz w wyglądzie Edwarda nie było nic nadzwyczajnego. Odetchnął z ulgą. Obawiał się, że Elizabeth zirytowała męża, zakłócając panujący wcześniej w domu spokój.

– Dziękuję, że przyjechałeś – rzekł Ned. – Mógłbyś pomóc mi usiąść, mój drogi?

Will spełnił prośbę przyjaciela, poprawił poduszki pod jego plecami i usiadł na jednym z krzeseł przy łóżku. Kręcąca się przy drzwiach Bess odchrząknęła.

– Zostawię was teraz samych, tato.

– Nie, nie, nie musisz wychodzić, Bess! – Edward wskazał stół i krzesła pod oknem sypialni. – Usiądź tam, a ja porozmawiam z Willem.

W pokoju zapanowało milczenie, które po chwili przerwał Will.

– Anthony mówił mi, że podróż przebiegła dobrze, udało im się przyśpieszyć przyjazd o jeden dzień.

Przez twarz Edwarda przemknął cień uśmiechu.

– Tak... I mało brakowało, a dalibyśmy przyłapać się na gorącym uczynku, prawda? W każdym razie tak ujęła to Bess.

Will roześmiał się cicho.

– Absolutna prawda!

– Elizabeth bardzo się zdenerwowała – podjął Edward. – Zaproponowała mi coś i chciałbym, żebyś o tym wiedział. Prosi, żebym na trzy miesiące wycofał się z aktywnych zajęć i popłynął do Nowego Jorku jednym z tych wielkich statków. Uważa, że taka podróż doskonale by mi zrobiła – morskie powietrze, i tak dalej, rozumiesz. Aby pozytywniej nastawić mnie do tego pomysłu, dodała, że mamy przecież placówkę w Nowym Jorku i pola naftowe w Luizjanie. Co ty na to?

– Wyjątkowo całkowicie się z nią zgadzam, Ned. Świetny pomysł, powinieneś jej posłuchać.

– Poprowadzisz Deravenels w czasie mojej nieobecności?

– Oczywiście, przecież wiesz...

– Kiedy Richard wraca z Persji?

– Dopiero w przyszłym tygodniu. Przed wyjazdem mówił mi, że zamierza skorzystać z twojej rady i odwiedzić nie tylko pola naftowe, ale i Konstantynopol. Jak wiesz, zabrał ze sobą Anne. Chciał, żeby trochę odpoczęła, bo ostatnio nie czuła się zbyt dobrze.

Edward westchnął.

– Nigdy nie była silna, podobnie jak jej siostra Isabel. To dziwne, że córki Neville'a są tak delikatnego zdrowia, podczas gdy ich ojciec był tak żywotny i pełen energii.

– Tak, faktycznie dziwne...

– Nie mogę się doczekać powrotu dziewczynek! – Oczy Edwarda zabłysły. – Moje ślicznotki przyjeżdżają jutro z Kent razem z Nianią. – Spojrzał na siedzącą na kanapie przy kominku Bess. – Moja córka jest naprawdę wspaniała, Will! – rzekł cicho. – Cały czas opiekuje się mną niestrudzenie, i to od tylu dni. Powinienem chyba wynająć pielęgniarkę, tak jak radzi Ince. To zbyt duży wysiłek dla Bess, nie sądzisz?

Will badawczo przyjrzał się przyjacielowi.

– Uważasz, że potrzebujesz opieki pielęgniarki, Ned?

– Nie, nie, spokojnie, wcale nie czuję się gorzej, staruszku! Chcę tylko powiedzieć, że nie mogę pozwolić, aby obowiązki pielęgniarki pełniła przy mnie moja córka, prawda?

– Masz rację. Chciałbyś, żebym rano skontaktował się z doktorem i poprosił go, by przysłał tu kogoś odpowiedniego?

– Jeśli możesz. – Edward uśmiechnął się lekko. – Jest coś jeszcze...

Przerwał, zawahał się i utkwił w Willu czujne spojrzenie.

– O co chodzi?

– Chcę zadać ci pewne pytanie. Nie mówiłem ci, ale w zeszłym roku rozmawiałem z Finnisterem o... o śmierci George'a. Grace Rose zwróciła mi uwagę, że Amos jest jakiś nieswój. Gdy zapytałem go, co mu dolega, odparł, że on i Oliveri czują się winni śmierci George'a, gdyż pewną uwagą mogli nieświadomie zachęcić kogoś do zamordowania mojego brata. Wyznał też, że mają podejrzenia, iż to Vincent Martell poluzował kliny między beczkami.

– Sugerował, że Martell celowo zaaranżował sytuację, w której George mógłby zginąć?

– Tak...

– Ależ, Ned, przecież to morderstwo!

– Zdaję sobie z tego sprawę. Morderstwo zawsze budziło mój głęboki sprzeciw. Tysiąc razy zadawałem sobie pytanie, czy George został zamordowany, męczy mnie to nocami, nie mogę spać... Jakie jest twoje zdanie na ten temat, Will? Czy mój brat padł ofiarą morderstwa?

Will pomyślał, że Finnister najprawdopodobniej miał rację, że Martell rzeczywiście wziął sprawy w swoje ręce, głęboko oburzony tym, co George wygadywał o starszym bracie. Z drugiej strony, nie miał żadnego dowodu i nie chciał jeszcze bardziej przygnębiać Edwarda, wolał zdusić jego podejrzenia w zarodku.

– Nie sądzę, żeby tak było – skłamał. – Bo niby dlaczego Martell miałby pragnąć zamordować George'a? Owszem, twój brat bez przerwy cię oczerniał, i to w ohydny sposób, tak, ale przecież wiesz, że Martell jest pragmatykiem i jako taki machnąłby ręką na gadaninę George'a, zignorowałby go.

– Nie jestem tego taki pewny – mruknął Ned.

Will nachylił się do jego ucha.

– Więc posłuchaj mnie uważnie. Martell za nic na świecie nie zaryzykowałby utraty setek baryłek dobrego beaujolais, wierz mi! Jak już ci mówiłem, to praktyczny człowiek, który kocha winnicę i wszystko, co z nią związane!

Edward uśmiechnął się i skinął głową.

– Jednak wielka nienawiść może przyćmić rozważny osąd – zauważył.

– To prawda... Tak czy inaczej, daj sobie spokój z Martellem! Przestań myśleć o śmierci George'a, zapomnij o podejrzeniach Amosa! Zrób to dla własnego dobra, dla spokoju ducha, Ned!

– Masz słuszność, jak zawsze. Nie potrafisz kłamać czy choćby tylko koloryzować, to wykracza poza twoje możliwości. Nie wiem, jak dałbym sobie radę bez ciebie przez te wszystkie lata, naprawdę nie wiem...

Po raz pierwszy od wielu dni Edward Deravenel spał spokojnym snem bez koszmarów. Tej nocy nie dręczyły go żadne zjawy, wszystkie złe duchy trzymały się z daleka. Wypoczął znakomicie.

Następnego dnia rano sprawiał wrażenie zdrowszego i nawet doktor Ince wyraził zadowolenie z jego stanu.

– Na dole czeka pielęgniarka – rzekł lekarz. – Wynająłem ją do opieki nad panem, na prośbę pana Haslinga. Nazywa się Margery Arkright. Czy mogę przyprowadzić ją tu i przedstawić panu?

– Tak, oczywiście! Bardzo dziękuję, doktorze. Na pewno Hasling powtórzył panu, że obciążyłem Bess zbyt wieloma obowiązkami, a to nie fair wobec tak młodej osoby.

– Pan Hasling wyjaśnił mi, w czym rzecz, i przyznaję, że ma pan rację, lepiej zatrudnić siłę fachową. Po co ma pan obciążać córkę? Przepraszam na chwilę...

Parę minut później doktor wrócił z pielęgniarką Margery Arkright, trzydziestoparoletnią kobietą o miłej powierzchowności.

– Proszę rozgościć się w mojej garderobie – powiedział Edward, kiedy już zostali sobie przedstawieni. – Jest tam kanapa, biurko i krzesła, więc sądzę, że będzie pani wygodnie, no i cały czas będzie pani w pobliżu.

– Dziękuję, panie Deravenel – odparła z uśmiechem.

Doktor Ince poszedł przodem, aby wskazać jej drogę.

Tej nocy Bess nie mogła zasnąć. Kilka razy wstawała i zaglądała do sypialni ojca piętro niżej. Wyglądało na to, że mocno śpi, a pielęgniarka szeptem zapewniała ją, że wszystko jest w porządku.

Koło trzeciej nad ranem znowu zeszła na pierwsze piętro. Gdy i tym razem pielęgniarka powiedziała, że ojciec spokojnie śpi, Bess wróciła do siebie i wreszcie zapadła w drzemkę. Trochę później, kiedy blade światło rodzącego się poranka przedostało się przez zasłony, ocknęła się gwałtownie. Usiadła, włączyła lampkę przy łóżku i zorientowała się, że dochodzi piąta. Wkładając szlafrok i miękkie pantofle, poczuła ten dziwny, lecz już znajomy niepokój, który ogarniał ją i wcześniej. Była pewna, że jest potrzebna ojcu.

Zbiegła po schodach i ujrzała wychodzącą z pokoju Edwarda pielęgniarkę.

– Czy coś się stało? – szepnęła.

Kobieta przywołała ją ruchem ręki.

– Właśnie chciałam pójść po panienkę. Pan Deravenel wołał panienkę i jakąś Lily. Obudził się piętnaście minut temu, jest rozpalony, to chyba atak serca. Poważny atak! Proszę ze mną.

Bess przeraziła się, rzuciwszy okiem na twarz ojca. Miał czarne kręgi pod oczami i był blady jak kreda. Wydał jej się niepokojąco wychudzony, skóra wokół ust była ściągnięta. Zauważyła, że spoczywające na kołdrze dłonie dygotały. Przygryzła wargi, bardziej przerażona niż kiedykolwiek dotąd.

Uklękła przy łóżku i delikatnie ujęła jego rękę.

– Tato, to ja, Bess... Jestem przy tobie.

Chwilę nie reagował, a potem nagle otworzył oczy. Były zapadnięte, jakby wepchnięte w głąb czaszki, zaczerwienione. Nie odezwał się, ale zacisnął palce na jej dłoni.

– To ja, tato – powtórzyła. – To ja, Bess... Chcę ci pomóc.

– Przepraszam cię... Przepraszam cię, Bess.

Nie miała pojęcia, co stało się z nim w ciągu ostatnich kilku godzin, ale był przytomny i widziała, że ją poznaje.

– Nie masz mnie za co przepraszać, tato – szepnęła, wpatrzona w jego zmęczoną twarz. – Niedługo poczujesz się lepiej, zobaczysz. Wszyscy się o to postaramy.

– Wybacz mi... Nie chcę cię zostawiać.

– Proszę, ojcze, nie mów tak... Nie mam ci czego wybaczać. Nie możesz nas zostawić! Tak cię kochamy! – Łzy płynęły jej po twarzy, spadały na ich złączone dłonie. – Och, tato, nie poddawaj się, błagam.

– Jestem zmęczony... Znowu ten ból...

– Co my bez ciebie zrobimy, tato – jęknęła.

Nieoczekiwanie ożywił się, podniósł powieki i spojrzał prosto w jej oczy, błękitne jak jego własne.

– Poradzisz sobie, córeczko – rzekł spokojnie i bardzo wyraźnie. – Opiekuj się nimi wszystkimi w moim imieniu.

I uśmiechnął się do niej, tym wyjątkowym, najpiękniejszym uśmiechem, uśmiechem, który miała zachować w pamięci do końca życia.

Położyła głowę na jego piersi, otoczyła go ramionami i przytuliła. Jej rozpacz nie miała granic.

Po paru minutach usłyszała cichy szelest i uniosła głowę. W drzwiach garderoby stała matka i patrzyła na nią szeroko otwartymi oczami.

– Bess – powiedziała drżącym głosem. – Bess...

– Umarł – szepnęła Bess ochryple. – Mój ojciec nie żyje...

Elizabeth zachwiała się i niepewnie postąpiła w kierunku łóżka. Jej twarz sparaliżowało przerażenie, oczy wypełniły się łzami.

Był piątek, dziewiąty kwietnia 1926 roku. Edward Deravenel zmarł na rozległy zawał dziewiętnaście dni przed swoimi czterdziestymi pierwszymi urodzinami.

⁂

Pochowała w Ravenscar trzech synów – najpierw Edmunda, potem George'a, a teraz Edwarda.

We wtorek, trzynastego kwietnia Roku Pańskiego 1926 Cecily Deravenel patrzyła, jak trumna jej najstarszego syna powoli zsuwa się do grobu i czuła, jak serce pęka jej na tysiąc kawałków. Nie ocierała łez, które wielkimi kroplami spływały po policzkach, kiedy stała nad grobem, pogrążona w smutku.

Jej kochany Ned odszedł od niej na zawsze. Został jej tylko jeden syn, najmłodszy Richard. Nie było go tu dzisiaj, nie zdążył przyjechać na czas z Europy, ponieważ jego żona nagle się rozchorowała. Cecily wiedziała, że Richard jest zrozpaczony. Tak kochał najstarszego brata.

Całym sercem żałowała, że nie porozmawiała z Nedem bardziej otwarcie, że nie wyjaśniła mu, iż wcale nie wini go za śmierć George'a. Nikogo nie można było winić za tę tragedię, nikogo poza samym George'em. Wiele by dała, żeby cofnąć czas. Przez jej wewnętrzny chłód i wstrzemięźliwość Ned poszedł do grobu, nie wiedząc, co naprawdę czuła.

Cecily podniosła głowę i zatrzymała wzrok na wdowie po Nedzie, Elizabeth, bladej jak śmierć, o urodzie skażonej bólem i rozpaczą. Jasne promienie słońca przedarły się przez chmury i nagle rudozłociste loki dzieci zapłonęły wokół ich niewinnych młodych twarzy niczym miedziane aureole. Cecily, Anne, Katherine, Bridget i Ritchie stali zbici w ciasną grupkę, zagubieni i niepewni, a obok nich czuwały Bess i Grace Rose, usiłujące za wszelką cenę zapanować nad rozpaczą.

Cecily usłyszała stłumiony szloch, odwróciła się do Willa Haslinga i z czułością ujęła go za ramię. Zawsze myślała o nim jak o jeszcze jednym synu i teraz szczerze pragnęła go pocieszyć. On także uginał się pod ciężarem wielkiego smutku. Przy nim stali Amos Finnister i Alfredo Oliveri – ich twarze, tak jak twarz Willa, były mokre od łez. Pomyślała, że kiedy dorośli mężczyźni płaczą tak otwarcie i bez cienia zażenowania, dokładnie widać głębię ich uczucia. Wiedziała, jak bardzo przywiązani byli do jej syna.

– Proch do prochu, popiół do popiołu... – zaintonował ojciec O'Connor.

Gdy grudki rzucanej garściami ziemi uderzyły o trumnę, serce Cecily ścisnęło się boleśnie. Zachwiała się i wtedy ramię Willa otoczyło ją i podtrzymało. Podniosła wzrok na najlepszego przyjaciela syna.

– Dzieci – wyszeptała. – Te biedne małe dzieci... Co z nimi teraz będzie, kiedy zabrakło Neda...

– Ja się nimi zajmę – obiecał Will.

I Cecily doznała ulgi, pewna, że Will dotrzyma słowa. Zawsze mu ufała. Tak, wszystko jakoś się ułoży.

Czas pokazał jednak, że bardzo się myliła. Problemy, jakich Deravenelowie do tej pory nie znali, miały się dopiero zacząć.

R O Z D Z I A Ł
CZTERDZIESTY CZWARTY

– Richardzie, co ty wyprawiasz, na miłość boską? – zapytał Will Hasling, starając się panować nad głosem, choć szalejący w jego sercu gniew był trudny do stłumienia.

Z oburzeniem wpatrywał się w brata Edwarda, teraz nowego dyrektora głównego firmy.

Richard, który siedział za biurkiem zmarłego brata, w jego gabinecie, podniósł wzrok i popatrzył na Willa.

– Nie rozumiem, o co ci chodzi.

Will stał w drzwiach, łączących jego gabinet z gabinetem Richarda, wybitych w tym miejscu dwadzieścia jeden lat temu na polecenie Edwarda Deravenela po to, aby on i jego przyjaciel mogli się bez trudu kontaktować.

– Dowiedziałem się właśnie, że wyrzuciłeś z pracy Anthony'ego Wylanda – rzekł, podchodząc do biurka dyrektora. – Że już go tu nie ma. Dlaczego?

– Jako szef firmy nie muszę się przed nikim tłumaczyć, nawet przed tobą – odparł Richard. – Tak czy inaczej, znasz chyba to stare powiedzenie – nowa miotła wymiata stare brudy i tak dalej…

– I wydaje ci się, że to właśnie robisz, tak? Wymiatasz brudy, pozbywając się zdolnego dyrektora, przyzwoitego, uczciwego i lojalnego człowieka, który przepracował tu wiele lat i zrobił dużo dobrego dla Deravenels. Muszę przyznać, że jestem zaskoczony, łagodnie mówiąc.

– Niepotrzebnie! – powiedział zimno Richard. – Powinieneś jak najszybciej przyzwyczaić się do zmian, ponieważ będzie ich sporo, i to w najbliższym czasie!

– Nie psuj struktury Deravenels! – wykrzyknął Will. – Twój brat zadbał, aby działała sprawnie i gładko, bez żadnych potknięć! Daj spokój, zostaw wszystko tak jak jest, w przeciwnym razie mocno pożałujesz swoich innowacji!

– Grozisz mi? – Richard wyprostował się, jego twarz zdradzała ogromne napięcie.

Will cofnął się, zdziwiony lodowatym spojrzeniem, władczym tonem i samym pytaniem szefa. Powoli potrząsnął głową.

– Nie bądź śmieszny, Dick! Nie grożę ci, staram się tylko udzielić ci rady.

– Nie potrzeba mi twoich rad, wiem, co robię! Pracuję w Deravenels od lat, mam nadzieję, że nie wyrzuciłeś z pamięci tego drobnego szczegółu?

– W żadnym razie... Pamiętam też, że zawsze prowadziłeś tylko północną filię Deravenels, nie całą firmę, a to dwie zupełnie różne rzeczy...

– Sugerujesz, że nie jestem w stanie sprawować funkcji głównego dyrektora?

– Skądże znowu! Ned zawsze ci ufał, wyrażał się o tobie i twoich umiejętnościach w samych superlatywach. Ta opinia sprawiła, że powierzył ci to stanowisko do czasu, kiedy jego syn osiągnie pełnoletność i przejmie kierownictwo. Ned dodał ten kodycyl do swojego testamentu i mnie to wystarcza! Słuchaj, wracając do Anthony'ego. Wybacz, ale nie rozumiem, dlaczego zwolniłeś tak dobrego dyrektora.

– Zwolniłem go, ponieważ należy do klanu Wylandów, a ja nigdy im nie ufałem. Szczerze mówiąc, nigdy też nie rozumiałem, dlaczego mój brat w ogóle go zatrudnił! – Richard parsknął krótkim, suchym śmieszkiem. – Och, nieprawda, wiem, dlaczego to zrobił! To ta jego żona zmusiła go, by dał Wylandowi pracę, przeklęta suka! Elizabeth kazała mu to zrobić, nie ma innego wytłumaczenia.

– Nic mi o tym nie wiadomo. Wiem tylko, że Wyland doskonale prowadził dział finansów i bankowości, był po prostu błyskotliwym specjalistą. Nie zechciałbyś ponownie rozważyć tej decyzji?

– Nie, niby dlaczego? Bo ty chcesz, żebym przywrócił go na stanowisko dyrektora? Dobry Boże, dziwię ci się, Will! Sądziłem, że przez ubiegłe lata nienawidziłeś Wylandów tak samo jak my wszyscy! Czyżbyś przeszedł na ich stronę?

– Nie miałem pojęcia, że Wylandowie mają jakąś stronę – odpowiedział Will, z trudem powstrzymując wściekłość. – A jeśli chodzi o Anthony'ego, to równy z niego gość, odpowiedzialny i honorowy. Wielka szkoda, że mu nie ufasz, w przeciwieństwie do Neda!

– Najwyraźniej mój brat w tym względzie wykazał się zupełną głupotą! Nie, nie zmienię decyzji!

Will pokręcił głową, nie kryjąc zaniepokojenia.

– Nie wiem, kogo można by zatrudnić na jego miejsce. Naprawdę nie wiem.

– Stanowisko jest już obsadzone – oznajmił Richard z triumfalnym uśmiechem.

Mimo zaskoczenia, Will postarał się zachować neutralny wyraz twarzy.

– Kogo zamierzasz mianować?

– Alana Ramseya. I już go mianowałem! W tej chwili Ramsey siedzi już za biurkiem w dawnym gabinecie Wylanda, o ile mi wiadomo. Kiedy raz podejmę decyzję, działam bardzo szybko!

– Najwyraźniej tak – przyznał cicho Will. – Ramsey to dobry człowiek.

– Nie musisz mi tego mówić! Od dziecka jest jednym z moich najbliższych przyjaciół, mam do niego całkowite zaufanie!

Will odwrócił się i zrobił krok w kierunku drzwi.

– Jeszcze jedna sprawa, Will...

– Tak? – Hasling zatrzymał się, spojrzał na Richarda.

– Chciałbym wiedzieć, dlaczego zorganizowałeś pogrzeb Neda przed moim powrotem z Konstantynopola! Został pochowany zaledwie kilka dni po śmierci, a przecież można chyba było na mnie zaczekać!

– Możesz być pewny, że nie miało to nic wspólnego ze mną. – Will zawrócił i stanął przed biurkiem. – O pogrzebie Neda powinieneś porozmawiać z matką, Richardzie! I dobrze by było, żebyś to zrobił, bo wtedy by ci powiedziała, że miała do ciebie żal, że nie wróciłeś wcześniej. Nie mogła zrozumieć, co zajęło ci tyle czasu – zwierzyła się z tego w rozmowie z Kathleen. Moja żona powtórzyła mi także, że twoja matka ma za złe nam wszystkim, także żonie Neda, iż nikt nie zadbał, aby Ned otrzymał ostatnie namaszczenie. Uznała to za oburzające, że nie przyszło nam do głowy, aby sprowadzić księdza do chorego Neda.

– Ja również chciałbym wiedzieć, dlaczego zaniedbaliście tak ważną sprawę!

– Bo nikt z nas nie miał pojęcia, że Ned jest umierający, oto dlaczego! Wyobrażasz sobie, w jaki gniew wpadłby Ned, gdybyśmy zrobili to bez porozumienia z nim? A przecież nawet doktor Ince nie był zaniepokojony i uważał, że Edward zaczyna wracać do zdrowia! Tylko Ned znał stan swego zdrowia i ukrył przed nami tę straszną prawdę!

– Dobrze chociaż, że został pogrzebany na rodzinnym cmentarzu w Ravenscar – wymamrotał Richard.

– A gdzie indziej miałby zostać pochowany? Tak czy inaczej, to twoja matka zajęła się wszystkim i ona zorganizowała pogrzeb. Jeżeli więc masz jakieś uwagi, naprawdę powinieneś porozmawiać z matką, nie ze mną!

– Serdeczne dzięki za wskazówkę. – Richard skłonił się lekko, z sarkastycznym wyrazem twarzy.

Will postanowił powstrzymać się od komentarza i zerknął na zegarek.

– Jestem już spóźniony! – zawołał. – Muszę się pośpieszyć! Z przyjemnością spotkam się z Alanem Ramseyem, kiedy uznasz to za stosowne.

– Zorganizuję spotkanie.

Will skinął głową, przeszedł do swojego gabinetu, starannie zamknął drzwi i oparł się o nie. Powoli wypuścił powietrze z płuc. Cały trząsł się ze złości. Arogancki szczeniak, pomyślał. Richard okazał się dokładnie taki, jak oceniał go Finnister – pewny siebie, zarozumiały ponad wszelką miarę, nadmiernie ambitny, chciwy władzy. Will zadrżał, chociaż czerwcowy dzień był ciepły i łagodny. Znowu złe przeczucia, pomyślał, czując, jak włosy stają mu dęba na karku.

Podszedł do biurka, podniósł słuchawkę i wybrał numer Oliveriego.

– Jeżeli jesteś umówiony na lunch, odwołaj spotkanie – powiedział, usłyszawszy głos przyjaciela. – Muszę się z tobą natychmiast zobaczyć, z Finnisterem także. Wstąpię po niego, kiedy będę wychodził. Ty wyjdź dziesięć minut później.

– Co się stało? – zapytał Alfredo zaniepokojony.

– Wyjaśnię ci, kiedy się zobaczymy.

– Zarezerwować stolik w Savoyu? A może wolisz Rules?

– Ani tu, ani tu! I nie w Riztu!

– Więc może w klubie White's? Co ty na to, Will?

– Dobry pomysł! Sam zamówię stolik na pierwszą.

Will odłożył słuchawkę i zamyślił się. Richard nie był członkiem White's i dlatego nie mógł chodzić do tego klubu.

Will ogarnął wzrokiem biurko – żadnych ważnych papierów, nic, co by wymagało natychmiastowej uwagi. Po chwili pukał już do drzwi gabinetu Finnistera.

– Amosie, zapraszam cię na lunch razem z Oliverim, a jeśli umówiłeś się z kimś wcześniej, musisz przełożyć spotkanie na inny termin.

– Wyczuwam kłopoty! – rzucił Finnister, podnosząc się zza biurka. – Nie, z nikim się nie umówiłem...

– W takim razie chodźmy!

Obaj wyszli z budynku i ruszyli w górę Strandu. Było bardzo gorąco, szczególnie jak na czerwiec w Anglii.

– Weźmy taksówkę – zaproponował Will.

Kiedy wsiedli do auta i podali adres klubu, Will zwrócił się do Amosa.

– Dlaczego wspomniałeś o kłopotach, kiedy zaprosiłem cię na lunch?

– Nietrudno było zgadnąć, że coś się dzieje! Słyszałem też o zwolnieniu Anthony'ego Wylanda. I dobrze znam naszego nowego szefa, znam go od dziecka. Zawsze miałem go na oku. To zupełnie inny człowiek niż jego brat, o tak, zupełnie inny... Cicha woda brzegi rwie, to przysłowie najlepiej opisuje Richarda...

Anthony Wyland siedział ze swoją siostrą Elizabeth w salonie domu przy Berkeley Square.

– Nie złość się i nie denerwuj – odezwał się spokojnie, kładąc rękę na jej ramieniu. – Umiem zadbać o swoje interesy, Lizzie.

– Ale to, co on zrobił, jest potwornie upokarzające! Dziwi mnie, że sam nie jesteś bardziej poruszony tą sytuacją!

– Byłem wściekły, oczywiście, lecz przecież nic nie mogę na to poradzić. Pozbył się mnie uprzejmie, zimno i poprosił, abym niezwłocznie opuścił siedzibę firmy, więc uprzątnąłem swoje rzeczy z biurka i wczoraj po południu już mnie tam nie było.

– Co teraz zrobisz? – Elizabeth zmarszczyła brwi i popatrzyła na brata zatroskanymi oczami.

– Poszukam innej pracy, albo może nie... Nie muszę się śpieszyć, nie muszę decydować się na zajęcie, do którego nie miałbym przekonania. Zarobiłem mnóstwo pieniędzy.

– Nic z tego nie rozumiem! Myślałam, że jesteś dyrektorem Deravenels!

– Jestem, czy też raczej byłem. Musiałem złożyć rezygnację ze stanowiska, Richard tego zażądał.

– Tak mi przykro – szepnęła. – Ned przewróciłby się w grobie, gdyby o tym wiedział.

– Na pewno…

– Co powinnam zrobić, jeśli chodzi o wakacje? – spytała.

Anthony potrząsnął głową.

– Naprawdę nie wiem! Może Will mógłby ci coś doradzić.

– Nie mogę się zwrócić do Willa, nigdy się nie lubiliśmy!

– Więc pozwól, żeby Bess wytłumaczyła mu, o co chodzi. Zawsze byli sobie bliscy, Will kocha ją jak rodzony wuj.

– Doskonały pomysł! Wiedziałam, że pomożesz mi rozwiązać ten problem! – Napięcie malujące się na twarzy Elizabeth ustąpiło, jej oczy się rozpogodziły. – Dziękuję, że wpadłeś na lunch… Ostatnio często czuję się bardzo samotna.

– Teraz już nie będziesz samotna! – Anthony uśmiechnął się, starannie ukrywając swój prawdziwy nastrój. – Najprawdopodobniej będę miał mnóstwo czasu do dyspozycji!

ROZDZIAŁ
CZTERDZIESTY PIĄTY

– Mamy trzeci czerwca, od śmierci Neda upłynęło zaledwie siedem tygodni! – wykrzyknął Alfredo, wodząc wzrokiem po twarzach Willa i Amosa. – Edward jeszcze nie ostygł w grobie, a Richard już wyrzuca ludzi! To absolutnie oburzające!

– Wyrzuca ludzi? – powtórzył Will, uważnie patrząc na Alfreda. – Mówiłem o Anthonym Wylandzie. Zwolnił jeszcze kogoś? Czyżbym o czymś nie wiedział?

– Myślałem, że wiesz – Alfredo ściągnął brwi. – Zwolnił Edgara Phillipsa. Edgar pracował z nami tylko osiem lat, ale Ned wysoko cenił go jako speca od ropy naftowej i świetnego dyrektora.

– Nikt mi o tym nie powiedział – mruknął Will. – Ale o Wylandzie także dowiedziałem się przypadkiem, dopiero dziś rano.

– Richard wyrzucił Anthony'ego Wylanda wczoraj po południu, kiedy nie było cię w pracy – poinformował go Oliveri. – Pojechałeś do St Alban's, prawda? Edgar Phillips odszedł we wtorek, dzień przed Wylandem. Ciekawe, kto jest następny w kolejce.

– Założę się, że ja – oświadczył Amos. – On nigdy nie darzył mnie sympatią, zaledwie mnie tolerował. I na pewno uważa, że teraz, kiedy pan Edward nie żyje, moja dalsza obecność w firmie nie ma najmniejszego sensu…

– Nie pozwolę, żeby zrobił coś takiego, będę z nim walczył do upadłego – przerwał mu Will. – Edward bardzo cię lubił i szanował, pracujesz zresztą w Deravenels od czternastu lat, na miłość boską!

– Takie rzeczy nie mają znaczenia dla Richarda Deravenela – odparł Amos. – Znam go jak zły szeląg… Jest małomówny, bystry i kulturalny, ale to jeszcze nie wszystkie jego cechy!

– Wiem o tym. – Will sięgnął po kieliszek z białym winem. – Na pewno nie napijesz się z nami, Amosie?

Finnister potrząsnął głową.

– Zadowolę się wodą sodową, dziękuję...

Trzej mężczyźni siedzieli w jadalni White's, najstarszego klubu dla dżentelmenów w Londynie. Duża sala o miłych dla oka proporcjach była tego czerwcowego dnia prawie pusta. Wielu członków White's w czwartek po południu wyjeżdżało do swoich domów poza miastem i w klubie panował przyjemny spokój.

Przy stole zapanowało milczenie, które bynajmniej nie wynikało ze skrępowania. Trzej starzy przyjaciele i koledzy pogrążyli się w myślach. Will myślał o Nedzie i o tym, jak bardzo mu go brakuje; Oliveri zastanawiał się, kiedy topór spadnie na jego głowę; natomiast Finnister wrócił myślami do wczorajszego spotkania z Grace Rose. Umówili się na podwieczorek i wyraźnie zatroskana dziewczyna powiedziała mu, że Jane Shaw nie czuje się dobrze. W ostatnich latach bardzo się zaprzyjaźniły i teraz Grace Rose wyjaśniła, że Jane nie może pogodzić się ze śmiercią Neda, że płacze całymi dniami i wciąż jest bardzo przygnębiona.

Kelner przyniósł karty i oddalił się.

– Jest za gorąco na zupę – odezwał się Will, kiedy przejrzeli menu. – Wezmę krewetki z Morecambe Bay i solę z grilla. Odkryłem ostatnio poważne zalety lekkich posiłków...

– Ja też mam ochotę na krewetki... – mruknął Oliveri. – I kotlety jagnięce...

– Zamówię to samo. Finnister zamknął menu i położył na stole.

Potem opowiedział Willowi oraz Oliveriemu o podwieczorku z Grace Rose i jej raporcie o stanie ducha Jane Shaw, nieszczęśliwej i pogrążonej w głębokiej żałobie po Edwardzie.

– Moja siostra wspominała, że Jane nie może wrócić do równowagi – pokiwał głową Will. – Jednak z jej słów nie wynikało, że sytuacja jest aż tak poważna. Chyba wpadnę do niej i zaproponuję, żeby wybrała się z nami na wakacje. W lipcu jedziemy z żoną do Cap Martin, a z nami moja siostra z mężem i Grace Rose. Może taki wyjazd dobrze by zrobił pani Shaw.

– Świetny pomysł! – ucieszył się Amos. – Mam nadzieję, że Jane przyjmie zaproszenie.

Kelner przyjął od nich zamówienie, a kiedy znowu zostali sami, Will wrócił do wcześniejszego tematu.

– Muszę przyznać, że bardzo zaskoczył mnie sposób, w jaki dziś potraktował mnie Richard. Był chłodny, szorstki, a wręcz wrogi, tak, nie da się tego inaczej określić. Będziemy mieli poważne problemy, moi drodzy.

Oliveri popatrzył na Willa z wyrazem niemiłego zaskoczenia na twarzy.

– Mam nieodparte wrażenie, że Richard sprawi nam kilka niemiłych niespodzianek – powiedział cicho.

– Dlaczego tak sądzisz? – zapytał Will.

– Ponieważ on chce mieć Deravenels dla siebie i dla swojego syna, Małego Eddiego, jak nazywa go babka. Zobaczycie, że Richard w krótkim czasie sięgnie po władzę absolutną, spróbuje przywłaszczyć sobie firmę.

– Przecież to raczej niemożliwe! – zaprotestował Will. – W kodycylu testamentowym Ned uczynił Richarda szefem firmy tylko do czasu, gdy jego spadkobierca skończy osiemnaście lat, osiągając pełnoletność – tak zostało to sformułowane! Później nowy właściciel Deravenels ma kierować się wskazówkami Richarda do dwudziestego pierwszego roku życia. Ned uczynił też Richarda prawnym opiekunem swoich dwóch chłopców.

– Tylko męskich spadkobierców? – Oliveri zmarszczył brwi. – Z wyłączeniem pozostałych dzieci?

– Tak, w testamencie Richard został wymieniony jako opiekun Młodego Edwarda i Ritchiego. Jestem egzekutorem testamentu, więc wiedziałbym, gdyby chodziło o resztę dzieci.

– To jeszcze jeden powód zmartwień Grace Rose – wyznał Finnister. – Mówi, że wdowa po panu Edwardzie szaleje z niepokoju i wciąż powtarza, że to ona jest opiekunką dzieci i nie życzy sobie, aby stryj wtrącał się do ich wychowania.

Will w milczeniu wpatrywał się w okno. Na jego twarzy malował się niepokój; znowu miał to dziwne uczucie, że czeka ich coś złego, znowu ogarnął go instynktowny lęk przed tym, co może przynieść przyszłość. Edward Deravenel umożliwił bratu dostęp do ogromnej, praktycznie nieograniczonej władzy, i teraz Will się zastanawiał, czy Richard pozwoli, aby rozszalała ambicja przeszkodziła mu w przestrzeganiu obowiązków wynikających z braterskiej miłości. Ta nieoczekiwana i budząca lęk myśl wyzwoliła w Willu gniewny bunt.

Nie wyobrażał sobie, by mógł spokojnie patrzeć, jak Richard usuwa na stronę synów Neda, aby zagarnąć Deravenels dla siebie i swojego spadkobiercy.

Gwałtownie odsunął krzesło i wstał.

– Przepraszam na chwilę – wymamrotał.

Wszedł do męskiej toalety, gdzie służący przywitał go cichym głosem; Will kiwnął mu głową i odkręcił kran nad jedną z trzech umywalek pod ścianą. Spojrzał na swoje odbicie w lustrze i ujrzał białą jak kreda, pokrytą kroplami potu twarz. Kilka razy odetchnął głęboko, aby powstrzymać mdłości, umył ręce i spryskał twarz zimną wodą.

– Czy dobrze się pan czuje, panie Hasling? – spytał służący.

– Nic mi nie jest, Boroughs, dziękuję za troskę. Upał trochę mnie dzisiaj zmęczył, to wszystko.

– Rozumiem, sir. – Mężczyzna odsunął się uprzejmie.

Will wrzucił parę monet do srebrnej miseczki i wrócił do stołu. Finnister i Oliveri, którzy już zaczęli się niepokoić jego nieobecnością, odetchnęli z ulgą.

– Przepraszam, moi drodzy – rzekł Will. – Zakręciło mi się w głowie z gorąca, ale już wszystko w porządku.

– Amos i ja doszliśmy do wniosku, że musimy osłaniać się wzajemnie, bo nie ulega wątpliwości, że Richard Deravenel wkroczył na wojenną ścieżkę – zaczął Oliveri. – Całkiem niewykluczone, że teraz zaatakuje właśnie nas trzech, ponieważ byliśmy bliskimi przyjaciółmi jego brata.

– Zgadzam się, to bardzo prawdopodobne – przytaknął Will. – Mała Rybka, jak nazywał go Ned, może jeszcze okazać się krwiożerczym rekinem.

ROZDZIAŁ
CZTERDZIESTY SZÓSTY

Kent

– Co za ulga, że przyjechałeś, Will! – powiedziała Vicky Forth do brata, prowadząc go holem Stonehurst Farm. – Bess jest dość zaniepokojona, właściwie mocno zdenerwowana i koniecznie chce z tobą porozmawiać.

– Mówiła ci, o co chodzi?

Vicky potrząsnęła głową.

– Nie, ale Grace Rose kilka dni temu zwierzyła mi się, że Elizabeth nie może pogodzić się z faktem, iż Ned uczynił Richarda opiekunem prawnym chłopców. – Vicky uważnie popatrzyła na brata. – Mam okropne uczucie, że Richard może spróbować narzucić im swoją wolę w pewnych sprawach, wiesz?

– Wcale by mnie to nie zdziwiło – odparł Will ponuro.

Wszystko wskazywało na to, że Richard przystąpił do ataku na wszystkich frontach.

– Gdzie jest Bess? – zapytał Will.

– W ogrodzie, z Grace Rose. Zaprowadzę cię do nich i zaraz przyniosę lemoniadę, chyba że wolałbyś napić się herbaty?

– Lemoniada to lepszy pomysł – uśmiechnął się Will. – Jest tak gorąco.

W tę cudowną czerwcową sobotę niebo było idealnie błękitne i bezchmurne, a liśćmi drzew stojących na obrzeżach wypielęgnowanych trawników szeleścił lekki wiatr. Rozkwitłe czerwcowe róże nasycały powietrze odurzającym zapachem, cały ogród, wielka radość i duma Vicky, płonął przepięknymi barwami. Vicky ciężko pracowała przez kilka lat, aby stworzyć ten kwitnący raj z egzotycznymi roślinami, kwitnącymi krzewami i fontannami, wysyłającymi w powietrze pierzaste strumienie wody.

Bess i Grace Rose siedziały przy stole na tarasie, osłonięte od słońca dużym parasolem w zielono-białe pasy. Na widok idącego ku nim Willa obie z uśmiechem uniosły dłonie.

– Witajcie, piękne damy! – Will uśmiechnął się szeroko, podziwiając dziewczęta w lekkich letnich sukienkach.

– Witaj, wuju! – zawołały chórem.

– Napijecie się lemoniady, moje drogie? – zapytała Vicky. – Czy raczej czegoś innego?

– Poproszę o lemoniadę. Grace Rose z czułością dotknęła dłoni matki.

– Ja także, ciociu Vicky. – Bess odwróciła się do Willa, który usiadł obok niej przy stole. – Dziękuję, że przyjechałeś, wuju! Naprawdę muszę z tobą porozmawiać.

– Z radością cię wysłucham i pomogę, jeżeli leży to w moich możliwościach. W czym rzecz, Bess?

Bess wpatrywała się chwilę w człowieka, który od początku zajmował w jej życiu ważne miejsce, jako najlepszy i najdawniejszy przyjaciel ojca. Nagle uświadomiła sobie, że Will może poczuć się skrępowany jej zachowaniem i odchrząknęła.

– Chodzi o stryja Richarda – wyjaśniła szybko. – Mama denerwuje się, bo stryj wtrąca się do wychowania chłopców.

– W jaki sposób? – Will wyprostował się, skupiając całą uwagę na córce Neda.

– Stryj Richard nalega, aby Młody Edward i Ritchie spędzili całe lato w Ravenscar, a później jesienią i zimą uczyli się tam pod kierunkiem guwernera. Mama jest bardzo zaniepokojona, ponieważ uważa, że chłopcy powinni przebywać razem z nią. Nasz ojciec dopiero co umarł i wszyscy jesteśmy pogrążeni w smutku. Mama mówi, że chłopcy potrzebują jej miłości i opieki, podobnie jak wszystkie dzieci. Poza tym, planowała spędzić z nami lato tutaj, a pod koniec sierpnia lub na początku września zabrać nas na południe Francji. Nie rozumie, dlaczego stryj chce odseparować chłopców od niej i od nas, ich rodzeństwa, skoro wszyscy wolimy być razem w tym smutnym okresie – Bess potrząsnęła głową. – Ja również nie pojmuję, o co chodzi, to zupełnie niepodobne do stryja Richarda. Chcę ci powiedzieć, że w tej kwestii całkowicie zgadzam się z mamą. Chłopcy powinni być z nami.

– Masz rację, a Richard poważnie się myli. Wasz ojciec rzeczywiście wyznaczył go na opiekuna prawnego chłopców, ale w tym kodycylu wymienił także waszą matkę. Wydaje mi się, że dopóki jest ona w pełni sił, drugi opiekun, czyli Richard, nie może jej niczego narzucić. Nie słyszałem jakoś, aby Elizabeth była poważnie chora.

– Czy mam porozmawiać ze stryjem Richardem? – zapytała Bess. – Poradź mi, wuju. Widzisz, mama uważa, że on jej nie posłucha.

– I chyba ma słuszność. Chcesz, żebym ja zamienił z nim parę słów? W przyszłym tygodniu na pewno spotkam się z nim w Deravenels.

– Mógłbyś, naprawdę? Chętnie wyjaśniłabym mu wszystko sama, lecz mam wrażenie, że ty lepiej poradzisz sobie z takim zadaniem.

– Umówmy się, że najpierw ja spróbuję z nim pomówić, a jeśli Richard nie ustąpi, ty poprosisz go o rozmowę. Wiem, że Richard naprawdę cię kocha i że zawsze byłaś jego ulubienicą.

– Tak, zawsze odnosił się do mnie bardzo miło.

– A jak tam chłopcy? – Will lekko uniósł brwi. – Wiem, że tęsknią za ojcem, ale czy poza tym nic im nie dolega?

– Czują się dobrze i cieszą się, że są ze mną i innymi siostrami w Kent. Moim zdaniem, pobyt w Ravenscar tylko ich przygnębi.

Will zaśmiał się cicho.

– Rozumiem, o co ci chodzi! Jednak wasz ojciec kochał Ravenscar, wiesz? Uwielbiał spędzać tam czas, możesz mi wierzyć!

– Ja też kocham Ravenscar, Cecily również, natomiast mama nie przepada za tym miejscem, podobnie jak Edward i Ritchie. Chłopcy naprawdę woleliby zostać tutaj, w Waverley Court.

– Dobrze ich rozumiem. – Will pokiwał głową. – To piękny dom, a otaczające go ogrody są po prostu urzekające. No i zawsze jest tu cieplej niż nad Morzem Północnym. – Uśmiechnął się do Bess. – Spróbuj się nie martwić, jakoś rozwiążemy ten problem.

– Bess, nie powiedziałaś, jaki powód wyjazdu chłopców do Ravenscar podał Richard – wtrąciła Grace Rose. – Próbował chyba jakoś wyjaśnić, dlaczego mają spędzić tam lato, a później jesień i zimę.

– Mama mówiła, że bardzo niewiele jej powiedział. Wiemy tylko, że babcia będzie w Ravenscar przez najbliższe sześć miesięcy, mam też wrażenie, że stryj Richard i stryjenka Anne będą tam przyjeżdżać przynajmniej na weekendy.

– Z Małym Eddiem, swoim synem? – zapytała Grace Rose, jak zwykle wszystkiego ciekawa.

– Pewnie tak. – Bess znowu utkwiła wzrok w twarzy Willa. – Może stryj Richard szuka towarzystwa dla swojego syna, a naszego kuzyna.

– Nie mam pojęcia i wolałbym nie zgadywać – Will wyciągnął rękę i poklepał Bess po ramieniu. – Nie martw się na razie, bardzo proszę! Dotrę do sedna sprawy, obiecuję ci – zapewnił ciepłym, uspokajającym głosem.

Vicky wyszła na taras, niosąc tacę ze szklankami i lemoniadą, i Will szybko zmienił temat na bardziej ogólny. Nie chciał, aby Bess martwiła się losem braci i roztrząsała motywy postępowania Richarda. Wystarczy, że on sam był poważnie zaniepokojony. W jego głowie znowu odezwały się dzwonki alarmowe.

Dwunastoletni Młody Edward Deravenel, spadkobierca, był zdolny, praktyczny, wybitnie inteligentny i umysłowo bardzo rozwinięty jak na swój wiek. Poza tymi oczywistymi atrybutami, był doskonale wychowanym chłopcem o czarującej osobowości i przykuwającym uwagę wyglądzie. Mówiąc wprost, był młodym człowiekiem o zachwycającej aparycji – jasnowłosy, niebieskooki i bardzo wysoki, tak podobny do ojca, że nikt nie mógł mieć wątpliwości co do jego pochodzenia.

Niestety, Młody Edward miał chorą szczękę, którą leczono przy okazji każdego pobytu w Londynie. Chłopak bezustannie zmagał się z bólem dziąseł i zębów.

Ból zęba dokuczał mu także i w ten słoneczny czerwcowy dzień. Młody Edward siedział w kuchni z Kuchcią, która lubiła go najbardziej ze wszystkich młodych Deravenelów i teraz dała mu malutką płócienną torebeczkę, wypełnioną goździkami.

– To ci powinno pomóc, kochanieńki – powiedziała Aida Collet, spracowaną dłonią gładząc jasne loki Edwarda. – Trzymaj tylko poduszeczkę palcem, przyciśnij ją do zęba. To znane od wieków lekarstwo, ale skuteczne.

– Dziękuję, pani Collet, jest pani bardzo miła. – Chłopiec poprawił się na taborecie. – Mogłaby pani jeszcze raz opowiedzieć mi tę historię? Tę o pani dzielnym mężu, plutonowym Percym Collecie z pułku Nadmorskich Górali, o tym, jak uratował siebie i innych żołnierzy od utonięcia w błocie w okopach, kiedy walczył w bitwie nad Sommą.

Twarz kucharki rozjaśnił pełen czułości uśmiech. Kochała tego chłopca, tak ładnego i uprzejmego. Młody Edward był naprawdę dobrym dzieckiem.

– Więc tak – zaczęła. – Mój Percy wpadł na pomysł, żeby wykorzystać w walce z błotem puszki z mieloną wołowiną, wyłożył nimi dno okopu i…

Drzwi otworzyły się i do kuchni weszła Bess.

– Mam dobrą wiadomość! – zawołała. – Wuj Will porozmawia ze stryjem Richardem i na pewno wszystko załatwi!

Edward wyjął z ust torebeczkę z goździkami i powątpiewająco potrząsnął głową.

– Nie wydaje mi się, Bess. Nie, mam okropne przeczucie, że za tydzień ja i Ritchie będziemy już w Ravenscar. – Skrzywił się z niechęcią. – Chyba będziemy musieli odważnie znieść tę przykrość, ale będę za tobą tęsknił, i za Cecily, za Anne i za Małymi Kluseczkami… Katherine i Bridget są bardzo bliskie mojemu sercu.

Bess objęła Młodego Edwarda i przytuliła go mocno. Kochała brata i nie mogła znieść myśli o rozstaniu, podobnie jak ich matka. Zamknęła oczy i szybko odmówiła w sercu modlitwę, prosząc Boga, aby pozwolił jej młodszym braciom zostać z całą rodziną w Kent.

ROZDZIAŁ
CZTERDZIESTY SIÓDMY

Londyn

Amos Finnister zapukał do drzwi gabinetu Alfreda Oliveriego i wszedł do środka, nie czekając na odpowiedź.

– Siadaj, mój drogi – powiedział Oliveri, który spodziewał się Amosa. – I opowiedz mi wszystko, co wiesz.

Był wtorek, ósmy dzień czerwca. Poprzedniego dnia w firmie aż huczało od plotek, że kolejni dyrektorzy mają zostać zwolnieni na wyraźne polecenie Richarda Deravenela. Oczywiście nikt nie wiedział, o kogo konkretnie chodzi, więc wszyscy czuli się poważnie zaniepokojeni i zagrożeni. Po raz pierwszy od trzydziestu lat w Deravenels zapanowała atmosfera strachu i na każdym piętrze siedziby firmy wyczuwało się przygnębienie.

Parę chwil wcześniej Amos powiedział Oliveriemu przez telefon, że ma wszystkie informacje, teraz zaś nachylił się nad biurkiem i zmierzył przyjaciela uważnym spojrzeniem.

– W piątek po południu zwolnienie otrzymał Frank Lane, a w tym tygodniu pożegnamy Johna Lawrence'a i Petera Stokesa, dwóch bardzo dobrych specjalistów – oświadczył.

– Mój Boże, Frank Lane! To okropna wiadomość, Frank pracował dla Deravenels od wielu, wielu lat, prawie tak długo jak ja! Był jednym ze sprzymierzeńców Edwarda Deravenela, kiedy ten próbował wydrzeć firmę z łap Grantów! Frank zawsze stał po naszej stronie, nigdy nie dał się zastraszyć!

Oliveri był naprawdę wstrząśnięty i wcale tego nie ukrywał. Ogarnęła go fala wielkiego smutku. Firma zmieniła się w momencie, gdy Richard Deravenel objął władzę i Alfredo był tym poważnie zaniepokojony.

– Wiem, jak wielkim szacunkiem cieszył się Frank – rzekł Amos. – Pan Edward nazywał go „dzielnym żołnierzem". Podobno przyjął cios bez słowa, w sobotę rano zabrał swoje rzeczy z biurka i wyszedł. Nigdy więcej go tu nie zobaczymy, a szkoda, bo to przyzwoity facet.

– W Deravenels dzieje się coś złego, Amosie! O co w tym wszystkim chodzi, do diabła?!

– Mogę tylko potwierdzić to, co powiedziałeś przedwczoraj w klubie White's, że nowy szef robi miejsce dla swoich ludzi. Przyjaciele z okresu dzieciństwa wiele dla niego znaczą. Myślę, że już niedługo zobaczymy tu Francisa Lowella, a także Roberta Claytona i Robina Sterlinga. Wszyscy oni trzymają się razem, więc o cóż innego mogłoby chodzić.

– Skąd znasz te nazwiska? – Oliveri pytająco uniósł brwi. – Od kogo?

Amos ostrzegawczo podniósł palec.

– Nie zadawaj żadnych pytań, przyjacielu! W ten sposób pozostaniesz czysty jak śnieg. Im mniej wiesz, tym lepiej dla ciebie. Powiedzmy, że… że mam swoje źródła informacji oraz sposoby ich zdobywania.

Alfredo bez słowa kiwnął głową. Wiedział, że Finnister cieszy się reputacją człowieka, który wszędzie potrafi się włamać, Edward Deravenel często chwalił szczególne umiejętności swego współpracownika.

– Mogę wejść? – Will Hasling uchylił drzwi i wszedł do środka. – Podobno Frank Lane dostał w piątek wymówienie. Byłem wtedy w Kent. Co właściwie wiemy?

Usiadł obok Amosa i popatrzył pytająco na niego i na Oliveriego.

– Amos wszystko ci powie – rzekł Alfredo. – A przy okazji, nowy szef szukał cię niedawno.

– Naprawdę? Ja również muszę się z nim zobaczyć. No, Amosie, szybko przekaż mi złe wiadomości.

Amos powtórzył wszystko, co przed chwilą powiedział Oliveriemu. Will słuchał go z poważną twarzą.

– Richard szaleje – podsumował treściwie nowiny.

Parę minut rozmawiali we trzech o zwolnionych z pracy, potem Will Hasling wrócił do swego gabinetu i przez intercom wezwał sekretarkę. Wręczył jej stos listów do odnotowania w dokumentacji, a gdy wyszła, wstał i podszedł do drzwi, które wiele lat temu wybito w ścianie na polecenie Edwarda. Obaj swobodnie poruszali się między dwoma gabinetami, lecz Will szybko się zorientował, że Richard nie zamierza tolerować tak nieformalnego zachowania. Właśnie dlatego po śmierci Neda drzwi pozostały zamknięte.

Teraz Will uniósł rękę i zapukał.

– Proszę! – usłyszał po chwili.

– Dzień dobry, Richardzie – powiedział z uśmiechem Will. – Miło spędziłeś weekend?

– Tak. – Richard obrzucił go zimnym spojrzeniem. – Szukałem cię w poniedziałek, ale bez skutku.

Ciekawe, skąd ta wrogość, pomyślał Will ze zdziwieniem.

– Wyszedłem przed lunchem, bo po południu miałem spotkanie z przedstawicielami firmy Rice & Hepple w sprawie winnic Montecristo we Włoszech – odparł przyjaznym tonem. – Spotkanie przeciągnęło się, więc już nie wróciłem do firmy, bo zrobiło się naprawdę późno.

– Ach, więc to ty zajmujesz się tą sprawą. Jak przebiegło spotkanie?

– Sprawy posuwają się naprzód, powiadomię cię o dalszym rozwoju wypadków. Wspomniałeś, że szukałeś mnie wczoraj... Byłem ci potrzebny?

– Chciałem cię powiadomić, że Francis Lowell będzie współpracował ze mną od przyszłego tygodnia albo następnego.

Chociaż Will wiedział już o tym od Finnistera, teraz udał zdziwienie.

– Doskonała wiadomość! – zawołał. – Świetnie poradził sobie z fabrykami w Yorkshire i chętnie znowu go zobaczę! Mam nadzieję, że teraz poznam go lepiej!

– Francis jest nieoceniony – wymamrotał Richard, przekładając papiery na biurku.

Po krótkiej chwili podniósł wzrok i popatrzył na stojącego przed nim Willa.

– To wszystko, co miałem ci do powiedzenia – oświadczył.

– Rozumiem... Jednak teraz ja chciałbym ci coś przekazać. Bess bardzo niepokoi twój plan przeprowadzki jej braci do Yorkshire na to lato. Zupełnie nie rozumiem, dlaczego wtrącasz się w życie dzieci Neda.

– To nie twój biznes, do cholery! – warknął Richard, mierząc Willa wściekłym spojrzeniem.

– Wręcz przeciwnie, ponieważ Bess przyszła z tym do mnie i prosiła, żebym z tobą porozmawiał! Biedaczka prawie płakała!

– Dlaczego przyszła do ciebie, nie do mnie? Jestem jej stryjem, prawda?

– Właściwie można powiedzieć, że stało się to przypadkiem – zaczął Will, teraz już czujny i ostrożny. – W ubiegłą sobotę była w Stonehurst, odwiedziła Grace Rose, a ja przyjechałem do Vicky w sprawach rodzinnych. Bess wspomniała mi wtedy o planowanym wyjeździe chłopców.

– Co za bezczelność! Mogła przyjść z tym do mnie sama, ty nie należysz do rodziny!

– To nie do końca prawda, nie wydaje ci się? Moja żona jest bratanicą twojej matki i twoją kuzynką.

– Co z tego, mówię o tobie, nie o Kathleen!

Will drgnął, zaskoczony obraźliwym tonem tej uwagi, zaraz jednak odzyskał panowanie nad sobą.

– Elizabeth także jest opiekunką prawną chłopców, ona i ty sprawujecie tę funkcję razem, nie zapominaj o tym – rzekł ugodowo.

– Nie! Ned chciał, żebym to ja opiekował się dziećmi, tylko mnie chciał powierzyć to zadanie, nikomu innemu!

– Chodziło mu raczej o to, abyś ty przejął opiekę nad nimi w razie, gdyby ich matka nie była w stanie się nimi zajmować albo w razie jej śmierci. Nie wierzę, aby życzył sobie, byś kontrolował ich życie!

– Uważaj, co mówisz! – warknął Richard.

– Dlaczego w tak wrogi sposób zachowujesz się wobec mnie, najstarszego i najbliższego przyjaciela twojego brata? – zapytał spokojnie Will. – To przecież idiotyczne, rozmawiamy o dwóch małych chłopcach, synach Neda, którzy wciąż nie doszli do siebie po wstrząsie, jakim była dla nich śmierć ojca, i w tym wyjątkowo smutnym okresie życia potrzebują obecności matki. Nie wolno odrywać ich od niej i reszty rodzeństwa, nie teraz. Dajmy temu spokój, dobrze?

– Chłopcy pojadą do Ravenscar i spędzą tam lato ze swoją babką oraz moim synem. Anne i ja będziemy przyjeżdżać do nich na weekendy. Ravenscar od wieków jest rodową siedzibą Deravenelów. Muszą zamieszkać tam, żeby zrozumieć, co to znaczy być Deravenelem, poznać historię rodu i nauczyć się odpowiedzialności!

– Ależ, Dick, to jeszcze mali chłopcy! Miej dla nich odrobinę serca, na miłość boską!

– Przestań zwracać się do mnie tym zdrobnieniem, nie znoszę tego, do diabła! – krzyknął Richard, całkowicie ignorując słowa Willa.

Hasling lekko zagryzł wargi.

– Ze względu na pamięć Neda proszę cię, żebyś zostawił chłopców w spokoju, zwłaszcza w tym roku – rzekł cicho. – Są jeszcze w głębokiej żałobie, potrzebują matki.

– Daruj sobie te sentymentalne gadki! Muszą nauczyć się brać z życiem za bary i zachowywać jak mężczyźni!

Will patrzył na Richarda z zaskoczeniem, czując, jak błyskawicznie traci nie tylko sympatię, ale i szacunek do tego człowieka.

– Czy to twoje ostatnie słowo? – spytał.

– Tak!

– Wobec tego powiem Bess, że nie chcesz odstąpić od swego planu i wszystko będzie zależało od Elizabeth. Jako ich matka i opiekunka prawna ma…

– Kiedy wreszcie wbijesz to sobie do głowy?! To ja jestem ich opiekunem prawnym!

– Jednym z ich opiekunów, nie jedynym! Jako egzekutor ostatniej woli Neda dobrze wiem, że właśnie tak został sformułowany kodycyl. Jeżeli Elizabeth będzie chciała, może omówić tę sprawę z prawnikami Neda.

– Znowu mi grozisz?! – Twarz Richarda nabrzmiała z wściekłości.

– Wcale ci nie grożę. Przestań zachowywać się jak głupiec. Pamiętaj, że znałem cię jeszcze w czasach, kiedy nosiłeś krótkie spodnie!

Richard kompletnie stracił panowanie nad sobą. Zerwał się z miejsca, chwycił Willa za ramię i usiłował wypchnąć go z gabinetu.

Całkowicie zaskoczony Will szarpnął się z całej siły, by się wyswobodzić. Richard puścił jego ramię, ale chwilę później zaatakował go ze zdwojoną energią. Unosząc obie ręce, mocno pchnął Willa w pierś. Will, który nie spodziewał się tak gwałtownego ataku, zatoczył się, potknął i upadł, uderzając głową w krawędź otwartych drzwi.

Zdyszany Richard stał chwilę nad leżącym, patrząc na niego ze złością.

– Dalej, wstawaj i bierzmy się do roboty! – krzyknął.

Widząc, że Will się nie rusza, zmarszczył brwi i pochylił się nad nim. Dopiero wtedy zauważył strużkę krwi na dywanie pod głową leżącego. Przestraszony, poszukał na jego szyi tętna i znalazł je. Było słabe, lecz oznaczało, że Will Hasling żyje. Richard chwycił nieprzytomnego za nogi i odciągnął go od drzwi. Potem podszedł do biurka i włączył intercom.

– Eileen?

– Tak, panie Deravenel? – odezwała się jego sekretarka.

– Pan Hasling stracił przytomność! Nie czuł się zbyt dobrze już kiedy przyszedł. Proszę natychmiast wezwać ambulans, dobrze? Musimy przewieźć go do szpitala.

Przed czternastu laty, kiedy Amos Finnister zaczynał pracę w Deravenels, aby „pilnować pleców" Edwarda Deravenela, otrzymał tytuł szefa ochrony. Na tym polegała jego praca, oczywiście poza dbaniem o bezpieczeństwo Edwarda.

Amos cieszył się ogólną sympatią i szybko stworzył własną małą sieć szpiegów oraz informatorów na terenie całej firmy, dlatego już po paru minutach od nieszczęśliwego zdarzenia został powiadomiony, że Will Hasling stracił przytomność w gabinecie Richarda Deravenela i sekretarka wezwała karetkę pogotowia, aby przewieźć go do szpitala.

Finnister był nie tylko poruszony wypadkiem przyjaciela, ale także natychmiast nabrał podejrzeń. Dwadzieścia minut wcześniej Will Hasling, zdrowy i pełen energii, rozmawiał z nim i Oliverim w gabinecie tego ostatniego.

Co takiego stało się w tym krótkim czasie? Amos zamierzał się tego dowiedzieć. Wstąpił do Alfreda, aby ironicznym tonem powiedzieć mu, że Will „nagle zachorował" i udał się do pokoju, który nadal nazywał „gabinetem pana Edwarda".

Drzwi stały otworem. Richard siedział za biurkiem, przygarbiony i dziwnie niepewny siebie, Eileen, jego sekretarka, stała pod ścianą, wyraźnie zdenerwowana, a dwóch sanitariuszy ostrożnie układało Willa na noszach.

Amos bokiem wsunął się do środka, by nie przeszkadzać sanitariuszom, i od razu podszedł do Richarda.

– Co stało się panu Haslingowi? – zapytał.

Richard obrzucił go niechętnym spojrzeniem.

– Nie wiem – mruknął.

– Ale podobno zasłabł w pańskim gabinecie.

– Tak... Przyszedł omówić coś ze mną, w pewnym momencie zaczął narzekać, że źle się czuje i nagle upadł na podłogę. Po prostu upadł, i tyle! Bardzo dziwne, Finnister, naprawdę bardzo dziwne.

Też jestem tego zdania, pomyślał Amos.

– Rozumiem – odparł jednak spokojnie. – No, na szczęście jest w dobrych rękach. Odprowadzę go do ambulansu.

Richard otworzył usta z taką miną, jakby chciał zaprotestować, lecz szybko zmienił zdanie.

– Jak pan sobie życzy, Finnister.

– Mam zatelefonować do pani Hasling czy sam pan to zrobi, sir? – spytał Amos.

– Niech pan nie robi sobie kłopotu, zajmę się tym! – rzucił Richard, zirytowanym głosem, niemal wypychając Finnistera z pokoju.

Oliveri czekał na Amosa w holu na dole, tak jak się umówili. Obaj pojechali z Willem do szpitala. W drodze chory powoli odzyskał przytomność, a na widok siedzących przy nim przyjaciół próbował się uśmiechnąć.

– Jak się czujesz? – zapytał Alfredo, pochylając się nad nim troskliwie.

– Głowa mnie boli – wymamrotał Will. – Dokąd jedziemy?

– Do szpitala Guy's, tego najbliższego – wyjaśnił Alfredo.

– Ach, tak. – Will spojrzał na Amosa. – Moja żona... Zadzwońcie do niej, proszę...

– Oczywiście, ale teraz musisz odpoczywać. Wszystko będzie w porządku, zaraz dojedziemy do szpitala. Stamtąd zatelefonuję do pani Hasling.

Will zamknął oczy i znowu stracił przytomność.

Pielęgniarka zaprowadziła Amosa Finnistera i Alfreda Oliveriego do szpitalnej poczekalni. Czekając na informacje o stanie Willa Haslinga, rozmawiali o nagłej chorobie przyjaciela, który jeszcze tego samego dnia sprawiał wrażenie całkowicie zdrowego.

– Upadł, też mi coś – mruknął Finnister, rzucając Oliveriemu znaczące spojrzenie. – Widziałem krew na dywanie w gabinecie pana Edwarda, a upadek na gruby dywan nie powoduje krwawienia, o ile mi wiadomo... Albo ktoś zdzielił go w głowę, albo uderzył się o krawędź jakiegoś mebla i później został przeniesiony w inne miejsce.

Alfredo kiwnął głową, świadomy, że Finnister doskonale wie, co mówi – ostatecznie był przecież policjantem, i to dobrym.

– Co sugerujesz? – zapytał. – Że to sprawka naszego nowego szefa?

– Nie inaczej! Mam tylko nadzieję, że Will wykaraska się z tego.

Godzinę później jeden z lekarzy wyszedł z sali zabiegowej i poinformował ich, że pan Hasling odniósł obrażenia głowy i ma zostać w szpitalu na noc na obserwacji.

– Możemy się z nim zobaczyć? – spytał Oliveri.

– Jeszcze nie teraz, przykro mi. Przeprowadzamy badania, to musi potrwać.

– Pan Hasling zranił się w głowę, prawda? – odezwał się Finnister. – I krwawił, czy tak?

– Tak, proszę pana. Zastanawialiśmy się właśnie, skąd to rozcięcie i doszliśmy do wniosku, że pewnie uderzył o jakiś twardy przedmiot, bo to chyba jedyne możliwe wyjaśnienie.

– Pewnie tak – przyznał Finnister.

Parę minut później obaj z Oliverim opuścili szpital.

Will Hasling stosunkowo szybko odzyskał siły i po paru dniach lekarze zdecydowali, że może wrócić do domu. W sobotę dwunastego czerwca, w dniu planowanego wypisania ze szpitala, nagle zaczął skarżyć się na złe samopoczucie, a godzinę później doznał poważnego wylewu krwi do mózgu, który okazał się śmiertelny.

Amos Finnister, zrozpaczony jak wszyscy bliscy Willa, nigdy nie dowiedział się, co dokładnie zaszło tamtego fatalnego dnia między Haslingiem i Richardem Deravenelem, do końca życia winił jednak Richarda za przedwczesną śmierć przyjaciela. Podobne odczucia mieli wszyscy inni. Śmierć Willa obciążyła konto Richarda w oczach wielu ludzi, budząc wrogość i niechęć do nowego głównego dyrektora firmy Deravenels.

R O Z D Z I A Ł
CZTERDZIESTY ÓSMY

Ravenscar

Dwóch chłopców z wędkami szybko zeszło po wyciętych w klifie stopniach, wiodących z wrzosowiska na kamienistą plażę w Ravenscar. Zmierzali w stronę swojego ulubionego miejsca w tej części wybrzeża, Skały Kormoranów.

Kiedy pierwszy raz wybrali się na ryby z ojcem, Edward powiedział im, że ryby nigdzie nie biorą tak dobrze jak właśnie tam, i na potwierdzenie swoich słów w krótkim czasie złapał kilka dorodnych dorszy. Od tamtego dnia chłopcy lubili przychodzić na Skałę Kormoranów, aby spróbować szczęścia.

Młody Edward niósł koszyk na ryby, który, jak mieli nadzieję, niedługo będzie pełny. Obiecali Kuchci, że przyniosą jej obfity połów, ona zaś złożyła uroczystą obietnicę, że przyrządzi dla nich smażoną rybę na kolację. Podobnie jak kiedyś ojciec, Młody Edward bardzo lubił panią Latham. Babka chłopców mówiła, że kucharka posuwa się w latach, lecz ich ojciec wcale nie zamierzał wysyłać jej na emeryturę.

– Ma dopiero pięćdziesiąt dziewięć lat i cieszy się doskonałym zdrowiem – oświadczył Edward niedługo przed śmiercią.

A kiedy jego matka nadal mówiła o konieczności zastąpienia pani Latham młodszą kucharką, Edward po prostu wyszedł z pokoju, nie chcąc jej dłużej słuchać. Zdaniem ojca chłopców pani Latham powinna zostać w Ravenscar do końca życia.

Młody Edward rozumiał, dlaczego ojciec tak lubił Kuchcię; była serdeczna i miła dla wszystkich, i przygotowywała dla nich niezwykłe przysmaki. I, podobnie jak pani Collet w Kent, zawsze starała się pomóc chłopcu, gdy bolały go zęby, co ostatnio zdarzało się dość często.

Edward poprawił pasek koszyka i rozejrzał się dookoła. Byli już blisko dużej grupy skał, wśród których znajdowała się ta, ku której zmierzali. Plaża była kompletnie pusta, lecz na morzu kołysało się kilka rybackich łodzi, z których właśnie zarzucano sieci.

Chociaż sierpniowy ranek był pogodny, w powietrzu wyczuwało się chłód, jak zwykle w Ravenscar, nawet w środku lata. Od Morza Północnego zawsze ciągnął ostry wiatr i właśnie dlatego Niania kazała im włożyć grube wełniane swetry, a spodnie utknąć w wysokie kalosze. Namówiła ich także, by zabrali ciemnozielone przeciwdeszczowe kurtki, na wypadek gdyby zaczęło padać.

– Poszukamy później skamielin, wodorostów i muszli, Ed? – zapytał Mały Ritchie, zerkając na starszego brata. – Obiecałem Małym Kluseczkom, że przyniesiemy im najprawdziwsze skarby!

– Jasne, Ritch. – Edward serdecznie uśmiechnął się do dziesięcioletniego Richarda. – Chętnie ci pomogę!

– Szkoda, że Niania nie pozwoliła im pójść z nami! Zupełnie nie rozumiem, dlaczego uważa, że łowienie ryb to nieodpowiednie zajęcie dla dziewczynek.

– Och, wiesz, jaka jest Niania…

– To niewłaściwe! – przerwał mu Ritchie, świetnie naśladując głos Niani i posługując się jej ulubionym zwrotem.

Popatrzył na brata i parsknął wesołym śmiechem. Młody Edward uśmiechnął się pobłażliwie i otoczył Ritchiego ramieniem.

– Niania sądzi też, że wędkowanie jest niebezpieczne, bo widziała, jak wdrapujemy się na skały – powiedział. – Boi się, że Bridget i Katherine mogłyby zrobić sobie coś złego.

– Niepotrzebnie zabraliśmy Nianię na plażę w zeszłym tygodniu – westchnął Ritchie. – Gdyby wtedy z nami nie poszła, nie wiedziałaby nic o chodzeniu po skałach.

– To prawda.

Bracia umilkli. Szli dalej, nie czując potrzeby rozmowy, pogodni i zadowoleni ze swego towarzystwa. Byli do siebie bardzo podobni, jasnowłosi i niebieskoocy, lecz dwunastoletni Edward był wyższy od Ritchiego. Odziedziczyli po matce piękne, klasyczne rysy i przypominali swoją siostrę Bess.

– Jestem głodny – oświadczył Mały Ritchie, kiedy byli już blisko Skały Kormoranów. – Zjemy coś, zanim zaczniemy łowić?

– Dlaczego nie… – Młody Edward postawił koszyk na ziemi, podniósł wieczko i wyjął starannie zapakowane gorące bułeczki z kiełbasą, które Kuchcia dała im przed wyjściem. – Ojej, są jeszcze ciepłe! – zawołał, rozwijając pergamin.

Usiedli na kamienistej plaży, opierając się plecami o wystające głazy, i zabrali się do jedzenia ulubionych bułeczek.

– Gdyby Mały Eddie nie pojechał ze swoją mamą do Ripon, żeby odwiedzić babcię, moglibyśmy zabrać go ze sobą – powiedział Ritchie. – Mówił mi, że bardzo chce wybrać się na Skałę Kormoranów!

– Możemy zabrać go w przyszłym tygodniu, kiedy wróci z Thorpe Manor, jeśli chcesz. Na pewno się ucieszy. Miły z niego chłopaczek, prawda, Ritch?

Ritchie kiwnął głową, lecz nagle zmarszczył brwi i skrzywił się lekko.

– Dlaczego wszyscy mówią o nas „Mały Ritchie" i „Mały Eddie", a o tobie „Młody Edward"? To strasznie głupie…

Młody Edward wybuchnął śmiechem, rozbawiony bardziej pełnym wzgardy tonem głosu brata niż jego słowami.

– Dlatego, że ty otrzymałeś imię po stryju Richardzie i żeby was odróżnić, babcia dodała słowo „mały" do twojego imienia – wyjaśnił po chwili. – Mały Eddie został tak nazwany na cześć naszego ojca, a ponieważ ja urodziłem się wcześniej i dostałem przydomek „młody", on musiał zadowolić się „małym". Oczywiście wszystko to może wydawać się trochę mylące, zwłaszcza ludziom spoza naszej rodziny…

– Rozumiem, o co ci chodzi, ale kiedy tylko dorosnę, od razu pozbędę się tego „małego"! Będę po prostu Ritchiem, a ty Edwardem, bez „młodego", bo tata nie żyje i… – przerwał nagle i odwrócił głowę. – Dlaczego tata musiał umrzeć? – zapytał drżącym głosem. – Był przecież jeszcze młody, Ed! Słyszałem, jak mama mówiła do wuja Anthony'ego, że był za młody, żeby umierać… Więc dlaczego umarł?

Młodego Edwarda ogarnęła fala smutku, gardło ścisnęło mu się boleśnie. Przez chwilę w ogóle nie był w stanie się odezwać.

– Zachorował na bronchit, a potem dostał ataku serca – rzekł cicho. – Przecież tłumaczyłem ci to już wcześniej, Ritch.

Spojrzał na młodszego brata, zobaczył łzy w jego oczach i natychmiast objął go, mocno przygarniając do siebie.

– Nie płacz, Ritch! Musimy być dzielni i silni, tak powiedziała Bess. Pamiętasz, że Bess przyjeżdża dziś do Ravenscar i spędzi z nami cały tydzień? Będziemy się świetnie bawić, zobaczysz!

– Och, pamiętam! I bardzo się cieszę! – zawołał Ritchie, pocierając wilgotne oczy knykciami.

Skończyli jeść i ruszyli dalej, do drewnianej szopy, którą ojciec kazał postawić na betonowej półce na szczycie wzgórza nad samym morzem. Dotarli do celu wąską ścieżką od strony plaży. Młody Edward wyjął z kieszeni kurtki klucz, otworzył drzwi i chłopcy weszli do środka. Rozejrzeli się dookoła, patrząc na spoczywające pod ścianami łodzie. Edward podszedł do jednej z większych i zaczął ciągnąć ją ku drzwiom.

– Co ty robisz, Ed? – Ritchie patrzył na brata okrągłymi ze zdziwienia oczami. – Wypłyniemy na morze? Będziemy wędkować na Morzu Północnym?

– Tata mówił, że duże dorsze nie biorą blisko brzegu.

– Mówił nam też, żebyśmy nigdy nie wypływali łodzią bez niego – zauważył Ritchie.

– Wiem, ale pogoda jest dziś dobra, szczególnie na dorsza! Założę się, że trochę dalej od brzegu dosłownie roi się od ryb.

– Nie wiadomo... – W głosie Ritchiego nie było entuzjazmu, pomógł jednak bratu wynieść łódź na plażę. – Naprawdę chcesz wypłynąć? – spytał po chwili.

Młody Edward się zawahał.

– No, jeszcze się zastanowię – mruknął. – Trochę poobserwuję niebo, zobaczę, czy pogoda się nie zmienia. Wiesz, jak to jest w Yorkshire, lepiej zachować ostrożność.

– I bardzo dobrze! A na razie chodźmy na Skałę Kormoranów!

– Ścigamy się! – krzyknął Młody Edward.

Pobiegli plażą, wymachując wędkami i głośno pokrzykując. Wiatr daleko niósł ich wesołe okrzyki.

Skała Kormoranów była duża i dość szeroka, aby swobodnie zmieściło się na niej dwóch chłopców. Młody Edward i Mały Ritchie wdrapali się na nią i z rozmachem zarzucili wędki, wystawiając na podmuchy wiatru promieniejące optymizmem i zapałem twarze.

⁂

Mężczyzna wiosłował, tnąc gładką powierzchnię stalowoszarego morza, popychany dmącym mu w plecy wiatrem. Wiedział, że dopłynie do plaży wcześniej, niż sądził. Niezły dzień na wyprawę w morze, pomyślał, i całkiem dobry na łowienie ryb. Pogodne niebo, ani śladu chmur... Ciekawe, czy coś złowię. Może przynajmniej ze dwie nieduże rybki.

Jego rybacka łódź nosiła nazwę „Gay Marie". Była duża i solidnie zbudowana i mogła z łatwością pomieścić pół tuzina rybaków, co zresztą czasami się zdarzało. Do wioseł siadało w niej zwykle dwóch ludzi, ale mężczyzna był mocny, o szerokiej klatce piersiowej i masywnych ramionach. Radził sobie doskonale i po dziesięciu minutach był już blisko brzegu. Wiosłował uparcie, dając upust ogromnej energii. Gdy zobaczył plażę, złożył wiosła i wyskoczył na płyciznę, zadowolony, że włożył wysokie gumowce. Najpierw wypchnął łódź na piasek, a potem pociągnął ją po drobnych kamieniach i ukrył pod wystającą skałą.

Usiadł obok, wyjął papierosy i zapalił, czując, jak poranne słońce ogrzewa mu twarz.

Niedaleko tego miejsca znajdowała się Skała Kormoranów, z której Młody Edward i Mały Ritchie łowili dorsze. Richard z wielkim podnieceniem wyciągnął z wody nieduzą rybę, a po chwili szczęście dopisało jego bratu.

– Huraaaa! – krzyknęli z radością, bardzo dumni ze zdobyczy.

Godzinę później Młody Edward doszedł do wniosku, że złowili jedyne ryby, jakie tego dnia zapuściły się na te wody. Spostrzegł też, że młodszy brat trochę się już zmęczył.

– Zbierajmy się już lepiej, Ritch – powiedział, przestraszony, że chłopiec mógłby spaść do morza albo, co byłoby jeszcze gorsze, na skały. – To bez sensu! Wszyscy wieśniacy przychodzą tu łowić ryby, więc naprawdę trudno tu coś złapać.

Mały Ritchie kiwnął głową.

– Ale chyba nie powinniśmy wypływać w morze. Tata gniewałby się na nas.

– Tak, wiem! Nie wypłyniemy, nie martw się... No, chodź, czas wracać do domu!

– Co my tutaj mamy? – zagadnął mężczyzna, z uśmiechem patrząc na dwóch przystojnych chłopców. – Dwóch młodych wędkarzy.

– Halo! – Młody Edward uśmiechnął się w odpowiedzi. – Złapaliśmy dwie ryby, prawda, Ritch?

Mały Ritchie przytaknął z zapałem. Jego niewinna, pełna radości buzia była mocno zarumieniona od wiatru i słońca.

– Tak, dwa piękne dorsze!

– Ja też mam nadzieję złowić dwie piękne małe rybki. Myślicie, że mi się uda?

– Nie wiem. – Młody Edward zeskoczył ze skały i pomógł bratu, chwytając go za ręce.

– Raczej nie – oświadczył Mały Ritchie, lądując na piasku.

– Cóż, zobaczymy – mruknął mężczyzna i znowu uśmiechnął się do chłopców.

R O Z D Z I A Ł
CZTERDZIESTY DZIEWIĄTY

– Tak się cieszę, że już jesteś, Bess! – Niania wybiegła ze spiżarni do wielkiego holu w Ravenscar.

W jej głosie wyraźnie pobrzmiewała nuta napięcia i zaniepokojenia.

Bess dopiero przed chwilą przyjechała pociągiem z Londynu i teraz stała przy drzwiach, sprawdzając, czy ma ze sobą cały bagaż, od razu wyczuła jednak niepokój starszej kobiety i pośpieszyła na jej spotkanie.

– Co się stało, Nianiu? – zapytała. – O co chodzi?

– To chłopcy... Nie możemy ich znaleźć... Zaginęli...

– Zaginęli – powtórzyła Bess. – Nie rozumiem.

Z korytarza wyszedł kamerdyner Jessup i przystanął obok kobiet.

– Poszli rano na ryby, panienko – wyjaśnił. – Na naszą plażę. Wiem, że lubią chodzić na Skałę Kormoranów. Ich ojciec... Pan Deravenel zawsze ich tam zabierał. Kucharka zapakowała im lunch do kosza i poszli. I później nikt ich już nie widział.

– Nie ma ich na plaży? – Bess obrzuciła Jessupa ostrym, zdziwionym spojrzeniem.

– Nie, nie ma ich tam – powiedziała Niania. – Kiedy wychodzili o jedenastej, kazałam im wrócić do domu koło drugiej, nie później niż o drugiej trzydzieści. Wiesz przecież, że Młody Edward jest bardzo odpowiedzialny, podobnie jak Mały Ritchie. Zawsze wracają o ustalonej porze, nigdy się nie spóźniają. Jest już czwarta. Pół godziny temu zaczęłam się niepokoić i poprosiłam Jeremy'ego, tego młodego ogrodnika, żeby pobiegł po nich na plażę. Wrócił zdenerwowany i powiedział, że ich nie widział. Nie było po nich ani śladu, nie znalazł ani wędek, ani koszyka, nic! Plaża była pusta...

– Dziwne – mruknęła Bess. – Może schowali się gdzieś w domu, Nianiu?

– Nie! – Niania zdecydowanie potrząsnęła głową. – Wszędzie zaglądałam, zresztą ty także wiesz, że obaj są bardzo posłuszni i grzeczni i nigdy nie sprawiali żadnych kłopotów ani mnie, ani nikomu innemu.

– Więc może wybrali się gdzieś, na przykład do wioski. – Bess przeniosła wzrok z Niani na kamerdynera. – Czy to możliwe, Jessup?

– Wioska jest za daleko, panienko. Tak czy inaczej, to do nich zupełnie niepodobne, nigdy nie zachowywali się tak w stosunku do Niani, ale jeżeli panienka sobie tego życzy, powiem jednemu ze stajennych, żeby osiodłał konia i pojechał rozpytać się do wioski.

– Proszę to zrobić, dobrze? Pójdę teraz zamienić parę słów z moją babką, a potem zejdę do dziewczynek.

Bess pobiegła do biblioteki, gdzie po południu zwykle można było znaleźć domowników. Cecily Deravenel dwa tygodnie wcześniej złamała nogę, którą lekarz od razu unieruchomił gipsowym opatrunkiem, i teraz siedziała w fotelu na kółkach pod oknem, wpatrzona w morze. Słysząc kroki, odwróciła głowę i na widok wnuczki jej zmęczoną twarz rozjaśnił uśmiech.

– Ach, nareszcie jesteś, kochanie! Tak się cieszę, że do nas przyjechałaś!

Bess szybko podeszła do babki. Biblioteka była tak przepełniona pamiątkami po jej ojcu, że dziewczyna poczuła ucisk w sercu. Ten pokój należał do niego i zawsze miał pozostać jego królestwem. Obecność Edwarda nadal była tu łatwo wyczuwalna. Nad kominkiem wisiał jego znakomity portret, ukończony tuż przed czterdziestymi urodzinami.

Bess z trudem przywołała uśmiech i pocałowała Cecily w policzek.

– Ja też cieszę się, że przyjechałam, babciu – powiedziała, siadając na brzegu krzesła i starając się zapanować nad zdenerwowaniem. – Mamy pewien problem...

– Jaki problem? – Cecily spojrzała na nią pytająco.

– Nie ma chłopców. Młody Edward i Mały Ritchie zniknęli. Zniknęli bez śladu, babciu.

Cecily natychmiast spoważniała.

– Jak to, zniknęli? – zapytała. – Nie rozumiem. Mówili mi, że wybierają się na ryby, w miejsce, gdzie zwykle zabierał ich Ned, i że już nie mogą się doczekać podwieczorku ze mną i z tobą, i z Małymi Kluseczkami, jak nazywają dziewczynki. Powiedziałam im, żeby wrócili punktualnie. Gdzie mogą być?

– Nie ma ich na plaży ani w domu. Niania strasznie się denerwuje, ale bardzo przytomnie wysłała młodszego ogrodnika na poszukiwanie i właśnie wtedy się okazało, że nigdzie nie ma po nich śladu, a na plaży nie widać żadnych ich rzeczy...

Cecily wyprostowała się, przez jej twarz przemknął cień.

– Szkoda, że nie ma Richarda. – Potarła usta dłonią. – On by wiedział, co robić.

– Gdzie jest stryj Richard?

– Spędził weekend w Ripon, w Thorpe Manor, razem z Anne i Małym Eddiem. Wczoraj wrócił do Londynu.

– Anne i Mały Eddie zostali w Thorpe Manor z Nan Watkins? – spytała Bess.

– Tak...

W bibliotece zapanowała cisza. Obie kobiety milczały.

– Przepraszam cię, babciu, ale muszę zadzwonić na policję – odezwała się w końcu Bess.

– Najpierw powinnaś porozmawiać z Richardem – przerwała jej Cecily.

– Dlaczego? Stryj jest w Londynie, a ja tutaj, na miejscu! Im szybciej rozpoczniemy poszukiwania, tym lepiej!

Bess poszła do dawnego gabinetu ojca i usiadła przy biurku. Zastanawiała się chwilę, a potem wybrała numer lady Fenelli w Londynie. W domu przy Curzon Street słuchawkę podniósł kamerdyner, który od razu poprosił do telefonu lady Fenellę.

– Witaj, Bess, co u ciebie słychać?

– Dzień dobry, ciociu Fenello. Dzwonię, ponieważ mamy okropny kłopot i przydałaby mi się twoja rada. Dopiero co przyjechałam do Ravenscar i dowiedziałam się, że moi bracia zaginęli. – Szybko przekazała Fenelli wszystko, co usłyszała od Niani i Jessupa. – Chcę zadzwonić na policję, ale postanowiłam najpierw poradzić się ciebie. Byłabym bardzo wdzięczna, gdybyś zapytała Marka, co o tym myśli.

– Co za okropna wiadomość. Sądzisz, że mogło to być porwanie? Dla okupu? Wszyscy wiedzą, że Deravenelowie to bogaci ludzie.

– Cóż, to możliwe. W tej chwili po prostu nie mam pojęcia, co mogło się stać.

– Czy Richard jest w Ravenscar?

– Nie, podobno jest w Londynie. Anne pojechała na parę dni do swojej matki do Ripon, a ja jestem tu z babcią, unieruchomioną z powodu złamanej nogi.

– Och, bardzo mi przykro! Przekaż jej serdeczne pozdrowienia, dobrze? Twoja matka wyjechała do Monaco, czy tak?

– Tak, z Cecily i Anne. Na razie wolałabym jej nie niepokoić, jeszcze nie teraz.

– Słusznie! Zaraz skontaktuję się z Markiem i któreś z nas wkrótce do ciebie zadzwoni!

Bess siedziała ze wzrokiem utkwionym w przestrzeń, czekając na telefon od Marka Ledbettera. Wiedziała, że mąż Fenelli sam do niej zatelefonuje, gdy tylko się dowie, co zaszło.

I miała rację. Gdy dziesięć minut później zadzwonił telefon, Bess natychmiast podniosła słuchawkę, uprzedzając Jessupa.

– Tu Mark, Bess. Bardzo mi przykro, że rozmawiamy w takich okolicznościach. Powiedz mi wszystko, co ci wiadomo.

Bess dokładnie powtórzyła mu swoją rozmowę z Nianią i Jessupem.

– Czy mam skontaktować się z policją? – zapytała na koniec.

– Nie, sam to zrobię – odparł Mark Ledbetter. – Tak będzie łatwiej i szybciej. Wasz komisariat znajduje się w Scarborough, ale zatelefonuję też do Yorku, bo tam mają więcej ludzi...

– Dziękuję...

– Posłuchaj mnie uważnie. – Jeżeli chłopcy nie znajdą się do wieczora, koniecznie do mnie zadzwoń, niezależnie od godziny. Gdybyś dostała telefon lub list z żądaniem okupu, dzwoń natychmiast. Przyjadę bez chwili zwłoki, nie jako szef Scotland Yardu, ale jako przyjaciel rodziny. Nie chcę wtrącać się w procedury działań lokalnej policji, na pewno mnie rozumiesz. I spróbuj się nie martwić – znajdziemy ich, wierz mi.

Bess siedziała przy biurku ojca, a w jej głowie kłębiły się najrozmaitsze myśli. Po pewnym czasie doszła do wniosku, że skoro chłopcy zniknęli bez śladu, to albo zostali porwani z plaży, być może dla okupu, albo odpłynęli łódką i mieli jakiś wypadek. Może stracili wiosło i teraz dryfowali? Może łódź z jakiegoś powodu się wywróciła? Albo zatonęła? Jeżeli tak, to jej bracia najprawdopodobniej nie żyli. Bess zadrżała i natychmiast odepchnęła tę myśl.

Nagle zerwała się z krzesła, pobiegła na górę, pokonując po dwa stopnie na raz, i wpadła do swojej sypialni. Zdjęła lekki kostium podróżny, włożyła tweedową spódnicę i bluzkę, znalazła ciepły rozpinany sweter i wsunęła stopy w wygodne buty. Przebrawszy się, poszła do pokoju dziecinnego.

Niania podniosła wzrok i popatrzyła na nią badawczo.

– Jakieś nowiny, Bess? – zapytała niespokojnie.

– Nie... Rozmawiałam jednak z lady Fenellą i Markiem Ledbetterem, który skontaktuje się z lokalną policją w Yorku i Scarborough. Idę teraz na plażę i sama spróbuję się tam rozejrzeć.

Niania skinęła głową i zerknęła na Katherine i Bridget, najmłodsze dzieci Edwarda, zwane przez starszych braci Małymi Kluseczkami.

Bess zrozumiała spojrzenie Niani i podeszła do dziewczynek, które siedziały przy stole, popijając mleko i jedząc pokrojone w plastry owoce. Czteroletnia Katherine podsunęła starszej siostrze policzek do pocałunku i mocno przywarła do jej ramienia.

– Gdzie są chłopcy? – szepnęła.

– Na pewno gdzieś niedaleko – odrzekła Bess uspokajająco, przytulając dziewczynkę.

Po chwili uściskała trzyletnią Bridget.

– Za parę minut wrócę, dobrze? – powiedziała.

– Dobrze, Bess – odparła Bridget.

Bess zeszła na dół. Pomyślała, że powinna zadzwonić do stryja w Deravenels, wróciła więc do dawnego gabinetu ojca i wybrała numer. Słuchawkę podniosła Eileen i gdy Bess poprosiła Richarda do telefonu, dowiedziała się, że jest na spotkaniu w City.

Bess zastanawiała się sekundę, czy powinna wyjaśnić, dlaczego szuka Richarda i zdecydowała się tego nie robić.

– Poproś go, żeby do mnie zadzwonił, Eileen – rzekła. – Jestem w Ravenscar i muszę z nim porozmawiać. To pilne.

Na plaży nie było żywej duszy.

Bess zbiegła po wyciętych w klifie stopniach i ruszyła w kierunku grupy skał, zasłaniających Skałę Kormoranów. Po paru minutach zwolniła kroku i trochę zdyszana stanęła przed słynną skałą. Ciemne fale obmywały jej podstawę, tworząc wiry i pieniste grzebienie.

Dziewczyna uważnie popatrzyła na pokrywające brzeg drobne kamyki. Nie wiedziała, czego szuka, ale liczyła na to, że znajdzie coś, co będzie jakąś wskazówką. Dopiero kiedy podniosła głowę, jej wzrok zatrzymał się na szopie na łodzie, stojącej nieco wyżej nad plażą. Otwarte drzwi szopy kołysały się, poruszane wiatrem. Dlaczego były otwarte? Bess nie miała żadnych wątpliwości – otworzył je Młody Edward.

Wspięła się biegnącą do szopy ścieżką, weszła do środka i rozejrzała się dokoła. Wewnątrz przechowywano cztery łodzie, dwie duże i dwie małe. Teraz w szopie były tylko trzy – brakowało jednej większej łodzi. Najwyraźniej zabrali ją bracia. Bess spojrzała na wypisane na burtach nazwy: „Sea Dog", „Meg O'My Heart" i „Macbeth". Nie było „Lady Bess", łodzi nazwanej tak przez ojca na jej cześć. Bess stała nieruchomo, z sercem ściśniętym lękiem. Jeśli chłopcy wypłynęli na wody Morza Północnego, z łatwością mogło spotkać ich coś złego. Mogli utonąć.

Na samą myśl o tym resztki energii opuściły ją w jednej chwili. Długo stała oparta o drzwi, usiłując się uspokoić. Wreszcie odwróciła się, wyszła na zewnątrz i zamknęła szopę na klucz, który wsunęła do kieszeni. Zeszła na plażę przygnębiona i przejęta lękiem.

Znowu uważnie zbadała wzrokiem morski brzeg, nie dostrzegła jednak ani łodzi, ani śladów pozwalających się zorientować, gdzie ściągnięto ją do wody. Wiedziała, że stosunkowo lekka łódź nie pozostawiłaby śladów na kamienistej powierzchni.

Ruszyła w drogę powrotną do domu, modląc się, aby jej mali bracia szybko się znaleźli.

– Byłam na plaży, babciu. – Bess usiadła obok Cecily w bibliotece. – Nic nie znalazłam. Żadnego tropu, żadnych wskazówek…

– Rozumiem. – Napięta, blada twarz Cecily i cień lęku w jej niebieskoszarych oczach wyraźnie świadczyły o stanie ducha.

Podwieczorek podano jak zwykle, ale filiżanka i talerz Cecily stały na tacy nietknięte. Starsza pani nie była w stanie nic przełknąć.

– Richard dzwonił do ciebie, Bess – podjęła. – Powiedziałam mu, że chłopcy zniknęli. Obiecał, że jeśli do wieczora nie wrócą do domu, natychmiast przyjedzie do Ravenscar.

– Cieszę się, babciu. Rozmawiałam wcześniej z ciotką Fenellą, a ona skontaktowała mnie z Markiem Ledbetterem. Zawiadomi policję w Scarborough, ale także w Yorku, ponieważ, jak mówił, mają tam dużo więcej ludzi.

Cecily na moment zasłoniła oczy dłonią.

– Gdzie oni mogą być? – spytała niskim, drżącym głosem. – Gdzie mogą być, Bess?

Jeszcze przed szóstą wieczorem w domu i na terenie posiadłości Ravenscar zaroiło się od policjantów. Inspektor Wallis z komisariatu w Scarborough przyjechał trochę później i odbył rozmowę z Bess oraz pozostałymi domownikami. To samo zrobił inspektor Allison z komisariatu w Yorku. Podobnie jak Bess, jej babka i wszyscy służący, dwaj detektywi też nie wiedzieli, co myśleć o całej sytuacji.

Zniknięcie dwóch małych chłopców było tajemnicą. Największą tajemnicą, na jaką do tej pory się natknęli.

R O Z D Z I A Ł
PIĘĆDZIESIĄTY

Amos Finnister całą noc jechał samochodem z Londynu i teraz, zatrzymując wóz na brukowanym dziedzińcu przed stajniami, z ulgą pomyślał, że wreszcie dotarł na miejsce.

Zanim zdążył unieść mosiężną kołatkę, żeby zapukać do frontowych drzwi, w progu stanęła Bess.

– Dzień dobry, Amosie – powiedziała, wpuszczając go do środka.

– Dzień dobry, Bess. – Amos cicho zamknął za sobą drzwi. – Masz jakieś nowiny?

Bess potrząsnęła głową.

– Nie, niestety. Chodźmy do jadalni. Jessup czeka na nas, a Kuchcia przygotowała obfite śniadanie.

– Bardzo dziękuję!

– Na pewno jesteś zmęczony i głodny po tak długiej podróży.

– Trochę – odparł Amos, idąc za Bess korytarzem do porannego pokoju.

W drzwiach jadalni stał Jessup, na widok Amosa jego twarz rozjaśnił uśmiech.

– Dzień dobry, panie Finnister! – zawołał. – Panienka Bess nie mogła się już doczekać pana przyjazdu, podobnie jak my wszyscy! Musi pan być okropnie zmęczony, Ravenscar leży daleko od Londynu!

Amos uśmiechnął się do służącego, którego zawsze darzył sympatią.

– Dzień dobry… – powiedział. – Szczerze mówiąc, jazda nocą wcale nie jest taka zła. Drogi są puste, więc jedzie się dość szybko.

Kamerdyner podprowadził go do blatu, na którym ustawiono bogaty wybór gorących i zimnych dań.

– Co panu podać? – Zaczął unosić pokrywy różnych srebrnych półmisków i salaterek. – Tu mamy kiełbaski i bekon, tu cynadry, tu pomidory, a tu wędzone śledzie, gdyby miał pan ochotę. Możemy też podać jajecznicę. Kucharka usmaży świeżą, jeśli pan sobie życzy.

– Poproszę kiełbaski i bekon, i może pomidory z grilla – rzekł Amos. – Dziękuję bardzo, Jessup, tyle wystarczy.

Usiadł naprzeciwko Bess, nie czekając, aż Jessup nałoży wybrane przez niego potrawy na talerz.

– Dla panienki to, co zwykle? – spytał służący.

Gdy Bess skinęła głową, podszedł do blatu i po chwili wrócił z pomidorami, tostem i masłem, stawiając także na stole kilka miseczek z dżemami i dzbanek z herbatą.

– Ci dwaj detektywi twierdzą, że jest to największa tajemnica, z jaką się do tej pory zetknęli – powiedziała Bess, gdy zostali sami.

– To rzeczywiście tajemnica, i to bardzo niepokojąca. Opowiedz mi jeszcze raz, co zwróciło twoją uwagę w szopie na łodzie. Mówiłaś, że otwarte drzwi kołysały się na wietrze.

– Tak, dlatego je zauważyłam! Od razu pomyślałam, że to Młody Edward tak je zostawił. Wspięłam się tam, rozejrzałam i zauważyłam, że brakuje dużej rybackiej łodzi…

– „Lady Bess", tak?

– Tak. Ojciec nazwał ją moim imieniem.

– Dobrze, że znamy nazwę łodzi, bo… – Amos przerwał, zły sam na siebie. Żałował, że nie ugryzł się w język.

– Bo w przypadku katastrofy łatwiej będzie zidentyfikować zatopioną łódź – dokończyła Bess. – To miałeś na myśli, prawda?

Amos niechętnie kiwnął głową.

– Tak.

– Nie musisz robić sobie wyrzutów, sama także o tym pomyślałam. – Intensywnie błękitne oczy Bess, tak podobne do oczu jej ojca, nagle napełniły się łzami.

Zamrugała gwałtownie. Nie mogła wykrztusić ani słowa, jej serce ściskała twarda obręcz.

– No, no, moja droga. – Amos podniósł się i postąpił w jej stronę, nie kryjąc wzruszenia.

Bess potrząsnęła głową.

– Nie, nie, nic mi nie jest, wszystko w porządku. Łzy nic tu nie pomogą.

Wyjęła z kieszeni chusteczkę i pośpiesznie osuszyła oczy. Kiedy wsuwała wilgotną chustkę na miejsce, jej palce dotknęły klucza.

– Och, Amosie, w zamku drzwi szopy był klucz, dzięki temu zamknęłam drzwi! Popatrz, mam go tutaj...

– Przywiozłem ze sobą zestaw do zdejmowania odcisków palców – powiedział Finnister. – Kluczem zajmę się trochę później... Na razie oprowadź mnie po wszystkich miejscach, które sama wczoraj odwiedziłaś, w takiej kolejności, jaką podałaś mi wczoraj przez telefon.

– Na podwórku kręci się jakiś człowiek o dziwnym wyglądzie – odezwała się Polly, wyglądając przez kuchenne okno.

Kucharka odwróciła się z drewnianą warząchwią w dłoni i popatrzyła na swoją pomocnicę spod ściągniętych brwi.

– Co takiego, dziewczyno? Co mówisz?

– Tam jest taki dziwny facet. Niech no pani spojrzy!

Pani Latham podeszła do okna i od razu zrozumiała, co Polly miała na myśli. Na dziedzińcu przed stajniami dostrzegła dziwnie wyglądającego mężczyznę, który szedł teraz prosto do kuchennego wejścia.

Odłożyła drewnianą łyżkę, wytarła dłonie w ścierkę, poprawiła biały stroik na głowie i wyszła na korytarz. Otworzyła drzwi i stanęła w progu, czekając na przybysza.

Kiedy mężczyzna zatrzymał się przed nią, od razu się zorientowała, czym się zajmuje. Wydzielał tak intensywny zapach ryb, że nie ulegało wątpliwości, iż jest rybakiem, albo z wioski Ravenscar, albo z dalej położonego Scarborough.

– Dzień dobry, proszę pani – powiedział w lokalnym dialekcie, uprzejmie unosząc dłoń do daszku czapki. – Pan jest w domu?

– Nie, nie ma go... Mogę jakoś pomóc?

Mężczyzna wydął wargi i skrzywił się.

– Chciałem zobaczyć się z panem... Mam mu coś do powiedzenia!

Kucharka potrząsnęła głową.

– Nie wyciągnę go przecież z kieszeni, jak magik królika z kapelusza! –

parsknęła. – Pana nie ma! Możecie powiedzieć to mnie, byle szybko, bo mam dużo roboty!

– To w związku z tymi chłopaczkami, małymi Deravenelami, tymi, co to się zgubili.

Słysząc te słowa, pani Latham zesztywniała i zmrużyła oczy.

– Jeśli coś wiecie, mówcie od razu! – ponagliła.

– Otóż było tak... Zobaczyłem ich, jak łowili ryby ze Skały Kormoranów. Później zauważyłem rybacką łódź, która dobiła do brzegu. I widziałem, jak jeden facet ciągnął łódź po plaży w stronę takich dużych głazów.

– I co?

– Nic. Popłynąłem dalej, bo szukałem ryb, konkretnie dorszy, ale i tak nic nie złowiłem, bo wczoraj ryb nie było.

– Zaczekajcie tutaj, nigdzie się nie ruszajcie – powiedziała kucharka. – Zaraz wrócę...

Mężczyzna kiwnął głową, a kucharka pośpieszyła w głąb korytarza, szukając Jessupa. Znalazła go w spiżarni i szybko powtórzyła otrzymane od rybaka informacje.

– Muszę dać mu szylinga albo coś koło tego za kłopot. To ważna wiadomość, mam nadzieję?

– Możliwe – odparł Jessup. – Niechże go pani zatrzyma, a ja pójdę po pana Finnistera! Powinien z nim pomówić!

Pani Latham wróciła do kuchni.

– Zaczekajcie chwilę, dobrze? – poprosiła. – Kamerdyner poszedł po kogoś, kto z wami porozmawia. Jesteście z tej okolicy?

– Mieszkam tutaj od urodzenia. Nazywam się Tom Roebottom.

Jessup wrócił z Finnisterem i Bess. Kucharka odsunęła się szybko, robiąc miejsce dla Amosa.

– Amos Finnister – przedstawił się detektyw. – Macie jakieś informacje o dwóch chłopcach, którzy wczoraj wczesnym popołudniem zniknęli z plaży w Ravenscar, czy tak? Możecie jeszcze raz wszystko powtórzyć? To bardzo ważne!

Rybak chętnie spełnił jego prośbę.

– Widzieliście, jak mówił coś do chłopców? – zapytał Finnister, gdy tamten skończył. – Albo rozmawiał z nimi?

– Nie.

– Ale widzieliście, jak zszedł na plażę i wyciągnął łódź.

– Tak. Ciągnął ją po żwirze i zostawił obok tych wielkich głazów... – Tom przerwał. – Potem usiadł.

– To wszystko, co widzieliście?

– Tak, potem popłynąłem dalej, na głębinę. Szukałem dorszy.

– Możecie opisać tego mężczyznę? Byliście dość blisko, żeby mu się przyjrzeć?

Roebottom potrząsnął głową.

– Nie dość blisko. To był duży facet, szeroki w barach, silny. Miał dużą łódź, ciężką...

– Ilu ludzi mogłaby pomieścić?

Rybak wzruszył ramionami.

– Pięciu, może sześciu...

– Rozumiem. Mam jeszcze jedno bardzo ważne pytanie – widzieliście, jak ten człowiek odbijał od brzegu?

– Nie. Wypłynąłem daleko, nic więcej nie widziałem.

– Jasne. – Finnister zawiesił głos. – Jak się nazywacie?

– Tom Roebottom, sir.

Amos wyciągnął rękę.

– Miło mi was poznać, Tom, i dziękuję, że przyszliście do nas z tą informacją.

Uścisnęli sobie dłonie. Tom z szacunkiem skinął głową. Amos przyglądał mu się uważnie.

– Co was skłoniło do przyjścia do Ravenscar? – zapytał wreszcie. – Pomyśleliście, że obecność tego mężczyzny na plaży była ważna, prawda?

– Tak. Moja żona Betty widziała wczoraj policjantów i powiedziała mi, że chłopcy z Ravenscar zaginęli. Wtedy przypomniałem sobie o tym facecie i powiedziałem Betty, a ona kazała mi przyjść tutaj i zobaczyć się z panem.

– Bardzo wam dziękuję. – Amos sięgnął do kieszeni i wyjął kilka monet.

– Nie, nie trzeba! – zaprotestował Tom. – Spełniłem tylko swój obowiązek. Pan Deravenel, to znaczy pan Edward, zawsze był dobry dla nas, dla wszystkich ludzi z wioski. Młodo umarł, za młodo... – potrząsnął głową. – Może to nieważne, ten facet na plaży, ale pomyślałem, że lepiej powiem o nim panu Richardowi, tak jak mówiła moja żona.

Bess postąpiła krok naprzód.

– Jestem córką pana Edwarda – odezwała się. – Ci chłopcy, którzy zaginęli, to moi bracia. Dziękuję, że przyszliście. Wszyscy jesteśmy wam wdzięczni.

Amos od początku wiedział, że nie znajdą na plaży niczego, żadnych tropów, żadnych śladów obecności chłopców ani kogokolwiek innego. Głównym problemem była tu plaża, nie piaszczysta, lecz kamienista, a także przypływy i odpływy – kamienistą plażę, kilka razy dziennie obmywało morze, oczyszczając ją ze wszystkiego, co mogło się na niej znaleźć.

Kiedy dotarli do Skały Kormoranów i rozejrzeli się dookoła, Bess zaprowadziła Finnistera do szopy na łodzie. Wcześniej dała mu klucz – detektyw próbował zdjąć z niego odciski palców, lecz bez powodzenia, ponieważ w ostatnim czasie dotykało go zbyt wiele osób.

Stojąc w progu, Bess wskazała trzy łodzie, „Meg O'My Heart", „Sea Dog" i „Macbeth".

– Ojciec trzymał tu tylko cztery łodzie, ale bardzo dużo zapasowych wioseł – wyjaśniła.

– Widzę... – odparł Amos i obszedł szopę dookoła, szukając wzrokiem czegokolwiek, co mogłoby mu pomóc. – Tom, ten rybak, powiedział nam, że widział mężczyznę, który wyciągnął łódź na plażę i ukrył ją pod głazami w pobliżu Skały Kormoranów – rzekł. – Chodźmy się tam rozejrzeć, dobrze?

Parę minut później szli kamienistą plażą w kierunku grupy potężnych kamieni, piętrzących się z boku Skały Kormoranów.

Dzień był słoneczny, bezwietrzny, niebo błękitne, lecz żadne z nich nie zwracało uwagi na pogodę. Słysząc przenikliwe krzyki mew, Amos podniósł głowę i zobaczył lecące na tle bladego nieba duże ptaki o przepięknych sylwetkach, czarnych czubkach skrzydeł i żółtych dziobach.

– Co to za białe ptaki? – zapytał, odwracając się do Bess.

– Kittiwakes – odparła. – Są tu ich setki, mieszkają na klifach, zakładają tam gniazda i wylęgają się. Piękne, prawda?

– Rzeczywiście piękne... – przystanął nagle i wskazał drobne kamyki pod stopami. – Popatrz na to, Bess... Uwierzyłem Tomowi, kiedy mówił, że człowiek, którego widział, wyciągnął łódź na brzeg. Spójrz, tu zostały jeszcze ślady po wysklepionym dnie łodzi.

– Tak, widzę... Tom Roebottom okazał się bardzo spostrzegawczym świadkiem.

– Tak. – Amos wyprostował się z ciężkim westchnieniem.

Bess spojrzała na niego szybko, ale się nie odezwała.

– Wiem, że nic tu nie znajdziemy – podjął w końcu detektyw. – Nawet gdybyśmy szukali tropu do końca świata. Ale mogę ci powiedzieć, co myślę – twoi bracia wczoraj zostali uprowadzeni z tej plaży. Nie wiem jednak przez kogo ani w jakim celu.

W oczach dziewczyny pojawił się wyraz ogromnego cierpienia, jej wargi lekko zadrżały.

– Muszę się z tobą zgodzić – rzekła cicho. – Sądzisz, że zrobił to ten mężczyzna, którego widział Tom?

Starała się panować nad sobą i zachować przytomność umysłu.

– Obawiam się, że tak. Tom mówił, że była to duża łódź, zdolna pomieścić pięciu, nawet sześciu ludzi, a twoi bracia to tylko dwaj mali chłopcy. Z pewnością bez trudu się tam zmieścili.

– Ale kto miałby ich porwać? – spytała załamującym się głosem. – Kto chciałby wyrządzić im krzywdę?

– Nie wiem i nie potrafię tego wyjaśnić. Kiedy przyjedzie twój stryj?

– Przed lunchem, w każdym razie tak powiedział mi wczoraj wieczorem. Bardzo lubi podróżować aeroplanami i wyczarterował jeden z nich, aby szybko dotrzeć tutaj razem z Markiem. Twierdzi, że dużo osób zaczyna korzystać z firm czarterujących te maszyny, a on znalazł taką, która wyjątkowo przypadła mu do gustu, ponieważ właściciele to dwaj piloci, weterani wojenni. Mają wylądować na nowym lotnisku w pobliżu Scarborough.

– Aeroplany to wspaniałe maszyny! W przyszłości staną się najpopularniejszym środkiem transportu, zobaczysz!

– Naprawdę tak uważasz? Babcia, która bardzo interesuje się najnowszymi wynalazkami, mówi, że są okropnie niebezpieczne, że mogą po prostu spaść na ziemię...

– Ja tam stawiam na podróże powietrzne! – Amos uśmiechnął się lekko.

W milczeniu szli w kierunku wyciętych w klifie schodów.

– Nie mieliście psa imieniem Macbeth? – zagadnął nagle Finnister. – Przypomniałem sobie o nim, kiedy zobaczyłem tę łódź w szopie.

– Tak, to był szkocki terier. Macbeth zdechł w zeszłym roku i Młody Edward powiedział, że nie chce innego psa, przynajmniej przez jakiś czas. Mój ojciec nazwał jego imieniem łódź.

– Tak mi się właśnie wydawało.

Amos i Bess zaczęli gęsiego wspinać się po schodach. W pewnym momencie Finnister zatrzymał się i chwycił Bess za ramię.

– Kiedy zamierzasz powiedzieć matce, że chłopcy zaginęli?

– Pewnie dzisiaj, po przyjeździe stryja Richarda, gdy będziemy omawiać tę sytuację – powiedziała Bess.

Richard Deravenel i Mark Ledbetter przyjechali o dwunastej trzydzieści i natychmiast dołączyli do siedzących w bibliotece Cecily Deravenel, Bess oraz Amosa. Wszyscy byli zdenerwowani i przygnębieni.

Richard Deravenel rozpoczął rozmowę o zaginięciu chłopców.

– Rozumiem, że w domu ani w majątku nie ma żadnych nowych pracowników, mamo? – zwrócił się do Cecily. – Nie zatrudniłaś nikogo w ostatnim okresie?

– Nie, Richardzie. W kuchni od niedawna pracuje Polly, ale jej matka była pomocnicą naszej kucharki przez wiele lat. Cała rodzina mieszka w wiosce.

– Nie ma więc żadnych nowych ludzi?

Cecily Deravenel potrząsnęła głową, rzucając Richardowi pełne dezaprobaty spojrzenie.

– Nie. Zresztą przecież wiesz, że nigdy nie zatrudniłabym nikogo o podejrzanej czy choćby tylko wątpliwej opinii.

Richard od razu zauważył jej ostry ton.

– Musiałem o to zapytać, mamo.

– Wiem.

– Rozmawiałem z dwoma policyjnymi detektywami, którzy byli tu wczoraj – włączył się do rozmowy Mark Ledbetter. – Zupełnie nie wiedzą, co myśleć o tej sprawie, podobnie jak my wszyscy.

– Mam pewne informacje, chociaż niewiele nam one dadzą – odezwał się cicho Amos i opowiedział obecnym o pojawieniu się Toma Roebottoma.

Twarz słuchającego w skupieniu Richarda zmieniła się wyraźnie.

– Sądzi pan, że ten mężczyzna, który zszedł na plażę, uprowadził chłopców?

– Obawiam się, że tak – odparł ze smutkiem Amos.

– Dlaczego? – zapytał Mark.

Znał Amosa od lat, ufał mu i wierzył w jego umiejętności byłego policjanta, czuł jednak, że ma obowiązek postawić to pytanie w imieniu całej rodziny. Chciał, aby Deravenelowie usłyszeli, jakie argumenty poda Finnister.

– Ponieważ nie ma żadnego innego wyjaśnienia – odrzekł bez wahania Amos. – Chyba że przyjmiemy, że chłopcy wypłynęli na Morze Północne... Bess mi mówiła, że brakuje jednej łodzi, „Lady Bess".

– Uważasz więc, że mogli wypłynąć w morze, tam zdarzył się wypadek i utonęli albo że ktoś uprowadził ich z plaży – podsumował Mark. – Uprowadził siłą.

– Dlaczego ktoś miałby uprowadzić moich braci? – odezwała się Bess drżącym głosem, z trudem powstrzymując łzy.

Richard rzucił jej ciepłe, pełne współczucia spojrzenie.

– Na świecie nie brak okrutnych, bezwzględnych ludzi, moja droga. Ludzi, którzy porywają dzieci dla okupu, po to, by sprzedać je bezdzietnym małżeństwom lub... lub zmusić do prostytucji.

– O, Boże, nie mów takich rzeczy! – Cecily z przerażeniem zasłoniła usta dłonią. – Tylko nie to, Richardzie!

– Pan Deravenel ma rację – wtrącił Amos. – Rzeczywiście musimy brać pod uwagę, że chłopcy mogli wpaść w ręce takich drani, twardych, chciwych, pozbawionych sumienia, moim zdaniem nie do końca zasługujących na miano istot ludzkich.

Cecily skinęła głową.

– Co ty o tym myślisz, Mark?

– Opowiadałbym się za nieszczęśliwym wypadkiem, gdyby nie zeznanie tego miejscowego rybaka, który widział mężczyznę wyciągającego łódź na brzeg. Teraz... Cóż, nie jestem już pewien, czy to najbardziej prawdopodobna wersja wydarzeń. Obaj chłopcy są bardzo ładni i...

Ledbetter przerwał, widząc straszliwy lęk, malujący się na twarzach Cecily i Bess.

– Dobry Boże, tylko nie to. – Cecily przymknęła oczy. – Tylko nie to, nie jestem w stanie tego znieść.

Bess podeszła do babki i objęła ją, starając się uspokoić.

– Przychodzi ci do głowy coś, co moglibyśmy w tej sytuacji zrobić? – spytał Richard. – Albo może tobie, Amosie?

Amos pokręcił głową.

– Przeczesałem całą plażę i nie znalazłem żadnych śladów, nic poza głębokimi koleinami, biegnącymi od brzegu do tych wielkich głazów, koleinami, które powstały w rezultacie przeciągania łodzi z jednego miejsca na drugie. Dziś rano długo rozmawiałem z Jessupem, zadawałem też pytania wszystkim zatrudnionym tu ludziom, pokojówkom, ogrodnikom, stajennym. Nikt nie widział żadnych obcych, którzy kręciliby się na terenie majątku, podobnie sprawy mają się w wiosce. Przy każdym kroku wpadałem na twardy mur, tak samo jak wczoraj policja. Policjantów było naprawdę wielu, ale ich akcja nie przyniosła żadnych rezultatów.

Richard spojrzał na Marka.

– Chyba dostalibyśmy już jakąś wiadomość od porywaczy, gdyby chłopcy zostali uprowadzeni z nadzieją na okup, prawda?

– Oczywiście! Porywacze nie marnują czasu, zwykle od razu kontaktują się z rodziną ofiary, czy ofiar, jak w tym wypadku. Zależy im, żeby jak najszybciej pozbyć się dziecka i położyć łapę na pieniądzach. A skoro mówimy o policji – zarówno inspektor Wallis z Scarborough, jak i główny inspektor Allison z Yorku uważają, że chłopcy zostali porwani.

– Co skłania ich do takiej konkluzji? – Richard uniósł brwi.

– Instynkt. Tak powiedzieli wczoraj wieczorem. Policyjny instynkt.

– Jesteśmy bezradni, Mark – westchnął Richard. – Co możemy zrobić, na miłość boską?

– Mam pewną propozycję. – Amos przeniósł wzrok z Richarda na Marka. – Dlaczego nie mielibyśmy zwrócić się do ludzi? Do Anglików, obywateli tego kraju. Można zwołać konferencję prasową, opowiedzieć całą historię, poprosić przedstawicieli prasy o opublikowanie fotografii chłopców, zaapelować o pomoc w rozwiązaniu tajemniczej zbrodni.

– Wspaniały pomysł! – wykrzyknął Mark. – Musisz wyznaczyć nagrodę i ogłosić to na konferencji! Dużą nagrodę dla tego, kto zwróci chłopców rodzinie i mniejsze za wszelkie informacje, które mogą naprowadzić nas na ślad Młodego Edwarda i Małego Ritchiego!

– Doskonale, zróbmy tak! – zgodził się Richard entuzjastycznie, czując ogromną ulgę. – To chyba faktycznie jedyne, co możemy zrobić! Porywacz czy porywacze nie mogą przecież w nieskończoność trzymać chłopców w ukryciu, prawda? Ktoś zobaczy ich prędzej czy później, jestem o tym przekonany i odda ich.

Czas pokazał, jak bardzo się mylił. Niedługo później miał zostać obarczony winą za zniknięcie swoich bratanków i uznany za sprawcę zbrodni.

R O Z D Z I A Ł
PIĘĆDZIESIĄTY PIERWSZY

Londyn

W zimne grudniowe popołudnie Elizabeth Deravenel stała przy oknie swojej sypialni w domu przy Berkeley Square. Na dworze od kilku godzin padał śnieg, skwer na środku placu pokryła już cienka warstwa. Białe płatki osiadały na nagich gałęziach drzew. Drzew pozbawionych liści, pogrążonych w żałobie po lecie.

Pogrążona w żałobie. Tak właśnie się czuła. Pogrążona w żałobie i rozpaczy. Od dnia zniknięcia synów minęło już pięć miesięcy...

Nie udało się ich znaleźć.

Elizabeth oparła czoło o szybę, patrząc na powoli opadające płatki śniegu. Były podobne do łez. Ona sama od sierpnia płakała codziennie, w pewnej chwili miała nawet wrażenie, że wypłakała już wszystkie łzy, ale nie, wciąż płakała i codziennie wieczorem zasypiała z mokrymi policzkami.

W ciągu dnia starała się być silna i dzielna ze względu na pięć córek – Bess, Cecily, Anne, Katharine i Bridget. Tworzyły teraz rodzinę złożoną wyłącznie z kobiet, bez Neda i chłopców. Bóg wie, co stało się z jej synami.

Zamknęła oczy i przywołała ich obraz. Gdzie byli? Umierała ze strachu na myśl, że żyją w jakimś okropnym, przerażającym piekle... Żyją gdzieś i nie mogą zrozumieć, dlaczego ona nie śpieszy im na ratunek. Z drugiej strony, przekonanie, że nie żyją, było chyba jeszcze gorsze.

Jej mali chłopcy... Edward i Ritchie... Tacy śliczni, kochani i dobrzy. Niewinne dzieci, które nikomu nie wyrządziły żadnej krzywdy. Serce Elizabeth zostało złamane w tamten letni dzień, w środę osiemnastego sierpnia, kiedy w słuchawce telefonu usłyszała głos Bess. Wiedziała, że nigdy nie zapomni tej daty. Bez chwili zwłoki wróciła do Yorkshire, była w Ravenscar już w piątek, lecz tam czekało ją tylko cierpienie, pozbawione nadziei cierpienie i straszna rozpacz bez końca. Nie mogła tego znieść.

Jej ukochani, najdrożsi chłopcy. Łzy wypełniły jej oczy, więc otarła je szybko, usiłując głęboko oddychać. Nie wolno się poddać, musiała walczyć i starać się zachować stoicki spokój, ale było to straszliwie trudne.

1926 – rok, który stał się jej przekleństwem. Dziewiątego kwietnia umarł Ned. W czerwcu odszedł Will Hasling. Will nie darzył jej przyjaźnią, ale w głębi serca wiedziała, że zawsze gotów był przyjść z pomocą ze względu na Neda i jej brata Anthony'ego, którego szanował i cenił.

Serce Elizabeth ścisnął spazm bólu. Jej brat padł martwy we wrześniu, powalony rozległym wylewem krwi do mózgu. Nie miała już nikogo, na kim mogłaby polegać. No, może jednak nie było aż tak źle. Amos Finnister nie zawiódłby jej w potrzebie, podobnie jak Alfredo Oliveri. Obaj byli lojalni wobec niej, ponieważ była żoną ich ukochanego przyjaciela i szefa. Mogła też liczyć na Grace Rose, oczywiście. Grace potwierdziła, że jest dobrą i pełną czułości młodą kobietą, kiedy po zniknięciu chłopców przyszła do Elizabeth i powiedziała, że zawsze chętnie jej pomoże, w każdy możliwy sposób. Powodem tego gestu była naturalnie miłość Grace Rose do Neda i Bess, lecz niezależnie od wszystkiego dziewczyna dowiodła, że ma naprawdę złote serce, w co Elizabeth nigdy zresztą nie wątpiła.

Z zamyślenia wyrwało ją pukanie do drzwi.

– Proszę wejść! – zawołała.

Do pokoju wsunął głowę Mallet.

– Przepraszam, ale na dole w salonie czeka już pani Turner…

– Dziękuję, Mallet. Zaraz zejdę.

Spojrzała na zegar nad kominkiem. Była czwarta, co do minuty. Cóż, przynajmniej jest punktualna, pomyślała Elizabeth i poszła do garderoby przypudrować nos. Zastanawiała się, dlaczego właściwie Margaret Beauchard Turner umówiła się z nią na spotkanie.

Chociaż Margaret pochodziła z arystokratycznej rodziny, która cieszyła się wysoką pozycją w Londynie, Elizabeth Deravenel nigdy jej nie poznała. Teraz, wchodząc do salonu kilka minut po czwartej, ze zdziwieniem spostrzegła, jak bardzo drobna i niska jest pani Turner. Była przy tym atrakcyjna i szykowna, ubrana zgodnie z wymogami najnowszej mody.

Jej biało-czarny kostium pochodził z salonu Coco Chanel, nosiła też charakterystyczną dla tej projektantki biżuterię – kilka długich sznurów pereł, maltański krzyż na złotym łańcuchu i perłowe kolczyki.

Podchodząc bliżej, Elizabeth pomyślała, że Margaret musi mieć czterdzieści parę lat.

– Dzień dobry pani... – odezwała się, wyciągając rękę do gościa.

Margaret Turner wstała na widok wchodzącej do salonu gospodyni i uścisnęła jej dłoń.

– Bardzo się cieszę, że mogę panią poznać – powiedziała. – Dziękuję, że zgodziła się pani ze mną spotkać...

Elizabeth lekko skłoniła głowę i wskazała przybyłej sofę.

– Proszę usiąść, bardzo proszę.

Usiadły naprzeciwko siebie, przyglądając się sobie nawzajem z czujnym zainteresowaniem. Elizabeth nadal zastanawiała się, o co chodzi Margaret, natomiast ta starała się znaleźć właściwe słowa, jakimi mogłaby zacząć rozmowę; wreszcie odchrząknęła lekko i przejęła inicjatywę.

– Wiem, że zapewne się pani zastanawia, dlaczego poprosiłam o spotkanie i za chwilę do tego dojdę. Ale najpierw pragnę powiedzieć, jak szczerze pani współczuję. Sama jestem matką i wyobrażam sobie, co pani przeżywa. Przez wiele lat żyłam z dala od mojego jedynego dziecka, bez żadnej winy z mojej strony, i było to bardzo bolesne doświadczenie. Pani musi codziennie doznawać straszliwych cierpień.

Elizabeth poczuła się wzruszona pełnymi zrozumienia słowami starszej kobiety.

– Ma pani rację – powiedziała. – Czasami wydaje mi się, że brakuje mi już łez, ale zawsze jednak je znajduję. Cierpimy wszyscy, szczególnie moje córki. Bardzo dziękuję za okazane współczucie, naprawdę to doceniam.

– Śledziłam przebieg wydarzeń w prasie i muszę szczerze pochwalić angielskie gazety, one rzeczywiście starały się pani pomóc. Nie ulega wątpliwości, że poświęcały dużo miejsca losowi pani synów. Z zapartym tchem czytałam wszystkie te ogromne nagłówki, prawie codziennie drukowane artykuły z fotografiami chłopców. Kampania trwała parę miesięcy, prawda?

– Tak. Gazety faktycznie bardzo nam pomagały, podobnie jak BBC. Radio ciągle nadawało audycje i apele. – Przez twarz Elizabeth przemknął głęboki cień smutku. – Nagroda wciąż czeka w sejfie.

Umilkła, z trudem przełykając łzy.

W tej chwili rozległo się pukanie do drzwi i do salonu wszedł Mallet, popychając przed sobą wózek z tacami.

– Dziękuję, Mallet. – Elizabeth szybko zapanowała nad rozpaczą. – Proszę zostawić wózek koło mojego krzesła. Sama podam herbatę.

– Tak jest, proszę pani. – Kamerdyner skinął głową i wyszedł.

Elizabeth wstała, pragnąc jak najszybciej zakończyć popołudniowy rytuał.

– Pije pani herbatę z mlekiem czy z cytryną?

– Z cytryną, dziękuję bardzo – odparła Margaret.

Dyskretnie przyglądała się pani domu, pełna szczerego podziwu dla jej wielkiej urody. Elizabeth była bardzo smukła, może nawet nieco zbyt szczupła, a jej twarz wydawała się przejrzyście blada i trochę mizerna, ale przyczyną tego była z pewnością tęsknota za synami. Jakaż ona smutna, ze wzruszeniem pomyślała Margaret. Życie tej kobiety legło w gruzach.

Elizabeth podała gościowi filiżankę herbaty i wróciła na swoje miejsce.

– Nie zaproponowałam pani nic do jedzenia – powiedziała. – Czy ma pani na coś ochotę?

– Nie, nie, bardzo dziękuję.

Chwilę siedziały w milczeniu, sącząc herbatę. Elizabeth starała się zachować spokój, natomiast Margaret nadal rozmyślała nad jej smutnym losem.

Margaret Beauchard Turner była mądrą, wyrozumiałą i doświadczoną kobietą, i teraz spokojnie czekała, aż Elizabeth Deravenel odzyska równowagę. Zastanawiała się, czy Elizabeth słyszała krążące po Londynie plotki, szczególnie te na temat jej szwagra Richarda Deravenela. Nie potrafiła odgadnąć, czy ktoś uświadomił Elizabeth, jak wielką antypatię czują do niego pracownicy Deravenels i jak wiele osób wierzy, że maczał palce w zniknięciu swoich bratanków.

Elizabeth odstawiła filiżankę i uważnie popatrzyła na Margaret.

– Jak już mówiłam, jestem pani bardzo wdzięczna za współczucie i zrozumienie – odezwała się cicho. – W liście wspomniała pani jednak, że chce omówić ze mną jakąś ważną sprawę.

– Tak, to prawda. Czy mogę najpierw zadać pani jedno pytanie?

Elizabeth skinęła głową.

– Do jakich wniosków doszła pani po prawie sześciu miesiącach bez żadnej wieści o synach? Pani i cała pani rodzina?

Elizabeth spojrzała na nią szeroko otwartymi oczami, zdziwiona, że ta doskonale wychowana kobieta zadaje jej tak osobiste pytanie. Siedziała bez słowa, ze splecionymi na kolanach dłońmi, usiłując opanować ich drżenie.

– Na pewno uznała pani moje pytanie za impertynenckie – ciągnęła Margaret łagodnym, melodyjnym głosem. – Jestem przecież obcą osobą, która, w pewnym sensie, siłą wdarła się w pani prywatny świat. Zadałam jednak to pytanie z konkretnego powodu. Rozumiem, że jest to bardzo bolesna sprawa, ale muszę mówić dalej. Jeżeli pani synowie nie odnajdą się w ciągu kilku następnych miesięcy, będzie pani miała podstawy przyjąć, że nigdy już nie wrócą. To niezwykle trudna do zaakceptowania, brutalna prawda, lecz niewątpliwie sama już dawno uświadomiła sobie pani, że tak to właśnie wygląda. W takim wypadku po pani mężu dziedziczyć będzie Bess, najstarsza państwa córka, prawda?

– Tak... – odparła ledwo dosłyszalnym głosem Elizabeth.

– Londyn aż huczy od plotek o losie pani i całej pani rodziny, sądzę, że dobrze pani o tym wie.

Elizabeth kiwnęła głową. Nagle rozluźniła się, doznała dziwnej ulgi w obliczu absolutnej szczerości i prostolinijności tej kobiety. Margaret z pewnością nie marnowała czasu na piękne słówka.

– Krótko mówiąc, pani najstarsza córka jest prawowitą spadkobierczynią pani męża i może objąć stanowisko głównego dyrektora Deravenels – ciągnęła Margaret. – Wiem, że tak to właśnie wygląda. Widzi pani, wszyscy w Deravenels wiedzą, że Edward Deravenel zmienił rządzące firmą wcześniej zasady w 1919 roku. Mój syn Henry pracuje w przedstawicielstwie Deravenels w Paryżu, ostatnio został szefem tej placówki. Właśnie od niego wiem o zmianie kodeksu firmy. To pani mąż dał mojemu synowi pracę, przyjął go do Deravenels, a Henry od początku znakomicie sobie radzi...

– Wiem, że mój mąż zmienił zasady, naturalnie. Nie miałam jednak pojęcia, że pani syn pracuje w Deravenels w Paryżu.

– Jest tam bardzo lubiany i szanowany. – Margaret się uśmiechnęła. – Henry jest błyskotliwym biznesmenem i bardzo miłym młodym człowiekiem. Pewnego dnia będzie też bardzo dobrym mężem.

Elizabeth patrzyła na nią w milczeniu i nagle wszystkie fragmenty zagadkowej układanki znalazły się na swoim miejscu. W jednej chwili zrozumiała, dlaczego Margaret Turner poprosiła ją o spotkanie i teraz siedziała w jej salonie.

– Myśli pani o małżeństwie między moją córką i pani synem – powiedziała, biorąc głęboki oddech. – To dlatego chciała się pani ze mną spotkać, czy tak?

– Tak. Pozwoli pani, że powiem coś więcej o Henrym. Krew Deravenelów płynie w jego żyłach nie przez ojca, nieżyjącego już Edmunda Turnera, ale z mojej strony. Wie pani, że pochodzę z rodziny Beauchard, w bezpośredniej linii od Johna Granta Deravenela, czwartego syna Guya de Ravenela, założyciela dynastii Deravenelów. Mój syn jako spadkobierca zmarłego Henry'ego Granta dziedziczy całość należących do tego ostatniego udziałów w firmie…

– Twierdzi pani, że pani syn ma prawo przejąć firmę?

– Nie, niezupełnie to mam na myśli. Twierdzę, że mógłby rościć sobie prawo do przejęcia firmy, gdyby poślubił spadkobierczynię Edwarda Deravenela. – Margaret pochyliła się do przodu, wbijając ciemne oczy w Elizabeth. – Proszę sobie tylko wyobrazić – pani córka i mój syn mogliby stworzyć nową dynastię, ród Turnerów, a ich dzieci miałyby w sobie krew obu rodzin, Turnerów i Deravenelów. Warto się nad tym zastanowić, nieprawdaż?

Elizabeth skinęła głową i na jej ustach pojawił się lekki uśmiech. Rozpaczliwa tęsknota za zaginionymi synami nie zmalała ani trochę, Elizabeth dostrzegła jednak cień nadziei dla Bess.

Margaret Beauchard Turner, jedna z najinteligentniejszych żyjących kobiet, odpowiedziała jej pełnym zrozumienia uśmiechem.

– Porozmawiajmy zupełnie szczerze, dobrze? – zaproponowała.

Rozmawiały zupełnie szczerze przez kilka godzin, potem zaś zaczęły planować wesele.

R O Z D Z I A Ł
PIĘĆDZIESIĄTY DRUGI

Londyn, 1927

Bess siedziała przy łóżku swojej stryjenki, Anne Deravenel, trzymając ją za rękę i próbując pocieszyć. Anne chorowała już od paru tygodni, od śmierci syna, Małego Eddiego, który niespodziewanie umarł na zapalenie wyrostka robaczkowego. Anne i Richard szaleli z rozpaczy, odchodzili od zmysłów, porażeni nieoczekiwaną stratą. W końcu Anne załamała się i przestała wstawać z łóżka. Richard także cierpiał jak potępieniec, próbował jednak poradzić sobie ze smutkiem, a praca w Deravenels na szczęście pochłaniała mnóstwo jego czasu.

Anne odwróciła głowę i spojrzała Bess prosto w oczy.

– Nie mogę przestać myśleć o dziewiątym kwietnia, dniu, w którym Mały Eddie skonał w Ravenscar – powiedziała cicho. – Dlaczego Bóg zabrał nam go akurat tego dnia? Ned także umarł dziewiątego kwietnia, tyle że rok wcześniej. Dlaczego, Bess? Czyżby Bóg chciał ukarać Richarda?

Bess pochyliła się nad stryjenką, jej niebieskie oczy rozszerzyły się ze zdumienia.

– Co masz na myśli? – spytała. – Za co Bóg miałby karać stryja Richarda?

Anne leżała na poduszkach, blada, słaba i milcząca. Żałowała słów, które jej się wymknęły, widząc szok i zaskoczenie na twarzy dziewczyny. Bess najprawdopodobniej źle ją zrozumiała.

– Co masz na myśli? – powtórzyła Bess, przestraszona tym, co przed chwilą usłyszała.

Anne popatrzyła na Bess i uśmiechnęła się smutno.

– Richard nalegał przecież, aby chłopcy przyjechali do Ravenscar i spędzili tam lato z nami i Małym Eddiem – westchnęła ciężko. – W tamten weekend, kiedy pojechaliśmy do mojej matki, zostawiliśmy ich samych, a później Richard pojechał do Londynu… Byli sami, pozbawieni opieki, tylko z Nianią i służbą. Ludzie mówią okropne rzeczy o Richardzie, twierdzą, że zaniedbał bratanków i dlatego jest odpowiedzialny za ich zniknięcie. Ale Richard wcale ich nie zaniedbał. Kochał chłopców. I kto mógłby pomyśleć, że nie będą bezpieczni w Ravenscar, że jakiś niegodziwy człowiek uprowadzi ich z plaży.

Anne zaczęła szlochać i Bess pochyliła się nad nią, podając jej czystą chusteczkę.

– Nie płacz, proszę, nie denerwuj się tak – szepnęła łagodnie. – Musisz wyzdrowieć, nie wolno ci się poddawać! Stryj Richard cię potrzebuje, rozpacza po śmierci Małego Eddiego tak samo jak ty. Zejdę teraz na dół i poproszę kucharkę, żeby zaparzyła dla nas herbatę, dobrze? Może coś zjesz?

Anne otarła oczy i potrząsnęła głową.

– Nie jestem głodna, naprawdę. Spojrzała na zegar, stojący na nocnej szafce. – Popatrz tylko, która to już godzina. Prawie szósta, niedługo Richard wróci z Deravenels.

– A gdybyś tak spróbowała wstać i zjeść z nim dziś kolację? – podsunęła Bess. – Na pewno bardzo poprawiłoby mu to nastrój.

– Nie mam dość siły. Może jutro poczuję się trochę lepiej.

Bess nie mogła oprzeć się wrażeniu, że siły wyciekają z Anne powoli, lecz nieodwracalnie. Żona Richarda prawie nie jadła, a ponieważ bardzo rzadko wstawała z łóżka, cierpiała na osłabienie mięśni nóg. Atrofia, pomyślała Bess i natychmiast odepchnęła to przypuszczenie.

Drzwi otworzyły się nagle i stanął w nich stryj. Wyglądał na zmęczonego, wręcz wycieńczonego, ale z wysiłkiem przywołał uśmiech na twarz.

– Bess, jak się cieszę, że cię widzę! Dziękuję, że odwiedziłaś Anne, jesteś dla niej taka dobra.

– Spędziłyśmy razem całe popołudnie. Bess także przywitała Richarda uśmiechem; zawsze byli sobie bliscy i dziewczyna darzyła go szczerą sympatią. – Starałam się namówić Anne, aby wstała na kolację.

– Doskonały pomysł! – Richard zbliżył się do łóżka, pochylił nad Anne, delikatnie odgarnął jasne włosy i pocałował ją w policzek. – Co ty na to, kochanie? Nie musisz się ubierać, sam zniosę cię na dół. Nawet nie wiesz, z jaką radością usiadłbym z tobą do stołu.

Oczy Anne rozbłysły ogromną miłością do męża.

– Zdrzemnę się teraz chwilę – powiedziała. – A później zejdę na dół, obiecuję. – Przeniosła wzrok na Bess. – Zostań na kolacji, skarbie – poprosiła. – Może pomożesz mi się ubrać?

– Oczywiście, że ci pomogę! – zawołała Bess i odwróciła się do stryja. – Wyjdę teraz odetchnąć świeżym powietrzem, zostawię was samych.

Bess wyszła do ogrodu, otaczającego dom stryja w Chelsea i przystanęła przy murze, odgradzającym posiadłość od Tamizy.

Oparła łokcie na murze i długo wpatrywała się w rzekę. Amos od wielu lat zabawiał ją i Grace Rose opowieściami o Tamizie, nic więc dziwnego, że obie nauczyły się ją kochać. Teraz, w to późne majowe popołudnie, rzeką płynęło kilka niewielkich łodzi i Bess natychmiast pomyślała o „Lady Bess".

Co stało się z łodzią? Nie ulegało wątpliwości, że jej bracia wynieśli ją na plażę, ale czy zepchnęli na fale? Czy wiosłowanie i sterowanie łodzią okazało się zbyt trudne, i właśnie dlatego utonęli? A może mężczyzna, którego widział Tom Roebottom, po prostu przywiązał „Lady Bess" do swojej łodzi, kiedy zabrał chłopców?

Niedawno zadała te pytania Amosowi, który po chwili milczenia powoli pokiwał głową.

– Gdybym chciał porwać dwóch chłopców, zabrałbym ich łódź ze sobą, to oczywiste. Brak „Lady Bess" rozbudził w ludziach wątpliwości, podsunął im myśl, że może chłopcy utonęli.

I kiedy Bess zapytała w końcu przyjaciela, jakie jest jego własne zdanie o całej sprawie, odparł, że sądzi, że jej bracia zostali porwani, nie ma jednak pojęcia, jaki los ich spotkał.

Bess westchnęła, wracając myślami do tamtej rozmowy. Zgadzała się z Amosem. Nikt nie wiedział, co stało się z jej braćmi i ta niepewność była najstraszniejsza ze wszystkiego. Chłopcy zaginęli już prawie rok temu – dziś był ostatni dzień maja 1927 roku. Bess skończyła w marcu osiemnaście lat, a Grace Rose obchodziła w tym roku dwudzieste siódme urodziny. Były bliskimi przyjaciółkami i spędzały razem dużo czasu. Grace Rose była prawdziwą siostrą dla Bess i jeszcze jedną córką dla Elizabeth – Bess była jej za to bardzo wdzięczna.

– Szukałem cię wszędzie! – rozległ się nagle głos Richarda.

Bess odwróciła się z lekkim uśmiechem i ujrzała zmierzającego ku niej stryja.

– Ukryłam się w najbardziej widocznym miejscu! – zażartowała.

– Jeszcze raz ci dziękuję. – Richard podszedł bliżej i wsparł się jedną ręką na murze, uważnie patrząc na Bess. – Robisz, co możesz, żeby rozweselić Anne, wiem o tym. Wydaje się taka słaba, tak strasznie wycieńczona, lecz lekarz nie potrafi doszukać się u niej żadnej konkretnej dolegliwości. – Bezradnie potrząsnął głową.

– Jest chora z rozpaczy – cicho powiedziała Bess.

Richard milczał.

– Umiera z powodu złamanego serca... – szepnął po chwili.

– To możliwe. – Bess ujęła jego dłoń i ścisnęła ją lekko. – Wiem, jak niepokoisz się stanem Anne. Będę starała się odwiedzać ją jak najczęściej.

Richard przykrył jej rękę swoją.

– Dzięki Bogu, że o nas nie zapominasz – powiedział. – Twoje wizyty dobrze robią i Anne, i mnie. Co ja bym bez ciebie zrobił, najdroższa Bess. – Uniósł jej dłoń do ust i musnął wargami palce dziewczyny. – Jesteś naszym skarbem.

Bess nachyliła się ku niemu i pocałowała go w policzek.

– Chciałabym naprawdę wam pomóc. Kocham was oboje, Richardzie. Rodzina istnieje właśnie po to, by śpieszyć sobie nawzajem z pomocą.

Richard spojrzał na nią z dziwnym wyrazem twarzy.

– Czasami się zastanawiam, czy rzeczywiście tak jest – rzekł. – Zwłaszcza jeśli chodzi o naszą rodzinę.

Zapatrzył się w przestrzeń, jakby widział coś, czego ona nie mogła dostrzec. Jego oczy były w tej chwili jasne, niebieskoszare, co w połączeniu z ciemnymi włosami i szczupłą, pociągłą twarzą o szlachetnych rysach upodobniało go do jego matki, a babki Bess. Richard Deravenel odziedziczył fizyczne cechy po Watkinsach, rodzinie Cecily. Nie był tak wysoki i uderzająco przystojny jak ojciec Bess, lecz mimo tego przyciągał spojrzenia kobiet i czasami przywodził dziewczynie na myśl Edwarda.

Naprawdę zastanawiające, że jego siedmioletni syn Eddie zmarł dokładnie w pierwszą rocznicę śmierci ojca Bess. Znowu przypomniały jej się dziwne słowa Anne.

– Stryju, dlaczego ludzie opowiadają o tobie takie straszne rzeczy? – zapytała nagle.

Zwrócił ku niej twarz i długo patrzył bez słowa, zupełnie zaskoczony. Zacisnął usta, oczy, jeszcze przed chwilą jszaroniebieskie, pociemniały.

– Nie wiem – odparł w końcu niepewnie. – Naprawdę nie wiem. Dziwi mnie to, tak samo jak ciebie. Nie uprowadziłem twoich braci. Po co miałbym to zrobić? Byłem zresztą wtedy w Londynie, wiesz o tym, prawda? Ale pewnie ludzie podejrzewają, że wynająłem kogoś, aby ich porwał. I może zabił. Ale jeżeli nawet doszło do zbrodni, to nie ja za nią odpowiadam, musisz mi uwierzyć.

– Wierzę ci! Wiem, że kochałeś chłopców i zawsze byłeś lojalny wobec mojego ojca. Nie wyobrażam sobie, abyś mógł zrobić im coś złego. Byli do niego tacy podobni.

Łzy napłynęły do oczu Richarda, gdy znowu ujął dłoń Bess.

– Popatrz na mnie, proszę – powiedział. – Popatrz na mnie. Przysięgam przed Bogiem, że nie skrzywdziłem Edwarda i Ritchiego! Musisz mi uwierzyć!

Bess dostrzegła szczerość, malującą się na jego twarzy, usłyszała ton prawdy w głosie i zrozumiała, że nie kłamał. Uwierzyła mu, chociaż nie brakowało ludzi, którzy rozsiewali oszczercze plotki o Richardzie; znała go przez całe swoje życie i miała do niego absolutne zaufanie. Był ukochanym bratem jej ojca.

– Wierzę ci – powtórzyła. – I jestem gotowa powierzyć ci moje życie oraz życie moich sióstr.

– Dziękuję. Dziękuję, że nadal mi ufasz.

Oboje odwrócili głowy ku rzece. Richard otoczył Bess ramieniem i stali tak nieruchomo, zapatrzeni w nieśpiesznie toczącą swe wody Tamizę, zagubieni w myślach. Oboje myśleli o przyszłości.

Amos Finnister stał w bibliotece domu przy Berkeley Square i podobnie jak wszyscy, którzy wchodzili do tego pokoju, wpatrywał się w wiszący nad kominkiem obraz Renoira. Podwójny portret zawsze przywodził mu na myśl Bess i Grace Rose. Detektyw był pewny, że Edward Deravenel kupił go właśnie ze względu na to podobieństwo.

– Dobry wieczór – odezwała się od progu Elizabeth.

Amos odwrócił się twarzą do niej.

– Dobry wieczór, pani Deravenel!

Elizabeth weszła do biblioteki i uścisnęła wyciągniętą dłoń gościa, potem oboje usiedli przy kominku.

– Dziękuję, że pan przyszedł – powiedziała Elizabeth. – Chciałam porozmawiać z panem o Deravenels.

– Tak sądziłem, nie mam jednak wiele do przekazania. Gdyby było inaczej, skontaktowałbym się z panią wcześniej.

– Wiem o tym. Bardzo pomógł mi pan w ciągu ubiegłego roku, podobnie jak pan Oliveri. A właśnie, czy pan Oliveri zamierza tu wpaść?

– Tak. Coś zatrzymało go w Deravenels, ale za parę minut na pewno się zjawi.

– Doskonale. Zastanawiałam się, jak wygląda sytuacja w naszej paryskiej placówce.

– Bardzo dobrze, o ile mi wiadomo, ale oczywiście Oliveri może powiedzieć na ten temat więcej niż ja, ponieważ jest z nimi w stałym kontakcie.

Elizabeth skinęła głową i splotła dłonie na kolanach.

– A co dzieje się tutaj, w Londynie? – Lekko uniosła łuki jasnych brwi. – Były jeszcze jakieś zwolnienia?

– Niestety tak, kilka. No i pan Richard dokonał jeszcze paru innych zmian.

– Ale firma ma się całkiem nieźle, prawda? – Patrzyła na niego pełnymi niepokoju jasnoniebieskimi oczyma, nerwowo unosząc rękę do szyi. – Nie rujnuje jej?

– To byłoby naprawdę trudne. Pan Edward... Cóż, pan Edward dobrze zabezpieczył Deravenels przed wszelkimi zakusami.

W drzwiach biblioteki pojawił się Mallet.

– Przepraszam, ale przyszedł właśnie pan Oliveri.

– Och, dziękuję! – zawołała Elizabeth. – Proszę go wprowadzić.

Podniosła się, aby przywitać Alfreda, który wszedł szybkim krokiem, przepraszając za spóźnienie.

– Nic nie szkodzi. – Elizabeth potrząsnęła jego dłonią. – Niech pan siada z nami, bardzo proszę. Ach, przepraszam, że niczym panów nie poczęstowałam. Napije się pan czegoś, panie Finnister? A pan, panie Oliveri?

Obaj odmówili uprzejmie.

– Rozmawialiśmy właśnie o Deravenels – powiedziała Elizabeth. – Pan Finnister zapewniał mnie, że niezależnie od wszelkich poczynań mojego szwagra, firma zawsze będzie bezpieczna, ponieważ mój mąż tak umiejętnie ją zorganizował.

– To prawda – przytaknął Oliveri. – Pani mąż był prawdziwym geniuszem. Jego brat nie jest, niestety, aż tak zdolny i sprawny, ale nie jest głupi. Pozbył się części starych pracowników, to fakt, lecz z pewnością nie zamierza nadmiernie ryzykować.

– Pytałam pana Finnistera o przedstawicielstwo firmy w Paryżu. Nie dzieje się tam nic złego, prawda?

– Nie, wszystko jest w porządku – odrzekł Oliveri. – Henry Turner dobrze sobie radzi jako szef placówki. Okazało się, że jest naprawdę niezły. Kiedy Edward zatrudnił go kilka lat temu, byliśmy trochę zaskoczeni, lecz on zrobił dla firmy wiele dobrego.

– Mam nadzieję, ostatecznie jest udziałowcem Deravenels – zauważyła Elizabeth. – Na pewno obaj wiecie, że Henry Turner odziedziczył wszystkie udziały Henry'ego Granta.

– Tak, słyszałem o tym. – Oliveri pokiwał głową. – Edward miał duże zaufanie do zdolności biznesowych młodego Henry'ego.

– Tak mi się właśnie wydawało. Chcę zadać wam obu pewne pytanie i bardzo zależy mi na całkowicie szczerej odpowiedzi. Naturalnie zachowam dla siebie wszystko, co powiecie.

Finnister i Oliveri skinęli głowami.

– Docierają do mnie rozmaite pogłoski na temat mojego szwagra. Wynika z nich jasno, że Richard Deravenel nie cieszy się sympatią w firmie. Czy to prawda?

– Tak – odpowiedział Oliveri. – Powiedziałbym nawet, że jest nielubiany, bardzo nielubiany.

– Popierają go tylko ludzie, z którymi dorastał i których ściągnął do Deravenels po śmierci pana Edwarda w kwietniu zeszłego roku – rzekł Finnister. – Ci są jego wiernymi sojusznikami.

– Ale to tylko garstka, czyż nie? – upewniła się Elizabeth.

– Jak najbardziej! – potwierdził Oliveri.

– Czy ludzie uważają go za odpowiedzialnego za zniknięcie moich synów? – Elizabeth w końcu zdobyła się na zadanie najważniejszego pytania.

– Sporo osób jest tego zdania – powiedział Finnister.

Pragnął być absolutnie szczery z Elizabeth – zasługiwała na to, aby wiedzieć, jaką wagę mają krążące po mieście plotki.

– Mniej więcej osiemdziesiąt procent pracowników Deravenels sądzi, że maczał palce w zniknięciu chłopców – dodał. – Proszę nie pytać mnie, dlaczego tak uważają.

– Prawdopodobnie myślą, że pozbył się ich, aby przejąć firmę dla siebie i swojego syna – podsunął Oliveri.

– Dla syna, który już nie żyje – powiedziała cicho Elizabeth. – Dziwne, że syn Richarda zmarł dokładnie w pierwszą rocznicę śmierci mojego męża, prawda?

Oliveri i Finnister milczeli. Zgadzali się z Elizabeth. Wiele osób powtarzało, że ten zastanawiający zbieg okoliczności świadczy o nieuchronności bożych wyroków.

Elizabeth popatrzyła na nich uważnie.

– Oczywiście zdajecie sobie sprawę, że firmę dziedziczy moja córka Bess, nie jej stryj. Jak wiecie, mój mąż zmienił zasady dziedziczenia i zarządzania Deravenels w 1919 roku w taki sposób, aby pierwsza w linii kobieta z jego rodziny mogła zostać dyrektorem głównym firmy z chwilą osiągnięcia pełnoletności.

– Tak, wiemy o tym – przyznał Alfredo.

Elizabeth zamyśliła się na moment.

– Bess jest w tej chwili jeszcze trochę za młoda, aby objąć to stanowisko – zaczęła.

– Może jednak rozpocząć pracę i przejść odpowiednie szkolenie! – Oliveri był wyraźnie podekscytowany tą myślą.

– Za jakieś dwa lata, jak sądzę. – Elizabeth skinęła głową. – Myślicie, że pracownicy przyjęliby ją z radością?

– Ogromną! – rzucił Alfredo, zaraz jednak przyszło mu do głowy, że być może nie ma racji. Wielu mężczyzn niechętnie widziałoby kobietę u steru firmy.

– Bess jest bardzo dojrzała jak na swój wiek i niezwykle inteligentna, bystra jak jej ojciec i praktyczna – rzekł Finnister. – Znam ją od dziecka i wiem, że posiada wszystkie zalety pana Edwarda.

– To prawda. Chciałabym jeszcze wiedzieć, co sądzicie o tym, aby Henry Turner przeniósł się do siedziby firmy w Londynie. Czy on także spotkałby się z serdecznym powitaniem?

Alfredo i Amos porozumieli się wzrokiem i obaj kiwnęli głowami.

– Tak mi się wydaje – powiedział Amos. – W żyłach młodego Turnera płynie przecież krew Deravenelów, w każdym razie tak nam mówiono.

– Jego matka Margaret Beauchard Turner rzeczywiście jest krewną Deravenelów, poza tym Henry dziedziczy duży pakiet udziałów – oświadczyła Elizabeth.

– Pan Richard z pewnością nie przyjmie go z entuzjazmem – zauważył trzeźwo Amos Finnister. – Co to, to nie…

– Nie wpuści go za próg! – zaśmiał się Alfredo.

– Zdaję sobie z tego sprawę – mruknęła Elizabeth.

Amos zmierzył ją badawczym spojrzeniem.

– Czy myśli pani o… O związku między Bess i Henrym Turnerem?

Elizabeth tylko uśmiechnęła się w odpowiedzi.

Na twarzy Amosa także pojawił się pełen zadowolenia uśmiech.

Po chwili Elizabeth wstała, podeszła do kominka i stanęła tyłem do ognia, dokładnie tak, jak kiedyś czynił to Edward. Uważnie popatrzyła na dwóch najbardziej zaufanych i wiernych współpracowników Edwarda, którzy na razie uniknęli mściwych machinacji Richarda i wciąż jeszcze byli w Deravenels.

– Zmiana – powiedziała, wysoko podnosząc głowę. – Jedyną stałą i pewną rzeczą jest zmiana. A wszystko ciągle się przecież zmienia, dobrze o tym wiemy. I nikt nie żyje wiecznie, prawda?

R O Z D Z I A Ł
PIĘĆDZIESIĄTY TRZECI

Ravenscar

Katastrofa. Jego brat Ned zawsze obawiał się katastrofy i robił wszystko, aby jej uniknąć. I udało mu się. Umarł zbyt młodo, to prawda, ale odszedł spokojnie, w swoim własnym łóżku, u szczytu powodzenia.

On, Richard, nie zdołał uniknąć katastrofy. Jego życie osobiste legło w gruzach, zawodowe też nie układało się idealnie. Sytuacja w Deravenels wyglądała nie najlepiej i w pewnym sensie Richard sam był temu winien. Zaufał niewłaściwym ludziom, posłuchał ich, popełnił mnóstwo błędów. Deravenelowie byli niezwykłą rodziną, ale nad ich głowami zawisła klątwa.

Richard stał przy oknie biblioteki w Ravenscar i patrzył na morze; jego szaroniebieskie oczy chłonęły wspaniały widok. Był sierpień 1928 roku. Richard miał trzydzieści trzy lata i był wdowcem. Jego żona umarła na gruźlicę w marcu tego roku, lecz Richard był przekonany, że w gruncie rzeczy przyczyną jej odejścia była rozpacz po śmierci ich siedmioletniego synka Małego Eddiego.

Westchnął, myśląc o Małym Eddiem. Stracił nie tylko ukochane dziecko, ale także spadkobiercę. Wszyscy Deravenelowie płci męskiej nie żyli – wszyscy poza nim i małym synem George'a, który mieszkał w Dijon u ciotki Meg, i nie był szczególnie prawdopodobnym spadkobiercą rodowego dziedzictwa.

Nie było żadnego Deravenela, który przejąłby firmę, gdyby Richarda nagle zabrakło. Dorosłą spadkobierczynią była Bess, najstarsza córka Neda. Edward wprowadził w kodeksie firmy zmiany, pozwalające kobiecie na kierowanie Deravenels, ale czy Bess była do tego zdolna? Nie miała przecież doświadczenia w biznesie i niedawno skończyła dopiero dziewiętnaście lat. Mężczyźni nie przyjęliby dobrze jej obecności w firmie, na pewno nie.

Bess… Richard kochał ją, ponieważ była dzieckiem jego brata i jedną z Deravenelów, ale przecież jej nie pożądał, wbrew temu, co myśleli niektórzy. Ostatnio po Londynie krążyły rozmaite historie o nich dwojgu, historie oszczercze i kłamliwe. Wrogowie Richarda oczerniali jego i Bess, twierdzili, że są kochankami, że on otruł Anne, aby poślubić bratanicę, że zamierzali we dwoje rządzić Deravenels. Wszystko to były kłamstwa, ale jak powstrzymać plotki, jak oczyścić się z błota, którym zostali obrzuceni. Błoto przywiera mocno i nie daje się zmyć, tak to już jest.

Richard odwrócił się od okna i utkwił wzrok w portrecie Neda, którego teraz nazywano Wielkim Edwardem Deravenelem. Tak, Ned rzeczywiście był wielkim człowiekiem, niezwykłym, jedynym w swoim rodzaju. Wyjątkowym.

Naturalnej wielkości portret ukazywał go stojącego przed tym właśnie kominkiem, ubranego w spodnie i lśniące brązowe buty do konnej jazdy oraz niebieską koszulę w kolorze jego oczu. W rozpięciu koszuli widoczny był wiszący na szyi medalion z emaliowaną białą różą Yorków.

Richard dotknął swojej piersi, swojego złotego medalionu, ukrytego pod koszulą. Zawsze nosił go białą różą zwróconą do skóry, a wizerunkiem słońca ku górze. Ned kazał wybić te medaliony, kiedy w 1904 roku przejął Deravenels; wygrawerowane motto głosiło: „Wierność aż po wieczność".

Portret został namalowany, kiedy Ned miał trzydzieści dziewięć lat, a ukończony tuż przed jego czterdziestymi urodzinami. Portret dominował w bibliotece, która została stworzona przez Neda, była jego dziełem i ulubionym pokojem w całym domu. Richard nie mógł się oprzeć wrażeniu, że Ned naprawdę uśmiecha się do niego z ram portretu.

Nagle ogarnęło go niepohamowane pragnienie rozmowy z bratem.

– Nie zrobiłem tego, Ned – powiedział cicho. – Nie uprowadziłem twoich dzieci i nie kazałem ich zamordować. Kochałem chłopców tak samo jak dawniej ciebie. Przysięgam przed Bogiem, że nie rozlałem ich krwi. Przecież była to także i moja krew, krew Deravenelów.

Otarł oczy czubkami palców i z trudem przełknął ślinę. Nie chciał załamać się właśnie teraz, kiedy w Ravenscar przebywały Bess i Grace Rose, nie chciał okazać się wobec nich słaby i niepewny swego. Serce ścisnęło mu się boleśnie, jak zwykle wtedy, gdy myślał o małych bratankach. Minęły już dwa lata od ich zniknięcia. Zaginęli bez śladu. Co za straszna tajemnica, wciąż niewyjaśniona. A świat właśnie jego obwiniał za tę tragedię.

Usłyszał kroki i odwrócił się szybko. Do biblioteki weszły właśnie Bess i Grace Rose.

– Wciąż od nowa podziwiam portret waszego ojca – odezwał się Richard i sam się zdziwił, słysząc ogromny smutek w swoim głosie.

Bess, która świetnie go znała, natychmiast odgadła, w jakim jest nastroju, i z czułością ujęła go za ramię.

– Dobrze się czujesz, stryju? – zapytała, patrząc mu prosto w oczy.

– Oczywiście, Bess. Czemu pytasz?

– Bo wydawało mi się, że coś cię dręczy. – Uśmiechnęła się do niego. – Myślałam, że już poszedłeś na swój codzienny spacer po plaży.

– Zatrzymała mnie piękna, uśmiechnięta twarz twojego ojca. – Richard ruchem ręki przywołał Grace Rose. – Dlaczego chowasz się za plecami Bess? – zapytał z nieco sztuczną wesołością. – Nie chcesz przywitać się ze starym stryjem?

Grace Rose podeszła do nich szybko. Podobnie jak Bess, kochała Richarda i wierzyła w jego niewinność; ani przez chwilę nie sądziła, że to on stał za zniknięciem Młodego Edwarda i Małego Ritchiego, wydawało jej się to nie do pomyślenia. Szczerze nienawidziła londyńskich plotkarzy, którzy tak lekko oskarżali go o morderstwo.

– Był naprawdę niezwykle przystojny – powiedziała cicho, spoglądając na portret Edwarda.

Richard odwrócił się do niej.

– O tym samym myślałem przed chwilą – przyznał.

– Ojciec był po prostu najwspanialszym człowiekiem, jakiego znałam. – Bess przeniosła wzrok z Richarda na Grace Rose.

– Tak jest. – Richard ruszył w stronę drzwi, zaraz jednak zatrzymał się w pół kroku. – Och, zapomniałem powiedzieć, że babcia dzwoniła dziś rano i prosiła, aby przekazać wam serdeczności…

– Dobrze się czuje? – spytała Grace Rose.

– Bardzo dobrze. Jest naprawdę zadowolona z pobytu w klasztorze w Hampshire.

– Cieszę się – powiedziała szczerze Grace.

Cecily Deravenel zawsze traktowała ją tak, jakby należała do rodziny, i dziewczyna bardzo ją kochała.

– Kiedy opuści klasztor? – zapytała Bess. – A może zamierza tam zostać? Mama mówiła, że babcia chce zostać zakonnicą.

– Mocno w to wątpię! – zaśmiał się Richard. – Twoja mama na pewno żartowała. No, dobrze, idę wreszcie na spacer, dziewczęta! Do zobaczenia przy lunchu!

Bratanice patrzyły za nim chwilę, potem Bess usiadła na kanapie i z uśmiechem spojrzała na Grace Rose.

– Tak się cieszę, że spędzisz tu ze mną ten tydzień – wyznała. – Dziękuję, że zdecydowałaś się dotrzymać mi towarzystwa, no i Richardowi, rzecz jasna.

– Nie masz mi za co dziękować, Bess! Lubię Ravenscar, pobyt tutaj to dla mnie przyjemność! Dziś rano udało mi się porządnie popracować nad książką. – Pomachała trzymanym w ręku notatnikiem. – Oczywiście dzięki temu, że tak tu cicho i spokojnie, więc w gruncie rzeczy to ja powinnam dziękować tobie.

– Zawsze jesteś tu najmilej widzianym gościem. Wiesz, chciałam spędzić parę dni z Richardem, bo jest teraz taki samotny i udręczony.

Grace Rose kiwnęła głową i usiadła na krześle naprzeciwko Bess.

– Ze słów Amosa wynika, że sytuacja w Deravenels nie przedstawia się zbyt różowo.

– Co właściwie mówił Amos? – zapytała Bess z zaciekawieniem.

– Że większość pracowników nie znosi Richarda, który nie potrafi ich do siebie przekonać. Nie umie zdobywać ludzkiej sympatii z taką łatwością jak nasz ojciec.

– Niestety, znacznie łatwiej przyczynia sobie wrogów niż przyjaciół – zauważyła trzeźwo Bess.

Richard był już prawie przy Skale Kormoranów, kiedy ujrzał dwóch zmierzających ku niemu mężczyzn. W pierwszej chwili wziął ich za miejscowych rybaków, lecz gdy się zbliżyli, rozpoznał jednego z nich i pomachał do niego. Mężczyzna odpowiedział tym samym gestem. Richard zastanawiał się, kim jest ten drugi, którego nigdy wcześniej nie widział.

– Wybieracie się na ryby? – zapytał, przystając.

– Mamy taki zamiar – odparł jego znajomy i postąpił kilka kroków w jego stronę.

Zaskoczony Richard właśnie miał się cofnąć, gdy poczuł ostry ból w boku, a za chwilę z przodu, w klatce piersiowej. Jego oczy rozszerzyły się na widok nieznajomego – mężczyzna trzymał w ręku nóż. Richard spuścił wzrok i zobaczył krew na swoim swetrze.

– Dlaczego mi to zrobiłeś, Jack?! – wykrzyknął.

Zatoczył się do tyłu, stracił równowagę pod kolejnymi ciosami. Nogi załamały się pod nim i ciężko runął na ziemię.

– Zabierajmy się stąd! – rzucił mężczyzna z nożem.

Dostrzegł leżącą na kamykach czapkę Richarda i kopnął ją mocno. Poleciała wysoko w powietrze i wylądowała pod krzakiem w niższej części wrzosowiska.

Morderca i jego towarzysz ruszyli biegiem ku skałom. Wyciągnęli spod nich łódź, zepchnęli ją na płyciznę, wskoczyli do środka i zaczęli wiosłować. Po chwili byli już daleko od brzegu.

Była środa, dwudziesty drugi sierpnia 1928 roku. Richard Deravenel zakończył życie.

– Czy pan Deravenel już wrócił, panienko Bess? – zapytał Jessup, stając w drzwiach gabinetu Edwarda, gdzie dziewczyna przeglądała przy biurku papiery.

Bess podniosła głowę i lekko zmarszczyła brwi.

– Nie jestem pewna. Może jest w bibliotece?

– Nie, nie ma go tam. Nie ma także panienki Grace Rose. Powiem kucharce, aby podała lunch dopiero za parę minut i pójdę ich poszukać.

– Dziękuję, Jessup – odparła Bess.

Wstała i spojrzała na zegar – było już piętnaście po pierwszej. Wyszła za kamerdynerem do długiego holu i zobaczyła schodzącą po stopniach Grace Rose.

– Widziałaś stryja Richarda? – zapytała, śpiesząc na jej spotkanie.

– Nie. Wydaje mi się, że jeszcze nie wrócił ze spaceru. Od jego wyjścia siedziałam w bibliotece i sprawdzałam swoje notatki. Dopiero przed chwilą poszłam na górę po ołówek. Nie, na pewno jeszcze nie wrócił! Zauważyłabym go.

– Zawsze jest taki punktualny – mruknęła do siebie Bess.

Nagle ogarnął ją dziwny niepokój, podobny do bólu, rozciągającego swoje macki w dole brzucha.

– Pójdę na plażę – powiedziała. – Może nie zorientował się, że już tak późno.

– Idę z tobą! – zaofiarowała się Grace Rose.

Były już przy drzwiach, kiedy ze spiżarni wyszedł Jessup.

– Idziemy na plażę po stryja – wyjaśniła Bess. – Pewnie zamyślił się i stracił poczucie czasu.

– Zawsze jest bardzo punktualny – powtórzył jej wcześniejszą myśl kamerdyner. – To niepodobne do niego.

– Wiem – przytaknęła Bess.

Obie z Grace Rose przeszły przez taras i szybkim krokiem ruszyły w dół ogrodową ścieżką ku wyciętym w skale stopniom, prowadzącym na rozciągającą się za trawnikami plażę.

Grace Rose pierwsza zobaczyła Richarda ze szczytu schodów.

– Patrz, Bess! – zawołała. – Tam, na plaży! Musiał się potknąć i upaść! Mam nadzieję, że to nic gorszego.

– O, mój Boże! – wykrzyknęła Bess.

Razem zbiegły na dół i pędem rzuciły się ku leżącemu. Drobne kamyki pryskały spod ich stóp.

Sprawna i silna Bess dotarła do stryja przed Grace Rose. Leżał na plecach. Od razu dostrzegła krew na jego swetrze i zasłoniła usta dłonią, starając się powstrzymać wzbierający w gardle krzyk. Szybko uklękła i chwyciła jego rękę, szukając tętna na przegubie dłoni. Gdy go nie znalazła, natychmiast zrozumiała, skąd wzięło się uczucie lęku, które wcześniej ją ogarnęło. Richard nie żył. Bess pomyślała, że zawsze przeczuwała, że jej stryj umrze wcześniej, niż powinien.

Grace Rose pochyliła się nad Richardem i spojrzała na jego białą jak kreda twarz.

– Popatrz, jak niebieskie są jego oczy – odezwała się cicho. – Bardziej błękitne niż za życia.

Oczy Richarda rzeczywiście były intensywnie błękitne, co wydało się Bess bardzo dziwne. Najbardziej poruszył ją jednak wyraz zaskoczenia, malujący się na twarzy. Nie ulegało wątpliwości, że nie spodziewał się ataku.

Wreszcie z piersi Bess wyrwał się głuchy szloch. Łzy popłynęły po jej twarzy, gdy delikatnie zamknęła powieki zmarłego. Potem przycisnęła wargi do jego policzka. Grace Rose zrobiła to samo.

– Szczęśliwej podróży, Richardzie! – wyszeptała Bess. – Mój ojciec już na ciebie czeka.

Zawróciły do schodów i zaczęły wspinać się na górę. W pewnej chwili Bess podniosła głowę i spojrzała w bezchmurne niebo. Świeciło słońce i od morza ciągnął wyjątkowo ciepły jak na Ravenscar wiatr. Taki piękny dzień, pomyślała Bess. Dlaczego musiał zginąć w taki piękny dzień. I łzy znowu pociekły jej po twarzy.

Jessup czekał na nie na tarasie, blady, wyraźnie przestraszony.

– Co się stało, panienko Bess? – zapytał.

Bess wydało się, że nagle postarzał się o wiele lat.

– Stryj nie żyje – powiedziała łamiącym się głosem. – Leży na plaży, pierś ma zakrwawioną. – Wzięła głęboki oddech, próbując się uspokoić. – Trzeba posłać ogrodników po jego ciało. Niech wezmą prześcieradła, żeby go owinąć. Idę zadzwonić na policję.

Razem z Grace Rose poszły do gabinetu, a kamerdyner wybiegł do ogrodu.

– Policjanci przyjadą, ale nic nie znajdą – rzekła cicho Grace, kładąc rękę na ramieniu Bess. – Ktoś przypłynął tu łodzią, zasztyletował Richarda i uciekł. Jest środa i wszyscy w wiosce zajęci są pracą. Na plaży przez cały ranek nie było żywego ducha. Od piątku, kiedy przyjechałam, nikogo tam nie widziałam…

– Wiem – przytaknęła Bess.

Wybrała numer komisariatu w Scarborough i poprosiła o połączenie z inspektorem Wallisem. Gdy się odezwał, powiedziała mu, co się wydarzyło.

W słuchawce na moment zapadła głucha cisza.

– Przyjadę jak najprędzej – powiedział w końcu Wallis współczującym tonem. – Bardzo mi przykro, że w Ravenscar znowu stało się coś strasznego. Proszę przyjąć moje kondolencje z powodu śmierci stryja, panno Deravenel.

Bess podziękowała mu, odłożyła słuchawkę i odwróciła się do Grace Rose.

– Chyba już nigdy więcej nie pójdę na tę plażę – szepnęła.

– Wcale ci się nie dziwię. – Grace potrząsnęła głową. – Teraz mamy dwie tajemnice. Ta druga również nie doczeka się rozwiązania, możesz mi wierzyć.

⁂

Bess była sama w Ravenscar. Wszyscy przybyli na nabożeństwo żałobne za Richarda i na jego pogrzeb, a potem wyjechali. Bess postanowiła zostać. Potrzebowała samotności, chciała się zastanowić nad swoim życiem, pomyśleć o przyszłości i sprawach, o których rozmawiała z matką.

Teraz była już połowa września. Bess siedziała w bibliotece i myślała o ostatnich kilku latach. Tyle się wydarzyło... Stryj George zginął w winnicy w Mâcon, w bardzo dziwnych okolicznościach; potem umarł jej ojciec, najzupełniej nieoczekiwanie; parę tygodni po jego śmierci zniknęli bez śladu jej bracia; i wreszcie miesiąc temu stryj Richard został zasztyletowany przez nieznanego mordercę. Policja nic nie znalazła, dokładnie tak, jak podejrzewała Grace Rose. Jeszcze jedno niewyjaśnione morderstwo, powiedział inspektor Wallis. Wszyscy podejrzewali, że Richard padł ofiarą kogoś, komu naraził się w interesach, albo jakiegoś rozczarowanego jego rządami w Deravenels przyjaciela Edwarda.

Rodzina Bess została zdziesiątkowana. Wszyscy mężczyźni nie żyli, zostały tylko kobiety. Richard uważał, że nad ich rodem ciąży klątwa. Kto wie, może rzeczywiście tak było.

Bess wstała i podeszła do wychodzącego na morze okna. Jakże zmieniło się jej życie. Jeszcze niedawno była taka szczęśliwa i beztroska, a teraz czuła, że śmierć osacza ją ze wszystkich stron. Śmierć i nieszczęście.

Wróciła myślami do matki. Elizabeth przyjechała na pogrzeb razem z czterema siostrami Bess oraz jej babką. Cecily Deravenel sprawiała wrażenie wyczerpanej i udręczonej życiem; Bess bardzo martwiła się stanem jej zdrowia. Po pogrzebie Cecily wróciła do Londynu, utrzymując, że ma wiele spraw do załatwienia i musi pójść do lekarza. Bess miała uczucie, że babka nie jest w stanie nawet myśleć o dłuższym pobycie w Ravenscar, w każdym razie nie teraz.

Bess kochała Ravenscar może dlatego, że ojciec także darzył ten dom wielkim przywiązaniem. Od dnia śmierci stryja ani razu nie była na plaży; spacerowała tylko po ogrodzie i często odwiedzała ruiny twierdzy, które miały tak duże znaczenie dla Edwarda.

Dziewczyna zerwała się nagle i wybiegła na taras. Szybkim krokiem ruszyła w kierunku zburzonej strażnicy. Kiedy dotarła na miejsce, oparła się o mur i zapatrzyła w morze. Myślała o ojcu i o tym, czego by od niej oczekiwał. Miała dwa wyjścia – mogła pozostać niezamężną kobietą, tak jak teraz, albo wyjść za mąż, mieć męża i dzieci, być żoną i matką, dbać o rodzinę.

Przed powrotem do Londynu matka rozmawiała z nią długo i znowu poruszyła temat Henry'ego Turnera. Od zniknięcia chłopców Elizabeth namawiała córkę, aby zgodziła się poznać Henry'ego; zaczęło się to w grudniu dwa lata temu. Bess powiedziała wtedy matce, że małżeństwo w ogóle ją nie interesuje.

Przed miesiącem Elizabeth oświadczyła, że małżeństwo Bess z Turnerem byłoby szansą utrzymania Deravenels na bezpiecznym kursie. Richard Deravenel nie żył i firma była własnością Bess. Wydawało się oczywiste, że sama nie zdoła nią zarządzać. Była zbyt młoda, a poza tym była kobietą, co oznaczało, że nie zostanie dobrze przyjęta jako główny dyrektor firmy. Jej matka uważała jednak, że Henry Turner poradziłby sobie z tym trudnym zadaniem, zwłaszcza jeśli ona, Bess, stanęłaby u jego boku, wspierając go nazwiskiem i zaufaniem. Bess nie znała młodego Turnera i nie miała pojęcia, czy zdołałaby go polubić, a tym bardziej pokochać. Połączyłoby ich przecież małżeństwo z rozsądku, nie z miłości. Ale czy mogła go odrzucić?

Spojrzawszy na zegarek, uświadomiła sobie, że Elizabeth i Henry powinni zaraz przyjechać. Ledwo to pomyślała, gdy z drugiej strony na wpół zburzonego muru dobiegł ją głos matki.

– Bess! Bess, kochanie! Jesteś w strażnicy?

– Tak, mamo – odparła posłusznie.

– Możemy wejść? Jest ze mną Henry.

Bess milczała długą chwilę.

– Proszę – powiedziała w końcu, mocno opierając się o wyszczerbioną krawędź muru.

Kolana uginały się pod nią i drżała na całym ciele ze zdenerwowania. Matka weszła na mały dziedziniec lekkim krokiem, ubrana w beżowy kostium podróżny, jak zwykle bardzo elegancka. Towarzyszył jej wysoki, szczupły młody mężczyzna o jasnobrązowych włosach, orzechowych oczach i miłej twarzy, ubrany w ciemnoszary garnitur i białą koszulę z szarym jedwabnym krawatem.

– Bess, oto Henry Turner – odezwała się Elizabeth. – Henry, to moja córka, Bess.

Młody człowiek wyciągnął rękę, ujął dłoń Bess i uśmiechnął się do niej. Jego oczy były łagodne i pełne zrozumienia.

– Cieszę się, że wreszcie mogę cię poznać – rzekł.

– Ja również bardzo się cieszę – wymamrotała Bess.

Szybko cofnęła rękę i zrobiła krok do tyłu.

– Zostawię was tutaj – powiedziała Elizabeth. – Muszę się przebrać. Do zobaczenia na podwieczorku.

Kiedy odeszła, oboje długo stali, mierząc się badawczym wzrokiem. Żadne nie miało odwagi się odezwać.

– Wiem, że nie bardzo masz ochotę mnie poślubić i dobrze cię rozumiem – przemówił w końcu Henry. – Nie jestem jednak taki zły, w każdym razie inni tak mówią. I z pewnością będę bardzo szczęśliwy, jeśli przyjmiesz moje oświadczyny. Obiecuję, że będę o ciebie dbał, nie wątpię też, że z czasem pewnie cię pokocham.

Bess roześmiała się niespodziewanie; nie zdołała nad sobą zapanować. Henry Turner patrzył na nią ze zdziwieniem. Dziewczyna złapała oddech i przygryzła wargi.

– Miło mi, że to powiedziałeś, naprawdę.

– Że co powiedziałem?

– Że z czasem pewnie mnie pokochasz. Świadczy to o twojej uczciwości. Ja też bym chciała, żeby połączyła nas miłość, ale nie jestem do końca przekonana, czy tak się stanie.

Henry skinął głową.

– Chcę cię poślubić, jak już wspomniałem. Cóż, i tak wiedziałaś o tym, nasze spiskujące matki nie ukrywały tego przed tobą. – Uśmiechnął się lekko. – Pragnę uczynić cię szczęśliwą, Bess. I myślę, że uda mi się to osiągnąć, w każdym razie zrobię, co w mojej mocy, aby tak było.

Bess milczała. Odkryła, że Henry Turner całkiem jej się podoba. Nie był najprzystojniejszym mężczyzną na świecie, ale nie był też szpetny i miał miłe usposobienie. Na pewno był szczery i uczciwy, co było dla niej ogromnie ważne. Wzięła głęboki oddech i ujęła go za rękę.

– Teraz, kiedy już się poznaliśmy, chciałabym zostać na chwilę sama – powiedziała. – Mam nadzieję, że nie masz nic przeciwko temu.

– Nie, skądże znowu! Rozumiem. Zaczekam na ciebie w domu.

Gdy odszedł, Bess oparła głowę o kamienny mur i utkwiła wzrok w morzu. Kto jej pomoże, jeśli wyjdzie za Henry'ego? Nikt. Była sama. Zupełnie sama.

Potrafię o siebie zadbać – pomyślała. – Dam sobie radę.

Będziemy mieli dzieci. Przynajmniej jednego syna. Muszę urodzić syna. Syna, spadkobiercę Deravenels. Będę mu pomagać, pobudzać jego ambicje, wskazywać mu drogę.

Uśmiechnęła się, myśląc o swoim przystojnym ojcu. Mój syn będzie podobny do Wielkiego Edwarda Deravenela. Za biurkiem taty, w jego gabinecie, zawsze będzie siedział mężczyzna z rodu Deravenelów, krew z ich krwi. A ja będę pomagać mężowi i synowi w zarządzaniu firmą.

Bess Deravenel odwróciła się i ruszyła w stronę domu. Podjęła już decyzję.

Henry'ego Turnera znalazła w bibliotece, przed portretem ojca.

– Był najprzystojniejszym, najbardziej sympatycznym i inteligentnym człowiekiem jakiego znałem – odezwał się Henry.

– Wiem – odparła Bess. – Nasz syn będzie dokładnie taki jak on, zobaczysz!

CZĘŚĆ CZWARTA

TURNEROWIE
Kobiety Harry'ego

Wielkiej mądrości, nadobnej wymowy;
Przekazywania miał dar osobliwy.
Wyniosły, kwaśny dla tych, co miłością
Go nie darzyli, lecz słodki jak lato
Dla ludzi, którzy przyjaźni mu byli.

William Shakespeare, *Sławna historia żywota króla Henryka VIII*, akt IV, scena III, przełożył Maciej Słomczyński

Śnię często – przejmująco, dziwnie – o nieznanej
Kobiecie. Ja ją kocham i kocha mnie ona.
Nigdy całkiem ta sama, ni całkiem zmieniona.
Kocha mnie i pojmuje, i goi me rany.

Paul Verlaine, *Poezje*, przełożył Miriam (Zenon Przesmycki)

Nie chcę słuchać głosu rozsądku... Rozsądek to zawsze to
Co ma do powiedzenia ktoś inny.

Elizabeth Gaskell

Pech, jak wiadomo, nigdy nie zjawia się sam.

Cervantes

R O Z D Z I A Ł

PIĘĆDZIESIĄTY CZWARTY

Rozdział pięćdziesiąty czwarty

Ravenscar, 1970

Stał w bibliotece w Ravenscar i z podziwem patrzył na wiszący nad kominkiem obraz. Był to niezwykły portret, przedstawiający przystojnego mężczyznę w kwiecie wieku.

Tym mężczyzną był Wielki Edward Deravenel. Jego dziadek.

Jego matka, najstarsza córka Edwarda, Bess, zawsze powtarzała mu, że gdy dorośnie, będzie bardzo podobny do jej ojca, i miała rację.

Portret ukończono tuż przed czterdziestymi urodzinami Edwarda, a teraz on sam miał za kilka dni skończyć czterdzieści lat. I, jak to się mówi, był jak skóra zdarta z dziadka – wysoki, ponad metr dziewięćdziesiąt wzrostu, szeroki w ramionach, z rdzawozłotymi włosami i niebieskimi oczami. Wiedział, że gdyby Edward Deravenel zszedł z portretu i stanął obok niego, wyglądaliby jak bliźniacy, tak uderzające było to podobieństwo.

Harry Turner odwrócił się w końcu i wyszedł przez taras do ogrodu, kierując się w stronę zburzonej strażnicy. Jego matka bardzo często zabierała go tam, gdy był mały; tłumaczyła mu, że było to ulubione miejsce jej ojca w Ravenscar, a więc jej także. A teraz jego, rzecz jasna.

Wychowała go na opowieściach o rodzie Deravenelów, głównie o jego dziadku. Uwielbiała ojca, natomiast Harry właśnie ją darzył wyjątkowym uczuciem. Oczywiście kochał też ojca, lecz nieco zamknięty w sobie Henry Turner nigdy nie był tak ciepły, otwarty i pełen czułości jak Bess. A przy tym trochę nudny, co tu dużo mówić... Bess Deravenel była niezwykłą kobietą. To po niej Harry odziedziczył jasną cerę i włosy, a także niezależność, siłę woli, ambicję i pozytywny stosunek do świata. Szklanka Bess zawsze była do połowy pełna, nigdy do połowy pusta, jego filozofia życiowa była dokładnie taka sama. Jutro będzie lepszy dzień – tak brzmiało jego hasło.

Dziwne, że niektóre wydarzenia w jego życiu były jak echo wydarzeń z życia Edwarda Deravenela. On także ożenił się z kobietą pięć lat starszą, tak jak Edward. I obawiał się jakiejś katastrofy, która mogłaby go pogrążyć, podobnie jak dziadek. Edwardowi udało się uniknąć takiej fatalnej sytuacji.

On sam, niestety, nie mógł pochwalić się takimi umiejętnościami. W tej chwili, dwudziestego trzeciego czerwca 1970 roku, nie mógł oprzeć się wrażeniu, że lada chwila zsunie się w bezdenną przepaść. Pływał w morzu problemów, i w życiu osobistym, i w zawodowym. Z firmą był sobie w stanie poradzić, kwestia życia prywatnego wyglądała trochę inaczej...

Musiał się rozwieść. I ożenić drugi raz. Chciał spłodzić syna. Ale jego żona nie chciała ustąpić. Nic nie mogło jej przekonać, aby zwróciła mu wolność. Tylko nie rozwód, powtarzała z uporem.

Harry'ego prześladowały ostatnie słowa jego ojca. Henry na łożu śmierci powiedział mu, że musi dać Deravenels męskiego spadkobiercę, lecz Harry miał na razie tylko córkę i doskonale wiedział, że kobieta nie może zostać szefem wielkiej firmy. On i Catherine byli małżeństwem już dwadzieścia lat i Mary była ich jedynym dzieckiem, niestety. Tyle martwych dzieci, tyle poronień...

A czas uciekał... Dwudziestego ósmego czerwca, za cztery dni, Harry kończył czterdzieści lat, a Catherine była od niego pięć lat starsza. Jak mogli spłodzić następne dziecko? Catherine była za stara, to chyba jasne. Tak, nie mieli na co liczyć, poza tym Harry już dawno przestał odczuwać pożądanie wobec żony. Pragnął Anne, to jej pożądał, za nią tęsknił, ją chciał posiąść na zawsze, na całą wieczność. Anne czekała na ślub, nie chciała zostać jego kochanką. Przez siedem ostatnich lat wymykała mu się z rąk, odrzucała propozycje wspólnego życia. Tak, całe siedem lat. Czasami Harry naprawdę żył na krawędzi przepaści.

Świetnie wiedział, że stał się więźniem dwóch upartych kobiet o żelaznej sile woli, które powoli wyciskały z niego siły życiowe.

Oparł czoło o kamienny parapet i zamknął oczy, zastanawiając się, co robić. W jego głowie wciąż rozbrzmiewały te same słowa – przeprowadź rozwód, ożeń się, spłodź spadkobiercę, podpisz nową poważną umowę dla Deravenels. Załatw to wszystko, zanim będzie za późno...

– Harry! Harry! Jesteś tam? – wołał Charles Brandt, zbiegając po stopniach prowadzących do zrujnowanej twierdzy.

Harry otrząsnął się z przykrych myśli. Skupił wzrok na Charlesie, swoim najlepszym przyjacielu od dziecięcych lat. Charles to mój Will Hasling, pomyślał nagle.

Wiedział wszystko o najserdeczniejszym przyjacielu i najbliższym współpracowniku dziadka, człowieku, którego jego matka kochała i szanowała. Bess zawsze mówiła, że Will umarł w tajemniczych okolicznościach.

W jego rodzinie było tyle podejrzanych, zadziwiajaco tragicznych wydarzeń. Dawało to człowiekowi do myślenia, prawda? Stryj matki Harry'ego, George, uderzony w głowę przez beczkę z winem, utopił się w beaujolais w winnicy w Mâcon. Jej drugi stryj, Richard, został zasztyletowany przez nieznanego mordercę na plaży w Ravenscar. I wiele innych osób, które umarły w zastanawiających okolicznościach przed jego przyjściem na świat... Czy były to morderstwa? I czy niektórzy Deravenelowie byli mordercami? Tak, tak, wszystko to razem skłaniało do zastanowienia.

Charles Brandt przeszedł po kamiennej podłodze strażnicy, w dawnych czasach okrągłej wieży, teraz pozbawionej dachu i otwartej na uderzenia północnych wichrów. Ten wtorkowy ranek w drugiej połowie czerwca był pogodny i Charles czuł ciepłe promienie słońca na twarzy. Nie mógł się już doczekać, kiedy wyjedzie do swojego domu na południu Francji. Potrzebował odpoczynku i cieszył się, że w następnym tygodniu wreszcie będzie mógł złapać oddech.

Stanął przed Harrym, zmierzył go badawczym spojrzeniem i nagle ogarnęło go uczucie całkowitego wyczerpania.

– Daj spokój, chłopie, głowa do góry! – wykrzyknął. – Wyglądasz jak z krzyża zdjęty! Co się znowu stało? – Uśmiechnął się lekko i pokręcił głową. – Zupełnie jakbym nie wiedział. Myślisz o tych dwóch babach, które trzymają cię na krótkiej smyczy.

– Strzał w dziesiątkę – mruknął Harry.

Charles parsknął śmiechem, a Harry zawtórował mu, chociaż wcale nie było mu wesoło.

– Masz rację – przyznał Harry. – Myślałem o nich, ale także o sobie. Wiem, że długo tak nie pociągnę. Przez cały ten weekend zastanawiałem się nad swoim życiem, głównie nad tym, że za cztery dni skończę czterdzieści lat. Czterdzieści, stary, wyobrażasz sobie? I wciąż nie wiem, co robić, słowo daję! Nie wytrzymam dłużej w takiej sytuacji!

– Wcale się nie dziwię! Te dwie kobiety to prawdziwe wiedźmy! Catherine gra świętoszkę i męczennicę, natomiast Anne Bowles to niezła flirciara, sam zresztą dobrze o tym wiesz. Nic dziwnego, że tak się czujesz, bo rzeczywiście postawiły cię pod ścianą. Moim zdaniem powinieneś rzucić je obie i rozpocząć nowe życie, *tout de suite*, natychmiast! Na świecie jest mnóstwo dużo bardziej interesujących kobiet, wierz mi!

Harry oparł się o mur, nie spuszczając wzroku z twarzy Charlesa. Poznali się, kiedy obaj byli jeszcze bardzo młodzi. Dziadek Charlesa pracował dla ojca Harry'ego w Deravenels i zginął w rezultacie wybuchu w kopalni w Indiach. Po jego śmierci Charles został zupełnie sam, ponieważ jego rodzice zmarli wcześniej; Henry Turner uznał, że jest odpowiedzialny za osieroconego chłopca i przyjął go do rodziny. Charles i Harry dorastali więc razem.

Charles Brandt, sześć lat starszy od Harry'ego, równie wysoki i przystojny, był nie tylko najbliższym jego przyjacielem, ale także szwagrem, mężem ukochanej siostry Harry'ego Mary. Był również jedynym człowiekiem, który zawsze chciał i mógł rozmawiać z Harrym zupełnie szczerze.

– Nie jest to takie proste – westchnął teraz Harry. – Masz może papierosa?

Charles kiwnął głową, wyjął z kieszeni paczkę papierosów i podsunął Harry'emu. Obaj zapalili w milczeniu i długą chwilę wpatrywali się w morze, pogrążeni we własnych myślach.

Charles uważał, że sytuacja, w jakiej znalazł się jego przyjaciel, jest po prostu śmieszna. Oto Harry Turner, jeden z najbardziej wpływowych biznesmenów Wielkiej Brytanii, tkwił uwięziony w skomplikowanym trójkącie za sprawą uporu i manipulacji dwóch kobiet oraz własnej słabości.

Harry przeklinał się w myśli i zadawał sobie pytanie, dlaczego Anne jest dla niego aż tak ważna. Odpowiedź była prosta – Harry nie spotkał dotąd kobiety, która wydałaby mu się równie atrakcyjna pod względem seksualnym.

– Wszystko to razem pokazuje tylko, jak dwie sprytne kobiety potrafią rządzić mężczyzną – odezwał się wreszcie Charles. – Głupim mężczyzną, mógłbym dodać.

Harry odwrócił się do niego szybko, z gniewnym błyskiem w niebieskich oczach. Był z natury dumny, nieco arogancki i władczy; nie znosił, gdy ktoś nazywał go głupcem, nawet ktoś tak mu bliski jak Charles Brandt.

– Nie mów, że jestem głupi! – warknął. – Nienawidzę tego, a ty dobrze o tym wiesz!

– Przepraszam, stary. – Charles spojrzał Harry'emu prosto w oczy. – Jesteś najinteligentniejszym, najbystrzejszym, najbardziej błyskotliwym człowiekiem, jakiego znam – dodał łagodniejszym tonem. – Nie zmienia to faktu, że wobec tych dwóch kobiet zachowujesz się jak ostatni głupiec. Dlaczego nie powiesz im po prostu, żeby dały ci święty spokój? Znajdę ci inną, piękną, ustępliwą, łagodną i zapatrzoną w ciebie bez reszty, taką, która zaspokoi wszystkie twoje potrzeby i nie będzie robić z ciebie idioty.

– To niezupełnie prawda! – zaprotestował Harry. – Anne wcale nie robi ze mnie idioty!

– A jakże. Wiem, co chcesz powiedzieć, więc daruj sobie! Boże, to po prostu nie do wiary! Mamy rok 1970, Harry, średniowiecze dawno się skończyło! Anne powinna zamieszkać z tobą, i tyle! Naprawdę nie mam pojęcia, co ona sobie myśli!

Harry skrzywił się lekko i kiwnął głową.

– Nie chce zrobić tego ostatniego kroku – mruknął.

– Trudna sprawa. – Charles ujął przyjaciela pod ramię. – Chodźmy! Bradley spakował już twoje rzeczy i moje także, walizki są w bagażniku rollsa. Możemy kontynuować tę rozmowę w drodze do miasta, dobrze?

– Świetny pomysł. Zbierajmy się, masz rację.

Przyjaciele ruszyli w stronę domu i przez taras weszli do biblioteki. Charles przystanął przed portretem Edwarda Deravenela i położył rękę na ramieniu Harry'ego.

– Popatrz na niego – powiedział. – Popatrz na twojego dziadka! On nigdy nie pogodziłby się z taką sytuacją, a żył w latach dwudziestych naszego wieku, kiedy zasady zachowania i postępowania były zupełnie inne niż te, jakie obowiązują dzisiaj. Edward Deravenel ustalał własne zasady i ty też powinieneś tak robić. Musisz rozwiązać ten problem raz na zawsze, w przeciwnym razie trafisz do szpitala dla wariatów, i to w niezbyt odległej przyszłości.

Harry długą chwilę bez słowa wpatrywał się w portret, a potem wyszedł z Charlesem do długiego holu.

Na schodach przed wejściem czekał już na nich kamerdyner Bradley, który odwrócił się, słysząc kroki w holu.

– Ach, jest pan, panie Turner! Wszystkie rzeczy są już w bagażniku, sir.

– Dziękuję, Bradley. W najbliższy weekend nie przyjadę do Ravenscar, zobaczymy się dopiero za dwa tygodnie.

– W porządku, sir – służący z uśmiechem skinął głową, podszedł do eleganckiego czarnego rolls royce'a i otworzył drzwi wozu.

– Ja prowadzę – zdecydował Charles.

Harry zajął miejsce pasażera, zadowolony, że przyjaciel usiadł za kierownicą. Nagle ogarnęło go uczucie wielkiego zmęczenia, niewątpliwie wywołanego ciągłym zdenerwowaniem.

Kiedy obaj zapięli pasy, Charles przekręcił kluczyk w stacyjce i rolls gładko ruszył w dół długiego podjazdu.

– Postaraj się trochę rozluźnić, stary, a ja zaraz powiem ci, co powinieneś zrobić – powiedział cicho Charles. – Co zrobić i jak poradzić sobie z tymi dwiema damami, tak je nazwijmy, oczywiście z braku trafniejszego określenia – zaśmiał się. – Przychodzi mi jednak do głowy kilka innych, znacznie barwniejszych i bardziej prawdziwych.

Harry roześmiał się głośno, pierwszy raz od wielu dni.

ROZDZIAŁ
PIĘĆDZIESIĄTY PIĄTY

Londyn

– Nie rozumiem, dlaczego upierasz się, aby tu mieszkać, Catherine. – Mary Turner Brandt ze zdziwieniem popatrzyła na bratową. – Harry na pewno chętnie kupiłby ci dużo ładniejszy dom.

Catherine kiwnęła głową.

– Och, na pewno, moja droga – odparła. – Bez przerwy proponuje, że kupi mi dom albo nawet pałac, gdybym chciała, ja jednak bardzo lubię ten mały domek. Jest bardzo przytulny, no i mój własny.

– Wiem, że sama go kupiłaś – uśmiechnęła się Mary. – I rozumiem, że właśnie to liczy się dla ciebie najbardziej.

Zawsze ogromnie lubiła Catherine, doskonale rozumiała jednak także swego brata Harry'ego; wiedziała, co nim powoduje i szczerze mu współczuła. Co więcej, nigdy nie rozumiała, dlaczego niektóre kobiety rozpaczliwie trzymają się mężczyzn, którzy próbują się od nich uwolnić. Postępowanie Catherine naprawdę ją zastanawiało, ale nadal regularnie wpadała na herbatę do bratowej, świadoma, jak bardzo czuje się ona osamotniona.

– Dlaczego nie rozwiedziesz się z Harrym? – zapytała teraz, wziąwszy głęboki oddech. – Jesteście w separacji od ponad siedmiu lat i chyba zdajesz sobie sprawę, że on już do ciebie nie wróci. Przykro mi, ale taka jest prawda.

– Pewnie masz rację, lecz ja jestem katoliczką, podobnie jak ty, moja droga... Właśnie dlatego powinnaś rozumieć, co czuję i o co mi chodzi!

– Rozumiem cię, owszem, ale... – Mary ściągnęła brwi, w jej jasnoniebieskich oczach pojawił się wyraz wahania. – Ale naprawdę nie wiem, dlaczego nie miałabyś dać rozwodu mężczyźnie, który już nie chce być twoim mężem. Myślę, że moja duma nie pozwoliłaby mi na takie zachowanie.

– Religia jest dla mnie ważniejsza od dumy – odparła chłodno Catherine.

Wydaje się bardzo zadowolona z siebie i pewna własnych racji, pomyślała Mary. Charles miał słuszność. Poprzedniego wieczoru, po powrocie z Yorkshire, powiedział jej, że Catherine postanowiła grać rolę męczennicy. Mary uznała, że musi uświadomić swojemu mężowi, iż Catherine odgrywa tę rolę z widoczną satysfakcją.

– Harry chce mieć syna – powiedziała cicho, patrząc na Catherine znad filiżanki z herbatą. – Przecież wiesz, jak zależy mu na męskim potomku. Myśli o Deravenels, nie muszę ci chyba o tym przypominać.

– Oczywiście że nie! Ale przecież Harry ma spadkobierczynię – Mary, naszą córkę. Twoją imienniczkę. Mary może rozpocząć pracę w Deravenels, niedługo skończy osiemnaście lat, jest więc w jak najbardziej odpowiednim wieku. I nie mów mi, że kobieta nie może zarządzać firmą, bo przecież wasz dziadek Edward Deravenel wprowadził zasady, które dopuszczają taką sytuację.

– Nie zaprzeczam. – Mary ogarnęło nagle uczucie wielkiego zniechęcenia.

Catherine była twarda jak mur, a ona tylko marnowała czas i energię, próbując przemówić jej do rozumu. Rozejrzała się po niewielkim saloniku. Dom Catherine był uroczy, pięknie urządzony i wcale nie tak mały, jakby się wydawało. Mary wiedziała, dlaczego bratowa tak go lubi – był to idealny dom dla dwóch osób.

– Jak sobie radzi Mary? – spytała. – Już tak dawno jej nie widziałam.

– Czuje się dobrze, ale tęskni za ojcem. – Catherine pochyliła się do przodu. – Sądzisz, że Harry wpadnie do nas na podwieczorek w ten weekend? Zwykle odwiedzał nas z okazji swoich urodzin. Nie wiesz, czy wydaje jakieś przyjęcie? Kończy przecież czterdzieści lat.

Mary drgnęła nerwowo, zaskoczona pytaniem bratowej.

– Nic nie słyszałam o przyjęciu – powiedziała. – Nie wiem też, czy do was przyjedzie, kochanie, bo Harry nie zwierza mi się ze swoich planów. – Roześmiała się trochę sztucznie. – Podobnie jak nasz ojciec, a przed nim dziadek, Harry na pierwszym miejscu zawsze stawia pracę.

– Jesteś po jego stronie, prawda? – zapytała ostro Catherine.

Mary popatrzyła na nią uważnie, zdziwiona twardym tonem i postanowiła zdobyć się na całkowitą szczerość.

– Tak, do pewnego stopnia jestem po jego stronie. Uważam, że powinnaś uwolnić Harry'ego, aby mógł ponownie się ożenić i postarać o syna.

– I akceptujesz tę sukę Anne Bowles, tak?

– Nie ma to najmniejszego znaczenia – szybko odrzekła Mary. – Uważam po prostu, że mój brat powinien odzyskać wolność po tylu latach separacji!

– Nie mogę postąpić wbrew mojej religii. – Żona Harry'ego Turnera zdecydowanie potrząsnęła głową. – Nigdy! – dodała z naciskiem. – Nigdy nie zgodzę się na rozwód!

Idąc Eaton Square, Mary Brandt usiłowała otrząsnąć się z uczucia smutku i frustracji. Nikt nie był w stanie przekonać niewiarygodnie upartej i staroświeckiej Catherine. Urodzona w Hiszpanii, pod wieloma względami pozostała cudzoziemką, chociaż mając szesnaście lat, zamieszkała na stałe w Anglii. Była także głęboko religijna, co stanowiło główną przyczynę jej zdecydowanej postawy w kwestii rozwodu.

Mary rozumiała, co musi czuć brat. Catherine nie chciała ustąpić i niewątpliwie jej twarda odmowa była szalenie denerwująca. Nic dziwnego, że Harry był na krawędzi załamania. Pragnął mieć syna – z pewnością to wypowiedziane przez ich ojca na łożu śmierci słowa wywarły na nim tak wielkie wrażenie. Czasami Mary myślała, że znaczenie, jakie Henry Turner przywiązywał do faktu posiadania potomka płci męskiej, musiało wpędzić nieszczęsnego Harry'ego w poważną nerwicę.

Charles namówił jej brata, aby po powrocie z Ravenscar przyjechał do nich na kolację. Jazda autostradą A1 okazała się jednym wielkim koszmarem – spędzili parę godzin w korku, posuwając się w iście ślimaczym tempie. Mary od razu wyczuła rozpacz Harry'ego i serce ścisnęło się jej z żalu. Brat był takim dobrym, otwartym, kochającym i umiejącym okazywać miłość człowiekiem, i zawsze chętnie przychodził innym z pomocą.

Kiedy po kolacji pojechał do swego domu przy Berkeley Square, gdzie spędzili sporą część dzieciństwa i gdzie mieszkał teraz sam, Charles powiedział jej, w jak marnym stanie ducha znajduje się Harry. Z całą pewnością nie była to dobra sytuacja.

Między innymi dlatego Mary odwiedziła dziś Catherine. Miała nadzieję, że zdoła przebić się przez gruby mur, ale poniosła klęskę i teraz zastanawiała się, czy ktokolwiek ma szansę wpłynąć na bratową.

W głębi duszy sama także uważała, że Anne Bowles, która wbiła szpony w Harry'ego, była pozbawioną skrupułów suką, ale jej opinia nie miała najmniejszego znaczenia, bo Harry pragnął Anne i był nią absolutnie zafascynowany, jak twierdził Charles. I nie ulegało wątpliwości, że nie miał zamiaru z niej zrezygnować.

Najwyraźniej podczas podróży do Londynu Charles poradził Harry'emu, aby zostawił obie kobiety i zaczął wszystko od nowa, ale czy Harry w ogóle przyjął do wiadomości argumenty przyjaciela? I czy brał pod uwagę takie wyjście z trudnej sytuacji? Nie wiadomo...

Mary kochała brata. Wiedziała, że nie ma nic gorszego niż życie w złym, nieszczęśliwym małżeństwie, z niekochanym, nieakceptowanym partnerem. Och, tak, wiedziała o tym doskonale.

Jej pierwsze małżeństwo było okropne. Antoine był dla niej za stary, nie należał do szczególnie sympatycznych, a parę miesięcy po ślubie poważnie zachorował. Natomiast ona zakochała się, głęboko i szczerze, w Charlesie Brandcie, gdy ten przyjechał do Paryża w sprawach firmy Deravenels. Najzabawniejsze było to, że znała Charlesa od dziecka jako najlepszego przyjaciela i towarzysza zabaw Harry'ego. Dopiero kiedy zjawił się w Paryżu i zabrał ją na lunch do Ritza przy placu Vendôme, odkryła, że pragnie go całym sercem i ciałem...

Dość szczęśliwym zbiegiem okoliczności, jeśli można tak to nazwać, jej pierwszy mąż Antoine Delacroix umarł nagle i Mary była wolna. Nie potrafiła opanować ogromnej radości, bo oto mogła poślubić człowieka, którego znała od zawsze, ale naprawdę poznała dopiero teraz, i z którym poszła do łóżka jeszcze przed niezwykle dogodną śmiercią męża, mężczyznę, który przesłonił jej cały świat. Wygrała los na loterii życia, naprawdę. Mieli z Charlesem dwie córki i byli najszczęśliwszą parą, jaką znała.

Po wizycie u Catherine zamierzała pojechać do salonu Harveya Nicholsa i kupić trochę letnich rzeczy na wyjazd do Francji, lecz nagle zmieniła zdanie i przystanęła na krawężniku przy Eaton Square, próbując zatrzymać taksówkę. Po chwili jedna zatrzymała się tuż obok i Mary wskoczyła na tylne siedzenie, podając taksówkarzowi swój adres w Chelsea. Do diabła z zakupami, pomyślała z uśmiechem. Chciała jak najszybciej znaleźć się u siebie i zaczekać na Charlesa, który nie znosił wracać do pustego domu.

– Chcę wziąć rozwód, i to natychmiast! – oświadczył Harry Turner, patrząc ponad biurkiem na swego adwokata, Thomasa Wolsena.

Oczy Harry'ego były lodowato błękitne, a wargi mocno zaciśnięte w grymasie uporu i zniecierpliwienia. Thomas Wolsen od dwudziestu trzech lat doradzał Harry'emu w najrozmaitszych sprawach, czasami w ogóle niezwiązanych z kwestiami prawnymi, i od początku traktował go trochę jak syna. Teraz złączył dłonie pod brodą i zmierzył swego klienta badawczym spojrzeniem.

– Nie ma rzeczy, jakiej bym dla ciebie nie zrobił, Harry – powiedział łagodnie. – Mam nadzieję, że o tym wiesz. Oddałbym życie za ciebie, gdyby zaszła taka potrzeba, ale nie mogę zmienić prawa ani zasad wytyczonych przez Kościół katolicki.

Harry milczał, nie kryjąc wściekłości.

Thomas również nie odzywał się długą chwilę, lecz na jego twarzy malowała się troska i sympatia.

Siedzieli w kancelarii prawnej Thomasa przy Upper Grosvenor Street i przez ostatnie dwadzieścia minut omawiali różne sprawy, jak zwykle w ciepłej, wręcz serdecznej atmosferze, ale od chwili, gdy Harry poruszył problem rozwodu, nastrój ich obu znacznie się pogorszył. Thomas wiedział, że Harry wali głową w mur i nie chce się do tego przyznać.

– Musi być coś, co możemy zrobić! – powiedział Harry podniesionym głosem. – Nie możemy komuś zapłacić? Przekupić kogoś?

– Nie, mój drogi.

– Dlaczego nie mogę rozwieść się z Catherine?! Od lat jesteśmy przecież w separacji!

– Bo to ty opuściłeś ją, nie vice versa. Catherine mogłaby wystąpić o rozwód, podając jako przyczynę porzucenie, ale nie chce tego zrobić, stąd ten impas.

– Może udałoby mi się ją namówić.

– Harry, myśl logicznie! Kościół katolicki nie uznaje rozwodów, więc gdyby Catherine zgodziła się na rozwód, nie mogłaby przyjmować komunii świętej, co dla niej, jako osoby głęboko wierzącej, jest absolutnie niemożliwe. Znam Catherine dość długo, aby wiedzieć, że nie pójdzie na żaden kompromis w kwestii religii.

– Jestem gotowy dać jej wszystko, wszystko czego sobie zażyczy! – Z piersi Harry'ego wyrwało się ciężkie westchnienie. – Dowolną sumę pieniędzy, nawet Waverley Court, cokolwiek. Muszę dostać rozwód, za każdą cenę! Pomóż mi!

– Rozwód za każdą cenę. – Thomas powoli pokręcił głową. – Niezły zwrot. Adwokaci Catherine z przyjemnością usłyszeliby takie słowa, nie ma co. Muszę zachować ostrożność i w żadnym razie ich nie cytować.

– Rób, co chcesz, ale wymyśl coś, proszę! – Harry wstał z krzesła i podszedł do drzwi. – Nie mogę dłużej czekać, nie mam czasu! – Rzucił Thomasowi znaczące spojrzenie. – Muszę dostać rozwód, inaczej zwariuję, słyszysz?!

Nie czekając na odpowiedź, wyszedł na korytarz i mocno zatrzasnął za sobą drzwi. Thomas Wolsen wpatrywał się w nie chwilę, następnie założył ręce za głowę i zaczął się zastanawiać, co właściwie mógłby zrobić. Biorąc pod uwagę upór Catherine, należało liczyć jedynie na cud.

Parę minut później nacisnął guzik intercomu i wezwał do siebie jednego z młodszych wspólników. John Upstone zjawił się prawie natychmiast.

– Jestem panu potrzebny, sir?

Thomas skinął głową.

– Widziałem, jak Harry Turner wychodził z pańskiego gabinetu, więc niewątpliwie sprawa dotyczy właśnie jego. – John wyczekująco patrzył na szefa.

– Tak jest. Harry chce się rozwieść z Catherine za wszelką cenę i natychmiast. Natychmiast, podkreślam.

– Nie ma żadnych podstaw do wystąpienia o rozwód, nic z tego nie będzie – oznajmił krótko Upstone.

– Będziemy musieli coś z tym jednak zrobić. Wiele może od tego zależeć, John! Jeżeli nie wyciągniemy jakiegoś królika z cylindra, to najprawdopodobniej Harry Turner przestanie być naszym klientem, rozumiesz?

John Upstone nie krył zdziwienia.

– Po tylu latach? Na dodatek jesteście przecież bliskimi przyjaciółmi!

– Odkryłem, że bliska przyjaźń ma niewielkie znaczenie dla naszego Harry'ego – wyjaśnił Wolsen. – Dla Harry'ego liczy się tylko Harry.

– Cóż, spróbuję coś wykombinować.

– Bardzo mnie to cieszy – mruknął Thomas. – Wykombinuj coś! Wszystko jedno co, byle tylko Harry dostał rozwód! Oczywiście w grę wchodzi wszystko poza morderstwem.

ROZDZIAŁ
PIĘĆDZIESIĄTY SZÓSTY

Sir Tommy Morle, dziennikarz, pisarz, filozof i prawnik, siedział z Harrym Turnerem przy stoliku w rogu sali Rule's i popijał aperitif przed kolacją w piękny czerwcowy wieczór.

Przez ostatnie pół godziny uważnie słuchał starego przyjaciela, teraz powoli pokręcił głową.

– Posłuchaj mnie, Harry – powiedział. – Wszystko to mrzonki, życzeniowe myślenie, nic więcej! Nie dostaniesz unieważnienia małżeństwa, to poza wszelką dyskusją!

– To samo usłyszałem od Wolsena, a jednak niektórzy ludzie otrzymują unieważnienie, nawet po wielu latach małżeństwa.

– Pozwól, że ci to wyjaśnię – przerwał mu Tommy. – Prawo kanoniczne mówi, że podstawą do unieważnienia może być albo poważna przeszkoda utrzymania związku małżeńskiego, na przykład jego nieskonsumowanie, albo bigamia. Pod uwagę bierze się także fakt wymuszenia zawarcia związku oraz choroby umysłowe. Wiem, że ty i Catherine braliście ślub jako ludzie zdrowi na umyśle, nieprzymuszani przez nikogo, i że z całą pewnością skonsumowaliście wasz związek, ponieważ macie dorosłą córkę.

Harry z westchnieniem skinął głową.

– Wiem – wymamrotał. – Znam te wszystkie zasady, zdążyłem już nauczyć się ich na pamięć. Wpakowałem się w niezłą kabałę.

– Nie da się ukryć!

– Muszę mieć syna, Tommy, wiesz o tym lepiej niż ktokolwiek inny! Znałeś mojego ojca, wiesz, jaki był. Poza tym kocham Anne, a ona kocha mnie i pragniemy żyć razem. Chcę, żeby urodziła mi dziecko. Syna, spadkobiercę.

W oczach Tommy'ego pojawił się wyraz głębokiego namysłu, przez jego twarz przemknął mroczny cień.

– Wiele razy prosiłeś mnie o radę, ale teraz nie mogę ci pomóc. Ożeniłeś się z katoliczką, i to na dodatek głęboko religijną katoliczką.

– I nie mam najmniejszych szans na otrzymanie rozwodu – dokończył Harry. – Cóż, będę musiał po prostu zamieszkać z Anne! Jeśli zajdzie w ciążę, to zajdzie w ciążę i urodzi mi nieślubnego syna. – Bezradnie rozłożył ręce i nagle szeroko uśmiechnął się do Tommy'ego. – No, proszę, wreszcie to powiedziałem! To jedyne rozwiązanie. – Zamieszkamy razem, i już!

– Nie, to niejedyne rozwiązanie – zaprzeczył łagodnie Tommy. – Możesz rozstać się z Anne i przyjąć do wiadomości, że już masz spadkobierczynię.

– Masz na myśli Mary?

– Tak! Jest twoim dzieckiem, urodzonym w związku małżeńskim, i zgodnie z prawem dziedziczy po tobie!

– Ale to dziewczyna! Chcę...

– Lepiej, żeby dzisiejsze wyemancypowane damy nie słyszały tej lekceważącej nuty w twoim głosie! Mamy rok 1970, nie 1907, na miłość boską! Żyjemy w epoce nowoczesności, dużo kobiet przejmuje stery w biznesie i polityce. Sam czujnie obserwuję rozwój kariery Margaret Thatcher.

– Niektórzy mówią, że ona daleko zajdzie – mruknął Harry. – Masz rację, warto obserwować rozwój jej kariery.

Tommy uśmiechnął się nagle.

– Margaret Thatcher zajdzie na sam szczyt. Całkiem niewykluczone, że w nieodległej przyszłości zostanie premierem...

– Kobieta premierem? – Harry z niedowierzaniem pokręcił głową. – Nie byłbym tego taki pewny, co to, to nie!

Roześmiał się, a Tommy zawtórował mu po chwili.

– Na tym świecie wszystko jest możliwe – rzekł.

– Tylko nie rozwód z katoliczką!

– To prawda! – Tommy pociągnął łyk whisky. – Dziś świat błyskawicznie się zmienia i nigdy nie wiadomo, co się może zdarzyć, Harry. Niewykluczone, że Catherine w końcu jednak się zgodzi. Kto by pomyślał, że człowiek stanie na Księżycu, a nawet dwóch ludzi, Neil Armstrong i Buzz Aldrin... A jednak stało się, Amerykanie dopięli swego w zeszłym roku. Dlatego uważam, że wszystko jest możliwe.

– Wiedziałeś, że panieńskie nazwisko matki Buzza Aldrina brzmi Moon? – uśmiechnął się Harry.

– Nie! Co za niezwykły zbieg okoliczności! – Tommy uniósł szklaneczkę w geście toastu. – Wypijmy za pannę Moon, której syn spacerował po Księżycu. A wracając do zasadniczego tematu – co z Mary?

– Moja córka nie okazała do tej pory najmniejszego zainteresowania biznesem, mój drogi. Edward Deravenel umożliwił kobietom sprawowanie głównej funkcji w firmie, to fakt, ale nie wydaje mi się, aby Mary na tym zależało. W znacznie większym stopniu zajmuje ją malarstwo i muzyka.

– Większość młodych kobiet interesuje się sztuką, muzyką i tak dalej, ale to jeszcze nie znaczy, że Mary nie ma głowy do interesów – zauważył Tommy. – Pytałeś ją, co sądzi o pracy w firmie?

– Nie. Tak czy inaczej, kobieta musi naprawdę chcieć zająć się biznesem, aby odnieść sukces, nie wydaje ci się? No i oczywiście należałoby liczyć się ze zdecydowaną opozycją ze strony dyrektorów niższego szczebla.

Tommy pokiwał głową.

– Masz rację! Kobieta musi też kierować się ambicją, jeżeli chce skutecznie zarządzać firmą!

– Anne jest ambitna – mruknął Harry, który nie miał ochoty dłużej rozmawiać o Mary.

Wiem coś na ten temat, pomyślał Tommy, ale się nie odezwał. Powoli sączył whisky i sprawiał wrażenie głęboko zamyślonego. Anne Bowles była najbardziej ambitną, twardą, podstępną, zdeterminowaną i sprytną kobietą, jaką znał. Nie lubił jej i w głębi serca nie akceptował tego związku Harry'ego; wolał łagodniejszą, spokojniejszą Catherine. Jako wierny przyjaciel Harry'ego miał nadzieję, że zdoła wpłynąć na przyjaciela i nadać jego działaniom właściwy kierunek.

– Wracaj na Ziemię, Tom! – Harry dotknął ramienia Tommy'ego. – Jesteś nieobecny! Anne ma doskonałą głowę do interesów, jak ci mówiłem. Jej sklep z antykami w Paryżu przynosi spore zyski, podobnie jak ten w Londynie. Anne ma wspaniały gust i świetne oko. Jest bardzo utalentowana, chociaż oczywiście to moja opinia.

Z niewygodnej sytuacji wybawili Tommy'ego dwaj kelnerzy, którzy właśnie w tym momencie przynieśli pierwsze danie – wędzonego pstrąga, złowionego w Szkocji, z kremowym sosem chrzanowym, ciemne pieczywo i masło.

– Wygląda to bardzo smakowicie – mruknął Tommy.

Miał nadzieję, że Harry wyczerpał już temat Anne Bowles. Zachwyty Harry'ego nad tą dziewczyną śmiertelnie go nudziły.

Po rozmowie z Tommym Harry znacznie śmielej patrzył w przyszłość i zaczął całkiem poważnie myśleć o zamieszkaniu z Anne. Nigdy nie miał wątpliwości, że byłoby to doskonałe rozwiązanie; problemy stwarzała Anne, która wciąż nie była gotowa na ten krok. Teraz Harry doszedł jednak do wniosku, że na pewno uda mu się ją namówić, aby podjęła decyzję.

To Charles Brandt pomógł mu poukładać sobie wszystko w głowie w czasie podróży z Yorkshire, i to Charles wyliczył argumenty, którymi Harry miał się posłużyć, aby skusić Anne i przekonać ją, że nigdy jej nie zostawi, niezależnie od okoliczności.

W niedzielę Harry wybierał się do Paryża, by razem z Anne świętować swoje czterdzieste urodziny i przedstawić jej własny punkt widzenia. Nie wyobrażał sobie, aby mogła odrzucić nie tylko jego, ale także tyle materialnych korzyści. Mocno wierzył, że los mu sprzyja.

Mógł powiedzieć Anne, zgodnie z prawdą, że zrobił, co w jego mocy, że znowu rozmawiał z Thomasem Wolsenem na temat rozwodu. W sobotę tuż przed wyjazdem do Paryża zamierzał schować dumę do kieszeni, wziąć głęboki oddech i pojechać na urodzinowy podwieczorek z Catherine; chciał po raz ostatni poprosić żonę, aby zwróciła mu wolność – taki był najważniejszy cel planowanej wizyty. Jeżeli Catherine odmówi, weźmie sprawy we własne ręce i zamieszka z Anne. Będzie też mógł najzupełniej szczerze zapewnić Anne, że naprawdę dołożył wszelkich starań, żeby Catherine dała mu rozwód.

Podniósł się, podszedł do stojącego w rogu biblioteki barku i nalał sobie lampkę koniaku. Potem wrócił na poprzednie miejsce i zatonął w myślach, powoli sącząc alkohol.

Jego wzrok spoczął na wiszącym nad kominkiem obrazie Renoira, słynnym portrecie dwóch rudowłosych sióstr. Płótno to zajmowało honorowe miejsce w domu przy Berkeley Square od czasu, gdy Edward Deravenel kupił je, ponieważ przywodziło mu na myśl jego dwie córki, Bess i Grace Rose.

Na myśl o Grace Rose Harry uśmiechnął się do siebie. Grace, jego ukochana ciotka, miała teraz siedemdziesiąt lat, lecz wyglądała na znacznie mniej. Była świetną pisarką, autorką bestsellerowych powieści i opracowań historycznych. Jej mąż Charles Morran, w swoim czasie gwiazdor scen londyńskich i nowojorskich, przekroczył już osiemdziesiątkę, nadal jednak był sprawny i silny.

Matka Harry'ego opowiadała mu o Charliem, o jego poparzonej w czasie walk na froncie pierwszej wojny światowej twarzy i cudach, jakich dokonali chirurdzy plastyczni, by zlikwidować blizny. Grace Rose zaprzyjaźniła się z Charliem po przedwczesnej śmierci jego żony Roweny, która umarła na raka; w końcu Charlie i Grace pobrali się, ku ogromnej radości sławnego Amosa Finnistera. Amos zmarł niedługo po ich ślubie, ponieważ, jak powiedziała matka Harry'ego, wreszcie poczuł się zwolniony z obowiązku opieki nad swoją ukochaną Grace Rose, świadomy, że u boku Charliego będzie zawsze bezpieczna.

Tak, Bess Deravenel Turner, jego niezwykła matka, była wspaniałą gawędziarką i napełniała mu głowę fascynującymi historiami z dziejów rodziny i rodzinnej firmy. Zawsze przypominała Harry'emu, że jest w połowie Deravenelem i w połowie Turnerem, i że na czele Deravenels musi stać ktoś z krwi Deravenelów.

Razem z jego ojcem założyła nową dynastię Turnerów, dbała jednak o to, aby Deravenelowie dalej żyli w jej synu. Bess sama zajęła się wychowaniem Harry'ego i jego młodszej siostry Mary, i to ona wywarła największy wpływ na jego rozwój.

Harry kochał ojca, ale nigdy nie był z nim tak blisko jak z matką. Kiedy dorastał, Henry Turner walczył o utrzymanie Deravenels na bezpiecznym kursie. Przeprowadził firmę przez burzliwe lata kryzysu, który nastąpił po krachu na Wall Street, przez lata depresji w Ameryce i Wielkiej Brytanii oraz niezwykle trudny okres drugiej wojny światowej. Z powodu licznych obowiązków Henry rzadko bywał w domu, pozostawiając Bess wychowanie czwórki dzieci.

Harry pociągnął łyk koniaku. Małżeństwo rodziców było szczęśliwe, chociaż związek ten został zaaranżowany przez jego dwie babki, Elizabeth Deravenel i Margaret Beauchard Turner. Bess i Henry byli sobie wierni, a niespodziewana śmierć starszego brata Harry'ego, Arthura, połączyła ich jeszcze mocniejszymi więzami. Harry oraz jego siostry Margaret i Mary, starali się wtedy wspierać rodziców i razem z nimi opłakiwali tragiczną stratę. To właśnie w tamtym okresie Harry zrozumiał, że ma odziedziczyć Deravenels i zająć miejsce ojca u steru firmy.

Kiedy jego matka umarła w połogu w wieku trzydziestu siedmiu lat, ojciec był niepocieszony, podobnie jak cała rodzina. Przedwczesna śmierć Bess była największą katastrofą, jaka mogła ich spotkać. Harry nigdy nie przestał tęsknić za matką, jej łagodną, piękną twarzą, wesołym, dźwięcznym śmiechem i pozytywnym stosunkiem do życia. Największą pociechą była dla niego obecność Grace Rose. Grace, podobnie jak matka Harry'ego, szczególnie mocnym uczuciem darzyła swego ojca Edwarda Deravenela i po śmierci Bess stała się kontynuatorką rodzinnej tradycji.

Jakież niezwykłe dramaty przeżywali Deravenelowie. Jane Shaw, kochanka dziadka Harry'ego, niedługo po jego śmierci umarła z rozpaczy, zostawiając cały swój majątek Bess i Grace Rose. Bess z trudem wróciła do równowagi po tajemniczej śmierci stryja Richarda, który odegrał ważną rolę w jej życiu. Nie można też było zapomnieć o zagadkowym zniknięciu jej braci, Edwarda i Richarda, których nigdy nie odnaleziono. Była to bardzo dziwna sprawa i jeszcze jedna nierozwikłana tajemnica.

Bess zawsze z niepokojem myślała o matce Elizabeth Deravenel, która po śmierci męża wiodła samotne życie. Harry nigdy nie przepadał ani za Elizabeth, ani za drugą babką, Margaret Beauchard Turner. Margaret starała się manipulować nim w latach dorastania, ale jakoś zdołał uwolnić się z jej szpon. Od tamtego okresu szczerze nie znosił silnych, władczych kobiet.

Bardzo lubił natomiast swoje ciotki, nieżyjące już siostry matki, Cecily, Anne, Katharine oraz Bridget, którymi Bess troskliwie się opiekowała. Harry uważał, że jego ojciec nie zawsze dobrze traktował kobiety z rodziny Deravenelów i miał mu to za złe, ponieważ Bess cierpiała z tego powodu.

Wrócił myślą do braci matki i po chwili, przypomniawszy sobie o czymś, postawił kieliszek na stole, zamknął za sobą drzwi biblioteki i ruszył na pierwsze piętro. Kiedy znalazł się w swojej garderobie, odszukał czarne, obite skórą puzderko, otworzył je i wyjął złoty medalion, który kiedyś należał do jego dziadka. Matka przechowywała go dla swego brata Edwarda, lecz on nigdy nie miał okazji nosić tej ozdoby, ponieważ zaginął, mając dwanaście lat. Teraz medalion należał do Harry'ego. Matka dała mu go i opowiedziała jego historię.

Harry odwrócił medalion – z jednej strony złotego krążka widniał wizerunek słońca, z drugiej emaliowana biała róża Yorków, na krawędzi zaś wyryto rodzinne motto Deravenelów: „Wierność aż po wieczność".

Długo trzymał medalion w dłoni, myśląc o matce, rodzinnej firmie i potężnej władzy, jaką kiedyś dzierżył w dłoniach Edward Deravenel. Uroczyście obiecał sobie, że kiedy jego sytuacja osobista wreszcie się ustabilizuje, znajdzie sposób, aby uczynić Deravenels firmą większą i silniejszą niż kiedykolwiek dotąd. Chciał być prawdziwym spadkobiercą tradycji, godnym tego miana wnukiem Edwarda Deravenela.

R O Z D Z I A Ł
PIĘĆDZIESIĄTY SIÓDMY

Od chwili, gdy przekroczył próg niewielkiego domu Catherine w pobliżu Eaton Square, Harry serdecznie żałował, że zdecydował się na tę wizytę. Mimo że dom wcale nie był taki ciasny, zawsze czuł się tu jak w pułapce i musiał walczyć z gwałtownym pragnieniem ucieczki.

Wiedział jednak dobrze, że nie może uciec. Powinien wytrzymać, spędzić z Catherine przynajmniej ze dwie godziny. Sama myśl o tym przyprawiała go o dreszcze, ponieważ nie miał żonie kompletnie nic do powiedzenia.

Nie widział jej od prawie ośmiu miesięcy i trudno mu było spokojnie przyjąć zmiany, jakie zaszły w jej wyglądzie. Miała czterdzieści pięć lat, lecz wyglądała na kobietę po sześćdziesiątce. Rudozłociste włosy przybrały mysi odcień i mocno posiwiały, a tak pełne blasku i wyrazu dawniej jasnoniebieskie oczy stały się zupełnie matowe. Catherine była także zdecydowanie za szczupła, wręcz chuda.

Gdy wprowadziła go do salonu, po prostu nie mógł uwierzyć, że kiedyś była piękną młodą kobietą, którą poślubił z miłości. Urodziła się w Hiszpanii, lecz odziedziczyła słynną angielską cerę oraz kolor włosów, rzęs i brwi po prababce matki, angielskiej arystokratce; teraz żywe, przykuwające uwagę barwy wyblakły i Catherine stała się szara i nieatrakcyjna.

– Czemu tak na mnie patrzysz? – zapytała, siadając naprzeciwko Harry'ego. – Czy mam jakąś smugę na twarzy?

– Nie, nie! – wykrzyknął pośpiesznie. – Bardzo zeszczuplałaś, to wszystko. Zastanawiałem się, czy znowu stosowałaś jakąś dietę. Nie powinnaś się odchudzać, przecież wiesz.

Catherine potrząsnęła głową.

– Nie odchudzam się – powiedziała.

Chciała dodać, że po prostu tęskni za nim, ale nie zrobiła tego. Nie zamierzała się przed nim upokarzać.

Harry uśmiechnął się do niej serdecznie, zupełnie jakby czytał w jej myślach.

– Musisz powiedzieć, jeśli czegoś ci potrzeba, moja droga – rzekł. – Nie chcę, żebyś czuła się zaniedbana.

Popatrzyła na niego, kompletnie zaskoczona tą uwagą.

– To chyba oczywiste, że czuję się zaniedbana! – zawołała. – Tak rzadko cię widujemy, ja i Mary! Szczerze mówiąc, obie czujemy się zaniedbane!

Harry za późno uświadomił sobie swój błąd. Niepotrzebnie dotknął tego aspektu jej życia i zrozumiał, że musi teraz robić dobrą minę do złej gry.

– Przykro mi, to wszystko przez pracę – westchnął. – Wiesz, jak pochłaniają mnie sprawy związane z Deravenels.

– Wiem. Catherine spojrzała przez ramię na gospodynię, która właśnie wniosła dużą tacę z herbatą, kanapkami i ciasteczkami. – Proszę postawić to wszystko na stoliku do kawy, pani Aldford. Bardzo dziękuję.

Gospodyni uśmiechnęła się do niej, skinęła głową Harry'emu i wyszła.

– Tak, wiem, że firma zawsze była twoją pierwszą miłością – podjęła Catherine. – Nikt i nic nie liczy się dla ciebie bardziej niż Deravenels. A skoro już sam poruszyłeś ten temat, to myślę, że latem chętnie wyjechałybyśmy z Mary nad morze. Może do jakiegoś domku na wybrzeżu.

Utkwiła w nim czujne spojrzenie, a jej twarz stała się nagle surowa i twarda.

– Możesz mieć Waverley Court, jeśli tylko chcesz. Natychmiast przepiszę na ciebie akt własności.

Oczy Catherine rozbłysły, ale tylko na moment.

– Za jaką cenę?

– Za zgodę na rozwód, przecież wiesz.

– A ty znasz moją odpowiedź, prawda? – rzuciła ostro. – To niemożliwe. Cóż, mam biżuterię, którą dostałam od ciebie w czasie, gdy byliśmy razem, i część biżuterii po twojej matce. Zamierzam wystawić te rzeczy na aukcji albo sprzedać je prywatnie. W ten sposób zdobędę środki na kupno domu na wsi dla twojej córki i dla siebie.

Harry'ego zalała fala wyrzutów sumienia. Kiedyś był do szaleństwa zakochany w Catherine, a ona w nim. Była wdową po jego starszym bracie – ich małżeństwo trwało zaledwie parę miesięcy, potem Arthur rozchorował się i umarł. Po pewnym czasie ojciec Harry'ego zasugerował mu, aby poślubił Catherine. Harry nie miał nic przeciwko temu, ponieważ kochał się w Catherine od chwili, gdy jako młody chłopak kroczył za nią środkiem kościoła do ołtarza, przy którym czekał na nią jego brat. Tak więc pobrali się i byli ze sobą szczęśliwi, nie mógł temu zaprzeczyć. Mieli wiele wspólnego i czuli, że czeka ich wspaniała przyszłość; Catherine poroniła wprawdzie pierwsze dziecko, syna, którego tak pragnęli, lecz potem urodziła im się Mary i dała im mnóstwo radości.

Niestety, później Catherine miała kilka poronień i wydała na świat kilkoro martwych dzieci. W końcu się załamała, Harry dobrze o tym wiedział. Niemożność urodzenia syna sprawiła, że odwrócił się od niej. Harry Deravenel Turner za wszelką cenę pragnął mieć męskiego potomka, a jego żona nie była w stanie spełnić tego pragnienia.

Z każdym dniem coraz bardziej oddalał się od Catherine, aż wreszcie jego uwagę przykuła piękna ciemnowłosa młoda kobieta, szesnaście lat młodsza od niego, której fascynujący uśmiech i uroda zupełnie go zniewoliły. A gdy już raz uległ jej urokowi, był zgubiony. Liczyła się dla niego tylko ona, tylko jego Anne.

Przyglądał się teraz, jak Catherine nalewa herbatę, jak zwykle dystyngowana i pełna gracji. Nie ulegało wątpliwości, że była kulturalną, wykształconą kobietą, od której naprawdę dużo się nauczył. Pasowali do siebie, było im razem dobrze i właściwie nigdy się nie kłócili. Wspólne zainteresowania dawały im mnóstwo przyjemności, lecz powoli życie Harry'ego zaczęło się zmieniać, podobnie jak jego miłość do żony.

W głębi serca od dawna wiedział, że to, co nieuniknione, musi się stać. Tak mocno zakochał się w uroczej, ciemnookiej Anne Bowles, że nie potrafił z niej zrezygnować. Był całkowicie pod jej urokiem, spętany pożądaniem. Kiedy znalazł się w zaborczych ramionach Anne, Catherine nie miała żadnych szans. Harry nie mógł i nie chciał uwolnić się spod wpływu Anne, świetnej partnerki w łóżku i wspaniałej towarzyszki poza nim.

Wszystkie te wspomnienia i spostrzeżenia kłębiły się w głowie Harry'ego, Catherine natomiast myślała o siedzącym naprzeciwko niej mężczyźnie, swoim ukochanym mężu. Harry wyraźnie utył i chociaż przy wysokim wzroście nie wyglądał źle z większą wagą, zdaniem Catherine powinien zachować szczuplejszą sylwetkę. Tak czy inaczej, nadal był jednak najprzystojniejszym mężczyzną, jakiego kiedykolwiek widziała. Z rudozłocistymi włosami, intensywnie błękitnymi oczami, potężną klatką piersiową i długimi nogami imponował męską urodą i charyzmą.

Przypomniała sobie, że kiedyś mieli włosy w tym samym odcieniu. Ciekawe, że Mary w ogóle nie była do nich podobna. Ciemne włosy i oczy odziedziczyła pewnie po hiszpańskich przodkach.

Harry Turner był magnatem przemysłowym, jednym z największych przedsiębiorców na świecie, lecz Catherine uświadomiła sobie nagle, że ostatnio mało czytała o nim w prasie.

– Jak tam sprawy Deravenels? – zagadnęła, podając mu filiżankę z herbatą. – Podpisałeś jakieś ważne umowy?

Wziął filiżankę z jej rąk i zrobił zabawną minę.

– Niestety, w tej chwili nie dzieje się nic szczególnego, ale wiesz przecież, że to chwilowy zastój, znasz mnie. Mam na oku kilka interesujących firm.

– I zamierzasz je przejąć, prawda? – Zanurzyła usta w herbacie i wskazała talerz z małymi migdałowymi ciasteczkami. – To twoje ulubione, częstuj się, proszę.

– Makaroniki! Sama je upiekłaś?

– Tak, specjalnie na twoje urodziny... – na chwilę zawiesiła głos. – Zawsze uważałam, że przejmowane przez ciebie firmy wcale nie wychodzą źle na utracie niezależności. Dzięki Bogu, nie obdzierasz ich z zysków, tylko dopingujesz do pracy.

Harry popatrzył na nią spod lekko zmrużonych powiek. Zdążył już zapomnieć, że bardzo lubiła rozmawiać z nim o interesach i naprawdę dobrze orientowała się w świecie biznesu. Nagle pomyślał o córce i przypomniał sobie słowa Tommy'ego.

– Gdzie jest Mary? – zapytał. – Myślałem, że będzie na moim urodzinowym podwieczorku.

– Zaraz przyjdzie. Chciała dać nam trochę czasu na swobodną rozmowę, sam rozumiesz.

– Tak. – Harry przełknął ciastko i popił je herbatą. – Zastanawiałem się właśnie. Czy wiesz, co Mary zamierza robić? Czym chciałaby się w przyszłości zająć?

– Jak dobrze wiesz, interesuje się sztuką, ale na razie nie ma żadnych konkretnych pomysłów. Może powinieneś z nią porozmawiać.

Harry skinął głową.

– Zrobię to zaraz po powrocie z Paryża – obiecał.

– Kiedy wyjeżdżasz?

– Jutro.

– Na pewno zamierzasz wydać tam przyjęcie z okazji urodzin. – Catherine obrzuciła go lodowatym spojrzeniem.

Automatycznie potrząsnął głową. Po co drażnić niebezpieczną bestię, pomyślał.

– Nie, nic z tych rzeczy – odparł z lekkim uśmiechem. – Jadę do Paryża w interesach, to dość pilna sprawa.

Catherine zwróciła głowę ku drzwiom i jej twarz rozjaśnił pełen czułości i dumy uśmiech. Harry podążył za jej wzrokiem. W progu saloniku stała jego córka Mary, smukła, wysoka i piękna. Weszła do pokoju, niosąc kilka zawiniętych w barwny papier paczek, szeroko uśmiechnięta, z oczami lśniącymi radością.

Harry odkrył nagle, że jej widok sprawił mu ogromną przyjemność.

– Witaj, tato! – powiedziała. – Tak się cieszę, że przyjechałeś! Wszystkiego najlepszego z okazji urodzin, chociaż to dopiero jutro.

– Uściskaj ojca, skarbie! – Harry podniósł się i rozłożył ramiona.

Mary pośpiesznie położyła prezenty na krześle, rzuciła się prosto w objęcia ojca i przylgnęła do niego na chwilę, pełna miłości i tęsknoty.

Harry został w domu przy Eaton Square kilka godzin, ciesząc się towarzystwem Mary, a chwilami także Catherine. Żona zawsze potrafiła go rozbawić i tym razem także jej się to udało. W pewnym momencie przyszło mu nawet do głowy, że gdyby dała mu syna, na pewno by od niej nie odszedł; nadal byliby szczęśliwą rodziną, a jego życie wyglądałoby zupełnie inaczej. I jej także. Wszyscy troje uniknęliby tragedii rozstania.

ROZDZIAŁ
PIĘĆDZIESIĄTY ÓSMY

Paryż

Anne Bowles szybkim krokiem szła Avenue Montaigne, nerwowo szukając wzrokiem taksówki. Chociaż zupełnie nie zdawała sobie z tego sprawy, pochłonięta sprawami zawodowymi, wyglądała cudownie i ludzie zerkali na nią z podziwem. Miała na sobie bardzo prosty strój – obcisłe czarne dżinsy, białą płócienną bluzkę koszulową, czarne sandały na wysokim obcasie, a do tego kolczyki z dużymi perłami. Na ramieniu niosła dużą czarną sakwę z grubego czarnego płótna i torbę od Chanel, z białej pikowanej skóry.

Anne miała własny styl, zaprawiony galijskim szykiem, a przede wszystkim niezwykłą, rzucającą się w oczy urodę. Długie ciemne włosy opadały jej prawie do pasa, a czarne jak węgiel oczy lśniły w delikatnej twarzy o szlachetnych rysach. Kobietom zwykle imponowała jej elegancja i próbowały ją naśladować, natomiast mężczyźni uważali ją za niebywale seksowną i pragnęli pójść z nią do łóżka.

Kiedy taksówka zatrzymała się obok niej z piskiem opon, Anne wskoczyła do środka i doskonałym francuskim podała kierowcy adres.

Nie ulegało wątpliwości, że Anne była najprawdziwszą miłośniczką wszystkiego, co francuskie. Mieszkała w Paryżu, z niewielkimi przerwami, praktycznie od dziecka. Wyjechała z Anglii wraz z rodzicami i starszą siostrą, i błyskawicznie nauczyła się francuskiego; władała tym językiem równie dobrze jak angielskim i wolała się nim posługiwać, wolała też zresztą mieszkać w Paryżu niż w Londynie.

Kiedy jej ojciec, brytyjski dyplomata, został wraz z rodziną odwołany z placówki do Londynu, Anne czuła się w tym mieście dziwnie nieswojo i już po paru latach wróciła do Miasta Światła studiować historię sztuki na Sorbonie. Po otrzymaniu dyplomu otworzyła sklep z antykami na Lewym Brzegu, a dwa lata później drugi w Londynie. Teraz stale podróżowała między dwoma miastami, polegając na swoich błyskotliwych asystentach, jednym w Londynie, drugim w Paryżu. Przed rokiem rozszerzyła asortyment usług i została cieszącą się sporą popularnością dekoratorką wnętrz.

Teraz była w drodze do siódmej dzielnicy, którą to część miasta najbardziej lubiła. Miała nawet nadzieję, że kiedyś będzie mogła kupić sobie tam mieszkanie. Na razie mieszkała w stosunkowo nowoczesnym budynku przy Avenue Montaigne, głównie dlatego, że Harry lubił zatrzymywać się w hotelu Plaza Athénée, który znajdował się przy tej właśnie alei.

Anne skupiła teraz myśli na swojej najnowszej klientce, uroczej Amerykance Jill Handelsman, która ostatnio kupiła przepiękne mieszkanie przy rue de Babylone. Jill zatrudniła Anne do zaprojektowania wystroju lokalu i Anne była całkowicie pochłonięta tym zadaniem. Jej klientka miała doskonały gust i uwielbiała francuskie antyki – może właśnie dlatego od razu się polubiły i z przyjemnością ze sobą współpracowały. Mąż Jill był projektantem mody w Nowym Jorku, a ponieważ spędzał mnóstwo czasu we Francji, oboje zdecydowali się kupić mieszkanie w Paryżu.

Tego popołudnia Anne miała przejrzeć z Jill próbki tkanin dekoracyjnych i pokazać klientce plany poszczególnych pokoi. Rozstawienie mebli miało dla Anne ogromne znaczenie; zależało jej, aby kupione przez Jill antyki zostały jak najkorzystniej wyeksponowane.

Taksówka powoli torowała sobie drogę przez zatłoczone paryskie ulice i często przystawała, nic więc dziwnego, że po pewnym czasie myśli Anne zaczęły krążyć wokół Harry'ego Turnera. Harry miał przyjechać następnego dnia, aby świętować z nią swoje urodziny i dziewczyna postanowiła, że przed jego poniedziałkowym powrotem do Londynu musi odbyć z nim poważną rozmowę.

Zamierzała porozmawiać z Harrym o ich związku, który jej zdaniem utknął w martwym punkcie. Była jego dziewczyną, ale nie chciała zamieszkać z nim na stałe i zostać jego oficjalną kochanką. Zawsze miała poważne wątpliwości co do takiego kroku, wiedziała bowiem, że jej rodzina, a zwłaszcza nieco staroświecki w swych poglądach ojciec, na pewno tego nie zaakceptuje. Anne miała prawie dwadzieścia sześć lat i była naprawdę zmęczona – pragnęła związać się na dobre i złe z ukochanym mężczyzną, mężczyzną, z którym chciałaby żyć i mieć dzieci.

Poprzedniego wieczoru jej brat Greg zaprosił ją do siebie na kolację i zaczął wypytywać o Harry'ego. Od razu dał jej do zrozumienia, że powinna „popchnąć ten związek do przodu albo go zakończyć". Wygłosił też poważny wykład na temat Harry'ego, mężczyzny o szesnaście lat starszego od Anne oraz obciążonego więzami z opętaną religijną manią żoną, jak to ujął. Anne, naturalnie, świetnie wiedziała, że Catherine nie jest maniaczką religijną, ale po prostu wierną Kościołowi katoliczką, która w ogóle nie brała pod uwagę możliwości rozwodu, ponieważ uważała takie rozwiązanie za zdradę wobec swojej religii.

Anne westchnęła. Greg przeniósł się teraz na stałe do Paryża, mogła więc spodziewać się wielu podobnie poważnych kazań; było to nieuniknione.

Taksówka zatrzymała się wreszcie przed dziewiętnastowieczną kamienicą z ogromną bramą. Anne zapłaciła taksówkarzowi i przez małą boczną furtkę dostała się na brukowane podwórko. Wsunęła głowę do malutkiego pokoiku dozorcy, przywitała go promiennym uśmiechem i pobiegła korytarzem do mieszkania Jill Handelsman.

Przyjechała pierwsza i szybko przeszła z holu do salonu, którego okna wychodziły na ogród. Nie był duży, mógł jednak poszczycić się żywopłotem, kilkoma drzewami oraz trawnikiem z fontanną w rogu. Za wysokimi francuskimi oknami znajdował się nawet niewielki taras, na którym Anne planowała umieścić stolik i krzesła, aby w ciepłe dni można tam było napić się czegoś i spożyć posiłek.

Weszła do jadalni, wysypała przyniesione próbki na stół i obejrzała się, słysząc zgrzyt klucza w zamku. Chwilę później w drzwiach pokoju stanęła Jill i przywitała Anne szerokim uśmiechem.

– Przyniosłam próbki, żebyśmy mogły sprawdzić, jak te kolory będą prezentować się w salonie – powiedziała Anne, kiedy uściskały się serdecznie. – Nadal uważam, że najlepszy efekt da połączenie rozmaitych odcieni kremowego oraz różu.

– Zgadzam się z tobą. – Jill podeszła do stołu, na którym leżały próbki.

– W pokoju będzie kilka gatunków drewna – wyjaśniła Anne. – Nie zamierzamy też zupełnie zakrywać podłogi. Dużo kremowych tkanin o zróżnicowanej fakturze, a tu i ówdzie zielony akcent z dodatkiem różu to idealne rozwiązanie dla pokoju z widokiem na ogród.

– Masz całkowitą rację – przytaknęła Jill.

Usiadły przy stole i przejrzały materiały, a kiedy ostatecznie dokonały wyboru, Anne pokazała klientce plany pomieszczeń, tłumacząc, gdzie staną meble i sprzęty.

– Zajrzymy teraz do każdego pokoju z osobna. Anne wstała z miejsca. – Pokażę ci, jak to będzie wyglądać i omówimy projekt. Oboje z Martym musicie czuć się tu całkowicie swobodnie, a moim zadaniem jest przedstawienie wam wszystkich możliwych rozwiązań…

– Tak się cieszę, że cię znalazłam. – Jill z sympatią popatrzyła na młodą Angielkę.

Polubiła Anne od razu, od chwili, kiedy poznała ją w sklepie z antykami, kiedy zaś dowiedziała się, że dziewczyna zajmuje się także projektowaniem wnętrz, niezwłocznie ją zatrudniła. Pomyślała teraz, że ta utalentowana młoda kobieta ma w sobie coś wyjątkowego, posiada też doskonały gust, fantazję oraz oko do mebli, obrazów, tkanin i innych pięknych przedmiotów. Jill od początku uznała Anne za niezwykłe odkrycie i przyszło jej nawet do głowy, aby poprosić nową znajomą o zaprojektowanie nowego wystroju wnętrz w domu w Nowym Jorku. Jako osoba wrażliwa, wyczuła w Anne pewien smutek czy może osamotnienie; zaczęła zastanawiać się nad jej życiem osobistym, ale nigdy o nic nie pytała. Była zbyt dobrze wychowana i w żadnym razie nie chciała przekraczać granic prywatności.

Przeszły przez całe mieszkanie i znalazły się w sypialni.

– Wydaje mi się, że łóżko powinno stanąć pod tą ścianą, nie sądzisz, Jill? – zapytała Anne.

Jill pośpiesznie otrząsnęła się z zamyślenia.

– Tak, to w gruncie rzeczy jedyna ściana, jaką można brać pod uwagę. – Kiwnęła głową. – Cudownie jest mieć w sypialni kominek, prawda? Zimą będzie tu naprawdę bardzo przytulnie.

– Wyobrażam sobie. – Anne stanęła pod przeciwległą ścianą. – Świetnie będzie tu pasować komoda z wiśniowego drewna, która tak podobała ci się w sklepie. Przypadkiem mam też dwa nocne stoliki i dwie kryształowe lampy! Jeszcze trochę i skończymy! – zaśmiała się lekko.

– Mam nadzieję, że nie oznacza to końca naszej znajomości – mruknęła Jill, która w ciągu minionych miesięcy szczerze polubiła Anne Bowles.

– Prawie zawsze część tygodnia spędzam w Paryżu, przecież wiesz! – powiedziała Anne. – Zawsze możemy się umówić na lunch albo spotkać wieczorem... Chciałabym też, żebyś poznała mojego młodszego brata Grega. Mieszka tu teraz, ponieważ pracuje w paryskim oddziale brytyjskiego banku.

– Doskonały pomysł! – zawołała Jill. – Na pewno cieszysz się, że twój brat jest teraz tutaj, blisko ciebie!

– Oczywiście, tyle tylko, że Greg często poucza mnie na temat mojego życia. – Anne przerwała i wzruszyła ramionami.

Nagle przelękła się, że mogłaby zwierzyć się ze swoich kłopotów tej miłej Amerykance, która wydawała się tak dobrze ją rozumieć.

Nikt nie miał przecież pojęcia, jak skomplikowane były jej uczucia do Harry'ego Turnera.

R O Z D Z I A Ł
PIĘĆDZIESIĄTY DZIEWIĄTY

Anne stała przy oknie swojego salonu, wychodzącym na Avenue Montaigne. Miała nadzieję zobaczyć Harry'ego, gdy będzie przechodził przez ulicę po wyjściu z hotelu. Obiecał wpaść po nią o siódmej.

Zerknęła na zegarek – do siódmej pozostało jeszcze pięć minut. Uśmiechnęła się do siebie, myśląc o tym, jak staroświecki był Harry pod pewnymi względami i jak doskonale wychowany.

Kiedy rano rozmawiała z nim przez telefon, parę godzin przed jego wyjazdem z Londynu, powiedział, że przyjdzie po nią i razem pójdą do Plaza Athénée. Anne mogła przecież sama przejść na drugą stronę ulicy i spotkać się z nim w restauracji, ale nie chciał nawet o tym słyszeć.

Sekundę później usłyszała zgrzyt klucza w zamku, odwróciła się i szybko wyszła do holu.

Harry wszedł, zamknął za sobą drzwi i z uśmiechem ruszył w jej stronę.

Jak zawsze, gdy widziała go po dłuższym czasie, serce podskoczyło jej do gardła i w jednej chwili ogarnęło ją uczucie niezwykłego podniecenia, coś, czego nigdy nie odczuwała w stosunku do żadnego innego mężczyzny. Jak wspaniale wyglądał w idealnie skrojonym granatowym garniturze z jedwabiu, z całą pewnością uszytym w najlepszym zakładzie krawieckim przy Saville Row. Śnieżnobiała koszula podkreślała lekką opaleniznę, a błękitny krawat był niczym echo barwy jego oczu. Harry był świetnie ubrany i zadbany, od obutych w błyszczące czarne mokasyny stóp aż po doskonale ostrzyżoną głowę.

Spotkali się na środku holu. Harry spojrzał na Anne, nagle bardzo poważnie, otoczył ją ramionami i bez słowa mocno przytulił do piersi. Anne przywarła do niego; w tej chwili nie miała cienia wątpliwości, że nigdy go nie opuści, w każdym razie na pewno nie z własnej woli. Kiedy pocałował ją w czubek głowy i jeszcze mocniej wtulił w swoje ciało, wszystkie zmartwienia i troski, od tygodni ciążące jej niczym kamień, rozpłynęły się jak poranna mgła. Nie mogła oprzeć się wrażeniu, że ktoś zdjął potężny ciężar z jej ramion i rozluźniła się w uścisku.

– Boże, ależ za tobą tęskniłem – zamruczał jej do ucha. – Moje życie jest nic niewarte bez ciebie, chcę, żebyś o tym wiedziała.

– Ja też tęskniłam za tobą – odparła. – I bardzo się denerwowałam, ale teraz wszystko jest już w porządku.

Harry uniósł jej głowę. Długą chwilę wpatrywał się w jej twarz, potem zaś schylił się i pocałował w usta.

Pocałunek trwał i trwał, ponieważ Anne odpowiedziała z entuzjazmem, z nie mniejszą namiętnością. W końcu Harry odsunął się lekko i popatrzył na nią roześmianymi oczami.

– Jeżeli natychmiast nie wyjdziemy, nie wyjdziemy w ogóle – powiedział.

Anne roześmiała się i skinęła głową. Podeszła do stojącej w rogu skrzyni i wróciła z wieczorową torebką z czarnego jedwabiu, pasującą do czarnych jedwabnych pantofelków na obcasie i uderzająco kontrastującą z białą jedwabną sukienką z czarnym skórzanym paskiem wokół smukłej talii.

– Jestem gotowa – oznajmiła, biorąc go pod ramię.

Podeszli do drzwi, lecz Anne zatrzymała go jeszcze na moment.

– Wszystkiego najlepszego z okazji urodzin, kochanie – wyszeptała, wspinając się na palce, aby musnąć jego wargi delikatnym pocałunkiem.

Kiedy przechodzili przez hotelowy hol, zmierzając do restauracji na wewnętrznym dziedzińcu, wszyscy przyglądali im się z zainteresowaniem. Nic dziwnego – stanowili zachwycającą parę, oboje elegancko ubrani, przystojni i tak wyraźnie zakochani.

Szef restauracji natychmiast pośpieszył im na spotkanie.

– Dobry wieczór, panie Turner. Czeka na państwa stolik w rogu, jak zwykle.

Harry z uśmiechem skinął głową i poprowadził Anne do swego ulubionego stolika pod jedną z porośniętych powojem ścian.

– *Merci beaucoup* – podziękował, widząc butelkę najlepszego szampana w srebrnym wiaderku z lodem. – Chyba na początek wypijemy kieliszek.

– *Oui, monsieur* – odparł szef restauracji, ruchem ręki przywołując kelnera.

Kiedy im podano musujące wino, Anne i Harry lekko stuknęli się kieliszkami.

– Mam dla ciebie prezent, kochany – powiedziała Anne. – Jest w mojej torbie, ale wolałabym dać ci go trochę później.

Harry z uśmiechem potrząsnął głową.

– Chciałbym dostać go od razu, jeśli ci to nie przeszkadza – rzekł. – Wiesz, że jestem jak dziecko, jeśli chodzi o prezenty.

Anne otworzyła czarną torebkę i wyjęła małe czerwone puzderko od Cartiera.

– Nie przyszło mi do głowy, że będziesz chciał otworzyć je publicznie, dlatego nie zapakowałam go jak należy.

Harry, wciąż radośnie uśmiechnięty, podniósł wieczko puzderka i ujrzał na czarnym aksamicie złote spinki do mankietów. Jego oczy rozszerzyły się ze zdziwienia. Na jednej widniała emaliowana biała róża, otoczona maleńkimi brylancikami, na drugiej taka sama, tyle że czerwona.

– Są przepiękne! – wykrzyknął. – Absolutnie wyjątkowe! Dziękuję, kochanie!

Sięgnął po dłoń Anne i ucałował ją gorąco.

– Ja też mam coś dla ciebie – powiedział cicho. – Mały prezent, który także wolałbym dać ci później.

– Co to takiego? – jej ciemne oczy zabłysły ciekawością.

– Jeżeli ci powiem, nie będziesz miała niespodzianki, prawda?

– Masz rację. I bardzo się cieszę, że spinki tak ci się podobają! Pomyślałam, że przypadną ci do gustu. Biała róża Yorków i czerwona Lancasterów. Rody Deravenelów i Turnerów, wreszcie połączone w jednej dynastii przez twoich rodziców.

– Jestem nimi zachwycony. – Harry pociągnął łyk szampana. – Mam ci dużo do powiedzenia, skarbie, ale na razie cieszmy się swoją obecnością. No i zajrzyjmy do menu, co ty na to?

– Mówisz tak poważnie. – Anne lekko ściągnęła brwi. – Czy w Deravenels wszystko w porządku?

– W jak najlepszym! W sobotę wieczorem Charles dał mi najwspanialszy prezent urodzinowy – przerwał na chwilę i roześmiał się. – Oczywiście najwspanialszy po twoim, kochanie! – Znowu sięgnął po jej dłoń. – Znalazł dwie firmy, które prawdopodobnie uda nam się przejąć. Obie doskonale pasują do profilu Deravenels, więc już w przyszłym tygodniu będziemy mogli zacząć nad nimi pracować.

– Nad obiema czy tylko nad jedną?

– Nad obiema, bo mamy środki na zakup obu. Jedna to sieć przetwórni żywności, idealny dodatek do naszego działu win, alkoholi i produktów spożywczych, a druga to coś, o czym od dawna marzyłem…

– Ropa naftowa! – przerwała mu Anne. – Charles znalazł firmę zajmującą się wydobywaniem ropy!

– Strzał w dziesiątkę, skarbie! Charles ma świetne wyczucie, naprawdę! Jedyna trudność polega na tym, że mam dwóch konkurentów, obu z najwyższej półki biznesu!

– To Jimmy Hanson i Gordie White. – Anne popatrzyła na niego uważnie. – Mam rację, tak?

– Prawie, ale nie do końca! Dobry stary James Hanson, tak, a razem z nim jego partner, mój dobry znajomy Gordon White, lecz ich traktuję jako całość, ponieważ są współwłaścicielami firmy. Drugim finansistą, który poluje na te firmy, jest Jimmy Goldsmith.

– Błyskotliwy biznesmen! – kiwnęła głową Anne. – Podobno niepokonany.

– Wszyscy trzej cieszą się taką opinią, lecz spróbuję ich jakoś podejść. Jak dobrze wiesz, postanowiłem przejść z Deravenels na nowy etap rozwoju. Mój ojciec dbał, aby firma działała jak należy, ale nie podejmował żadnych śmiałych kroków, bo był zbyt ostrożny i nie chciał ryzykować, no i był raczej skąpy. Przedwczoraj rozmawiałem o tym z Johnem Dudleyem, który przyznał mi rację. Jego ojciec, pracował dla mojego ojca przez wiele lat – w Deravenels zawsze byli Dudleyowie. Tak czy inaczej, stwierdziliśmy, że obaj nasi ojcowie byli nadzwyczaj oszczędni i woleli nie podejmować ryzyka.

– Natomiast ty uwielbiasz ryzykować, Harry, i bardzo słusznie! Greg zawsze mi powtarza, że pieniądze pracują na pieniądze, więc trzeba nimi obracać, nie pozwalać, aby pokrywały się kurzem.

Harry parsknął śmiechem.

– Ciekawe określenie! Co u twojego brata?

– Wszystko w porządku, przesyła ci serdeczne pozdrowienia. Lubi mieszkać w Paryżu i świetnie sobie radzi w banku.

– To dobrze! Przejrzymy teraz menu?
– Naturalnie. Powinniśmy zacząć od kawioru, bo to przecież twoje urodziny.
– Zawsze masz doskonałe pomysły, Anne!

Pod koniec kolacji, kiedy kelner podał im kawę, Harry sięgnął do kieszeni marynarki.

– Mam tu coś dla ciebie. Podaj mi rękę, kochanie!

Anne popatrzyła na niego niepewnie i wyciągnęła prawą dłoń.

– Nie, nie tę! Lewą, skarbie!

Nadal wpatrując się w niego z zaniepokojeniem, rozszerzonymi czarnymi oczami, spełniła jego prośbę i gwałtownie wciągnęła powietrze, gdy wsunął na jej serdeczny palec pierścionek z olbrzymim dwudziestokaratowym brylantem.

– O, Boże, jaki cudowny! – Chwilę przyglądała się przejrzystemu klejnotowi w kształcie gruszki, a potem spojrzała Harry'emu prosto w oczy. – Czy to znaczy, że prosisz mnie o rękę? – spytała bez tchu.

– Wiesz przecież, że zrobiłbym to, gdybym mógł, ale, niestety, nie mogę, kochanie.

– Więc nic się nie zmieniło – szepnęła, w jednej chwili posmutniała i zachmurzona. – Jak mogę nosić ten pierścionek, skoro dalej nie jesteś w stanie mnie poślubić? Na serdecznym palcu?

Harry przechylił się przez stół; jego przystojna twarz była bardzo poważna i skupiona.

– Posłuchaj, kochanie, nie mogę tak dalej żyć, wierz mi! Chcę, żebyś zamieszkała ze mną otwarcie, zupełnie oficjalnie! Jeżeli to zrobisz, może Catherine poczuje się zażenowana i da mi rozwód, chociaż raczej w to wątpię. Widzisz, wolę być z tobą absolutnie szczery! Tak czy inaczej, uważam, że powinniśmy uczynić nasz związek trwalszym niż dotąd. Możemy być przecież tacy szczęśliwi.

– Moja rodzina nigdy tego nie zaakceptuje, zwłaszcza ojciec! – ciemne oczy Anne przybrały wyraz głębokiego zaniepokojenia. – Dostanie ataku serca! Zresztą ja także trochę obawiam się takiego kroku.

– Wiem o tym i dlatego chciałbym podzielić się z tobą paroma myślami, kochanie! Po pierwsze, nie oczekuję, że zamieszkasz ze mną w domu przy Berkeley Square – zdaję sobie sprawę, że nigdy byś się na to nie zgodziła. Jestem gotowy kupić ci większe mieszkanie albo nawet dom. Dowiadywałem się już w paru miejscach i powiedziano mi, że w Mayfair jest w tej chwili do kupienia kilka naprawdę interesujących nieruchomości. Kiedy będziesz miała swoje własne, odpowiednio duże mieszkanie, zamieszkam w nim z tobą, będę spędzał tam większość czasu. Wypracujemy pewien styl postępowania, pewną rutynę, i nikt nie będzie mógł wtrącać się do naszego życia. Zatroszczę się również o twoją przyszłość, na wypadek, gdyby coś mi się stało – założę dla ciebie fundusz powierniczy i dam ci wszystko, co wyda ci się niezbędne dla zabezpieczenia przyszłości.

– Sama nie wiem, Harry – szepnęła z wahaniem Anne.

Był wprawdzie rok 1970 i po szalonych latach sześćdziesiątych nastawienie do wolnych związków uległo zasadniczej zmianie, lecz Anne świetnie wiedziała, że nadal istnieją pewne reguły postępowania, których należy przestrzegać, a w każdym razie brać pod uwagę. Niezależnie od tego, co zrobią oboje z Harrym, jej ojciec na pewno nie krył by rozczarowania i gniewu, nie mogła także beztrosko przekreślić kwestii szacunku do samej siebie. Jak by się czuła, mieszkając z żonatym mężczyzną? Skoro miał żonę, to nigdy naprawdę nie należałby do niej...

– Nie chcesz spędzić ze mną reszty życia, Anne?

– Ależ chcę, naprawdę chcę, kochany! Kiedy zobaczyłam cię dzisiaj, po dwóch tygodniach rozstania, uświadomiłam sobie, że nie byłabym w stanie odejść od ciebie. Zależy mi jednak na normalnym życiu, chcę mieć dzieci, a ty musisz mieć spadkobiercę, prawda? Wiem też, że nie czułabym się dobrze jako matka nieślubnego dziecka, zresztą nieślubny syn nie mógłby po tobie dziedziczyć.

– Mógłbym uznać go oficjalnie, dać mu swoje nazwisko i uczynić spadkobiercą w testamencie. Ja wiem, że dasz mi syna i chcę, aby stało się to teraz, dopóki jeszcze jestem stosunkowo młody, abym mógł obserwować, jak rośnie i cieszyć się nim. Och, zróbmy to, Anne!

– Ale moja rodzina...

– Nie chcę o nich słuchać – przerwał jej. – To twoje życie i moje, nie ich! Pomyśl tylko, jak wiele zależy od twojej decyzji.

– Masz rację, faktycznie powinnam myśleć o sobie, no i o tobie. Wydaje mi się jednak, że byłoby nam łatwiej, gdybyśmy zamieszkali w Paryżu. Nie czułabym wtedy, że rzucam im wszystkim wyzwanie.

– To doskonały pomysł! – zawołał Harry, gotowy wykorzystać każdą szansę. – Założę się, o co chcesz, że znajdę dla nas idealne mieszkanie w siódmej dzielnicy, twojej ulubionej! – Uśmiechnął się szeroko. – Będziemy mieli także dom w Londynie! Zgódź się, Anne, bardzo cię proszę.

– Dobrze – powiedziała cichym, drżącym głosem, nie kryjąc wahania.

Harry zrozumiał, co czuła i mocno chwycił ją za rękę.

– Wszystko będzie dobrze, zaufaj mi! – zapewnił. – Będziemy mieli dwa wygodne domy, a ja będę chronił cię pod każdym względem, prawnym i finansowym, żebyś zawsze, niezależnie od okoliczności, czuła się bezpieczna. Wracajmy teraz do ciebie, co ty na to? Chcę być z tobą, chcę trzymać cię w ramionach! To dość pilna sprawa, kochanie, wierz mi.

Gdy tylko zamknęli za sobą drzwi, Harry zaczął całować ją namiętnie, ani na chwilę nie przestając. Do sypialni dotarli mocno objęci. Tam Harry przystanął i na moment odsunął Anne na odległość wyciągniętych ramion, z powagą patrząc jej w oczy.

– Pragnę ciebie i tylko ciebie, na resztę życia. Bo to ty jesteś moim życiem, najdroższa.

– Och, Harry... – szepnęła, podchodząc bliżej i opierając głowę na jego piersi. – Och, kochany.

– Kocham cię – Harry wtulił usta w jej włosy.

– Kocham cię – zawtórowała stłumionym głosem.

Odsunął się znowu, tym razem po to, aby odpiąć jej pasek i rzucić go na podłogę. Chwilę później obok paska spoczęła biała jedwabna suknia, zaś Anne podniosła ręce, aby rozluźnić węzeł jego krawata.

Harry szybko zrzucił marynarkę i po paru sekundach oboje leżeli już na łóżku. Tulił ją do siebie, cicho szepcząc jej imię i całując pasma ciemnych włosów. Nachylił się nad nią i zaczął całować jej czoło, powieki, szyję i piersi; szeptem opisywał, co zamierza jej zrobić i czego spodziewa się po niej. Pieścił wszystkie zakamarki jej ciała tak długo, aż zaczęła drżeć i szybko oddychać.

Jak zwykle czuła się zniewolona męską urodą Harry'ego. W większym stopniu niż jakikolwiek inny znany jej mężczyzna roztaczał wokół siebie aurę seksualnego magnetyzmu, był też wytrwałym i doświadczonym kochankiem. Pożądała go tak mocno, że aż kręciło jej się w głowie.

Oboje z równą siłą pragnęli fizycznego połączenia, wiedzieli, że chcą stać się jednym, przekroczyć granice wzajemnej odrębności. Harry całował Anne tak gwałtownie i namiętnie, że ich zęby ocierały się o siebie. Wsunął ręce pod jej plecy i uniósł ją ku sobie, z całej siły przyciskając do piersi. Umierał z pragnienia, lecz jednocześnie chciał dalej cieszyć się jej smakiem i dać jej rozkosz, jeszcze raz pozwolić jej przeżyć ekstazę. Powoli opuścił ją na poduszki.

– Chcę, żebyśmy mieli dziecko, Anne. Pragnę tego z całego serca.

Lekko dotknęła jego policzka, musnęła opuszkami palców szyję. Ani na chwilę nie przestawała patrzeć mu prosto w oczy.

– Ja także – odszepnęła żarliwie. – Pocznijmy dziecko, Harry, teraz. Kocham cię, tak bardzo cię kocham.

Nie panując nad sobą dłużej, przygarnął ją jeszcze bliżej. Wszedł w nią i zaczął się poruszać, nie odrywając wzroku od jej twarzy. Anne otworzyła oczy i popatrzyła na niego. W ciemnych źrenicach ujrzał odbicie miłości, którą do niego czuła i nagle zalała go fala ogromnego szczęścia i radości.

Anne zaczęła poruszać się pod nim, unosząc w górę biodra. Harry natychmiast dopasował się do jej ruchów; wkrótce odnaleźli wspólny rytm. Trzymał ją w ramionach, mocno, prawie brutalnie, wchodząc w nią gwałtownie i głęboko. Kochał się z nią z większym zapałem i podnieceniem niż z innymi kobietami, które miał przed nią. Żadna z nich nie mogła się z nią równać, żadna nie była tak ekscytująca, wymagająca i zmysłowa. Objęła go nogami, zacisnęła drobne dłonie tuż nad jego pośladkami.

Jak z oddali usłyszał jej głos, wykrzykujący jego imię. Gdy zaczęła szczytować, mocniej ogarnął ją ramionami i wreszcie eksplodował w jej wnętrzu, wstrząsany potężnymi dreszczami. Raz po raz powtarzał jej imię, mówił, że należą do siebie i nic nigdy tego nie zmieni.

– Spłodziliśmy syna, kochanie – szepnął dużo później, kiedy leżeli objęci, zdyszani i cudownie zmęczeni. – Mojego spadkobiercę… Jestem tego absolutnie pewny.

ROZDZIAŁ
SZEŚĆDZIESIĄTY

Nowy Jork, 1971

Charles Brandt siedział w sali zarządu firmy TexMax Oil przy Piątej Alei i rozmawiał z trzema najważniejszymi jej przedstawicielami. TexMax Oil nie należała do największych firm trudniących się wydobywaniem ropy naftowej, ale miała doskonałe wyniki i właśnie dlatego należąca do Harry'ego Turnera firma Deravco planowała ją przejąć.

Charles odpowiadał na pytania dotyczące Deravco, założonej przez Edwarda Deravenela w latach dwudziestych i przedstawiał skład jej zarządu, lecz nagle okazało się, że jego rozmówcy wolą dowiedzieć się czegoś o Harrym Turnerze.

– Jesteś doskonałym negocjatorem, Charles – oświadczył Peter Proctor, prezes firmy naftowej. – Rozmowy przebiegły tak, jak tego oczekiwaliśmy i jesteśmy przekonani, że wspólnie uda nam się osiągnąć dużo więcej niż w pojedynkę. – Obrzucił Charlesa szacującym spojrzeniem. – Wszyscy trzej jesteśmy jednak bardzo ciekawi, jakim człowiekiem jest nowy właściciel naszego przedsiębiorstwa Harry Turner.

Charles czujnie popatrzył na Petera Proctora, którego nauczył się cenić i podziwiać, Maksa Nolana, prezesa zarządu TexMax oraz Tony'ego Nolana, jego syna i drugiego większościowego udziałowca firmy.

– Niedługo go poznacie – powiedział, przywołując czarujący, przyjazny uśmiech. – Musiał zostać jeszcze chwilę w hotelu, ponieważ rozmawiał przez telefon z żoną, która jest w ciąży.

– Mam nadzieję, że wszystko w porządku. – W głosie Maksa Nolana zabrzmiała nuta szczerej troski. – Sam jestem ojcem i dziadkiem, więc mam spore doświadczenie w takich sytuacjach. Moja córka Kathy Sue dopiero co urodziła drugie dziecko i nie obyło się bez pewnych komplikacji. Na szczęście wszystko dobrze się skończyło. – Nolan lekko uniósł posiwiałe brwi. – Czy pani Turner źle przechodzi ciążę?

– Nie, nie, właściwie nie ma żadnych problemów – zapewnił Charles. – Tyle tylko, że to ich pierwsze dziecko, a wczoraj Anne upadła, lecz na szczęście nic jej się nie stało.

– Cieszę się – Max się uśmiechnął. – Wracając do Harry'ego Turnera. Nasz nowy szef cieszył się na Wall Street opinią błyskotliwego biznesmena, my jednak chcielibyśmy wiedzieć, jaki jest naprawdę.

Charles roześmiał się głośno.

– Wiem, o co chodzi z opinią Harry'ego, ale możecie być pewni, że wcale nie jest bezlitosnym zdobywcą, który odziera przejęte firmy ze wszystkich zysków, jak przedstawiają go niektórzy dziennikarze. Sami przekonacie się, że to spokojny, opanowany, uprzejmy i bardzo praktyczny człowiek. Jestem pewny, że od razu go polubicie.

– W ubiegłym roku kroczył od sukcesu do sukcesu. Przejął sieć przetwórni spożywczych i supermarketów w Wielkiej Brytanii, potem holenderskie browary, no i wykupił nas, oczywiście. Na czym polega tajemnica jego powodzenia?

– Śmiało można nazwać go finansowym geniuszem – odparł Charles. – Odziedziczył Deravenels po swoim ojcu Henrym Turnerze, który przez wiele lat prowadził firmę pewną ręką, choć bez błyskotliwych pomysłów. Zawsze przynosiła wysokie zyski, ale Harry dopiero po pewnym czasie zaczął wprowadzać własne innowacje i kupować inne firmy. Przejął kilka niewielkich przedsiębiorstw, które doskonale wtopiły się w Deravenels, a w czerwcu ubiegłego roku postanowił zrobić duży krok naprzód i spróbować szczęścia z prawdziwymi rekinami.

– Takimi jak Goldsmith i Hanson? – zapytał Tony Nolan.

– Tak jest.

– Ci dwaj Anglicy to rzeczywiście piraci biznesu – rzekł Tony.

Charles uśmiechnął się szeroko.

– To prawda! Warto też wiedzieć, że Jimmy Goldsmith jest półkrwi Francuzem.

– No, proszę. – Tony pokiwał głową. – Co jeszcze powinniśmy wiedzieć o Harrym Turnerze?

– Moim zdaniem, sekret wszystkich tych sukcesów to jego wyczucie w interesach i niezwykła umiejętność czytania bilansów, Harry dostrzega bowiem rzeczy, których inni w ogóle nie widzą – wyjaśnił Charles. – W jednej chwili potrafi ocenić walory firmy oraz rzeczywistą wartość jej środków trwałych i ułożyć plan działania. Gdy uzna, że gra jest warta świeczki, zgłasza ofertę zakupu, a kiedy już przejmie firmę, oddaje ją w ręce prawdziwych profesjonalistów z Deravenels. Jak już mówiłem, ma wybitnie praktyczne podejście do życia, więc nigdy nie odziera firm z zysków, aby później zostawić je na łasce losu, raczej wręcz przeciwnie...

W tym momencie drzwi otworzyły się i do sali konferencyjnej wszedł Harry Turner.

– Dzień dobry panom – odezwał się, podchodząc do długiego mahoniowego stołu. – Przepraszam za spóźnienie, ale moja żona miała mały wypadek, a ponieważ jest w ciąży, bardzo mnie to zaniepokoiło.

– Charles wszystko nam wyjaśnił! – Max Nolan podniósł się z miejsca i mocno uścisnął dłoń Harry'ego.

Gdy dwaj pozostali biznesmeni poszli za jego przykładem, Harry zajął miejsce obok Charlesa.

– Na szczęście Anne i dziecko czują się doskonale – rzekł.

Charles kiwnął głową. Wreszcie mógł rozluźnić się po burzliwym poranku. Harry z uśmiechem popatrzył na trzech szefów TexMax.

– Przepraszam też, że nie uczestniczyłem w negocjacjach, które prowadziliśmy w ciągu ostatnich siedmiu miesięcy – powiedział w typowy dla siebie, spokojny i uprzedzająco uprzejmy sposób. – Wiem, że Charles wykonał kawał dobrej roboty i szczerze go za to podziwiam... Wiem również, że czujecie się w pełni usatysfakcjonowani, co naturalnie bardzo mnie cieszy. Pragnę tylko wyjaśnić, że moja nieobecność nie wynikła z braku zainteresowania negocjacjami. Jej przyczyną była konieczność doprowadzenia do końca dość trudnych zakupów w Europie, a konkretnie w Holandii.

– Doskonale rozumiemy – rzekł Max Nolan i zwrócił się do Petera Proctora. – Wydawało mi się, że masz jakieś pytania, prawda? Najlepiej załatwmy wszystko od razu, wyjaśnijmy sobie rozmaite kwestie, zanim pójdziemy na lunch.

– Świetnie! – zgodził się Harry. – Sam także wolę mieć wszystkie ewentualne niejasności za sobą.

Peter Proctor skinął głową i otworzył leżącą przed nim teczkę.

– Oto kilka punktów, które powinniśmy sprecyzować – zaczął.

⁂

Wieczorem Harry i Charles siedzieli przy stoliku w rogu sali baru Bemelsmans w hotelu Carlyle, gdzie zawsze zatrzymywali się na czas pobytu w Nowym Jorku.

– Czujesz się chyba całkowicie zadowolony, prawda? – zagadnął Charles, stawiając lampkę koniaku na blacie. – Wreszcie jesteś właścicielem TexMax Oil. To poważny sukces, efekt serii genialnych posunięć.

Harry uważnie popatrzył na szwagra.

– Rzeczywiście jestem zadowolony – przyznał. – Dokonaliśmy świetnego zakupu dla Deravco, dzięki temu pozycja naszej firmy jest dużo bezpieczniejsza. – Pociągnął łyk gazowanej wody i westchnął. – Powinienem cię przeprosić, stary. Rano nie zachowałem się wobec ciebie jak należy, byłem nieuprzejmy i szorstki, i to w chwili, kiedy ty starałeś się skoncentrować przed spotkaniem w TexMax, ale Anne... Cóż, zupełnie straciłem panowanie nad sobą.

– Poznałem cię, kiedy miałeś siedem lat, więc mogę chyba powiedzieć, że nikt nie zna cię lepiej niż ja... – uśmiechnął się Charles. – Nie musisz mnie przepraszać, daj spokój! Przykro mi tylko, że akurat wtedy musiałeś wysłuchiwać histerycznych wynurzeń Anne.

– Nie było łatwo! – Harry potrząsnął głową, w jego oczach pojawił się wyraz zdziwienia. – Naprawdę nie rozumiem, dlaczego Anne nadal biega po mieście jak szalona, dlaczego zajmuje się tyloma rzeczami w ostatnim miesiącu ciąży. Mamy już sierpień, a termin porodu przypada na początek września. Przeraża mnie ta jej skłonność do ryzyka. Upadła na ulicy, wyobrażasz sobie? Mogła przecież stracić dziecko.

– I zrobić sobie poważną krzywdę – zauważył Charles. – Ale cóż, Anne taka już jest. A przy okazji... – przerwał i pociągnął łyk koniaku.

– Co takiego? – Harry lekko zmarszczył brwi. – Co chciałeś powiedzieć?

Charles pokręcił głową i zaśmiał się lekko.

– Zamierzałem zapytać, co zrobiłeś z biżuterią Catherine.

Harry wypuścił powietrze z płuc i rozłożył ręce.

– Część podarowałem mojej siostrze, a twojej żonie, ale o tym wiesz. Niektóre ozdoby oddałem Mary, naszej córce, a resztę włożyłem do sejfu w domu przy Berkeley Square.

– Nic nie dałeś Anne? I to po tych wszystkich sprzeczkach, kiedy odkupiłeś klejnoty od Catherine? – W głosie Charlesa brzmiała nuta szczerego zdumienia.

– Dostała brylantowy naszyjnik i bransoletę, to wystarczy – powiedział Harry. – Szczerze mówiąc, cały czas męczyło mnie trochę dziwne uczucie. W lutym odkupiłem tę biżuterię od Catherine, która zaraz potem dostała zawału i nieoczekiwanie umarła. Nikt nie był tym wszystkim bardziej zaskoczony niż ja.

I nikt nie miał większych wyrzutów sumienia, dodał w myśli.

– Tak, jej śmierć rzeczywiście nastąpiła nagle – przytaknął Charles. – Dobrze, że pozwoliłeś Mary zamieszkać z nami, mój drogi. Mam wrażenie, że trochę jej to pomogło.

– Z pewnością, poza tym była to konkretna pomoc także i dla mnie – rzekł Harry. – Mary nie chciała przenieść się do domu przy Berkeley Square, więc takie rozwiązanie było zdecydowanie najlepsze.

Utkwił wzrok w oknie, myśląc o nieoczekiwanym zawale Catherine, która nigdy przecież nie skarżyła się na serce.

Po śmierci Catherine szybko poślubił Anne, zadowoloną, że jej dziecko nie przyjdzie na świat jako nieślubne. Harry rozumiał jej ulgę, chociaż sam wcale się tym nie niepokoił; zamierzał przecież uznać dziecko, dać mu nazwisko i na mocy testamentu uczynić je swoim spadkobiercą. Był przekonany, że Anne urodzi mu syna.

Dwaj przyjaciele przez następne pół godziny rozmawiali o interesach, potem dopili drinki i poszli na górę, do swoich apartamentów.

– Czy teraz, kiedy wszystkie sprawy związane z TexMax zostały już załatwione, nadal planujemy wracać do Londynu pod koniec tygodnia? – zapytał Charles, stojąc pod drzwiami swojej sypialni.

– Chyba powinniśmy trzymać się planu – odparł Harry. – Jeszcze raz dziękuję ci za wszystko, stary, a zwłaszcza za doprowadzenie do końca negocjacji z TexMax!

Harry długo nie mógł zasnąć. Chociaż w jego sypialni działała klimatyzacja, w tę sierpniową noc wyjątkowo dokuczał mu upał. Lato w Nowym Jorku zawsze uważał za trudne do zniesienia, głównie z powodu wysokiej wilgotności powietrza.

Po pewnym czasie wstał, nalał sobie szklankę wody, usiadł w salonie i włączył telewizor. Trafił na film z lat trzydziestych, gangsterski dramat z Jamesem Cagneyem, ale szybko go wyłączył i znowu zaczął myśleć o Anne.

Kochał ją; była teraz jego żoną i nosiła jego dziecko. Jego syna i spadkobiercę. Niestety, dopiero niedawno się zorientował, że poślubił kobietę o bardzo trudnym charakterze. Anne była niezależna i niezwykle uparta, i zdaniem Harry'ego także nierozważna. Bez przerwy gdzieś się śpieszyła, jeździła do sklepu i spotykała z klientami. Dziecko miało się wkrótce urodzić, lecz ona w ogóle się tym nie przejmowała. Harry uważał, że jego żona nie dba jak należy ani o siebie, ani o ich potomka.

Dobrze chociaż, że dała sobie spokój z podróżami do Paryża. Już dawno ją poprosił, żeby sprzedała tamtejszy sklep, lecz oczywiście nie zamierzała go posłuchać. Z ciężkim westchnieniem podniósł się z kanapy. Kiedy dziecko przyjdzie na świat, skłoni Anne, żeby zrezygnowała z pracy i pozbyła się swojej firmy. Miała obowiązek być dobrą matką dla ich dziecka, jego syna i spadkobiercy. Harry postanowił, że chłopiec będzie nosił imię Edward, po Wielkim Edwardzie Deravenelu. Z uśmiechem wyciągnął się na łóżku, myśląc o synu, którego tak pragnął, i to od tak dawna. Nie mógł się już doczekać, kiedy weźmie chłopca na ręce.

ROZDZIAŁ
SZEŚĆDZIESIĄTY PIERWSZY

Londyn

Siódmego września zaraz po lunchu Harry Turner w pośpiechu opuścił swój gabinet w gmachu Deravenels przy Strandzie. Jego żona właśnie zaczęła rodzić i Harry jechał do szpitala Westminster. Kierowca pokonał trasę w rekordowym czasie i kiedy Harry znalazł się na oddziale położniczym, wreszcie poczuł pewną ulgę.

Anne rodziła, on był blisko i mógł się znaleźć przy niej, gdyby go potrzebowała. Teraz od paru godzin nerwowo spacerował po korytarzu przed jej prywatnym pokojem, ledwo żywy ze zdenerwowania i zmęczenia.

Charles chciał mu towarzyszyć, on jednak odrzucił tę propozycję, czego teraz szczerze żałował. Charles Brandt był jedynym człowiekiem, którego obecność mogła przywrócić mu przynajmniej odrobinę spokoju.

Miał już zadzwonić do szwagra, kiedy z pokoju Anne wyszedł uśmiechnięty lekarz. Harry podbiegł do niego, podniecony i już szczęśliwy.

– Jak czuje się Anne, doktorze Hargrove? – zapytał.

– Pańska żona świetnie się spisała, naprawdę doskonale. Mają państwo przepiękną córeczkę, śliczną dziewczynkę.

– Dzięki Bogu! – wykrzyknął szczerze Harry i uśmiechnął się do doktora. Nie chciał, aby lekarz wyczuł jego rozczarowanie. Anne nie dała mu syna, nadal więc nie miał spadkobiercy. Córka, pomyślał, czując lekkie ukłucie zniechęcenia. Druga córka.

– Kiedy mogę je zobaczyć? – zapytał pośpiesznie, świadomy, że doktor Hargrove przygląda mu się uważnie.

– Za parę minut, panie Turner. Pielęgniarka da panu znać, że może pan już wejść. Proszę przyjąć serdeczne gratulacje.

– Dziękuję! Jestem panu bardzo wdzięczny za troskliwą opiekę nad Anne, doktorze!

Lekarz z uśmiechem skinął głową.

Gdy odszedł, Harry usiadł na krześle i zamknął oczy. Pragnął syna, i to od tak dawna, że jego rozczarowanie było naprawdę dotkliwe. Cóż, będzie musiał robić dobrą minę do złej gry. I oczywiście w żadnym razie nie wolno mu okazać Anne, że nie jest do końca zadowolony, bo to by ją boleśnie zraniło.

Podniósł powieki, wziął głęboki oddech i powiedział sobie, że ma szczęście. Żona urodziła mu zdrowe dziecko, które na pewno jeszcze bardziej zbliży ich do siebie. Anne była młoda i silna, niewątpliwie urodzi jeszcze kilkoro dzieci, następnym razem da mu chłopca. Do trzech razy sztuka, uśmiechnął się.

Harry Turner zakochał się w swojej córeczce od pierwszego wejrzenia. Była naprawdę śliczna, a na czubku głowy miała wzruszającą kępkę rudawych włosków.

Kiedy wpadł do pokoju, pochwycił niespokojne spojrzenie Anne, która patrzyła na niego znad główki noworodka. Podszedł do niej z otwartymi ramionami, pocałował ją i szeroko uśmiechnął się do malutkiego zawiniątka z ażurowych kocyków, które trzymała przy piersi.

– Będzie ruda tak jak ty, kochany – szepnęła Anne z uśmiechem, lecz w jej oczach nadal pozostał cień pierwotnego niepokoju.

– To pierwsza rzecz, na którą zwróciłem uwagę! – Harry się rozpromienił i delikatnie musnął palcem malutką dłoń o miniaturowych paznokietkach. – Jest przepiękna, doktor Hargrove miał rację. Mój mały cud.

– Wiem, jak bardzo zależało ci na chłopcu – szepnęła Anne. – Przykro mi, że to dziewczynka – dodała i mocniej, trochę lękliwie przytuliła do siebie dziecko.

Harry potrząsnął głową i utkwił w żonie poważnie spojrzenie.

– Nie, nie mów tak, skarbie! – zaprotestował. – Mamy cudowne dziecko, nasze własne! Bardzo kocham naszą córeczkę! Następnym razem urodzi nam się chłopiec, jestem tego pewny, ale nie wolno ci myśleć, że nie będę kochał tej kruszynki!

– Zamierzaliśmy nadać synowi imię Edward – zaczęła z wahaniem Anne. – Zastanawiałam się, czy…

– Nazwiemy ją Elizabeth! – przerwał jej Harry. – Po mojej matce! Wyrośnie na tak mądrą i piękną kobietę jak Bess Deravenel Turner, zobaczysz!

Anne roześmiała się, wyraźnie uspokojona. Widziała, że Harry naprawdę cieszył się z narodzin dziecka i wreszcie się rozluźniła; napięcie odpłynęło, Anne mogła znowu odetchnąć pełną piersią.

– Kiedy będziesz mogła zabrać ten węzełek szczęścia do domu? – Harry przysunął sobie krzesło do łóżka.

– Doktor mówi, że za parę dni. Poród był stosunkowo łatwy, ja jestem zdrowa i silna, więc wszystko jest w porządku.

Rozmawiali jeszcze chwilę, potem zaś Harry wstał, pocałował Anne i palcem leciutko dotknął czoła córeczki.

– Wpadnę do ciebie wieczorem, kochanie. Teraz wracam do Deravenels, aby poczęstować wszystkich cygarami i ogłosić wszem i wobec, że jestem dumnym ojcem prześlicznej dziewczynki!

Tylko Charles Brandt wiedział, jak gorzkie rozczarowanie kryło się za pogodną twarzą, którą Harry prezentował całemu światu. Tego dnia obszedł wszystkie gabinety, częstując swoich dyrektorów i pracowników cygarami, wesoło chwaląc się rudowłosą córką i przyjmując gratulacje.

Było to udane przedstawienie i Charles szczerze podziwiał Harry'ego za włożony w nie wysiłek. Po co pokazywać światu, co się naprawdę czuje? Harry był zdania, że w żadnym razie nie należy tego robić, a Charles całkowicie się z nim zgadzał. Nigdy nie zdradzaj ludziom, że cierpisz, myślał, towarzysząc Harry'emu w rozmowach ze współpracownikami i pomagając mu grać rolę szczęśliwego ojca.

Charles sam miał dwie córki, doskonale wiedział, jakie są cudowne i ciągle powtarzał to przyjacielowi, nie tylko tego dnia, ale także w ciągu następnych. Mijały tygodnie i miesiące, i Harry rzeczywiście coraz mocniej kochał małą dziewczynkę o rudych włosach i lśniących czarnych oczach. Kochał ją i jej matkę, i nie pragnął już niczego poza jeszcze jednym dzieckiem, równie zachwycającym jak Elizabeth. Jeszcze jednym dzieckiem, które musiało być chłopcem, rzecz jasna.

❖

– Wydaje się, że nie jestem w stanie donosić dziecka do końca ciąży – powiedziała Anne ze smutkiem.

Przez piękną twarz Mary Turner Brandt przemknął cień niepokoju, a jej jasnorude brwi na moment złączyły się nad nosem.

– Tak mi przykro, Anne, naprawdę – westchnęła. – Szkoda, że nie powiedziałaś mi o tym wcześniej. Wyobrażam sobie, jak ci ciężko.

Był lipiec 1973 roku; we wrześniu Elizabeth miała skończyć dwa lata, a Anne jak na razie nie dała Harry'emu upragnionego syna i spadkobiercy.

Mary i Anne siedziały w śniadaniowym pokoju domu Brandtów w Chelsea i jadły lekki lunch, złożony ze szparagów w sosie winegret, wędzonego łososia i ciemnego chleba z masłem.

Mary pomyślała o nieustającym złym nastroju Harry'ego, jego niechęci do towarzyskich spotkań oraz całkowitemu oddaniu sprawom Deravenels i pomyślała, że teraz rozumie zachowanie brata. Zwykle otwarty, czarujący i pogodny, ostatnio stał się trudny, wybuchowy i szorstki. Do tej chwili Mary sądziła, że zdenerwowanie Harry'ego ma związek ze stanem interesów w Wielkiej Brytanii. Harry od paru miesięcy przewidywał, że kraj dotknie najgorsza recesja po drugiej wojnie światowej, nie był też zachwycony działaniami gabinetu Teda Heatha i wyprzedawał swoje aktywa, ale teraz Mary pojęła, że przygnębienie jej brata ma zupełnie inną przyczynę.

– Na pewno byłaś u ginekologa, prawda? – spytała, przerywając milczenie. – Co ci powiedział?

– Nic szczególnego, ponieważ jestem zdrowa i naprawdę nic mi nie dolega. Mimo tego kolejne ciąże kończą się poronieniem…

– Kolejne? Ile ich było?

– Trzy w ciągu ostatnich dwóch lat, czyli o trzy za dużo, zdaniem Harry'ego. Twój brat jest mną bardzo rozczarowany, Mary.

Mary nie odpowiedziała. Zdawała sobie sprawę, że Harry ma obsesję na punkcie syna i spadkobiercy, którego powinna urodzić mu Anne.

– Posłuchaj, nie chcę, byś pomyślała, że cię pouczam, bo wcale tak nie jest – odezwała się w końcu. – Nie mogę jednak oprzeć się wrażeniu, że żyjesz na trochę zbyt wysokich obrotach, moja droga. Pracujesz w sklepie z antykami w Kensington, projektujesz wnętrza dla klientów, ciągle podróżujesz samolotami między Londynem i Paryżem. – Mary potrząsnęła głową. – Nie wydaje ci się, że dobrze byłoby trochę zwolnić? I skupić się na następnej ciąży, na donoszeniu zdrowego dziecka?

– Ale przecież ja dbam o siebie, naprawdę! – zawołała Anne. – Dużo się ruszam, to fakt, lecz wszędzie jeżdżę samochodem z kierowcą, w pracy mam asystentów, a w domu doskonałych służących.

– Czy naprawdę musisz prowadzić ten sklep w Paryżu? I jeszcze to olbrzymie mieszkanie w Faubourg Saint-Germain... Czy to nie zbyt wielkie obciążenie dla jednej osoby?

– Nie, skądże! W firmie projektanckiej mam trzech współpracowników, a w sklepie na lewym brzegu czworo sprzedawców. Jeśli zaś chodzi o mieszkanie, to na stałe zatrudniam tam gospodynię, dwie sprzątaczki i lokaja.

– Jednak mimo wszystko wymaga to od ciebie sporo wysiłku – dwie firmy, utrzymanie dużego mieszkania i domu przy Berkeley Square. – Mary pokręciła głową. – A Harry niezbyt często jeździ ostatnio do Paryża, prawda?

– Masz rację, ale ja nie mogę zrezygnować z pobytów w Paryżu, Mary! Za bardzo kocham to miasto! Wiesz, że tam się wychowałam i pod wieloma względami jestem raczej Francuzką niż Angielką... Nie chcę zamykać ani sklepu, ani firmy dekoratorskiej, bo bardzo lubię pracować i w Paryżu, i w Londynie. Zresztą, co innego miałabym robić? Zanudziłabym się na śmierć.

– Rozumiem cię. – Mary wzięła kawałek cytryny i skropiła sokiem plaster łososia. – Ale przecież, nawet gdybyś zamknęła obie firmy w Paryżu, nadal miałabyś sklep i firmę projektancką w Londynie. Czy to by ci nie wystarczyło?

Anne potrząsnęła głową.

– W żadnym razie nie chcę rezygnować z Paryża! Mieszkanie w Faubourg Saint-Germain to moje ulubione miejsce na ziemi, wierz mi...

Mary bez słowa posmarowała razowy chleb masłem. Chwilę obie jadły w milczeniu, a kiedy skończyły, gospodyni wstała i sprzątnęła ze stołu.

– Napijesz się kawy, Anne?

– Nie, dziękuję! Chętnie wypiję natomiast jeszcze jeden kieliszek tego białego wina.

– Oczywiście! – Mary sięgnęła po butelkę wytrawnego wina i napełniła puste kieliszki. – Przyłączę się do ciebie. Mam nadzieję, że nie weźmiesz mi za złe tego pytania i nie pomyślisz, że się wtrącam, ale jak układają się sprawy między tobą i Harrym, kochanie?

– Tak sobie. Mówiąc wprost, nadal sypiamy ze sobą, Harry dalej jest namiętnym kochankiem. – Anne uśmiechnęła się nieco cynicznie. – Musi mieć męskiego spadkobiercę, więc bardzo się stara, sama rozumiesz.

Mary skrzywiła się lekko i pociągnęła łyk wina. Myślała o nowej osobistej asystentce Harry'ego, Jane Selmere. Jane była po prostu wysoko wykwalifikowaną sekretarką, ale teraz wszystkie one kazały nazywać się osobistymi asystentkami. Zdaniem Charlesa, Jane starała się sprytnie uwieść Harry'ego, choć oczywiście mąż Mary nie miał żadnych dowodów na to, że jego przyjaciela i sekretarkę rzeczywiście coś łączy, przynajmniej na razie. Charles powiedział coś niedawno na temat znaczących spojrzeń, jakie wymieniają Harry i Jane, i dodał, że wyczuwa kłopoty.

– Czemu nic nie mówisz, Mary? Jesteś na mnie zła?

– Nawet tak nie myśl! – zawołała szczerze Mary.

Ostatnio bardzo współczuła Anne i do głowy by jej nie przyszło, żeby gniewać się na bratową. Nagle odstawiła kieliszek z winem i zerwała się z krzesła.

– Chodź ze mną, Anne! – uśmiechnęła się. – Mam wspaniały pomysł i liczę, że się zgodzisz!

Anne wstała i ruszyła za szwagierką do holu.

– O co chodzi, Mary?

– Rozejrzyj się, moja droga! Popatrz na ten hol, dobrze? Chodźmy teraz do biblioteki. To ukochany pokój Charlesa, zresztą mój także. No, popatrz tylko!

Nieco zdziwiona Anne weszła do biblioteki i nagle jej twarz przybrała wyraz skupienia. Biblioteka wyglądała na mocno zaniedbaną.

– Piękny pokój... – mruknęła, nie chcąc krytykować Mary.

– Piękny, zgoda, ale nikt nie przeprowadzał tu solidnego remontu od ponad siedemdziesięciu lat, odkąd ten dom znalazł się w posiadaniu naszej rodziny!

– Do czego zmierzasz? – Anne ściągnęła ciemne brwi.

– Chciałabym zatrudnić cię do odnowienia przynajmniej części domu, który oboje z Charlesem naprawdę kochamy! Trzeba wprowadzić tu mnóstwo zmian, a tobie na pewno sprawiłoby to przyjemność, prawda? Miałabyś tu co robić...

– Z pewnością. – Kąciki ust Anne zadrżały i młoda kobieta parsknęła śmiechem. – Usiłujesz zakotwiczyć mnie w Londynie, tak? Zależy ci, żebym przestała uganiać się po świecie?

– Ależ oczywiście! – przyznała Mary, jak zwykle całkowicie uczciwa i zawtórowała śmiechem bratowej. – Sama widzisz jednak, że ten dom naprawdę trzeba odnowić.

– Tak, widzę. – Anne powoli obeszła bibliotekę, uważnie rozglądając się dookoła, następnie usiadła na kanapie przed wielkim kominkiem. – Opowiedz mi historię waszego domu, Mary! Chciałabym się dowiedzieć o nim czegoś więcej i lepiej zrozumieć jego atmosferę.

Mary usiadła w fotelu naprzeciwko.

– Dom należał kiedyś do Neville'a Watkinsa – zaczęła. – Na pewno słyszałaś to nazwisko. Watkinsowie to część historii naszej rodziny.

– Tak! Jeśli dobrze pamiętam, Neville Watkins był bratankiem prababki Harry'ego, Cecily Watkins Deravenel. – Anne rzuciła Mary pytające spojrzenie.

– Strzał w dziesiątkę! Jego ojciec był rodzonym bratem Cecily. Neville kupił ten dom i od razu podarował go żonie Nan. Mieszkali tu wiele lat, wychowując dwie córki.

– Które wyszły za braci Edwarda Deravenela - George'a i Richarda, tak?

– Dobry Boże, rzeczywiście doskonale poznałaś naszą historię! – Mary z podziwem popatrzyła na bratową.

– Harry'ego zawsze fascynował jego dziadek Edward. Wydaje mi się, że matka napchała mu głowę fantastycznymi opowieściami o swoim ojcu, a on do dziś się nimi delektuje.

Mary roześmiała się głośno.

– Wiem, rzeczywiście się nimi delektuje, zresztą ja również! Ostatecznie Edward był także i moim dziadkiem! Tak czy inaczej, kiedy Anne Watkins, córka Neville'a, wyszła za Richarda Deravenela, Edward odkupił ten dom od Nan, aby następnie podarować go swemu najmłodszemu bratu. Richard i Anne spędzili tu sporą część życia. Richard zmarł po Anne, został zamordowany na plaży w Ravenscar, pewnie o tym słyszałaś, a wcześniej zapisał dom Bess, swojej ukochanej bratanicy. Nasza mama życzyła sobie, aby Grace Rose oraz inne jej siostry mogły mieszkać tu do zamążpójścia, następnie zamieszkała tu Grace Rose z mężem Charliem Moranem. Kiedy oboje się zestarzeli, zamieniliśmy się z nimi na mniejszy dom, ponieważ ten stał się dla nich za duży.

– Wspaniale, że mimo wszystko został w rodzinie – zauważyła Anne. – I może faktycznie jego odnowienie także powinno przypaść w udziale komuś z rodziny. Dziękuję, że mi zaproponowałaś to zadanie! Przyjmuję je z radością, Mary!

ROZDZIAŁ
SZEŚĆDZIESIĄTY DRUGI

Paryż

Harry Turner siedział w łóżku, jedząc jajko na miękko i czytając finansowe strony „New York Herald Tribune". Słysząc odgłos lekkich kroków, podniósł głowę i ujrzał swoją żonę Anne, która właśnie weszła do sypialni.

Spojrzał i szeroko otworzył oczy ze zdziwienia. Anne wyglądała piękniej niż w ciągu ostatnich miesięcy – ubrana w jasnoszare spodnie, taką samą marynarkę i białą jedwabną bluzkę koszulową, promieniała wyjątkowym, niepowtarzalnym blaskiem. I sprawiała wrażenie zdrowej jak ryba. Harry zmarszczył brwi i z goryczą pomyślał, że naprawdę nie ma pojęcia, dlaczego tak zdrowo wyglądająca młoda kobieta nie jest w stanie donosić ciąży i wydać na świat zdrowego dziecka. Miał już dosyć poronień i martwych, przedwcześnie urodzonych dzieci.

– Dzień dobry, skarbie! – odezwała się Anne pogodnym głosem, wyrywając go z ponurego zamyślenia. – Chciałam ci tylko powiedzieć, że wyjeżdżam.

– Dokąd się wybierasz o takiej nieludzkiej godzinie? – burknął, zerkając na stojący na szafce zegar. – Nie ma jeszcze siódmej!

– Nad Loarę!

– Po co? – Zmierzył ją niechętnym, podejrzliwym spojrzeniem.

Ostatnio ciągle ją o coś podejrzewał.

– Harry, mówiłam ci, i to nie raz, że w jednym z wielkich zamków w dolinie Loary organizowana jest wyprzedaż! Właśnie dlatego wybieram się tam dziś rano! Wystawione na sprzedaż meble, tkaniny, obrazy i inne dzieła sztuki są po prostu nie z tego świata!

– Skąd wiesz? – spytał kwaśno.

– Mark i Philippe byli tam w zeszłym tygodniu i wrócili absolutnie zachwyceni. Wiesz przecież, że takie wyprzedaże mają poważne znaczenie dla mojej firmy! Chcę też znaleźć odpowiednie gobeliny i inne dodatki do domu Mary. Jest już prawie skończony, muszę jeszcze tylko dodać kilka przyciągających uwagę detali.

– Dlaczego moja siostra chce mieć francuskie gobeliny w domu z okresu angielskiej regencji, na miłość boską?!

Anne się uśmiechnęła, całkowicie ignorując opryskliwy ton męża.

– Mary i Charles mają świetny gust i oboje zgadzają się ze mną, że hol domu w Chelsea wymaga ocieplenia.

– Mam nadzieję, że nie jedziesz nad Loarę sama, bo marny z ciebie kierowca – zauważył Harry. – Szczególnie tutaj, we Francji, gdzie zawsze jeździsz złą stroną drogi.

– Och, nieważne, Harry! – Anne znowu parsknęła śmiechem. – Tak czy inaczej, Mark i Philippe jadą ze mną, i Greg także. Interesuje go ta wyprzedaż.

– Greg? Twój brat Greg?

– Tak. – Anne uniosła brwi. – Dlaczego tak cię to dziwi?

– Po prostu dziwię się, i już! Nie wiedziałem, że Greg interesuje się antykami.

– Obrazami! Poza tym zależy mu, żeby na kilka dni urwać się z pracy. Bardzo intensywnie pracował nad przygotowaniem umowy kupna banku, naprawdę sporo dla ciebie zrobił.

– Tak, to prawda – przyznał Harry. – Kiedy zamierzacie wrócić do Paryża?

– Wyprzedaż rozpocznie się jutro rano, we wtorek, i potrwa pięć dni, więc będziemy tam do soboty i wrócimy w niedzielę.

Harry popatrzył na nią wyzywająco, wziął głęboki oddech i powoli wypuścił powietrze.

– Więc nie będzie cię w Paryżu w czwartek wieczorem, tak?

Anne ze zdziwieniem potrząsnęła głową.

– Nie. Skąd ten dziwny ton, Harry? Czyżbym o czymś zapomniała? Może o jakiejś proszonej kolacji? – Nagle przypomniała sobie, że Harry wydaje uroczystą kolację w Le Grand Véfour. – O, Boże, twoje przyjęcie…

Umilkła, widząc, że Harry jest odrobinę zirytowany. Skłonność do wpadania w gniew z byle powodu była jedną z jego najmniej atrakcyjnych cech.

– Właśnie, moje przyjęcie, jak raczyłaś zauważyć! Z okazji przejęcia francuskiego banku! Najwyraźniej Gregowi też wyleciało to z głowy!

– Nie moglibyśmy przenieść przyjęcia na niedzielny wieczór, skarbie? Wyjechalibyśmy wcześnie, więc na pewno będziemy na czas.

– Och, nie przejmuj się, przeniosę kolację na przyszły tydzień! Charles i Mary nie będą mieli nic przeciwko temu, bo i tak przyjechali do Paryża na dłużej, a Charles i ja mamy jeszcze sporo pracy w związku z przejęciem banku.

Anne przebiegła przez pokój, uściskała Harry'ego, pocałowała go w policzek i już jej nie było.

Harry patrzył za nią chwilę spod zmarszczonych brwi, nagle rozzłoszczony. Ostatnio Anne fatalnie na niego działała. Z każdym tygodniem stawała się coraz bardziej nieznośna.

– Jedź do diabła! – warknął. – Nie chcę cię więcej widzieć!

Harry szedł wzdłuż Champs Elysées, wciąż zirytowany niespodziewanym wyjazdem Anne. Zaskoczyła go, bo wcześniej ani słowem nie wspomniała o wyprzedaży, chociaż twierdziła, że mówiła mu o niej. Miał doskonałą pamięć, a ponieważ planowane przyjęcie było tak ważne dla niego i dla Charlesa, wiedział, że natychmiast zmieniłby datę, gdyby poinformowała go o wyprawie nad Loarę. Tego ranka zwyczajnie go okłamała.

Nie był jej już pewny i nie miał do niej zaufania. Nie miał dowodów, że zrobiła coś złego, ale stała się dziwnie roztargniona i wiecznie zabiegana. Więcej czasu spędzała w Paryżu niż w Londynie i zaczęła dobierać sobie nieco dziwnych znajomych. Dużo czasu spędzała w towarzystwie Grega, co w pewnym sensie cieszyło Harry'ego, lecz Greg także obracał się wśród dziwacznych ludzi i bywał nieostrożny. Harry nie był do końca przekonany, czy Greg w dalszym ciągu ma pozytywny wpływ na Anne.

Uśmiechnął się do siebie ponuro. Zastanawiał się, że może trochę podciął Anne skrzydełka, bywając ostatnio tak często w Paryżu, oczywiście w interesach.

Dziesięć lat, pomyślał. Jesteśmy razem prawie dziesięć lat. Miałem trzydzieści cztery lata, kiedy ją poznałem, a ona dziewiętnaście. W lipcu będę obchodzić czterdzieste czwarte urodziny, Anne ma dwadzieścia dziewięć lat. Dziesięć lat. Dobry Boże, cała dekada.

Jak ten czas leci. I pomyśleć tylko, że z jej powodu miał tyle problemów. Walczył z Catherine o rozwód i prawdopodobnie w rezultacie złamał jej serce. Biedaczka rozchorowała się przez niego, prawda? Potem zwolnił Thomasa

Wolsena, ponieważ tak chciała Anne, i to za wyimaginowane błędy w prowadzeniu jego spraw. Jaki był głupi, że jej posłuchał. Wolsen umarł niedługo później, może także przez niego, kto wie... Byli przecież bliskimi przyjaciółmi przez całe dwadzieścia lat.

Niewątpliwie Wolsen był najbardziej inteligentnym człowiekiem, jakiego znał, no i najlepszym doradcą, jakiego można sobie wymarzyć. A biedny Tommy? Pokłócił się z Tommym Morle, bardzo gwałtownie i właściwie bez powodu, a raczej z powodu Anne Bowles. Najwyraźniej Tommy nie mógł pogodzić się z tak fatalnym zakończeniem ich przyjaźni i umarł parę miesięcy po ostatniej ostrej sprzeczce.

A Catherine, jego żona, kobieta, z którą był związany przez dwadzieścia lat? Matka Mary. Umarła nagle, uwalniając go od siebie, co pozwoliło mu poślubić Anne. Anne, której tak bardzo pragnął, całym sercem. Zdobył ją w końcu i wtedy wszystko zaczęło się układać nie tak, jak powinno.

Jak to się mogło stać? Z jego winy? A może z winy Anne? Pewnie oboje ponosili odpowiedzialność za to, co im się przydarzyło. Harry nie miał gotowych odpowiedzi, wiedział tylko, że cierpi.

I co teraz miał zrobić, na miłość boską? On i Anne coraz bardziej oddalali się od siebie, żyli w stanie zawieszenia broni, w każdej chwili gotowi rozpocząć walkę. Harry nie chciał dłużej tak żyć. Małżeństwo miało przecież dawać człowiekowi szczęście... Tego właśnie pragnął – chciał cieszyć się szczęściem u boku właściwej kobiety. Kobiety, która dałaby mu syna i spadkobiercę, czego Anne Bowles najwyraźniej nie była w stanie dokonać.

Harry nadal nie miał syna. Ale musiał go mieć.

Miał dwie córki, to prawda, i kochał je. Jego twarz złagodniała na samą myśl o Elizabeth, która we wrześniu kończyła trzy lata. Była też Mary. Córka Catherine, dorosła kobieta. Mary miała dwadzieścia lat i studiowała historię sztuki we Florencji. Ostatnio Harry zdołał wreszcie zdobyć jej przyjaźń, głównie dzięki swojej siostrze Mary.

Harry miał zadatki na dobrego ojca i naprawdę kochał córki. Pomyślał nagle, że latem zabierze je gdzieś na wakacje. Wyczarteruje jacht na lipiec i sierpień, i popłyną razem wzdłuż wybrzeża Francji do Włoch. Dziewczęta na pewno będą zadowolone, podobnie jak jego siostra i Charles. Musi jak najszybciej przygotować listę gości.

Twarz rozjaśnił mu uśmiech, jego krok znowu stał się lekki i sprężysty. Spojrzał w niebo, jasnobłękitne, usiane dużymi, białymi obłokami. Słońce świeciło jasno, ale nie było gorąco. Harry ruszył przed siebie, zmierzając w kierunku Łuku Triumfalnego, na którym powiewała trójkolorowa flaga. Wyprostował ramiona i przyśpieszył kroku. Jeszcze parę minut i znajdzie się w budynku Deravenels przy jednej z bocznych uliczek, przecinających Avenue George V.

Nie mógł się już doczekać, kiedy wejdzie do swego gabinetu. Wpadł właśnie na kolejny wspaniały pomysł – poprosi Jane Selmere, aby wybrała się z nimi w rejs jachtem. Jane była nie tylko świetną asystentką, sprawną i bystrą, ale także cudowną młodą kobietą. Ostatnio Harry nie potrafił się bez niej obyć. Stała się niezbędną częścią jego życia zawodowego. I nie tylko.

W czwartek wieczorem Harry jednak wydał małe przyjęcie, nie zważając na nieobecność Anne i Grega, którzy polowali na antyki nad Loarą.

Zaprosił swoich gości do Le Grand Véfour, starej restauracji założonej w czasach rewolucji pod łukami Palais-Royal. Usiedli do stołu tylko we czworo i Harry był z tego bardzo zadowolony. Potoczył teraz wzrokiem dookoła, uśmiechając się do siostry Mary, jej męża Charlesa, swojego najbliższego przyjaciela, w końcu zatrzymał spojrzenie na Jane Selmere. Jane z entuzjazmem przyjęła jego zaproszenie i Harry uświadomił sobie nagle, że jego asystentka wygląda wyjątkowo pięknie, a jednocześnie jak zwykle subtelnie i delikatnie. Miała na sobie niebieską jedwabną suknię i sznurek pereł, który dostała od niego na ostatnią Gwiazdkę. Harry dopiero teraz zauważył, jak cudownie połyskują perły Jane, i jak doskonale podkreślają jej wspaniałą angielską cerę.

Wszyscy czworo doskonale czuli się w Le Grand Véfour, magicznym miejscu utrzymanym w stylu osiemnastego wieku. Kiedy kelnerzy podali różowego szampana, Harry podniósł kieliszek w geście toastu.

– Wypijmy za naszą najnowszą zdobycz, Banque Larouche! Oby rozwijał się i prosperował, a my wraz z nim!

– I za twój geniusz, Harry! – uśmiechnął się Charles. – Dobra robota!

– Nie wykonałbym jej bez twojej pomocy!

Trącili się kieliszkami i zanurzyli usta w musującym różowym winie. Mary z ciepłym uśmiechem spojrzała na Jane.

– Le Grand Véfour to prawie nasza rodzinna restauracja – powiedziała. – Harry'ego i mnie pierwszy raz przyprowadziła tu nasza matka Bess Deravenel Turner, a ona pierwszy raz przyszła tu ze swoim ojcem.

– Wielkim Edwardem Deravenelem – dokończyła Jane i popatrzyła na Harry'ego. – Teraz ty będziesz nosił podobny przydomek – Wielki Harry Turner.

I posłała mu zalotny uśmiech znad brzegu wysokiego kryształowego kieliszka.

Harry uśmiechnął się w odpowiedzi, czując, jak ogarnia go fala przyjemnego podniecenia. Był prawie pewny, że Jane z radością przyjmie go dziś wieczorem w swoim łóżku, a w każdym razie zamierzał dowiedzieć się, jak młoda kobieta zareaguje na jego propozycję. Jane miała trzydzieści parę lat i niewątpliwie była gotowa na związek z kimś takim jak on. Musiała mieć przecież jakieś doświadczenie, prawda? Nigdy nie była mężatką, co w dziwny sposób go cieszyło.

Kiedy zwróciła się w stronę Charlesa, ujrzał łagodną krągłość jej mlecznobiałych piersi w trójkątnym dekolcie i zapragnął ich dotknąć, ująć w obie dłonie. Serce biło mu szybko. Ta spokojna, subtelna młoda kobieta rozbudziła w nim pożądanie, jakiego już dawno nie odczuwał. Cicha woda brzegi rwie, pomyślał, zastanawiając się, jaka Jane będzie w łóżku. Na pewno zmysłowa i chętna.

Umieszczone na suficie i ścianach stare zwierciadła zwielokrotniały odbicia gości i kiedy Harry rozejrzał się po sali w poszukiwaniu kelnera, ujrzał kilkanaście Jane, uśmiechających się do niego kusząco z różnych miejsc.

– Gdziekolwiek spojrzę, wszędzie widzę ciebie – powiedział cicho, przechylając się do niej przez stół. – To przez te lustra. Trudno mi wyrazić, jak bardzo cieszy mnie twoja obecność, Jane.

– Chcę cieszyć cię swoją bliskością – odszepnęła.

Spojrzała mu prosto w oczy i lekko rozchyliła wargi. Kiedy pociągnęła łyk szampana, przesunęła językiem po brzegu kieliszka i wtedy Harry nie miał już żadnych wątpliwości, że Jane odda mu się tej nocy. I jeżeli okaże się tak wspaniała i niezwykła, jak sobie wyobrażał, może zostanie z nią na zawsze. Jane na pewno urodzi mi syna – pomyślał.

Poprosił kelnera o karty dań i zaczął opowiadać Jane historię Le Grand Véfour, restauracji, w której często bywali Napoleon i Józefina oraz wiele innych sławnych osób. Słuchała go uważnie, w pewnym momencie niepostrzeżenie zsunęła pantofel ze stopy i oparła ją na brzegu krzesła Harry'ego, dokładnie między jego nogami.

Nieco zaskoczony, na moment spuścił wzrok. Kiedy znowu podniósł głowę, Jane posłała mu niewinny uśmiech i leciutko potarła jego krocze palcami stopy. Niegrzeczna dziewczynka, pomyślał Harry. Co za rozkosz.

– Jedzenie jest tu wyśmienite, Jane – odezwała się Mary. – Le Grand Véfour ma sławnego szefa kuchni Raymonda Olivera. Zamówię chyba solę, bo przepysznie ją przyrządzają, ale ja i Harry bardzo lubimy też gołębia nadziewanego pasztetem z gęsich wątróbek. To jedna z tutejszych specjalności, nigdzie na świecie nie podają czegoś takiego.

– Właśnie! – zawołał Harry, nie spuszczając błyszczących niebieskich oczu z Jane. – Uwielbiam nadziewane gołąbki!

– W takim razie ja także spróbuję tego dania – powiedziała cicho Jane i w końcu cofnęła stopę, świadoma, że podnieca Harry'ego do granic wytrzymałości.

Uszczęśliwię go dziś w nocy, obiecała sobie, rozkosznie podekscytowana tą myślą.

Charles zamówił kaczkę i wszyscy zajęli się rozmową, zadowoleni, że mogą spędzić razem tak przyjemny wieczór. W pewnej chwili Charles lekko dotknął kolana Mary i kierunkiem spojrzenia dał jej do zrozumienia, że nie pomylił się co do Jane – młoda kobieta naprawdę zamierzała uwieść Harry'ego i było oczywiste, że odniesie sukces.

ROZDZIAŁ
SZEŚĆDZIESIĄTY TRZECI

– Oto ostateczna wersja umowy, Harry – powiedział Charles, podając dokumenty szwagrowi. – Kiedy złożysz na niej podpis, bank stanie się twoją własnością.

Był poniedziałkowy ranek, dwudziesty maja 1974 roku.

– Mam uczucie, że dopięliśmy czegoś wyjątkowego. – Harry z uśmiechem sięgnął po pióro i spojrzał na Jean-Pierre'a Larouche'a. – To pierwszy bank Deravenels. Jestem naprawdę zadowolony, że go kupiliśmy…

– Ja zaś się cieszę, że wam go sprzedałem – odparł francuski bankier. – Już od paru lat wybierałem się na emeryturę. Claude, moja żona, jest zachwycona i szczerze wam wdzięczna.

Zebrani w sali zarządu Deravenels mężczyźni roześmiali się.

– Zarezerwowaliśmy prywatną salę bankietową u Fouqueta na uroczysty lunch, panowie – oznajmił Charles. – Kiedy załatwimy już wszystkie formalności, przejdziemy…

Przerwał, widząc Jane, która zajrzała właśnie do sali i przywołała go skinieniem głowy. Charles podniósł się i podszedł do asystentki Harry'ego; dopiero z bliska zauważył, że jest blada jak ściana. Szepnęła mu coś do ucha, a on gwałtownie wciągnął powietrze i się odwrócił.

– Mogę prosić cię na chwilę do gabinetu, Harry? – zapytał. – Wynikł pewien problem, to osobista sprawa.

Zdumiony Harry ściągnął brwi, zaskoczony nieoczekiwaną sytuacją, zaraz jednak wstał i odłożył pióro.

– Wszystko w porządku, panowie – rzekł. – Zaraz załatwię tę sprawę i pójdziemy na lunch.

– Nigdzie się nam nie śpieszy – zapewnił Jean-Pierre Larouche. – Zaczekamy na pana, panie Turner.

– Co się stało? – zapytał Harry, kiedy wyszli na korytarz.

– Chodźmy do twojego gabinetu. – Charles szybko ujął go pod ramię, nie kryjąc zdenerwowania.

Jane została z tyłu, niepewna, jak się zachować, lecz Charles ruchem głowy wskazał, aby poszła z nimi. Usłuchała go natychmiast, wstrząśnięta usłyszaną przed chwilą wiadomością.

W gabinecie Harry odwrócił się i potoczył wzrokiem po ich twarzach.

– Co się stało, na miłość boską?! – wykrzyknął. – Wyglądacie tak, jakbyście mieli przekazać mi coś strasznego!

– Obawiam się, że tak właśnie jest – wyznał Charles drżącym głosem. – Lepiej usiądź, mój drogi.

Harry ściągnął brwi i spojrzał na bladą jak prześcieradło Jane.

– Powiedzcie mi wreszcie, o co chodzi!

Charles usiadł na krześle naprzeciwko przyjaciela i wskazał Jane miejsce obok niego.

– Wydarzył się tragiczny wypadek – zaczął. – Anne, jej brat Greg i dwaj towarzyszący im mężczyźni mieli kraksę w drodze powrotnej z doliny Loary, dziś rano...

– O, mój Boże, nie! – zawołał Harry. – Mówiłem jej, żeby nie siadała za kierownicą!

– Anne nie prowadziła – zapewnił Charles zachrypniętym głosem.

– Są w szpitalu? – zapytał Harry. – Którym? Gdzie doszło do wypadku?

– Nie jestem pewny, ale niedługo wszystkiego się dowiemy. – Charles z wyraźnym trudem przełknął ślinę. – Na razie wiadomo tylko, że wypadek był tragiczny w skutkach. Anne nie żyje, Harry. Tak mi przykro, mój drogi. Zginęli wszyscy czworo, nikt nie przeżył.

– Nie, to niemożliwe! – Harry poczuł, jak krew gwałtownie odpływa mu z twarzy.

W jednej chwili poszarzał, drżał na całym ciele. Nie był w stanie się poruszyć ani odezwać, porażony straszną wiadomością, która spadła na niego niczym grom z jasnego nieba. Anne nie żyła, Greg także. Mark i Philippe również zginęli. Nie mógł w to uwierzyć. Wszyscy zginęli, zginęli w ułamku sekundy.

Jane wzięła go za rękę, lecz sama wciąż nie mogła się uspokoić. Harry bez słowa wpatrywał się w Charlesa, bezradnie kręcąc głową. Było oczywiste, że jest w szoku.

– To niemożliwe – powtórzył głucho, zasłaniając twarz dłońmi. – Powiedz mi wszystko, co wiesz, Charles. Niczego nie ukrywaj.

– Nie wiem dużo, Harry. Policjanci czekają na ciebie na dole, Jane zaprowadziła ich do mojego gabinetu. Co właściwie ci powiedzieli, Jane?

– Że samochód zderzył się z nadjeżdżającą z naprzeciwka ciężarówką – wykrztusiła z wysiłkiem Jane. – Było to na głównej drodze i podobno – przerwała, nie mogąc mówić dalej. – Podobno zderzenie zmiażdżyło wóz – podjęła po chwili. – Wszyscy zginęli na miejscu. Policjanci chcą z tobą jak najprędzej pomówić, Harry.

Harry wziął głęboki oddech i powoli wypuścił powietrze z płuc.

– Wprowadź ich tutaj – powiedział.

Jane zerwała się i wybiegła z pokoju. Charles podniósł się, usiadł obok przyjaciela na kanapie i otoczył go ramieniem.

– Jestem przy tobie i pomogę ci we wszystkim – rzekł cicho.

– To po prostu niewiarygodne – wymamrotał Harry, zupełnie zagubiony. – Jak mam powiedzieć o tym Elizabeth?

– Znajdziesz w sobie dość siły, jestem pewny. Oboje z Mary zrobimy wszystko, żeby wam pomóc.

– Wiem. – Harry przez łzy popatrzył na najbliższego przyjaciela. – Byłem na nią wściekły, rozczarowała mnie, ale nie życzyłem jej nic złego. Wierzysz mi, prawda?

– Wierzę ci.

Po chwili Jane wprowadziła do pokoju dwóch policjantów, którzy wyjaśnili Harry'emu, że wypadek wydarzył się pod Brissac w dolinie Loary i że czworo pasażerów samochodu poniosło śmierć na miejscu, podobnie jak kierowca ciężarówki.

Harry słuchał i od czasu do czasu kiwał głową, próbując przyjąć do wiadomości to, co go spotkało, był jednak zupełnie odrętwiały. W końcu Charles zabrał policjantów do swojego pokoju i tam dowiedział się od nich wszystkich ważnych szczegółów. Zwłoki znajdowały się w szpitalu pod Brissac i w ciągu następnych dwudziestu czterech godzin miały być przewiezione do Paryża.

Charles polecił swojej sekretarce, aby ustaliła wszystko z policją i zatelefonował do Mary.

– Dziękuję, że przyjechałaś tu ze mną, Jane – odezwał się Harry, kiedy następnego dnia po południu szli przez Tuileries. – Musiałem wyrwać się z mieszkania, bo czuję się tam jak w klatce.

– Jesteś jeszcze w szoku. – Jane ujęła Harry'ego pod ramię, pragnąc uspokoić go i pocieszyć. – Tak czy inaczej, powietrze i spacer dobrze ci zrobią.

– Anne kochała Paryż: miasto, ludzi, wszystko... Zawsze wydawało mi się, że jest bardziej Francuzką niż Angielką.

– Mówiłeś mi o tym.

Szli dalej w milczeniu, które zupełnie im nie przeszkadzało. Czuli się ze sobą zupełnie swobodnie i nie potrzebowali słów, aby się porozumieć.

Nagle Harry przystanął i spojrzał na Jane.

– Muszę ci coś powiedzieć – zaczął. – Nie czułem do niej nienawiści. Owszem, mieliśmy mnóstwo problemów, ale przecież wiedziałaś o tym, prawda?

– Tak – przyznała cicho Jane.

– Od dawna?

– Owszem.

– Nie chciałem, aby spotkało ją coś złego!

– Wiem o tym. – Jane ścisnęła jego ramię.

– Jeżeli musiała umrzeć, to cieszę się, że stało się to tak. Tak nagle i szybko. Nie cierpiała, w każdym razie tak mi powiedziano. Sądzisz, że czuła ból?

– Nie. Policjanci mówili, że przy takiej sile uderzenia śmierć następuje w ułamku sekundy, zresztą biegły sądowy powiedziałby ci, gdyby było inaczej.

– Jej szyja, Jane. Podobno miała częściowo przecięty kark. – Harry zadrżał, przypominając sobie słowa policjantów.

– Nie myśl o tym! Pamiętaj, że Anne nie cierpiała. Nie wolno ci wracać do tych strasznych szczegółów.

– Wiem. Elizabeth dopiero we wrześniu kończy trzy lata. Jak powiedzieć takiemu dziecku, że jej matka zginęła?

– Łagodnie, Harry – powiedziała Jane i nagle się zawahała. – Pomogę ci, jeśli chcesz.

– Pomożesz mi? – zapytał niespokojnie, patrząc jej w oczy.

Nagle zrozumiał, jak bardzo potrzebuje jej wsparcia.

– Zrobię dla ciebie wszystko, wszystko, co zechcesz. Kocham Elizabeth, to cudowne dziecko i tak podobna do ciebie.

– Tak uważasz?

– Tak.

Harry długo przyglądał się jej w milczeniu.

Patrzyła na niego spokojnie. Zależało jej na tym mężczyźnie, darzyła go ciepłym, mocnym uczuciem, a teraz nade wszystko pragnęła mu pomóc.

– Chciałem wynająć jacht na lato – odezwał się Harry. – Wspominałem ci o tym w zeszłym tygodniu, prawda?

– Tak! To świetny pomysł, już ci mówiłam.

– Dołączysz do nas, jeśli ta podróż dojdzie do skutku? Popłyną z nami Mary i Elizabeth, moja siostra Mary, Charles oraz ich dwie córki, Frances i Eleanor. Mam nadzieję, że nie nudziłabyś się z nami.

– Cudownie, bardzo chętnie będę wam towarzyszyć! Zawsze chciałam należeć do dużej rodziny i, muszę przyznać, sama pragnęłam mieć dużo dzieci, chociaż pewnie nie jest mi to pisane.

– Nie mów takich rzeczy, Jane! Nikt nie wie, co przeznaczył mu los, co przydarzy mu się w życiu!

Jane spojrzała na niego bez słowa. Jej śliczna twarz była otwarta i szczera, oczy czyste i pełne czułości. Nie potrafiła udawać, co bardzo cieszyło Harry'ego. Był pewny, że można jej zaufać. Nagle potrząsnął głową i lekko ścisnął jej rękę. Jane miała w sobie mnóstwo wewnętrznego spokoju, który koił jego zbolałą duszę.

– W takich sytuacjach dobrze jest myśleć o pozytywnych rzeczach, nie sądzisz? – powiedział, kiedy znowu ruszyli w kierunku Luwru. – Na przykład o wyczarterowaniu jachtu na lato.

– Tak, to bardzo pozytywna myśl – zgodziła się Jane. – Coś, na co można czekać. Dziękuję, że mnie zaprosiłeś, to dla mnie wspaniała perspektywa.

Harry nagle poczuł się odrobinę lepiej, kąciki jego ust uniosły się lekko w pierwszym od wielu dni uśmiechu.

– Nie wiem, skąd wzięłaś się na mojej ścieżce, Jane Selmere, ale bardzo się z tego cieszę.

– Ja także. – Jane znowu wsunęła dłoń pod jego ramię, tym razem bardziej zaborczym ruchem.

Pomyślała, że nic tak nie koi zranionego męskiego serca jak obecność szczerze kochającej kobiety. Zamierzała uleczyć pęknięte serce Harry'ego Turnera, o, tak… I jeśli jej na to pozwoli, postara się, aby proces leczenia był bardzo, ale to bardzo przyjemny.

E P I L O G

Harry Turner stał na środku biblioteki w Ravenscar i patrzył na imponujący portret swego dziadka, Wielkiego Edwarda Deravenela. Uśmiechał się szeroko, a na rękach trzymał maleńkie dziecko, syna i spadkobiercę, który urodził się trzy dni wcześniej, dwunastego października 1975 roku.

Jane dała mu zdrowego, pięknego chłopca, który za parę dni miał zostać ochrzczony w rodzinnej kaplicy w Ravenscar.

– Oto on, dziadku! – powiedział Harry, zwracając się do dumnej postaci na płótnie. – Mój syn i spadkobierca. Twój spadkobierca! Otrzyma twoje imię i będzie wielki jak ty, daję ci słowo! Kolejny Wielki Edward w naszej rodzinie! – Uniósł dziecko wyżej. – W jego żyłach płynie krew Deravenelów i Turnerów! Będzie rządził twoim imperium i kiedyś rozbuduje je jeszcze bardziej!

Przytulił malca do piersi, lekko dmuchnął w kępkę rudawych włosków na czubku jego głowy i delikatnie pocałował malutkie powieki. Jest podobny do mnie, pomyślał. Do mnie i do mojego dziadka. Jane dokonała cudu, dała mi to, czego pragnąłem od dnia ślubu z Catherine wiele lat temu.

Mam czterdzieści pięć lat, ale nie jestem za stary, aby spłodzić następne dzieci. Jane urodzi mi więcej synów i córek także, rzecz jasna. W zeszłym roku powiedziała mi w Paryżu, że zawsze pragnęła mieć sporą gromadkę. I będziemy ją mieli.

Poczuł nagle lekkie szarpnięcie i spojrzał w dół. Obok niego stała Elizabeth, uważnie patrząc na niego błyszczącymi czarnymi oczami.

– Czy mogę zobaczyć mojego braciszka, tato?

Harry schylił się i pokazał jej noworodka, owiniętego w ażurowe białe kocyki.

– To on... Edward, twój brat. Mój syn i spadkobierca!

Wyprostował się, popatrzył na portret dziadka i nagle postanowił, że w najbliższym czasie każe namalować swój portret, podobny do tego. Zrobi to dla nowo narodzonego syna, aby któregoś dnia Edward mógł także podnieść wysoko swojego potomka i powiedzieć mu, że patrzy na dziadka, Wielkiego Harry'ego Turnera. Z czułością pocałował w czoło upragnionego chłopczyka.

– Mogę go potrzymać, tato?

– Skądże znowu, Elizabeth! Masz dopiero cztery lata i mogłabyś go upuścić, a tego bardzo byśmy nie chcieli, prawda?

– Proszę cię, tato.

– Nie, w żadnym razie! Idź się teraz pobawić, dobrze? Muszę zająć się moim synkiem!

Elizabeth, zraniona i urażona, zrobiła krok do tyłu, odwróciła się i pobiegła do niani, która czekała na nią w drzwiach biblioteki.

Kiedy doświadczona i mądra Avis Paisley zobaczyła łzy, cieknące po policzkach dziewczynki, mocno ujęła ją za rączkę i wyprowadziła, wściekła na Harry'ego Turnera, który w tak bezmyślny sposób zranił jej uczucia.

– Nie płacz, skarbie – powiedziała serdecznie. – Wszystko jest w porządku.

– Nieprawda! – zaszlochała Elizabeth. – Nie jestem chłopcem! Gdybym była chłopcem, byłabym ukochanym synem i spadkobiercą, i tata bardzo by mnie kochał!

– Ależ on cię kocha! Wszyscy cię kochają.

– Naprawdę? – Elizabeth natychmiast się rozpogodziła i otarła łzy. – Wszyscy, czyli ile osób?

– Cała Anglia, kochanie – zaimprowizowała niania. – Kocha cię cała Anglia.

Rudowłosa dziewczynka o oczach czarnych jak heban uśmiechnęła się pogodnie.

– Ja też postaram się ich kochać – odparła z przekonaniem.

P O D Z I Ę K O W A N I A

Chociaż w ciągu minionych lat udało mi się zgromadzić dużo wiadomości historycznych, dotyczących epoki Plantagenetów i Tudorów, zaczynając tę serię, uświadomiłam sobie, że muszę lepiej poznać epokę edwardiańską, okres od 1904 roku, w którym zaczyna się akcja powieści, trwająca do lat obecnych. Krótko mówiąc, musiałam poważnie wzbogacić swoją wiedzę o początku dwudziestego wieku.

Ponieważ zajęłam się badaniem stylu bycia, zwyczajów, życia politycznego i społecznego, ekonomii i mody tamtych lat, wielu innych dziedzin codzienności, a także okresu pierwszej wojny światowej, potrzebowałam pomocy. W tym miejscu muszę serdecznie podziękować Lonnie Ostrow i Damianowi Newmanowi z Bradford Enterprises, którzy w znacznym stopniu ułatwili mi życie. Wystarczyło, że sięgnęłam po słuchawkę i zapytałam, czy hotel Savoy istniał już w roku 1904, a już znałam odpowiedź, niezależnie od tego, jak trudne i skomplikowane było moje pytanie. Gromadzili wszelkie potrzebne mi informacje, niektóre naprawdę dziwne i trudne do zdobycia, i sporządzili dla mnie kalendarze wszystkich lat od 1904 roku do teraźniejszości. Ci dwaj komputerowi czarodzieje w ciągu ostatnich dwóch lat na pewno rozmawiali ze mną przez telefon co najmniej dwadzieścia razy dziennie. Moja wdzięczność za pomoc, jakiej mi udzielili, naprawdę nie zna granic.

Muszę tu też przyznać się do lektury fascynującej powieści Harry'ego Binghama *The Sons of Adam* (Synowie Adama). Jest to nie tylko wspaniała, wartko rozwijająca się opowieść, ale również znakomite źródło informacji o wydobywaniu ropy naftowej w latach dwudziestych, o wiele przystępniejsze i bogatsze niż większość książek historycznych na ten temat. Dziękuję temu utalentowanemu autorowi za to, że napisał tę nieocenioną powieść.

Czas wspomnieć o dwóch moim wyjątkowo uzdolnionych i niezawodnych redaktorkach, które zawsze gotowe są mnie wysłuchać i udzielić mi trafnej rady. Patricia Parkin z londyńskiego HarperCollins zredagowała dwadzieścia dwie moje powieści; ta jest dwudziesta trzecia. Bardzo cenię sobie jej mądrość oraz poświęcenie, z jakim zajmuje się moimi książkami. Przez cały czas naszej współpracy nigdy nie doszło między nami do choćby najdrobniejszego nieporozumienia; z pewnością jest to swoisty rekord.

Pracująca w Nowym Jorku Jennifer Enderlin z wydawnictwa St Martin's Press jest równie pełna poświęcenia i entuzjazmu, za co serdecznie jej tu dziękuję. Dwie tak wspaniałe redaktorki, wspierające mnie po obu stronach Atlantyku, to nie lada dar.

Zawsze zależy mi na przedstawieniu wydawcy pozbawionego błędów maszynopisu, a tego nie udałoby mi się dokonać bez pomocy Liz Ferris z firmy Liz Ferris Word Processing. Liz przepisywała wiele moich książek i w tym miejscu bardzo dziękuję jej za to, że robi to tak pięknie. Wychodzące spod jej rąk maszynopisy są piękne, bezbłędne i kończone w rekordowym czasie; Liz nie narzeka nawet wtedy, gdy daję jej wyjątkowo krótkie terminy.

Pragnę również podziękować wszystkim z wydawnictwa HarperCollins w Londynie i St Martin's Press w Nowym Jorku, wszystkim, którzy zaangażowali się w opracowanie moich książek. Redaktorzy, korektorzy i graficy są nieocenioną pomocą dla autora, dlatego bardzo dziękuję im za ciężką pracę, jaką włożyli w wypuszczenie moich powieści na rynek.

Mam kółko niezwykłych przyjaciółek, które zawsze dodają mi odwagi, pytają, czy czegoś nie potrzebuję, chcą we wszystkim służyć mi pomocą i opiekują się mną w czasie pisania. Dziękuję im najserdeczniej – z całą pewnością każda z nich wie, o kim mówię.

Na koniec muszę powiedzieć, że nie napisałabym ani jednej książki bez miłości, czułej troski, opieki, poświęcenia i „dopingu" ze strony mojego męża, Roberta Bradforda. Mój cierpliwy Bob jest wyjątkowym człowiekiem – teraz już takich nie robią.

„Edwardian London", Felix Barker (Laurence King Publishing)
„The Sons of Adam", Harry Bingham (HarperCollins)
„Henry VII", S.B. Chrimes (Eyre Methun)
„Victorian & Edwardian Decor: From the Gothic Revival to Art Nouveau", Jeremy Cooper (Abbeville Press)
„Henryk VIII", Carolly Erickson, tł. Piotr Szymor, Świat Książki 2001
„The Lives of the Kings and Queens of England", Antonia Fraser (Weidenfeld Nicolson)
„Born to Rule: Five Reigning Consorts, Granddaughters of Queen Victoria", Julia Gelardi (St Martins's Press)
„The Edwardians", Roy Hattersley (St Martin's Press)
„Churchill: A Biography", Roy Jenkins (Pan Books)
„Ryszard III", Paul Murray Kendall, tł. Krystyna Jurasz-Dąmbska, Państwowy Instytut Wydawniczy, Warszawa 1997
„The Wars of Roses", J.R. Lander (Sutton Publishing)
„Queens of England", Norah Lofts (Doubleday)
„The Autobiography of Henry VIII", George Margaret (Pan Books)
„The Wars of the Roses", Robin Neillands (Cassell)
„Victorian and Edwardian Fashion from La Mode Illustree", Joanne Olian (Dover Publications)
„The Edwardian Garden", David Ottevill (Yale University)
„Eminent Edwardians", Brendon Piers (Andre Deutsch Press)
„The Edwardians", J.B. Priestly (Sphere)
„Seductress: Women Who Ravished the World and Their Lost Art. Of Love", Elizabeth Stevens Prioleau (Penguin Books)
„Symptoms", Isadore Rosenfeld (Bantum)
„Edward IV", Charles Ross (Methuen)

„Sześć żon. Królowe Henryka VIII", David Starkey, tł. Janusz Szczepański, Rebis
„Consuelo and Alva: Love and Power In the Gilded Age", Amanda Mackenzie Stuart (HarperCollins)
„Córka czasu", Josephine Tey, tł. Krystyna Jurasz-Dąmbska, Czytelnik, Warszawa 1974
„Tycoon: The Life of James Goldsmith", Geoffrey Wansell (Grafton Books)
„The Princes In the Tower", Alison Weir (Pimlico)
„The Wars of Roses", Alison Weir (Ballantine)
„The Uncrowned Kings of England: The Black Legend of the Dudleys", Derek Wilson (Constable and Robinson)
„Warwick the Kingmaker" (W.W. Norton)

SPIS TREŚCI